mj   4

D1506316

Primer curso para todos

PRIMER
CURSO
PARA
TODOS

John M. Pittaro
Alexander Green

THIRD EDITION
D. C. HEATH AND
COMPANY Boston

Illustrations by

Miguel Gusils

Maps by

Richard C. Bartlett, Jr.
James Lewicki

Front cover:

Arco de Santa María at night, Burgos, Spain
ROBERT C. EDMONDSON, M. D.

Back cover:

Market day at Amecameca, Mexico
H. ARMSTRONG ROBERTS

T H I R D   E D I T I O N
of the Pittaro and Green
S P A N I S H   S E R I E S

Library of Congress Catalog Card Number: 58-12814

PREFACE

Aims. *Primer curso para todos* presents a graded series of lessons intended to meet the essential needs of the beginner in the first-year course of Spanish. Experimentation, testing in the classroom, careful study of the representative syllabuses in all sections of the country, research work in linguistic studies and teaching techniques have played a major role in shaping the present text. In accordance with the demands made by a modern and fast-changing world, the immediate aims of the present book are to train the student to understand, speak, read, and write Spanish. In the process of training for these major aims, the text material establishes a sound cultural background of Spanish-speaking people and their respective countries.

In the introductory lessons, the development of the method is based on direct association of the spoken word with its corresponding meaning and the many-sided repetitions given by the pupil. In order to promote speedy comprehension and speaking, all types of pattern sentences are used which are easily learned, assimilated, and repeated with a high degree of comprehension and satisfaction. After this preparatory work, the pupil is ready to take on the systematic study of learning the mechanics of the language principles which appear in a series of graded conversations and narrative selections. This approach to direct reading for ideas maintains its importance. The contents train the pupil to read widely and intelligently beyond the text.

The material is designed to encourage the student adequately to express himself orally, in writing, and to make himself understood.

Speaking. The ability to speak a foreign language is more important for the student today than ever before, due to present-day conditions the world over, and the consequent shrinkage of space and time. No course in modern languages can afford to minimize the importance of the aural-oral approach in which speaking the language plays so important a part. Speaking has become one of the first essentials in a well-balanced course. The emphasis on speaking makes the learning process natural, alive, and interesting. Furthermore, it establishes a feeling of accomplishment and satisfaction in the learner.

The consensus today is to work for a practical and functional approach to the study of a foreign language. In so doing the learner is given a needed tool for immediate communication. The aural-oral method leans heavily on speaking and understanding. The generous use of the spoken language in this book makes it possible for the learner to reach rapidly a degree of proficiency in becoming articulate in the foreign language.

The ability to speak a foreign language is an asset in the present workaday world, but it is even more so for the study of Spanish. The Western Hemisphere has eighteen nations which have Spanish as their official language. These countries and the United States form a family of nations whose commercial, social, and intellectual interests are interdependent. Oral proficiency in Spanish will open the door to numberless opportunities and enjoyment to the student here and abroad.

Reading. A deliberate effort has been made to capture the pupil's natural interest by offering him an attractive reading program consisting of short and long conversational themes, anecdotes and stories, cultural readings, and a variety of other reading matter that makes its perusal a pleasant experience. This wide sampling of reading is available to the pupil so that he is prepared not only for direct reading and translation but also for going far beyond the text long after he has finished his study in school. The underlying purpose is to train the student to read for ideas and what the printed page has to offer.

The forty readings are paralleled by other shorter selections which offer more than a glimpse of practical, social, and cultural life of Spain and Spanish America. This composite picture of all phases of Spain and Spanish America makes the pupil's future reading ever so much more meaningful.

Progressive speed in reading is made possible by utilizing a high percentage of cognates, topical thought grouping, and careful gradation. The constant exposure to a wide area of reading experience trains the pupil to understand Spanish of increasing difficulty. The class reads extensively at one level before it proceeds to a more difficult one. These elements converge and evolve a technique of reading which has the greatest surrender values.

Grammar. The present book is a firm believer in learning the essentials of functional grammar. In dealing with the subject, the all important point to remember is the question of relative values. Not all points of grammar are equally important. This is clearly brought out in defining the major and minor elements, and what is even more important is that these should function together, for they are intimately related. This arrangement makes for economy in time and more effectiveness in teaching functional grammar.

(a) In the field of grammar, enough should be learned to maintain a strong framework of the language. Too much is as bad as too little. The rational approach is to select those grammatical principles on the basis of relative values. There are basic facts that must be learned well, others are less important, and even others which need only to be recognized. The grammar content in this book is carefully *minimized* and restricted to one major and one corresponding minor principle in each lesson. This choice was guided by syntax frequency rather than the traditional treatment. There is a psychological articulation of grammar rules not only within each lesson but from lesson to lesson in an effort to render the grammar content of each unit a rounded whole. (b) In each lesson the grammatical principles are derived *inductively* from the connected Spanish passage and studied *functionally* so as to contribute to direct and effective comprehension. (c) In addition to the tables throughout, there will be found graphic tabulations of grammatical topics at the end of each group of ten lessons. (d) From the first lesson, which starts with the verb, the sequence is gradual and psychological instead of being wholly governed by traditional notions of order. In practice this graded scheme has resulted not only in greater ease of reading and comprehension but also in a greater degree of accuracy and permanency.

The approach aims to impart the functional knowledge of the essentials of grammar in a practical way with emphasis on correct habit formation of greatest linguistic utility. It trains the pupil to manipulate easily and readily the fundamentals.

Vocabulary. The vocabulary and idiom lists are, in the main, based on high frequency and wide range. Not only the Keniston list, but other lists have been consulted to lend the text more elasticity and a wider scope of subject matter. In addition, a special effort is made to supply the student with a modern vocabulary used in his daily activities of school, home, city, and country. Familiarity with what he sees and hears gives him a feeling of accomplishment and an incentive to expand into larger areas of speaking and reading and so prepare himself for his second-year work.

The acquisition of a vocabulary on an active and a passive level provides the pupil with a substantial stock of words. This is made the subject of constant study throughout the book. Direct association in the natural setting, the sentence, and insistence on constant allusion to the similarity of vocabulary in both languages train the pupil to take full advantage of this technique in solving his ever-present problems of comprehension.

The pupil is encouraged to do intelligent thinking and to arrive at the meaning of words which are of similar derivation. Every selection has a number of words the meaning of which is easily guessed without having constant recourse to the vocabulary. This method of procedure does much to increase the pupil's stock of words.

The vocabulary and idiom lists used in *Primer curso para todos* are intended to develop two levels of accomplishment. In the *Conversaciones* and the corresponding exercises, the vocabulary and idiom lists are found within the scope of the first thousand. This part aims to develop a selective, practical list of words and idioms. The *Selecciones* on the other hand, are intended to introduce the student to a higher level of vocabulary accomplishment which he will need in a varied reading program. This wider area is designed to teach a word and idiom list through recognition.

Out of the total words, nearly 40 percent are easily recognized because of like derivation in English and Spanish. Of the remaining over 50 percent are of high frequency and less than 10 percent have been chosen on the basis of expediency. These elements do much to show the comparative simplicity of the reading material throughout the book.

Drill. As drill is the most effective of all types of teaching, the many and varied exercises train the student to learn the essential linguistic fundamentals. Each set of exercises is designed primarily to test the pupil's comprehension, to broaden his vocabulary and idiom area, and to encourage the pupil to become articulate. These things are accomplished by a constant stream of pupil activity which constitutes the mainspring of the book.

The wealth of drill material in each lesson aims to give the pupil ample opportunity to reach a high degree of control. Throughout the book, the teacher has at his disposal exercises which best satisfy the needs of his class. Rarely, if ever, will it be necessary to work out all the exercises. If needed, they are there, and the choice is left to the teacher's discretion.

Fully aware of the often forgotten axiom that acquiring skills in a foreign language calls for repetitious practice, the grammatical principle appears in many different settings. Functional skills are developed by the use of material graded in difficulty. The student who is given ample oral and written practice acquires a working knowledge of Spanish, especially when the material has a challenge and is not beyond his capabilities. A variety of drills on words, idioms, sentences, functional constructions is given which reach the three grades of pupils, the slow, the average, and those of the rapid-progress groups.

Classroom experience has demonstrated repeatedly that the verb forms the backbone of a foreign language, and since its thorough mastery is of primary importance, the intelligent control of that part of speech has been adequately emphasized.

The supplementary exercises of the Achievement Tests I, II, III, and IV are intended to review and organize the student's acquisitions of the unit of the previous ten lessons and so prepare him for the following unit more efficiently and with a greater degree of understanding.

Pronunciation. Good pronunciation is the product of a short introductory explanation at the beginning of the course followed throughout the year by due emphasis on the most characteristic sounds of the language in isolated words, word groups, sentences, and paragraphs. It requires constant attention to clarity of vowel sounds, accent, rhythm, intonation, and other sound details which spell out the music of the language. The ideal for which pupil and teacher must strive is to pronounce with ease and accuracy. Since sound and motor expression are closely related with the meaning of the thought unit, good pronunciation will greatly promote understanding of the foreign language.

In response to the need for a more adequate approach to pronunciation *Primer curso para todos* provides ample training for the pupil in acquiring a good pronunciation by (1) careful analysis of the sounds of Spanish and (2) frequent drills in group and individual participation. In nearly every lesson there is a careful explanation of a Spanish sound to which is added a short drill. At all times the teacher must be aware of the responsibility of insisting on correct pronunciation as an integral part of each lesson.

Pictures. In this picture-minded world of ours, teachers realize the importance and effectiveness of using pictures in their instruction. This book is based on the principle of direct association and avoids as much as possible the use of the mother tongue, which often produces a short circuit in learning the foreign language. Pictures are an invaluable means of teaching pronunciation, comprehension, and vocabulary and idiom acquisition. The generous use of pictures is the nearest approach to moving pictures and television which attract the pupil's attention and use up a good part of his time. The teacher who does not avail himself of pictorial material will feel a serious deficiency in the course. The constant use of pictures in the learning process trains the pupil to speak the foreign language, which in turn, will develop a sense of possession, confidence, and a facility of expression so desirable for all beginners.

One of the difficulties that the beginner experiences is that he sees himself surrounded by many familiar objects for which his foreign language books give no help. If called upon to express himself, he is faced with no solution to his problem. In order to satisfy this need, the present book supplies a series of charts with sample pattern sentences which provide a modern, practical vocabulary which the pupil learns to use from the very start to the end of the course. These charts will furnish the beginner with a stock of necessary, useful, and common words which he has at his disposal for ready use. With this rich panorama of words combined with a number of pattern sentences, he is free to express himself orally and in writing without any loss of time.

Culture. A cultural background of Spanish-speaking people forms an essential part of the elementary standard course in Spanish. The pupil becomes acquainted with the salient facts of geography, history and historical personages, arts and sciences, social customs, and the Hispanic contribution of the past and contemporary civilizations. The pupil is made to realize that his course in Spanish is breaking down the barriers of misunderstanding and smug provincialism and making him a more tolerant American citizen of the future.

Fully conscious of this responsibility, the readings in *Primer curso para todos* give the pupil more than a bowing acquaintance with the Spanish-speaking world. Elementary basic facts about our neighbors to the south of us will do much to bring about a clearer and a more sympathetic understanding and appreciation on both sections of the continent.

Reviews and Tests. The Conversation lessons, short essays, *dialoguitos*, anecdotes, other reading matter, and exercises in this book point constantly to a wealth of practice material to develop the ability of self expression in Spanish. The pupil through this varied practice becomes quite articulate and experiences no difficulty in mastering speech patterns which he can use with ease and self satisfaction.

The reading and the exercises make use of the principle of cumulative repetition of vocabulary, idioms, and grammar used in speech patterns. Reviews and tests have been amply provided along three lines: (a) a test for each lesson; (b) a *repaso oral* which covers the major and minor points of the previous lesson; and (c) a formal modern-type achievement test at the end of each group of ten lessons. These object tests will serve not only to diagnose deficiencies but also to locate them for definite remedial purposes.

Further review material is given in the form of graphic tabulations of grammatical topics covered in the preceding group of ten lessons.

Lesson Plan. The primary purpose of the first ten Preparatory Lessons is to make the beginner realize that Spanish is a living and dynamic language.

They introduce him from the very first moment into a new world. These lessons should be developed with books closed, offering the class, small groups, and individuals a generous opportunity to repeat the material in question and statement form. These lessons may be studied consecutively prior to the first regular lesson or one by one simultaneously with each of the regular lessons. The important point is that the lessons be done either way, for they contribute to the formation of certain oral pattern sentences quite useful for the beginner.

The book is elastic and can be adapted to any program. In general, the forty lessons are intended to cover the material of the usual forty weeks of the scholastic year. Schools which have a shorter term can omit parts which are beyond their local syllabus. The book has a wealth of material which can be adapted to meet their special demands. Proper exclusion of material does not present a problem.

For an elementary course, the material is not intended to be covered from cover to cover. The study of the local syllabus will determine to what extent the book is to be worked. The teacher will be the best judge of that.

In general each of the forty lessons is divided into three or four sessions: (1) Inductive study of the grammatical principles and oral practice; (2) reading of the Conversation and the review of the grammatical principles; (3) the *Lectura* worked out in class, followed by oral and written reviews of the lesson; (4) remedial measure given to the class on the weak points manifested by the test results. During the sessions, the assignment should consist of exercises practiced in class in order to maintain the bond of continuity and leave a clear impression of the work done with the student. On the last day a program of reviews plays a most important role.

To attain good results it is suggested that the pupils be given ample opportunity to express themselves orally and in writing. The teacher can accomplish telling results by insisting on the maximum pupil activity in the foreign language and the total absence of English.

The authors wish to express their appreciation and indebtedness to the many teachers and friends in different parts of the country who have offered valuable suggestions incorporated in the present volume. They also wish to acknowledge their sense of gratitude to the editorial staff of D. C. Heath and Company, and especially to Dr. Vincenzo Cioffari, Modern Language Editor, and to Miss Josefa Busó. Both have contributed generously with their help and constructive criticism.

J. M. P.
A. G.

¿En qué página está?

List of Illustrations

Maps:

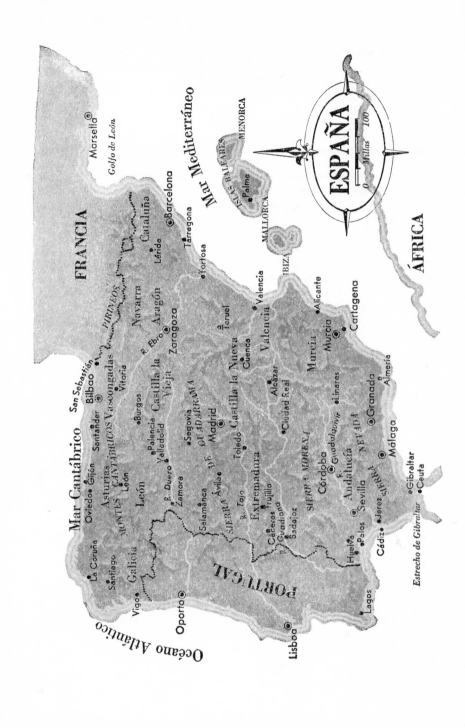

MAR CARIBE

Océano
Atlántico

Barranquilla
L. Maracaibo
La Guaira
Panamá
Caracas
TRINIDAD
R. Orinoco
Georgetown
Paramaribo
VENEZUELA
GUAYANA Cayenne
Medellín
ING. HOL. FR.
Buenaventura Bogotá
COLOMBIA
Quito
ECUADOR
Río Negro Manaus
I. MARAJÓ
Guayaquil
R. Amazonas
Belém
R. Marañón
R. Madeira
Fortaleza
PERÚ
Natal
R. Xingú
R. São Francisco
Recife
CORDILLERA
BRASIL
R. Araguaya
R. Tocantins
Callao
Cuzco
Baía
Lima
L. Titicaca
DE
LaPaz
Arequipa
BOLIVIA
Belo Horizonte
R. Paraguay
Sucre
LOS
R. Paraná
Iquique
R. Pilcomayo
PARAGUAY
Vitória
ANDES
Antofagasta
São
Rio de Janeiro
Asunción
Paulo
CHILE
Santos
Tucumán
Córdoba
Porto Alegre
Valparaíso
Mendoza
Rosario
URUGUAY
Océano
Santiago
Montevideo
Atlántico
Concepción
ARGENTINA
Buenos
Aires
Río de la Plata

Océano

Pacífico

LA AMÉRICA
DEL SUR
0   Millas   500

Estr. de
Magallanes
Punta Arenas
TIERRA DEL FUEGO

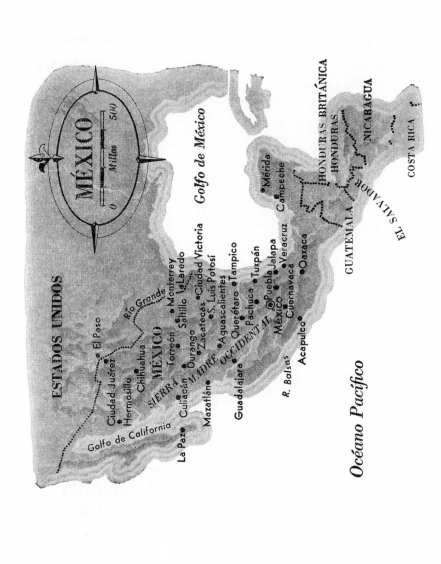

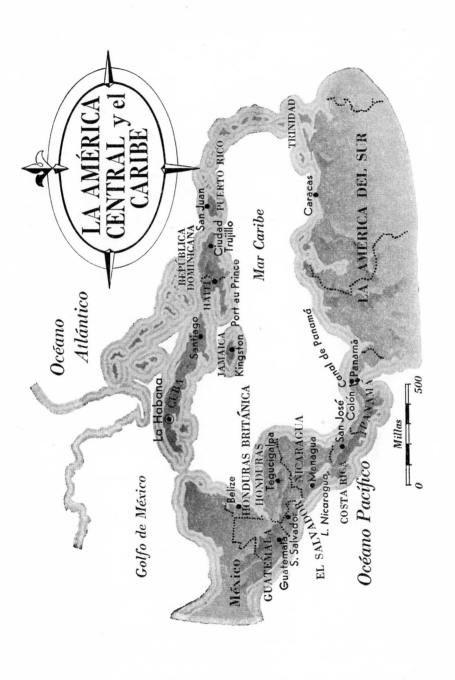

LA AMÉRICA
CENTRAL y el
CARIBE

Océano
Atlántico

Golfo de México

México

Océano Pacífico

Millas

0   500

GUATEMALA

Belize
HONDURAS BRITÁNICA
HONDURAS
Tegucigalpa
Guatemala
S. Salvador
EL SALVADOR
NICARAGUA
Managua
L. Nicaragua
COSTA RICA
San José
Colón Panamá
Canal de Panamá
PANAMÁ

La Habana
CUBA

Santiago

JAMAICA
Kingston
Port au Prince
HAITÍ

REPÚBLICA
DOMINICANA
Ciudad
Trujillo
San Juan
PUERTO RICO

Mar Caribe

Caracas

TRINIDAD

LA AMÉRICA DEL SUR

Primer curso para todos

SPANISH PRONUNCIATION

I. Introduction

Spanish or Castilian is the language of the educated Spaniard. It was originally the language of Castile, one of the fifteen regions into which Spain was divided. This is the official language of the country; with slight changes in pronunciation it is also the language of the Spanish-speaking countries in the New World.

Spanish is pronounced much more vigorously and energetically than English. The vowels and consonants are uttered much more forcibly, clearly, and distinctly. As to the use of breath, English is a lazy language when compared with Spanish. The organs of speech: lips, cheeks, soft palate, and jaw, except the tongue, are much more tense and active in Spanish than they are in English.

Spanish is almost a phonetic language. This means that nearly every sound is represented by a corresponding letter or group of letters and that nearly every letter or group of letters represents the same sound. In order to develop a correct pronunciation the beginner must learn to associate certain definite sounds with letters. Thus, once the pupil learns a letter and the sound it repre-

3

sents, this association is permanent and does not change, as often happens in English.

The vowels in Spanish never have a vowel glide or vanishing sound, as one finds in the English sounds of *a*, *e*, and *o*.

In short, to pronounce Spanish well, breathe deeply and pronounce each syllable clearly, moving the lips and jaws more and the tongue less than you do in English.

II. The Alphabet

The Spanish alphabet has twenty-nine symbols, three more than the English alphabet; these are: **ch**, **ll**, and **ñ**.

The Spanish names of the letters are:

a (a)	**f** (efe)	**l** (ele)	**p** (pe)	**v** (ve)
b (be)	**g** (ge)	**ll** (elle)	**q** (cu)	**w** (ve doble)
c (ce)	**h** (hache)	**m** (eme)	**r** (ere)	**x** (equis)
ch (che)	**i** (i)	**n** (ene)	**s** (ese)	**y** (i griega)
d (de)	**j** (jota)	**ñ** (eñe)	**t** (te)	**z** (zeta)
e (e)	**k** (ka)	**o** (o)	**u** (u)	

III. Rules of Stress

The following are the rules of stress in Spanish:

1. Words ending in a consonant, except **n** or **s,** stress the last syllable: capital, color.

2. Words ending in **a, e, i, o, u,** or **n** or **s,** stress the next to the last syllable: hermano, contestamos, preguntan.

3. Words that do not follow the above rules have a written accent mark over the stressed syllable: detrás, capitán.

4. The written accent is also used to distinguish between words spelled alike but having different meanings; for example:

mí	me	**sí**	yes, oneself	**él**	he	**tú**	you
mi	my	**si**	if	**el**	the	**tu**	your
dé	give	**más**	more	**sólo**	only	**¿ qué ?**	what ?
de	of	**mas**	but	**solo**	alone	**que**	that

IV. Vowels

All Spanish vowels are pure in that they have no glides. Their degree of sonority or loudness produces strong vowels such as **a, e,** and **o,** and weak vowels **i** and **u.** In stressed combinations of one weak and one strong vowel the stress is always on the strong vowel. The vowels are pronounced approximately as follows:

1. **a** like *a* in *ah:* la, a-ma, al-ma, ca-ma, cam-pa-na.
2. **e** (*a*) like *e* in *they:* [1] le, me, se, Pe-pe, me-le-na.
     (*b*) like *e* in *met:* el, pa-pel, per-der, pe-rro.
3. **i**   like *i* in *machine:* li-la, fin, li-ma, Fi-li-pi-nas.
4. **o** (*a*) like *o* in *no:* [1] lo, po-lo, mo-no, po-co, co-mo.
     (*b*) like *o* in *or:* por, to-rre, col-mo, te-mor, sol.
5. **u** like *u* in *rule:* un, u-na, lu-na, plu-ma, mu-la.

V. Consonants

The consonants are pronounced approximately as follows:

1. **b** (*a*) like *b* in *boy* (when beginning a word, a breath group,[2] or after **m** or **n**): bo-la, bo-ca, ban-co, bom-ba.
     (*b*) [3] a-ca-ba, ca-bo, cu-ba-no, Ha-ba-na, a-ma-ble, de-be.
2. **c** (*a*) like *c* or *k* in *cake* (before **a, o, u,** or a consonant): ca-ma, bo-ca, cu-na, ban-co, co-co, cu-co, cla-ma.
     (*b*) like *th* in *think* (before *e* or *i*): [4] ci-ma, ce-pa, fá-cil, cin-co, ci-ne, co-ci-na.
3. **ch** like *ch* in *church:* e-cha, cho-ca, mu-cha-cho, chi-cha.
4. **d** (*a*) like *d* in *day* (at the beginning of a word, a breath group, or after **n** or **l**): de, del, da-ma, fal-da, dan-do, don-de.
     (*b*) like *th* in *than*, although much softer and less interdental (in all other positions): lo-do, ciu-dad, ma-dre, e-dad.

---

[1] Take care not to prolong **e** and **o** into two sounds as in English.

[2] A phonic or breath group is a word or group of words pronounced as a unit between pauses.

[3] In other cases sounded by breathing lightly through the lips which slightly touch each other.

[4] In the south of Spain and in Spanish America, this sound of **c** is like **ss** in *hiss.*

5. **f**   as in English: fi-no, fu-ma, fa-ma, al-fal-fa, fin.
6. **g**   (*a*) like *g* in *go* (before **a, o, u,** or a consonant): al-go,
go-ma, a-gu-do, a-mi-go, mi-la-gro, glo-ria, ga-to.
(*b*) like *h* in *hey! hush!* (before **e** or **i**): ge-me-lo, pá-gi-na,
i-ma-gen, gen-te, gi-me, gi-ro.

> NOTE: In **gue, gui** the **g** is pronounced "hard" and the **u** is silent: guí-a,
> si-gue, guin-da, gue-rra, gui-so.

7. **h**   is silent: hu-mo, hi-lo, he-la-do, hu-ma-no, ha-go.
8. **j**   like *h* in *hey! hush!:* ca-ja, je-fe, ji-pi-ja-pa, jo-ven, jus-to.
9. **k**   as in English (only in foreign words): ki-lo, ki-mo-no,
ki-ló-me-tro, kan, ki-lo-li-tro.
10. **l**   like *l* in *lace:* [1] a-la, li-la, lu-na, ma-lo, fi-nal, la-na.
11. **ll**   like *lli* in *million:* [2] ca-lla, po-llo, lle-ga, ca-ba-llo, mi-llón,
ha-llo.
12. **m**   like *m* in *mat:* ma-la, ma-má, co-mo, a-mi-ga.
13. **n**   like *n* in *name:* [1] ne-na, na-da, po-nen, man-dan.
14. **ñ**   like *ni* in *onion:* ba-ña, pa-ño, do-ña, ca-ñón.
15. **p**   like *p* in *paper:* po-co, pa-pa, pi-pa, pa-pel, Pe-pe.
16. **q**   like *k* (found only with silent **u** in **que** and **qui**): que-da,
quin-ce, quin-qué, a-quí, má-qui-na.
17. **r**   (*a*) trill with the tip of the tongue against the gums and
close to the upper teeth: ce-ro, co-ro, pa-ra, bur-la,
dor-mir, hom-bre, me-tro.
(*b*) initial is strongly trilled: [3] ra-ro, ri-co, ro-pa.
18. **rr**   is the same as initial *r:* ca-rro, pe-rro, fe-rro-ca-rril, bu-rro.
19. **s**   (*a*) like *s* in *so:* [4] sa-la, ca-sa, cla-se, sal-sa, se-so.
(*b*) like *s* in *goes* sometimes before voiced consonant (**b, v,
d, m, n, l, r, g, y**): mis-mo, as-no, is-la, des-de, ras-go,
es-bel-to.
20. **t**   like *t* in *ten:* [5] ta-ta, tin-ta, tan-to, tu-te, pa-ta-ta.

---

[1] The tip of the tongue is pushed forward until it touches the upper front teeth and gums.
[2] Popularly sounded as *y* in *yes* in the south of Spain and Spanish America.
[3] Initial **r** is trilled with the tip of the tongue three or four times directly against the upper gums.
[4] But with the front of the tongue lower to produce a softer effect.
[5] The tip of the tongue is pushed forward till it barely touches the lower front teeth and leans heavily on the upper front teeth.

21. **v**   like *b* in Spanish: vi-vo, va-so, vol-ver, lla-ve, vis-ta, vi-vi-do, in-va-dir, in-ven-to (**nv**= **mb**).
22. **w**   as in the foreign words: Wéllington, Wáshington.
23. **x**   (*a*) Before consonants like *s* in *so:*   ex-tra-ño, tex-to, mix-to, ex-pre-so, ex-tre-mo.
      (*b*) Between vowels like *gs* and sometimes *ks:* [1] e-xa-men, la-xo, má-xi-mo, é-xi-to, a-xio-ma.
24. **y**   like *y* in *year:*   ra-yo, jo-ya, po-yo, ye-so, yo, ya, hay, soy, rey.

    NOTE: In **y**, *and*, it is like **i** in *machine*.

25. **z**   like *th* in *thin:* [2]   zar-za, ze-da, faz, a-zul, vez, luz.

VI. Vowel Combinations

In syllables with two vowels, one weak vowel (**i** or **y**, and **u**) and one strong vowel (**a**, **e**, and **o**) the stress is always on the strong vowel. In syllables with two weak vowels the stress is always on the second vowel.

A. DIPHTHONGS

The diphthongs are pronounced approximately as follows:

1. **ai (ay)**   like *i* in *line:*   ai-re, hay, cai-go, ay, frai-le.
2. **au**   like *ou* in *sound:*   au-to, au-la, cau-sa, au-tor.
3. **ei (ey)**   like *ey* in *they:* [3]   rei-na, rey, vein-te, ley, seis.
4. **eu**   pronounce Spanish **e** and short **u** in one syllable: Eu-ro-pa, reu-ma, deu-da, neu-tro.
5. **oi (oy)**   like *oy* in *boy:*   hoy, voy, doy, oi-ga, soy, es-toy.
6. **ia (ya)**   like *ya* in *yard:*   tia-ra, yar-da, me-dia, Ju-lia, ya.
7. **ie (ye)**   like *ye* in *yes:*   tie-ne, mie-do, diez, bien, ye-so.
8. **io (yo)**   like *yo* in *yore:*   es-tu-dio, pa-tio, ju-nio, ju-lio.
9. **iu (yu)**   like *you:*   viu-do, ciu-dad, triun-fo, yu-ca, yun-que.
10. **ua**   like *wa* in *want:*   a-gua, cuan-do, len-gua.
11. **ue**   like *we* in *well:*   pue-blo, pue-de, lue-go, fue-go.

[1] In studied speech **x** is pronounced as *ks* whereas in current speech **x** is pronounced as *gs*.
[2] Pronounced like **s** in *so* in the south of Spain and in Spanish America.
[3] Pronounce the **e** of **ey** as *e* in *met*.

12. **ui**   like *we:* rui-na, rui-do, Luis, cui-ta, cui-da-do.
13. **uo**   like *wo* in *worn:* cuo-ta, an-ti-guo, con-ti-nuo.

> NOTE: The vowels **a, e, o** do not unite to form diphthongs:

14. **ao** or **oa** pronounced separately: ca-ca-o, sa-ra-o, pro-a.
15. **ae** or **ea** pronounced separately: tra-e, ca-e, ma-es-tro, re-al.
16. **eo** or **oe** pronounced separately: ro-de-o, pa-se-o, ro-er.
17. **ee** or **oo** pronounced separately: le-er, le-e, le-en, lo-or.

> NOTE: When the weak vowel bears an accent mark, combinations like the following are pronounced as two separate vowels: pa-ís, dí-a, ba-úl, o-ír, re-ír, le-í-do.

B. TRIPHTHONGS

These are combinations of three vowels pronounced as a single syllable, which occur when a strong vowel (**a, e, o**) stands between two weak vowels (**i, y,** or **u**). The stressed vowel usually has a written accent.

> **iai:** en-viáis
> **iei:** es-tu-diéis
> **uai, uay:** a-ve-ri-guáis, U-ru-guay
> **uei, uey:** a-ve-ri-güéis, buey

VII. Division of Syllables

In a Spanish word there are as many syllables as there are separate vowel sounds. A vowel combination (diphthong or triphthong) counts as one vowel sound.

1. A syllable ends in a vowel when vowels and consonants alternate.

fi-li-pi-na	a-mi-go	pa-sa-do
a-ma-ba	Pa-na-má	pa-lo-ma

2. Two consonants found between vowels are usually separated except **ch, ll,** and **rr** which are treated as single letters.

lec-tu-ras	lec-cio-nes	pe-rro
her-ma-nos	ac-to	po-llo
im-por-tan-te	tin-ta	mu-cha-cho

3. The two consonants are not separated when the second is **l** or **r**, except **lr, nr, sr, rl, sl, tl, nl.** Compare:

no-ble	*with*	bor-la	pa-dre	*with*	is-la
re-gla		at-le-ta	li-bro		per-la

4. More than two consonants are so divided that the last consonant goes with the following vowel; an inseparable combination also goes with the following vowel. But note that **s** is always separated from a following consonant.

Lon-dres	cons-truc-ción
ex-pli-car	cons-tan-te

REPASO DE PRONUNCIACIÓN

B–V: bien, bola, boca, banco, bomba, van, veinte, vino, vivo, lavar, deber, uva

S: cosa, casa, sala, salsa, seso, saber, salir, salón, pasar, seco, desde, mismo, isla, asno, rasgo

C–Z: (**za, zo, zu, ce, ci**) lápiz, azul, vez, fácil, zona, cine, cena, pez, zapato, placer, decir, luz

D–T: donde, dedo, todo, usted, de, del, dama, salud, libertad, tinta, tonto, tanto, tute, patata

H: hola, hacer, haber, honor, hombre, hecho, hambre, hasta, hora

G–J: (**ja, jo, ju, ge, gi**) jota, bajo, gente, coger, caja, Jorge, ojo, giro, imagen, página, jardín

R–RR: pero, cara, caro, coro, mirar, rato, rata, rana, Roma, burro, carro, perro, ferrocarril

X: extremo, expone, extraño, mixto, exacto, examen, existir

LL: llave, sello, calle, pollo, llover, llama, lleno, llorar, lluvia

Ñ: año, baño, viña, caña, paño, doña, cañón, España, español, peña

CH: mucho, muchacho, chicha, dicho, echa, choca, chal, chaqueta, chico

GU: guerra, sigue, guisa, lengua, antiguo, agua, guapo, guante, guarda, guardia

Presentación

Profesor (profesora)	Alumno (alumna)
A. 1. ¿ Cuál es su nombre ? [1]	Mi nombre es Alberto Jones.
	Mi nombre es Luisa Brown.
2. ¿ Cuál es su nombre de pila ?	Mi nombre de pila es Alberto.
	Mi nombre de pila es Luisa.
3. ¿ Cuál es su apellido ?	Mi apellido es Jones.
	Mi apellido es Brown.
B. 4. ¿ Tiene usted padre ?	Sí, señor (señorita, señora), tengo padre.
5. ¿ Cuál es su nombre de pila ?	Su nombre de pila es Carlos.
6. ¿ Tiene usted madre ?	Sí, señor; tengo madre.
7. ¿ Cuál es su nombre de pila ?	Su nombre de pila es María.
8. ¿ Tiene usted hermanos ?	Sí, señor; tengo un hermano.
9. ¿ Cuál es su nombre de pila ?	Su nombre de pila es Ricardo.
10. ¿ Tiene usted hermanas ?	Sí, señor; tengo una.
11. ¿ Cuál es su nombre de pila ?	Su nombre de pila es Teresa.
C. 12. ¿ En qué ciudad vive usted ?	Vivo en la ciudad de . . .
13. ¿ En qué calle vive usted ?	Vivo en la calle . . .
14. ¿ Vive usted en una avenida ?	No, señor; vivo en una calle.
15. ¿ Cuál es el número de su casa ?	El número de mi casa es 2–4–6–8.

N.B. The teacher will pronounce these model sentences several times, slowly and clearly. Have them repeated by the class, small groups, and by each pupil.

[1] In written or printed Spanish, an inverted question mark is used at the beginning of an interrogative sentence.

Sección primera **Lecciones preparatorias**

PREPARATORIAS

I. UNO   Uno, dos, tres

0	cero	6	seis
1	uno	7	siete
2	dos	8	ocho
3	tres	9	nueve
4	cuatro	10	diez
5	cinco		

A. *¿ Cuántos son uno y uno?*

$1 + 1 = 2$ uno *y* uno (son) dos
$2 + 1 = 3$ dos y uno, tres
$3 + 1 = 4$ tres y uno, cuatro

B. *¿ Cuántos son diez menos uno?*

$10 - 1 = 9$ diez *menos* uno (son) nueve
$9 - 1 = 8$ nueve menos uno, ocho
$8 - 1 = 7$ ocho menos uno, siete
$7 - 1 = 6$ siete menos uno, seis

C. *¿ Cuántos son dos por dos?*

$2 \times 2 = 4$ dos *por* dos (son) cuatro
$2 \times 3 = 6$ dos por tres, seis
$2 \times 4 = 8$ dos por cuatro, ocho
$2 \times 5 = 10$ dos por cinco, diez

Ejercicio uno

1. Cuento: 1, 2, 3, 4, 5, 6, 7, 8, 9, 10.
   Cuente usted: 1, 2, 3, 4, 5, 6, 7, 8, 9, 10.
   Cuente usted: 10, 9, 8, etc.
   Cuente usted: 2, 4, 6, 8, etc.
   ¿Qué número está entre 7 y 9? ¿entre 6 y 8? ¿entre 1 y 3?

2. $2 + 3 = 5$ $6 - 2 = 4$ $2 \times 3 = 6$
   $4 + 2 = 6$ $6 - 4 = 2$ $2 \times 4 = 8$
   $7 + 2 = 9$ $9 - 6 = 3$ $5 \times 2 = 10$

3. ¿Cuál es el doble de 2, 4, 5, 3?   El doble de ... es ...
   ¿Cuál es la mitad de 4, 6, 8, 10?   La mitad de ... es ...
   ¿Cuál es la tercera parte de 9,   La tercera parte de ... es ...
   6, 3?
   ¿Cuál es la cuarta parte de 8?   La cuarta parte de ... es ...

Refrán (Proverb)

Saber es poder.   Knowledge is power.

II. DOS ¿ Qué es esto, eso, aquello?

UN ALUMNO: OTRO ALUMNO:

A. ¿ Qué es esto?   Es *un* libro.
    ¿ Qué es un libro?   Es un objeto.

    ¿ Qué es esto?   Es *un* lápiz.
    ¿ Qué es un lápiz?   Es otro objeto.

    ¿ Qué es esto?   Es *un* cuaderno.
    ¿ Qué es un cuaderno?   Es también un objeto.

B. ¿ Qué es eso?   Es *una* mesa.
    ¿ Qué es una mesa?   Es un mueble.

¿ Qué es eso ?   Es *una* pluma.
¿ Qué es una pluma ? Es un objeto.

¿ Qué es eso ?   Es *una* silla.
¿ Qué es una silla ? Es un mueble.

C. ¿ Qué es aquello ?   Es *la* puerta.
¿ Qué es la puerta ? Es una parte de la clase.

¿ Qué es aquello ?   Es *la* ventana.
¿ Qué es la ventana ? Es otra parte de la clase.

¿ Qué es aquello ? Es *la* pared.
¿ Qué es la pared ? La pared es también una parte de la clase.

D. ¿ Es *el* libro ?   Sí, señor, es *el* libro.
¿ Qué es el libro ? Es un objeto.

¿ Es *el* cuaderno ?   No, señor, es *el* ropero.
¿ Qué es el ropero ? Es un mueble.

¿ Es *la* pared ?   No, señorita, es *la* silla.
¿ Qué es la silla ? Es un mueble.

E. Cuente usted los libros. Yo cuento los libros :

un libro, dos libro*s*, tres libro*s*, cuatro libro*s*, cinco libro*s*.
una mesa, dos mesas, tres mesas, cuatro mesa*s* . . .
una pared, dos pared*es*, tres pared*es*, . . .

Ejercicio dos

1. ¿ Es una ——?   Sí, señor, es ——.
   ¿ Es un ——?   Sí, señor, es ——.
   ¿ Es el ——?   No, señor, es ——.
   ¿ Es la ——?   No, señor, no es ——, es ——.

2. Dos libros y tres libros son cinco libros.
   3 plumas y 4 —— son —— ——.
   2 cuadernos y 7 —— son —— ——.
   5 libros y 5 —— son —— ——.

3. ¿ Qué números suman: 9, 5, 10, 6, 8, 9, 4, 7, 3 ?
   Cuente usted de 3 a 8, de 1 a 5, de 6 a 10, de 4 a 8.
   ¿ Qué número está entre 4 y 6, 8 y 10, 1 y 3, 2 y 4?

4. Lean ustedes — Yo tomo (*I take*):

7 cuadernos	1 lápiz	5 libros	10 sillas
3 roperos	6 plumas	9 mesas	9 objetos

Refrán

La práctica hace al maestro.   Practice makes perfect.

III. TRES   ¿ De qué color es el papel?

UN ALUMNO: OTRO ALUMNO:

A. ¿ De qué color es el papel?   El papel es blanc*o*.   Es papel
                                      blanc*o*.

   ¿ De qué color es el lápiz?   El lápiz es negr*o*.   Es un lápiz
                                      negr*o*.

   ¿ De qué color es el cua-   El cuaderno es roj*o*. Es un
   derno?   cuaderno roj*o*.

¿ De qué color es el libro?   El libro es verd*e*.   Es un libro
                               verd*e*.

El papel es blanc*o* (negr*o*, roj*o*, amarill*o*, verd*e*, azu*l*).

B. ¿ De qué color es la tiza?   La tiza es **blanc**a.   Es tiza
                                 blanc*a*.

   ¿ De qué color es la tinta?   La tinta es negr*a*.   Es tinta
                                 negr*a*.

   ¿ De qué color es la pared?   La pared es blanc*a*. Es una
                                 pared blanc*a*.

   ¿ De qué color es la   La pluma es verd*e*.   Es una
   pluma?   pluma verd*e*.

   La pluma es (blanc*a*, negr*a*, roj*a*, amarill*a*, verd*e*, azu*l*).

C. ¿ De qué color es el libro,   El libro es roj*o*; no es azu*l*.
   roj*o* o azu*l*?

   ¿ De qué color es el cua-   El cuaderno es verd*e*; no es
   derno, verd*e* o ama-   amarill*o*.
   rill*o*?

   ¿ De qué color es la tiza,   La tiza es blanc*a*; no es roj*a*.
   blanc*a* o roj*a*?

D. ¿ De qué color son los   Los libros son roj*os*; son libros
   libros?   roj*os*.

   ¿ De qué color son las   Las sillas son amarill*as*; son
   sillas?   sillas amarill*as*.

   ¿ De qué color son las   Las paredes son blanc*as*; son
   paredes?   paredes blanc*as*.

Ejercicio tres

1. El papel es ——; es ——. Los libros son ——; son ——.
El lápiz es ——; es ——. Las sillas son ——; son ——.
La tinta es ——; es ——. La tinta es ——; no es ——.
Los libros son ——; no son ——. Los cuadernos son ——; no son
——. La silla es ——; no es ——. Las plumas son ——; no
son ——.

2. Cuenten ustedes a coro: 1, 2, 3, 4, 5, . . . 10.
¿ Qué números suman: 5, 3, 8, 9, 10?
Lean ustedes: 10, 8, 3, 9, 6, 5, 7, 4.
Cuenten ustedes: 8, 7, 6, . . .

3.
$$2 + 5 - 4 = 3 \qquad 6 + 2 = 8 \qquad 2 + 1 + 3 = 6$$
$$6 - 3 + 7 = 10 \qquad 7 + 3 = 10 \qquad 4 + 3 + 1 = 8$$
$$2 + 7 + 1 = 10 \qquad 3 + 3 = 6 \qquad 2 + 4 + 3 = 9$$

Refrán

La necesidad es una gran maestra.   Necessity is a great teacher.

IV.   CUATRO   ¿ Qué hora es?

UN ALUMNO: OTRO ALUMNO:

A. Luis, ¿ qué hora es?   1   Es la una.
                                          Es la una en punto.

Felipe, ¿ qué **hora es**?   1.5   Es la **una** y cinco.

Ana, ¿ qué hora es?   1.10   Es la una y diez.

Luisa, ¿ qué hora es?   1.15   Es la una y cuarto.

B. Elsa, ¿ qué hora es?   3   Son las tres.

Señora   Silva,   ¿ qué   4.30   Son las cuatro y media.
hora es?

Ana, ¿ qué hora es?   5.50   Son   las   seis   menos
diez.

Luis, ¿ qué hora es?   10.45   Son las once menos
                                      cuarto.

C. ¿ A qué hora principia la clase?   La clase . . .
   ¿ Principia la clase a las ocho?   No, señor, principia . . .
   ¿ A qué hora termina?   La clase . . .
   ¿ Termina la clase a las dos?   No, señor, termina . . .

D. ¿ A qué hora se levanta usted?   Yo me levanto a las siete.
   ¿ De qué hora a qué hora trabaja   Yo trabajo de las nueve a
     usted?   las cinco.
   ¿ A qué hora va a casa?   Yo voy a casa a las seis.
   ¿ A qué hora come usted?   Yo como a las siete, a las
                                        doce y a las seis.
   ¿ A qué hora se acuesta usted?   Yo me acuesto a las diez.

Ejercicio cuatro

1. Lean ustedes:

   Es 1; 1.05; 1.09; 1.07.
   Son 2; 3.10; 4.15; 4.30; 5; 6.03; 6.06; 7.04; 8.15; 9.08; 10;
     8.10; 12; 12.05; 12.30.

2. Lean ustedes — Son:

   Modelo: 10.10 A.M. = las diez y diez **de la mañana.**
            2.06 P.M. = las dos y seis **de la tarde.**
            8.05 P.M. = las ocho y cinco **de la noche.**

   1.15 P.M.   4.00 P.M.   6.30 A.M.   7.15 A.M.
   1.10 P.M.   10.00 A.M.   9.12 A.M.   6.30 A.M.

Refrán

El tiempo es oro.   Time is money.

V. CINCO   ¿ Cómo se llama usted?

UN ALUMNO:	OTRO ALUMNO:
A. ¿ Cómo se llama usted?	Me llamo Carlos Jones.
¿ Cómo se llama usted?	Me llamo Felipe ——.
¿ Cómo se llama usted?	Me llamo José ——.
¿ Cómo se llama usted?	Me llamo Luis ——.
B. ¿ Cómo se llama usted?	Me llamo Ana ——.
¿ Cómo se llama usted?	Me llamo Elena ——.
¿ Cómo se llama usted?	Me llamo María ——.
¿ Cómo se llama usted?	Me llamo Marta ——.
C. ¿ Quién se llama Luis ——?	*Yo* [1] me llamo ——.
¿ Quién se llama Ana ——?	*Yo* me llamo ——.
¿ Quién se llama Carmen López?	*Nadie* se llama ——.
D. ¿ Cuál es su nombre de pila?	Mi nombre de pila es . . .
¿ Cuál es su apellido?	Mi apellido es . . .
¿ Cuántos apellidos tienen algunos hispanoamericanos?	Algunos hispanoamericanos tienen dos apellidos.
¿ Cuántos apellidos tienen los españoles?	Los españoles tienen uno o dos apellidos.
¿ Cuántos apellidos tiene usted?	Yo tengo solamente uno.

Ejercicio cinco

¿ Se llama usted ——?	Sí, señor; me llamo ——.
¿ Se llama usted ——?	No, señor; no me llamo ——.
¿ Cómo se llama usted?	Me llamo ——.
¿ Cómo se llama su amigo?	Mi amigo se llama ——.
¿ Cómo se llama su amiga?	Mi amiga se llama ——.
¿ Cuál es su apellido? ¿ su nombre de pila?	Mi apellido es . . .; mi nombre de pila es . . .

[1] The subject pronoun must be expressed when we wish to be *emphatic* or *especially clear.*

Chiste (Joke)

— Perdone usted, caballero. ¿ Se llama usted Juan Pérez?
— No, señor.
— Entonces, yo soy Juan Pérez y es de Pérez el abrigo que se pone usted (*you are putting on*) ahora.

VI. SEIS   ¿ Qué día es hoy ?

UN ALUMNO:	OTRO ALUMNO:
A. ¿ Cuántos días tiene la semana ?	La semana tiene siete días.
¿ Cuáles son los días de la semana ?	Los días de la semana son: *domingo, lunes, martes, miércoles, jueves, viernes* y *sábado.*
¿ Qué día es hoy ?	Hoy es lunes.
¿ Qué día fué ayer ?	Ayer fué domingo.
¿ Qué día fué anteayer ?	Anteayer fué sábado.
¿ Qué día es mañana ?	Mañana es . . .
¿ Qué día es pasado mañana ?	Pasado mañana es . . .
B. ¿ Qué fecha tenemos ?	Es el primero de mayo.
¿ Cuál es la fecha de hoy ?	Es el 10 de abril.
¿ A cuántos estamos hoy ?	Estamos a 5 de febrero.
¿ Qué día del mes es ?	Es el 8 de diciembre.
¿ Qué día es su cumpleaños ?	Es el 9 de noviembre.
¿ Cuál es el mes más corto del año ?	El mes más corto del año es febrero.
¿ Cuáles son los meses del año ?	Son: *enero, febrero, marzo, abril, mayo, junio, julio, agosto, septiembre, octubre, noviembre* y *diciembre.*
C. ¿ Qué mes es ?	Es enero.
¿ Cuál es el próximo mes ?	El próximo mes es febrero.

¿ Cuál fué el mes pasado? El mes pasado fué diciembre.

¿ Cuántos meses tiene el otoño? El otoño tiene tres meses.

¿ Qué es el otoño? Es una estación del año.

¿ Cuántas estaciones tiene el año? El año tiene cuatro estaciones.

¿ Cuáles son las estaciones del año? Las estaciones del año son: *la primavera, el verano, el otoño* y *el invierno.*

Ejercicio seis

1. ¿ Es hoy . . . ? Sí, señor, hoy es . . .

 ¿ Es hoy domingo? No, señor, hoy no es domingo.

 ¿ Qué día es hoy? Hoy es . . .

 ¿ Es mañana . . . ? Sí, señor, mañana es . . .

 ¿ Es mañana . . . ? No, señor, mañana no es . . .

 ¿ Qué día es mañana? Mañana es . . .

2. Si hoy es . . ., ¿ qué día fué ayer? Ayer . . .

 ¿ anteayer? Anteayer . . .

 Si hoy es . . . , ¿ qué día es mañana? ¿ pasado mañana? Mañana . . .

  Pasado mañana . . .

3. ¿ Es el mes de enero? No señor, no es el mes de . . . ; es el mes de . . .

 ¿ Cuántas estaciones tiene el año? El año tiene . . .

 ¿ Cuál es el mes más corto del año? El mes más corto del . . .

 ¿ Cuántos meses tiene el verano? El verano tiene . . .

 ¿ Qué es febrero? Es el mes . . .

Refranes

Hoy por ti y mañana por mí. One good turn deserves another.

Mañana será otro día. Tomorrow is another day.

Adivinanza (Riddle)

Un árbol [1] con doce ramas [2]
cada [3] rama cuatro nidos [4]
cada nido siete pájaros [5]
y cada pájaro un apellido.

Solución: el año, los meses, las semanas, los días.

Los días de trabajo

Los días de labor son seis, son seis:
lunes uno, martes dos, miércoles tres;
los días de labor son seis, son seis:
jueves cuatro, viernes cinco, sábado seis.

VII.   SIETE   ¿ Dónde se habla español ?

UN ALUMNO:

OTRO ALUMNO:

A. ¿ Qué idioma se habla en los Estados Unidos?

En los Estados Unidos se habla inglés.

¿ Qué idioma se habla en México?

En México se habla español.

¿ Qué idioma se habla en Puerto Rico?

En Puerto Rico se hablan inglés y español.

¿ Qué idioma se habla en Centro América?

En Centro América se habla español.

¿ Qué idioma se habla en Cuba?   (¿ Colombia? ¿ la Argentina? ¿ Chile?)

En Cuba (Colombia, la Argentina, Chile), se habla español.

¿ Qué idioma se habla en el Brasil?

En el Brasil se habla portugués.

B. ¿ Qué idioma se habla en España?

En España se habla español.

¿ Qué idioma se habla en Francia?

En Francia se habla francés.

[1] tree.   [2] twelve branches.   [3] each.   [4] nests.   [5] birds.

¿ Qué idioma se habla en Inglaterra ?	En Inglaterra se habla inglés.
¿ Qué idioma se habla en Alemania ?	En Alemania se habla alemán.
¿ Qué idioma se habla en Portugal ?	En Portugal se habla portugués.
¿ Qué idioma se habla en Italia ?	En Italia se habla italiano.
C. ¿ Qué idioma hablan en España ?	En España hablan español.
¿ Qué idioma hablan en el Brasil ?	En el Brasil hablan portugués.
¿ Qué idiomas hablan en Hispano-América ?	En Hispano-América hablan español, portugués y francés.
¿ Qué idioma hablan en los Estados Unidos ?	En los Estados Unidos hablan inglés.
¿ Qué idiomas hablan en el Canadá ?	En el Canadá hablan inglés y francés.

Ejercicio siete

1. ¿ Dónde se habla español?   Se habla español en . . .
   ¿ Dónde se habla francés?   Se habla francés en . . .
   ¿ Dónde se habla alemán?   Se habla alemán en . . .
   ¿ Dónde se habla inglés?   Se habla inglés en . . .

2. ¿ Qué idiomas se hablan en el Canadá?   En el Canadá se hablan . . .
   ¿ Qué idiomas se hablan en Suiza?   En Suiza se hablan francés, italiano y alemán.
   ¿ Qué hablan en el Brasil?   En el Brasil hablan . . .

Refranes

Amor con amor se paga.   Tit for tat.
Donde menos se piensa, salta la liebre.   What you least expect always happens.

VIII. OCHO   ¿ Qué tiempo hace ?

	UN ALUMNO:	OTRO ALUMNO:

A. ¿ Qué tiempo hace ?   Hace frío.

¿ Tiene usted frío ?   Sí, señor, tengo frío.

¿ Tiene usted frío cuando hace frío ?   Cuando hace frío tengo frío porque la casa está fría.

¿ Qué tiempo hace ?   Hace calor.

¿ Adónde va usted cuando hace calor ?   Voy a la playa cuando hace calor.
También voy al campo.

¿ Qué tiempo hace ?   Hace fresco.

¿ Cuándo hace mucho fresco ?   Hace mucho fresco en los meses de . . .

¿ Qué tiempo hace ?   Hace viento.

¿ Cuándo hace mucho viento ?   Hace mucho viento en los meses de . . .

¿ Qué tiempo   Hace sol. Hace
  hace ?   buen tiempo.
¿ Cuándo hace   En el verano . . .
  buen tiempo ?

¿ Qué tiempo   Hace mal tiempo.
  hace ?   Está lloviendo.
¿ Cuándo llueve ? Llueve durante todo
                 el año.

B. ¿ Qué tiempo hace ⎰ Hace buen
   en la primavera ? ⎱   tiempo.
                     ⎱ Hace fresco.
                     ⎱ Hace sol.

¿ Qué tiempo hace ⎰ Hace sol.
  en el verano ?   ⎱ Hace calor.
                   ⎱ Hace buen tiempo.

¿ Qué tiempo hace ⎰ Hace buen tiem-
  en el otoño ?   ⎱   po.
                   ⎱ No hace frío.
                   ⎱ No hace calor.

¿ Qué tiempo hace en el invierno?

⎧ Hace frío y nieva.
⎨ Hace mal tiempo.
⎩ Hace viento.

¿ Cuáles son las estaciones del año?

(Son) la primavera, el verano, el otoño y el invierno.

Ejercicio ocho

¿ Qué tiempo hace hoy?   Hoy hace . . .
¿ Hace mal tiempo hoy?   No, señor, no . . .
¿ Hace buen o mal tiempo?   Hace . . .
¿ Cuándo hace frío?   Hace frío en . . .
¿ Cuándo hace calor?   Hace calor en . . .
¿ Qué tiempo hizo (*was it*) ayer?   Ayer . . .
    ¿ anteayer?   Anteayer . . .
¿ Qué tiempo hará (*will it be*)   Mañana . . .
    mañana? ¿ pasado mañana?   Pasado mañana . . .

Adivinanza

¿ Qué es, qué es, que te da en la cara y no lo ves?

Solución: el viento

IX. NUEVE   Un poco de todo

A. ¿ Qué es el burro?   El burro es un animal doméstico.

¿ Qué es el gato?   El gato es otro animal doméstico.

¿ Qué es el perro?   El perro es también un animal doméstico.

¿ Qué son los caballos?   Los caballos son animales domésticos.

¿ Qué son las vacas?   Las vacas son también animales domésticos.

B. ¿ Qué es la banana ? — La banana es una fruta.

¿ Qué es el limón ? — El limón es otra fruta.

¿ Qué son las peras ? — Las peras son frutas.

¿ Qué son las manzanas ? — Las manzanas también son frutas.

¿ Qué son las piñas ? — Las piñas son otras frutas.

C. ¿ Qué es el hotel ? — El hotel es un edificio.

¿ Qué es la escuela ? — La escuela es otro edificio.

¿ Qué es el museo ? — El museo es también un edificio.

¿ Qué son las iglesias ? — Las iglesias son también edificios.

¿ Qué son los cines ? — Los cines son otros edificios.

D. ¿ Qué es el auto ? — El auto es un medio de transporte.

¿ Qué es el autobús ? — El autobús es también un medio de transporte.

¿ Qué es el avión ? — El avión es un medio de transporte.

¿ Qué son los trenes ? — Los trenes son otros medios de transporte.

¿ Qué son los buques ? — Los buques son también medios de transporte.

E. ¿ Qué hace el librero ? — El librero vende libros.

¿ Qué vende el panadero ? — El panadero vende pan.

¿ Qué hace el carnicero ? — El carnicero vende carne.

¿ Qué hace el profesor (la profesora) ? — El profesor enseña.

¿ Qué hace el alumno (la alumna) ? — El alumno estudia y aprende.

Ejercicio nueve

1. ¿ Qué es el perro ? — El perro . . .

¿ Qué es la manzana ? — La manzana . . .

¿ Qué es la iglesia ? — La iglesia . . .

¿ Qué es el avión ?   El avión . . .
¿ Qué vende el carnicero ?   El carnicero . . .

2. ¿ Qué hace el profesor ?   El profesor . . .
   ¿ Quién vende libros ?   El librero . . .
   ¿ Quién no vende carne ?   . . . no vende . . .
   ¿ Quién estudia y aprende ?   El alumno . . .
   ¿ Qué hace el profesor ?   El profesor . . .

X. DIEZ   Usted y su ciudad

A. ¿ Cómo se llama usted ?   Me llamo . . .
   ¿ Qué edad tiene usted ?   Tengo . . . años.
   ¿ Dónde vive usted ?   Vivo en la calle 10, al este.
   ¿ Cuál es el número de su   El número de mi casa es
   casa ?   3–4–9–8.
   ¿ Tiene usted teléfono ?   Sí, señor; es A–B 4–7–9–8.

B. ¿ Asiste usted a la escuela ?   Sí, señor; asisto a la escuela . . .
   ¿ Asiste a una escuela   Es una escuela pública.
   pública o particular ?
   ¿ Es una escuela elemental   Es una escuela secundaria.
   o secundaria ?
   ¿ Qué quiere ser usted ?   Quiero ser hombre de negocios.
   ¿ Va usted a estudiar en   No, señor; voy a trabajar con
   la universidad ?   mi padre.

C. ¿ En qué ciudad vive   Vivo en la ciudad de . . .
   usted ?
   ¿ Cuántos habitantes tie-   Tiene . . . millones de . . .
   ne su ciudad ?
   ¿ Cuál es la calle más im-   La calle más importante es . . .
   portante ?
   ¿ Tiene muchos parques su   Sí, señor; . . . varios.
   ciudad ?

¿ Pasa algún río por su
ciudad?

Sí, señor; el río . . . pasa por la
ciudad.

D. ¿ Hay puentes sobre el
río ?

Sí, señor; hay . . .

¿ Qué clima tiene su
ciudad ?

Hace mucho frío en invierno y
mucho calor en verano.

¿ Qué estación le gusta
más ?

Me gusta más la primavera.

¿ Por qué le gusta más la
primavera ?

Porque es una estación muy
agradable.

¿ Pasa usted las vacaciones
en la ciudad ?

No, señor; paso las vacaciones
en el campo o en la playa.

E. ¿ Tiene su ciudad buenas
comunicaciones?

Sí, señor; muy buenas.

¿ Hay líneas de ferro-
carril? ¿ de autobuses?
¿ y de aviones?

Hay líneas de todas clases.

¿ Tiene campo de avia-
ción (aeropuerto) ?

Sí, señor; tiene . . .

¿ Tiene emisora de radio?

Sí, señor; tiene . . .

¿ Qué deportes se prac-
tican ?

Se practican todos los deportes:
*el béisbol, el fútbol, el golf, el
tenis, la lucha, el boxeo,* . . .

F. ¿ Quién es el alcalde?

El señor . . .

¿ Cuál es la iglesia principal?

La catedral de . . .

¿ Se construyen muchas
casas?

Siempre se construyen . . . casas.

¿ En qué estado está su
ciudad?

Está en el estado de . . .

¿ Qué campos de aviación
(aeropuertos) tiene?

Tiene . . . , . . .

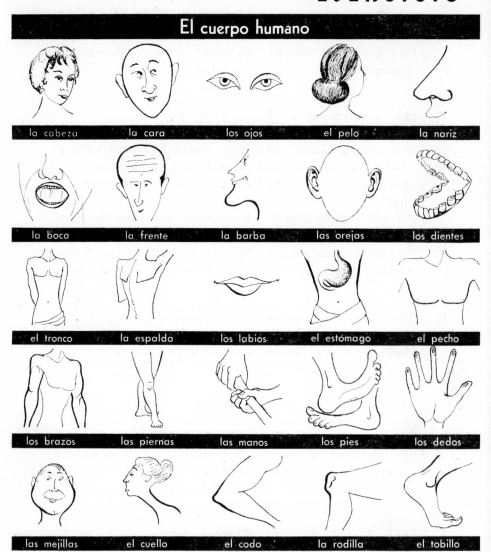

El cuerpo humano

la cabeza	la cara	los ojos	el pelo	la nariz
la boca	la frente	la barba	las orejas	los dientes
el tronco	la espalda	los labios	el estómago	el pecho
los brazos	las piernas	las manos	los pies	los dedos
las mejillas	el cuello	el codo	la rodilla	el tobillo

PALABRAS. *Row 1:* head, face, eyes, hair, nose. *Row 2:* mouth, forehead, chin, ears, teeth. *Row 3:* trunk, back, lips, stomach, chest. *Row 4:* arms, legs, hands, feet, fingers. *Row 5:* cheeks, neck, elbow, knee, ankle.

PREGUNTAS. 1. ¿ De qué hablamos (*we speak*) hoy? 2. ¿ Qué partes tiene el cuerpo (*body*) humano? 3. ¿ Cuáles son algunas (*some*) partes importantes del cuerpo humano? 4. ¿ Cuál es el órgano de la vista (*sight*)? 5. ¿ De qué color es el pelo de una persona? 6. ¿ De qué color tiene Vd. los ojos? 7. ¿ Con qué habla usted? 8. Levanten (*Raise*) ustedes las manos. 9. ¿ Cuántos dedos tiene usted? 10. ¿ Cuál es la parte más importante del cuerpo humano?

ORAL

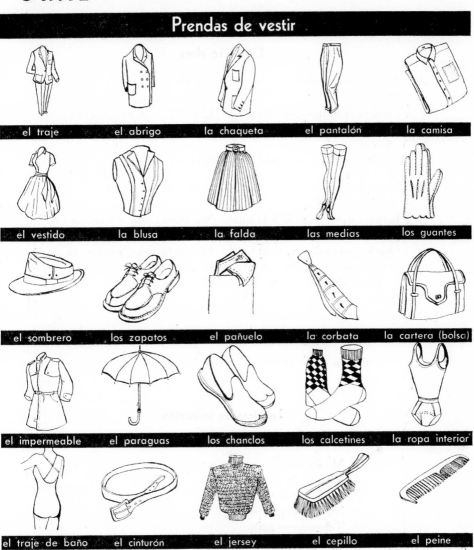

Prendas de vestir

| el traje | el abrigo | la chaqueta | el pantalón | la camisa |

| el vestido | la blusa | la falda | las medias | los guantes |

| el sombrero | los zapatos | el pañuelo | la corbata | la cartera (bolsa) |

| el impermeable | el paraguas | los chanclos | los calcetines | la ropa interior |

| el traje de baño | el cinturón | el jersey | el cepillo | el peine |

PALABRAS. *Row 1:* suit, coat, jacket, trousers, shirt. *Row 2:* dress, blouse, skirt, stockings, gloves. *Row 3:* hat, shoes, handkerchief, necktie, handbag. *Row 4:* rain-coat, umbrella, rubbers, socks, underwear. *Row 5:* bathing suit, belt, sweater, brush, comb.

PREGUNTAS. 1. ¿Qué partes tiene el traje de hombre (*man*)? 2. ¿Quién usa (*wears*) calcetines? ¿medias? 3. ¿Quién usa blusa y falda? 4. María, ¿le gusta más usar vestido o falda y blusa? 5. ¿Quién usa sombrero? ¿cepillo y peine? 6. ¿Cuándo necesitamos (*we need*) el impermeable? 7. ¿Cuándo usamos abrigo? 8. ¿Qué usamos en las manos? 9. ¿Qué prenda de vestir cubre (*covers*) la cabeza?

Ejercicio diez

1. ¿ De dónde es usted?   Soy de . . .
   ¿ Dónde vive usted?   Vivo en . . .
   ¿ Cuál es el número de su casa? El número de mi casa es . . .
   ¿ Vive usted en una casa par- . . . en una casa de apartamentos.
   ticular?
   ¿ Es vieja o nueva su casa?   Mi casa es . . . ; no . . .

2. ¿ Asiste usted a una escuela Sí, señor; asisto a . . .
   pública?
   ¿ Estudia usted para ir a la uni- No, señor; voy a trabajar . . .
   versidad?
   ¿ Qué le gusta más en su ciudad? Me gusta todo; me gustan . . . , . . .
   ¿ Qué deportes practica usted? Practico el fútbol, . . .
   ¿ Le gusta viajar en avión o por Me gusta viajar . . .
   tren?

Chiste

— ¿ Qué gran acontecimiento [1] ocurrió en 1945?
— Nací yo.[2]

Ejercicio de invención

¿ Quién es Vd.?

1. Me llamo —— ——.
2. Vivo en la ciudad de ——.
3. Vivo en la calle (avenida) ——, número ——.
4. Nací en el año ——.
5. Tengo —— años.
6. Hace —— meses que estudio el español.
7. Soy alumno (alumna) de la escuela ——.

[1] event. [2] I was born.

Sección segunda **Escuela y alumnos**

L E C C I Ó N

PRIMERA

A. Primera conjugación: **Presente de indicativo**

B. Forma interrogativa

I. Conversación

¿ *Habla usted español?*

— Yo hablo español. ¿ Qué habla usted, Ernesto?

— Yo hablo un poco de español,[a] señor.

— Y usted, Carmen, ¿ habla usted español?

— Sí, señor, yo también hablo un poco de español aquí.

— Carmen habla español. Ella pregunta y contesta en español. 5
María y Ernesto, ¿ qué hablan ustedes?

37

— Nosotros hablamos inglés y un poco de español.
— Y, ¿ qué hablan Lola y José?
— Lola y José hablan un poco de español.
— ¿ Qué hablamos nosotros aquí?

5 — Aquí nosotros hablamos un poco de español. Aquí todo el mundo [b] habla español. Todo el mundo pregunta en español. Todo el mundo contesta bien en español. Aquí se habla español.[c]

II. Vocabulario

A coro (All together):

NOMBRES (*Nouns*)

el **español** Spanish (*language*)
el **inglés** English (*language*)
el **señor** Mr., sir

VERBOS (*Verbs*)

contestar to answer
hablar to speak
preguntar to ask

OTRAS PALABRAS (*Other words*)

aquí here
bien well
en in, on
¿ qué? what? which?
sí yes
también also
y and

Aprendan de memoria (Learn by heart):

(a) **un poco de español** a little Spanish
(b) **todo el mundo** everybody
(c) **Aquí se habla español.** Spanish is spoken here.

¿ Qué significa en inglés? (What does it mean in English?)

1. aquí, preguntar, usted, nosotros, contestar, señor, un poco. 2. un poco de español. 3. Aquí todo el mundo habla. 4. Aquí se habla español. 5. ¿ Qué hablo yo?

III. Preguntas

1. ¿ Qué habla usted aquí? 2. ¿ Habla usted español? 3. ¿ Habla usted un poco de español? 4. ¿ Qué hablamos nosotros aquí? 5. ¿ Habla todo el mundo español aquí? 6. ¿ Contesta usted en español aquí? 7. ¿ Contesta Carmen en español? 8. ¿ Qué se habla aquí? 9. ¿ Qué habla José? 10. ¿ Qué habla Carmen aquí?

IV. Gramática

A. FIRST CONJUGATION — PRESENT TENSE OF STATEMENT FORM

VERB: **hablar** to speak			
hablar = infinitive		**habl** = stem	
PERSON	FORMATION	EXAMPLE	ENGLISH
yo	stem + o	habl o	I speak
usted [1]	stem + a	habl a	you speak
él [2]	stem + a	habl a	he speaks
nosotros	stem + amos	habl amos	we speak
ustedes	stem + an	habl an	you speak
ellos	stem + an	habl an	they speak
Like **hablar: preguntar, contestar,** etc.			

Note that to conjugate the present of all regular verbs in –ar, we add certain personal endings to the stem. Each person may be expressed by three forms in English; thus **usted habla** = *you speak, you do speak, you are speaking.*

B. QUESTION FORM

¿ **Habla usted?**   Do you speak?   Are you speaking?
¿ **Hablamos nosotros?**   Do we speak?   Are we speaking?
¿ **Habla Ana?**   Does Anna speak?   Is Anna speaking?

Note that to ask a question in Spanish, we place the subject after the verb and an inverted question mark at the beginning of the question. *Do* or *does,* used in English questions, is not expressed in Spanish.

Usted, ustedes; abbreviated **Vd.** or **Ud., Vds.** or **Uds.,** are used for *you* in polite speech. **Usted** must be used with the verb in the third person singular, **ustedes,** with the third person plural.

---

[1] In speaking to intimate friends and relatives, **tú** habl–*as* (*sing.*) and **vosotros** (*masc.*), **vosotras** (*fem.*) habl–*áis* (*pl.*) are used. Both these forms mean *you speak.*
[2] The feminine form of **él,** *he,* is **ella,** *she;* of **nosotros** is **nosotras,** *we;* of **ellos** is **ellas,** *they.*

V. Ejercicios

A. *Completen* (Complete): 1. Él habl— inglés. 2. Felipe contest—
bien. 3. ¿ Habl— ellos español? 4. Yo habl— inglés y español.
5. ¿ Habl— usted español? 6. Nosotros contest— bien. 7. Ustedes
habl— español. 8. ¿ Qué pregunt— ellos? 9. Ana habl— español.
10. ¿ Qué habl— usted? 11. Yo contest— bien. 12. Ustedes habl—
bien.

B. *Completen:*

1. **hablar:**   él ——   yo ——   ¿ —— ustedes?
2. **preguntar**: nosotros ——   usted ——   ¿ —— ella?
3. **contestar:** ellos ——   nosotros —— ¿ —— ellas?

C. *Formen preguntas* (Form questions): 1. Ellos hablan inglés.
2. Usted contesta bien. 3. Ella pregunta. 4. Yo hablo bien.
5. Ustedes hablan inglés y español. 6. Nosotros hablamos español.
7. Felipe habla inglés. 8. Usted habla inglés. 9. Nosotros contestamos
bien. 10. Ustedes preguntan.

D. *Translate into Spanish the words given in English:* 1. Carmen *speaks*
español. 2. ¿ Qué *do . . . speak* ustedes? 3. Yo *ask* en inglés. 4. Lola
answers en español. 5. Usted y yo *speak* un poco de español. 6. ¿ *Do . . .*
answer usted en español? 7. Nosotros *answer* en inglés. 8. Lola y José
speak español aquí. 9. Yo también *ask* en español. 10. ¿ Qué *do . . .*
speak usted aquí?

E. Test I. *Write the Spanish translation of the verbs in English:* 1. ¿ Qué
—— usted (*speak*)? 2. Yo —— bien (*answer*). 3. Ana y Felipe ——
inglés y español (*speak*). 4. Ellas —— (*ask*). 5. ¿ Qué —— nosotros
(*do . . . answer*)? 6. Felipe —— español (*speaks*). 7. ¿ Qué —— ustedes
(*do . . . answer*)? 8. Él —— inglés y español bien (*speaks*). 9. Usted
—— bien (*answer*). 10. ¿ Qué —— Ana (*does . . . answer*)?

F. *Dictado: El profesor dictará algunas frases de la* **Conversación** (The
teacher will dictate some sentences from the *Conversación*).

G. *Oral:* (*a*) 1. I speak. 2. I do speak. 3. I am speaking. 4. Do
you speak? 5. What do you speak?

(*b*) 1. They ask.   2. Are you asking?   3. We ask.   4. What does Carmen ask?   5. I am asking.
(*c*) 1. We are answering.   2. What do you answer?   3. Does he answer?   4. They do answer.   5. Lola answers.

H. *Written:*   1. Carmen speaks English and Spanish.   2. I speak Spanish.   3. Do you speak Spanish?   4. Do they speak English?   5. You answer: "Yes, sir, they speak English."   6. We are answering in Spanish.   7. What do you ask?   8. I ask: "Does she speak Spanish?"   9. Does Joseph speak Spanish?   10. I answer: "Yes, sir, he speaks English and Spanish."

I. Ejercicio de invención.   *Hagan oraciones con estas palabras* (Form sentences with these words):

EJEMPLO: Yo hablo un poco de español.

usted	hablar	un poco de español
yo	preguntar	en inglés
nosotros	contestar	en español
Carmen	hablar	inglés y español

J. Ejercicio de pronunciación:

a:	la	la-na	va-ca	ma-pa
	pan	pa-ra	pla-ta	A-na
	más	an-da	ha-bla	al-ma

Ana ama a mamá.

K. *Dialoguito:*

— **Buenos días, señor profesor.**   Good morning, teacher.
— **Buenas tardes, señorita Brown.**   Good afternoon, Miss Brown.
— **Buenas noches.**   Good evening *or* good night.

LECCIÓN

SEGUNDA

A. *Género de los nombres*

B. *Artículo indefinido*

I. Conversación

Nosotros estudiamos el español [1]

— Buenos días,[a] clase.

— Buenos días, señorita Montes.

— ¿ Qué desea usted, Felipe?

— Yo deseo un libro, un cuaderno y un lápiz o una pluma.

5 — ¿ Qué clase de libro [b] desea usted?

— Yo deseo una gramática.

— ¿ Una gramática? ¿ Para qué?

— Para estudiar el español.

— Muy bien,[c] Felipe. Aquí tiene usted [d] una gramática. Teresa,
10 ¿ desea usted estudiar una lengua también?

— Sí, señorita; yo deseo estudiar [2] una lengua también.

— Carlos y Elena, ¿ necesitan ustedes una gramática?

— Sí, señorita; para estudiar una lengua, nosotros necesitamos
una gramática. Nosotros necesitamos también un cuaderno y
15 una pluma.

— ¿ Qué necesita un hombre o una mujer para estudiar ei

---

[1] In spoken Spanish, the definite article is usually omitted before a language.
[2] When two verbs are used together, the first is conjugated and the second remains in
the infinitive.

42

español aquí?

Un hombre o una mujer necesita un libro, un cuaderno y un lápiz o una pluma.   En una clase de español^c todo el mundo necesita un cuaderno, un lápiz o una pluma y un libro.

II. Vocabulario

A coro:

NOMBRES

una **clase** class
un **cuaderno** notebook
una **gramática** grammar
un **hombre** man
un **lápiz** pencil
una **lengua** language
un **libro** book
una **mujer** woman
una **pluma** pen
una **señorita** young lady; Miss

VERBOS

desear to wish, want
estudiar to study
necesitar to need

OTRAS PALABRAS

o or
para to, in order to, for
¿ para qué? what for? for what (purpose)?

Aprendan de memoria:

(a) **buenos días** good morning; good day
(b) **¿ qué clase de libro?** what kind of book?
(c) **muy bien** very well; all right
(d) **aquí tiene usted** here is (for you)
(e) **una clase de español** a Spanish class

¿ Qué significa en inglés?

1. buenos días. 2. ¿ qué clase de libro? 3. muy bien. 4. aquí tiene usted. 5. una clase de español. 6. ¿ Qué necesita todo el mundo? 7. ¿ Qué desean ustedes estudiar?

III. Preguntas

1. ¿ Qué estudiamos nosotros aquí? 2. ¿ Desea usted un libro o un cuaderno? 3. ¿ Desea usted una pluma o un lápiz? 4. ¿ Qué necesita Elena? 5. ¿ Qué necesita Carlos? 6. ¿ Qué necesitamos nosotros para estudiar? 7. ¿ Necesitan ustedes una gramática para estudiar? 8. ¿ Qué clase de libro necesita usted, Felipe? 9. ¿ Habla usted un poco de español? 10. ¿ Qué necesitamos nosotros para estudiar una lengua?

IV. Gramática

A. GENDER OF NOUNS

MASCULINO		FEMENINO	
un libro	a book	una pluma	a pen
un cuaderno	a notebook	una gramática	a grammar
un hombre	a man	una mujer	a woman

Note that in Spanish all nouns are either masculine or feminine. There are no neuter nouns. Nouns ending in –o are generally masculine, those ending in –a are generally feminine.

The gender of nouns ending in –e or a consonant must be learned with the proper article.

B. THE INDEFINITE ARTICLE

una pluma y un lápiz   a pen and pencil
un hombre y una mujer   a man and woman

Un, *a* or *an*, is used before a masculine noun; una, *a* or *an*, is used before a feminine noun. In Spanish the article is repeated before each noun.

V. Ejercicios

A. Repaso oral — Lección primera. *Translate into Spanish the words given in English:* 1. Yo —— inglés y español (*speak*). 2. Nosotros —— (*are answering*). 3. ¿ —— usted bien (*Do . . . speak*)? 4. ¿ Qué —— Ana (*is . . . asking*)? 5. Ana y Felipe —— español (*speak*). 6. Ustedes —— bien (*answer*). 7. ¿ Qué —— usted (*do . . . speak*)? 8. Yo —— inglés (*speak*). 9. ¿ Qué —— ustedes (*do . . . answer*)? 10. Nosotros —— inglés y español (*speak*).

B. *Completen con* un *o* una (Complete with *un* or *una*): 1. Yo deseo —— lápiz. 2. Felipe necesita —— gramática. 3. Ustedes estudian —— lengua. 4. Nosotros necesitamos —— cuaderno. 5. ¿ Desea usted —— pluma? 6. Ellas desean —— libro. 7. ¿ Necesita Tomás —— lápiz? 8. Yo deseo estudiar —— lengua. 9. ¿ Desea usted —— cuaderno? 10. Felipe desea —— pluma.

C. *Completen:* 1. ¿Desea Tomás un ――? 2. Es (*It is*) una ――.
3. Yo necesito un ――. 4. Nosotros estudiamos una ――. 5. Ana y
Tomás desean un ―― y una ――. 6. ¿Habla usted una ――?
7. Alberto necesita un ――. 8. ¿Necesita Tomás una ――? 9. Usted
desea un ――. 10. Felipe estudia una ――.

D. *Escriban enteramente en español* (Write entirely in Spanish): 1. Aquí
él estudia ―― (*a language*). 2. Yo necesito ―― (*a notebook*).
3. ¿Necesita usted ―― (*a book*)? 4. En ―― de español hablamos
español (*a class*). 5. ¿Necesita Felipe ―― (*a pencil*)? 6. ¿Desea usted
―― (*a pen*)? 7. ―― necesita estudiar (*A man*). 8. ¿Qué desea
estudiar ―― (*a woman*)? 9. ¿Estudia usted ―― de español (*a grammar*)? 10. Aquí todo el mundo estudia en ―― (*a Spanish class*).

E. Test II. *Complete with* **un** *or* **una:**

―― lápiz	―― hora	**una** lección	―― mujer
―― clase	―― alumna	―― gramática	―― cuaderno
―― libro	―― pluma	―― hombre	―― señor
―― lengua	―― mesa	―― alumno	―― silla

F. *Oral:* (*a*) It is: a class, a woman, a man.
(*b*) 1. I need a pen. 2. What do you need? 3. We wish to speak.
4. They need to study.
(*c*) 1. What do you study? 2. We are speaking Spanish. 3. What
does he need? 4. What do they speak?

G. *Written:* 1. What are you studying? 2. We are studying a grammar. 3. They need a book in order to study. 4. He asks: "Is it a pen
or a pencil?" 5. Do you wish to answer, Philip and Anna? 6. Yes,
sir; we wish to answer. 7. I need a grammar in order to study. 8. Do
you speak Spanish, Philip? 9. Yes, sir; I speak English and Spanish.
10. In order to study a language they need to study a grammar.

H. Ejercicio de invención. *Hagan oraciones con:*

Un hombre	necesitar	hablar	español
Nosotros	desear	estudiar	una gramática
Usted	estudiar		
Una mujer			el inglés

¿ Qué	desear		usted?
		preguntar	Carmen?
¿ Para qué	preguntar		en español?
		contestar	en inglés?

I. Ejercicio de pronunciación:

e [1]:	de	me-sa	se-da	de-lan-te
	es	re-gla	cla-se	ma-de-ra
	tres	tre-ce	en-tre	em-ple-a

Pepe pone la leche en la mesa.

J. *Dialoguito:*

— **Buenos días, niños.**	Good morning, children.
— **Buenos días, señor . . .**	Good morning, Mr. . . .
— **Arturo, abra las ventanas.**	Arthur, open the windows.
— **Sí, señor; con mucho gusto.**	Yes, sir; willingly.

[1] An open syllable is one that ends in a vowel or diphthong: **ma-má, pa-tio.**
A closed syllable is one that ends in a consonant or consonants: **in-glés, es-pa-ñol.**
Closed **e** is found in open syllables and in closed syllables which end in **m, n, d, z,** or **s.** The closed **e** in Spanish is similar to the sound of *ey* in *they* without the glide sound of *y.*

L E C C I Ó N

TERCERA

A. *Negación*

B. *Artículo definido*

I. Conversación

En la clase de español

Hoy el profesor toma un libro en la clase de español. ¿Por qué no toma él un cuaderno? El profesor no necesita cuaderno hoy. Él necesita un libro de gramática [a] para explicar la lección. En la clase de español él no habla inglés. Él siempre habla español. Si el profesor pregunta en español, el alumno siempre contesta en 5 español. Francisco no contesta en español. ¿Por qué? Porque él no estudia la lección. El profesor toma un libro en la clase y pregunta:

— ¡ Atención, clase! ¿ Es esto un cuaderno?

— No, señor, no es un cuaderno. Es un libro — contesta la clase. 10

— ¿ Qué clase de libro es?

— Es un libro de gramática.

— Y esto, ¿ qué es, la mesa o la silla?

47

— Es la mesa; no es la silla.

— Pedro y Julia, ¿ qué lengua estudian ustedes aquí ?

— Aquí nosotros estudiamos el español.

— ¿ Estudian ustedes el inglés en la clase de español ?

5 — No, señor; nosotros no estudiamos el inglés en la clase de español. Nosotros estudiamos el inglés en la clase de inglés.

— ¿ Qué idioma se habla aquí siempre ?

— Aquí siempre se habla español. Todo el mundo habla español.

10 — ¿ Cuándo no contesta bien la clase en español ?

— La clase no contesta bien cuando no estudia en casa.[b]

II. Vocabulario

A coro:

NOMBRES

el **alumno** pupil, student
la **atención** attention
la **casa** house, home
el **idioma** language
la **lección** lesson
la **mesa** table
el **profesor** teacher
la **silla** chair

VERBOS

es he, she, it is

explicar to explain
tomar to take

OTRAS PALABRAS

cuando when
¿ cuándo? when?
de of, from
esto this
hoy today
porque because
¿ por qué? why?
si if
siempre always

Aprendan de memoria:

(a) **un libro de gramática** a grammar book, a grammar
(b) **en casa** at home, home

¿ Qué significa en inglés?

1. la atención, el profesor, el idioma, explicar, siempre, tomar, la silla.
2. se habla español. 3. todo el mundo. 4. en la clase de inglés.
5. ¿ Qué clase de libro es? 6. ¿ Qué idioma se habla aquí?

III. Preguntas

1. ¿ Qué toma el profesor hoy? 2. ¿ Por qué no toma él un lápiz? 3. ¿ Para qué toma él un libro? 4. ¿ En qué idioma contestamos nosotros, si el profesor habla español? 5. ¿ Estudia Francisco la lección? 6. ¿ Qué idioma estudian ustedes aquí? 7. ¿ Contesta usted siempre bien? 8. ¿ Cuándo contesta bien la clase? 9. ¿ Estudia usted la lección en casa? 10. ¿ Pregunta y contesta usted en español?

IV. Gramática

A. NEGATIVE VERB

Luis *no* contesta bien.	Louis does not answer well.
Él *no* habla inglés.	He does not speak English.
Yo *no* necesito libro.	I do not need any book.

Observe that the verb in Spanish is made negative by placing **no** before it. *Any* in negative sentences is not expressed in Spanish.

B. THE DEFINITE ARTICLE

el **alumno**	the boy student	*el* **padre**	the father
la **alumna**	the girl student	*la* **madre**	the mother

el **padre** y *la* **madre**	the father and mother
el **profesor** y *la* **profesora**	the man and woman teachers
el **hombre** y *la* **mujer**	the man and woman

Note that **el,** *the,* is used before a masculine singular noun; **la,** *the,* is used before a feminine singular noun. In Spanish the article is repeated before each noun.

The article is used with the name of a language, except after the verb **hablar** and the prepositions **de** and **en.**

V. Ejercicios

A. Repaso oral — Lección segunda. *Translate into Spanish the words given in English:* 1. Deseo —— (*a book*). 2. ¿ Desea usted —— (*a grammar*)? 3. Nosotros estudiamos —— (*a language*). 4. ¿ Necesitan ustedes —— (*a pencil*)? 5. Felipe necesita —— (*a pen*). 6. ¿ Necesitan Ana y Tomás —— (*a notebook*)? 7. Tomás es —— (*a student*). 8. ¿ Es ——

(*a chair*)? 9. ¿Necesita él —— (*a table*)? 10. Usted estudia —— (*a lesson*).

B. *Completen con* **el** *o* **la** *y luego con* **un** *o* **una** (Complete with *el* or *la* and then with *un* or *una*): 1. Yo tomo —— cuaderno. 2. Ellas necesitan —— libro. 3. El profesor explica —— lección. 4. ¿Es esto —— pluma? 5. —— alumno contesta. 6. Ustedes necesitan —— cuaderno. 7. Nosotros tomamos —— lápiz. 8. Usted habla inglés en —— clase. 9. Felipe necesita —— gramática. 10. Yo deseo estudiar —— lengua.

C. *Hagan negativa cada frase de* **B** (Make each sentence of **B** negative).

D. *Completen con* **el** *o* **la:**

—— casa	—— mesa	—— mujer	—— profesor
—— clase	—— silla	—— inglés	—— español
—— lápiz	—— alumno	—— madre	—— pluma
—— lección	—— gramática	—— hombre	—— lengua
—— libro	—— cuaderno	—— señor	—— padre

E. *Escriban enteramente en español:* 1. *The class* no habla inglés aquí. 2. ¿No desea usted estudiar *the language?* 3. Pedro explica *the lesson.* 4. *The teacher* no toma un libro. 5. Usted no toma *the chair.* 6. *The man* desea estudiar una lengua. 7. Todo el mundo no estudia *the book.* 8. Aquí nosotros estudiamos *the grammar.* 9. Usted no necesita *the notebook.* 10. *The pupil* desea estudiar un poco de español.

F. Test III.   *Write the Spanish translation of the articles in English:* 1. —— alumno no pregunta en inglés (*The*). 2. Es —— silla (*the*). 3. Usted no toma —— lápiz (*the*). 4. Yo deseo —— pluma (*a*). 5. No es —— mesa (*the*). 6. Nosotros no estudiamos —— lección (*the*). 7. Ellos necesitan —— gramática (*the*). 8. Ustedes necesitan —— casa (*a*). 9. Ellos estudian en —— clase (*the*). 10. Yo estudio —— libro (*the*).

G. *Oral:* (*a*) It is not: the class, the pupil, the table, the chair.

(*b*) 1. I wish to study. 2. We do wish to answer. 3. What does he speak?

(*c*) 1. You need. 2. She does not need any book. 3. What do they need?

(*d*) 1. I do not study in class. 2. You are not studying the lesson. 3. Do we speak Spanish at home?

H. *Written:* 1. Do you want the pencil? 2. I do not want the pencil. 3. We need the grammar. 4. Philip takes the book. 5. They need the notebook and the pen. 6. I do not study the lesson in class. 7. The teacher asks: "What is this?" 8. Albert answers: "It is not the grammar, it is the notebook." 9. We are taking a lesson today. 10. You speak Spanish in the class.

I. Ejercicio de invención. *Imiten la construcción* (Imitate the construction):

1. ¿ Qué es esto?   Esto es el libro, la ——, el ——, la ——,
2. ¿ Es esto la silla?   No, señor; es la ——, la ——, el ——, el ——,
3. ¿ Es esto el libro?   No, señor; es el cuaderno, no es el libro,

J. Ejercicio de pronunciación:

ε [1]:	el	pa-pel	per-la	pe-rro
	ser	de-ja	me-jor	co-rre
	del	Al-ber-to	e-fec-to	per-fec-ta

K. *Dialoguito:*

— ¿ **Cómo está usted, se-ñor** [2] . . . ?	How are you, Mr. . . . ?
— **Muy bien, gracias.**	Very well, thank you.
— **Y usted, ¿ qué tal?**	And how are you?

[1] Open **e** in Spanish is similar to *e* in *met*. Open **e** occurs in all closed syllables except those which end in **m, n, d, z,** and **s.** The **e** is also open when it comes in contact with the **rr** sound or before the **j** sound or in the diphthong **ei** (**ey**).   [2] **señorita,** *Miss,* **señora,** *madam, Mrs.*

CUARTA

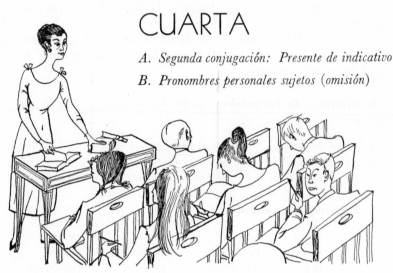

A. *Segunda conjugación: Presente de indicativo*

B. *Pronombres personales sujetos (omisión)*

I. Conversación

Aquí aprendemos el español

Rafael Alonso aprende el español en la escuela. Aprende bien porque presta atención[a] en la clase y estudia en casa. Siempre comprende la explicación. No es como Luis Ortega que no estudia ni presta atención. Él no comprende cuando hablamos
5 español. Rafael siempre escucha en la clase. Siempre habla español porque desea aprender pronto el español.

— ¿ Quién comprende cuando yo hablo español? — pregunta la profesora.

— Nosotros comprendemos — responde la clase. — Comprende-
10 mos mucho porque usted enseña bien y siempre explica la lección. Y si no comprendemos, preguntamos.

— Muy bien. Ahora vamos a practicar [b] un poco el español. Si pregunto, ¿qué idioma habla Vd. con la profesora en la clase? ¿ qué responde usted, Alicia?

15 — En la clase de español, la profesora siempre habla español. Así todo el mundo comprende.

— ¿ Deben ustedes prestar atención cuando leemos y hablamos español aquí?

— Sí, señorita; debemos prestar atención cuando usted explica la lección.

— ¿ Qué hacen ustedes aquí, en la clase de español?⁵

— Hablamos, leemos y tratamos de comprender ᶜ y aprender el español.

— Carmen, ¿ qué hace usted en casa para estudiar una lección de español?

— En casa leo y estudio mucho la lección.   Hago esto porque 10 así aprendo bien.

— Muy bien, Carmen.   Veo que usted siempre sabe la lección.

— Gracias,ᵈ señorita.

— De nada,ᵉ Carmen.

II. Vocabulario

A coro:

NOMBRES	OTRAS PALABRAS
la **escuela** school	**ahora** now
la **explicación** explanation	**así** thus
	como as, like
VERBOS	**con** with
aprender to learn	**mucho** much
comprender to understand	**ni** neither, nor
deber must, should	**poco** little
enseñar to teach	**un poco** a little
escuchar to listen to	**pronto** soon
leer to read	**que** who, that
practicar to practice	¿ **quién?** who?
responder to answer	

Aprendan de memoria:

(a) **prestar atención** to pay attention

(b) **vamos a practicar** let us practice

(c) **tratar de** + *inf.* to try to + *inf.*

(d) **gracias** thanks, thank you

(e) **de nada** you are welcome

¿ Qué significa en inglés?

1. la escuela, mucho, practicar, pronto, responder, ahora, así, deber.
2. Usted trata de hablar. 3. Luis no presta atención. 4. ¿ Desea usted responder? 5. Vamos a practicar un poco. 6. Yo deseo aprender pronto.

III. Preguntas

1. ¿ Qué aprende usted aquí? 2. ¿ Qué aprendemos nosotros aquí? 3. ¿ Por qué aprende bien Rafael? 4. ¿ Comprenden ustedes cuando yo hablo español? 5. ¿ Qué idioma comprende usted bien? 6. ¿ Explica bien la lección la profesora? 7. ¿ Por qué debe usted prestar atención aquí? 8. ¿ Qué hacen ustedes en la clase de español? 9. ¿ Estudia usted mucho en casa? 10. ¿ Cuándo aprende usted bien aquí?

IV. Gramática

A. SECOND CONJUGATION — PRESENT TENSE OF STATEMENT FORM

VERB: **aprender** to learn			
aprender = infinitive		**aprend** = stem	
PERSON	FORMATION	EXAMPLE	ENGLISH
yo	stem + **o**	**aprend o**	I learn
tú	stem + es	aprend es	you learn
él, ella, Vd.	stem + **e**	**aprend e**	he, she learns, you learn
nosotros, –as	stem + **emos**	**aprend emos**	we learn
vosotros, –as	stem + éis	aprend éis	you learn
ellos, –as, Vds.	stem + **en**	**aprend en**	they learn, you learn
Like **aprender: comprender, leer, deber,** etc.			

Note that to conjugate the present of all regular verbs in **–er,** we add **–o, –**es, **–e, –emos,** –éis, **–en** to the stem. Verbs of this class differ from the **–ar** verbs in that the vowel of the ending is **e** instead of **a.**

Note that the following verbs are irregular only in the first person singular, thus:

caer to fall	**caigo,** caes, **cae, caemos,** caéis, **caen**
hacer to do	**hago,** haces, **hace, hacemos,** hacéis, **hacen**
poner to put	**pongo,** pones, **pone, ponemos,** ponéis, **ponen**
saber to know	**sé,** sabes, **sabe, sabemos,** sabéis, **saben**
ver to see	**veo,** ves, **ve, vemos,** veis, **ven**

Práctica: 1. Él ——. 2. Usted no ——. 3. ¿—— ellos? 4. Carlos ——. 5. ¿—— ustedes? 6. Yo no ——. 7. El alumno ——. 8. ¿No —— yo? 9. María ——. 10. Nosotros ——.

B. OMISSION OF SUBJECT PRONOUNS

STATEMENT:	**Aprendo.**	I learn.
QUESTION:	**¿ Qué aprende Vd.?**	What do you learn?
NEGATION:	**No aprendemos.**	We do not learn.
NEGATIVE QUESTION:	**¿ No aprenden Vds.?**	Do you not learn?

Note that the subject pronoun of the verb is generally omitted in Spanish except when needed for emphasis or clearness. However, **usted** and **ustedes** are regularly used for politeness even when the subject is clear.

V. Ejercicios

A. Repaso oral — Lección tercera. *Give the Spanish translation of the words in English:* 1. Felipe estudia —— (*the lesson*). 2. Nosotros estudiamos —— (*the grammar*). 3. Usted estudia en —— (*the class*). 4. Yo no tomo —— (*the pen*). 5. ¿ Necesita usted —— (*the book*)? 6. —— pregunta en español (*The teacher*). 7. Ellos explican —— (*the grammar*). 8. Es —— (*the table*). 9. No es —— (*the pupil*). 10. ¿ Estudia usted —— (*the school*)?

B. *Completen:* 1. ¿ Comprend— Vd. el español? 2. Nosotros aprend— bien. 3. ¿ Quién le— la lección? 4. Felipe no estudi— en casa. 5. ¿ No deb— Vds. estudiar mucho? 6. Yo respond— en español. 7. ¿ Enseñ— Vd. el español? 8. ¿ No deb— responder nosotros en inglés? 9. Vd. aprend— bien el español. 10. Yo deb— estudiar mucho en casa.

C. *Reemplacen la raya con la forma apropiada del verbo* (Replace the dash with the proper verb form): 1. (*ver*) Yo —— la casa. 2. (*saber*) Vd. no —— esto. 3. (*hablar*) Yo no —— siempre. 4. (*poner*) ¿ Qué —— Vds. en la mesa? 5. (*leer*) Ana y Tomás —— el libro. 6. (*saber*) Yo —— siempre la lección. 7. (*hacer*) Yo —— esto para aprender. 8. (*leer*) ¿ No —— Vd. la lección? 9. (*hacer*) ¿ Qué —— Tomás? 10. (*poner*) Yo —— el libro en la mesa.

D. *Reemplacen la raya con un verbo:* **aprender, estudiar, caer, hacer, poner, saber, ver**

ella ——	nosotros no ——	¿ —— yo?	¿ no —— Vd.?
yo ——	ellos no ——	¿ —— Vds.?	¿ no —— Ana?
Vds. ——	Vd. no ——	¿ —— él?	¿ no —— yo?

E. *Reemplacen la raya con la forma apropiada del verbo:* 1. (*responder*) El alumno —— en español. 2. (*estudiar*) Nosotros no —— en casa. 3. (*comprender*) Ellos no —— bien la lección. 4. (*leer*) Yo —— el libro. 5. (*deber*) Nosotros —— escuchar. 6. (*enseñar*) ¿ Qué —— Vd. en la clase? 7. (*aprender*) Vds. —— el español. 8. (*hacer*) ¿ Por qué —— yo esto? 9. (*saber*) Yo no —— la lección de hoy. 10. (*poner*) Yo —— la pluma en la mesa.

F. *Escriban enteramente en español:* 1. *We learn* bien en la clase de español. 2. Todo el mundo *understands*. 3. ¿ En qué lengua *do you answer* aquí? 4. *I must answer* en español. 5. El alumno *knows* la lección. 6. *I try to understand* la lección en la clase. 7. *He studies* en casa. 8. Usted *learn* muy bien aquí. 9. Aquí *we study* un poco de español. 10. Aquí *I must* prestar atención.

G. Test IV. *Write the Spanish translation of the words in English:* 1. El profesor —— la lección en la clase (*is teaching*). 2. —— la gramática para aprender bien (*I read*). 3. ¿ Qué —— nosotros cuando el profesor pregunta (*do . . . answer*)? 4. —— bien la lección de hoy (*I don't know*). 5. —— esto para aprender (*I am doing*). 6. Nosotros —— la clase de español (*do see*). 7. —— el español (*I am learning*). 8. —— el cuaderno en la mesa (*I put*). 9. ¿ Por qué no —— Vd. el español (*understand*)? 10. Ana —— la lección en casa (*learns*).

H. *Oral:* 1. I understand. 2. We do not understand. 3. Do you learn? 4. Don't they learn? 5. What am I reading? 6. I do fall.

7. I do not do this.   8. Do you read?   9. What do I see?   10. We do not know.

I. *Written:* 1. What is the teacher reading? 2. I do not see. 3. Anna and Albert learn the lesson well at home. 4. Why don't you know the lesson? 5. They do not listen in class and do not study at home. 6. What are they doing with the book? 7. They are studying the lesson. 8. We understand the lesson when we study and read at home. 9. I always know the lesson when I study. 10. When the teacher asks, we always answer.

J. **Ejercicio de invención.** *Hagan oraciones con:*

Usted	aprender	el español
Nosotros	comprender	en español
Yo	(no) responder	en inglés
Julia	deber + *verb*	un poco
El profesor	saber	la lección de español
Un hombre	desear + *verb*	en casa

K. **Ejercicio de pronunciación:**

i:	mi	pi-pa	chi-ca	tí-pi-ca
	sin	li-la	mi-na	Fe-li-pe
	fin	li-ma	pi-da	dis-tin-ta

Asistí a misa en las Filipinas.

L. *Dialoguito:*

— **Hasta mañana, clase.**　　　　See you tomorrow, class.

— **Hasta la vista, señorita.**　　　I'll be seeing you, Miss.

— **Vengan temprano mañana.**　　Come early tomorrow.

— **Sí, señorita Arias, con mu-**　　Yes, Miss Arias, gladly.
cho gusto.

L E C C I Ó N

QUINTA

A. Género de los adjetivos

B. Colocación y concordancia de los adjetivos

I. Conversación

El español es fácil

La lección de español es fácil; no es difícil si estudiamos en casa. Hoy la profesora desea saber si cada uno de nosotros sabe el color de cada objeto. Manuel da un libro a la profesora. Ella pone el libro sobre la mesa. Luego explica lo que va a hacer [a] con cada
5 objeto. Toma el libro y a la vez [b] pregunta:

— Señorita Pérez, ¿ de qué color es el libro?

— El libro es verde; es un libro verde.

— Gracias, señorita. Y ahora, Francisco, ¿ de qué color es el lápiz?

10 — El lápiz es rojo; es un lápiz rojo.

— ¿ De qué color es la pizarra, Pilar?

— La pregunta no es difícil. La pizarra es negra.

— Y, ¿ de qué color es la tiza, sabe usted, Manuel?

— Si veo bien, la tiza es blanca. Pero veo también que hay [c]
15 tiza roja, azul, verde y amarilla.

58

— Isabel, ¿ de qué color es la tinta que usa usted en su pluma fuente?

— Sé que siempre uso tinta azul en la escuela, pero en casa uso tinta negra.

Isabel es una muchacha aplicada porque siempre estudia la 5 lección.   Para Isabel la lección es siempre fácil; no es difícil. En cambio,[d] Miguel, un alumno norteamericano, no es diligente. Luisa, una alumna inglesa, es muy inteligente.   Pablo Durand es francés y también es inteligente.   Pedro Ochoa no es perezoso; es diligente.   10

En la clase de español, no todo el mundo es norteamericano. La profesora es española.   Yvette es francesa y Greta es alemana. Pero en la clase todos [e] desean aprender el español.

II. Vocabulario

A coro:

NOMBRES

el **color** color
la **muchacha** girl
el **objeto** object
la **pizarra** blackboard
la **pluma fuente** fountain pen
la **pregunta** question
la **tinta** ink
la **tiza** chalk

ADJETIVOS (*Adjectives*)

alemán, –ana German
amarillo, –a yellow
aplicado, –a studious
azul blue
blanco, –a white
difícil difficult
diligente diligent
español, –ola Spanish
fácil easy
francés, –esa French

inglés, –esa English
inteligente intelligent
negro, –a black
norteamericano, –a American
perezoso, –a lazy
rojo, –a red
su your, his, her
verde green

VERBOS

da he, she, it gives
son they are
usar to use

OTRAS PALABRAS

cada (*invariable*) each, every
lo que what
luego then
muy very
pero but
sobre on, upon

Aprendan de memoria:

(a) **Él va a hacer esto.** He is going to do this.

(b) **a la vez** at the same time

(c) **hay** there is, there are

(d) **en cambio** on the other hand

(e) **todos, –as** everybody, all

¿ Qué significa esto en inglés?

1. fácil, aplicado, –a, verde, pero, sobre, perezoso, –a, cada, luego. 2. ¿ De qué color es esto? 3. En cambio, esto no es difícil. 4. No hay tiza en la pizarra. 5. En la clase de español hay un alumno perezoso. 6. ¿ Qué va a hacer él? 7. Sabemos lo que hacemos. 8. Isabel es una alumna inteligente.

III. Preguntas

1. ¿ Es fácil o difícil la lección de español? 2. ¿ Qué desea saber la profesora? 3. ¿ Qué pregunta? 4. ¿ Qué responde una alumna? 5. ¿ De qué color es la pizarra? 6. ¿ De qué color es la tinta que usted usa? 7. ¿ Quién es norteamericano aquí? (Yo soy . . .) 8. ¿ Quién desea aprender el español? 9. ¿ Quién no es norteamericano en la clase? 10. ¿ Es norteamericana o española la profesora?

IV. Gramática

A. GENDER OF ADJECTIVES

MASCULINO	FEMENINO
(a) **El libro es ro***jo***. The book is red.	**La tinta es ro***ja***. The ink is red.
(b) **Luis es un alumno diligente.** Louis is a diligent pupil.	**Ana es una alumna diligente.** Anna is a diligent pupil.
(c) **El libro es fácil.** The book is easy.	**La lección es fácil.** The lesson is easy.
(d) **Felipe es un alumno español.** Philip is a Spanish pupil.	**Isabel es una alumna español***a***.** Isabel is a Spanish pupil.
(e) **El alumno ingl***és* **es aplicado.** The English pupil is studious.	**La alumna ingl***esa* [1] **es aplicad***a***.** The English pupil is studious.

[1] Note the absence of accent in the feminine. Why?

Adjectives ending in –o in the masculine change –o to –a to form the feminine; other adjectives do not, as a rule, change their form in the feminine.

But adjectives of nationality ending in a consonant add –a to the masculine to form the feminine.

B. POSITION AND AGREEMENT OF ADJECTIVES

The adjective in Spanish usually follows the noun it modifies and agrees with it in gender and number.

V. Ejercicios

A. Repaso oral — Lección cuarta. *Give the Spanish translation of the words in English:* 1. —— mucho en la clase (*We learn*). 2. ¿ Por qué —— leer la lección en casa (*must we*)? 3. —— esto para aprender (*I do*). 4. ¿ —— el lápiz y la pluma (*Don't you see*)? 5. —— en español (*We are answering*). 6. ¿ Cuándo —— Luis y Felipe (*do . . . listen*)? 7. ¿ —— Ana el español (*Does . . . understand*)? 8. —— la gramática para comprender la lengua (*We study*). 9. El profesor —— el español (*is teaching*). 10. Vds. —— el cuaderno en la mesa (*see*).

B. *Escriban la forma apropiada del adjetivo* (Write the proper form of the adjective):

1. **fácil:**	un libro ——	una lección ——
2. **verde:**	un lápiz ——	la casa ——
3. **rojo:**	el color ——	la tinta ——
4. **inglés:**	Luis es ——	Ana es ——
5. **diligente:**	Felipe es ——	Marta es ——
6. **blanco:**	el lápiz ——	la tiza ——
7. **negro:**	el cuaderno ——	la silla ——

C. *Llenen el espacio con la forma apropiada del adjetivo* (Fill the space with the proper form of the adjective): 1. (*rojo*) Veo el lápiz ——. 2. (*aplicado*) Felipe es un alumno ——. 3. (*difícil*) Yo no sé la lección ——. 4. (*español*) ¿ Sabe Vd. la gramática ——? 5. (*diligente*) María es una alumna ——. 6. (*fácil*) La lección es ——. 7. (*verde*) El profesor necesita el libro ——. 8. (*inglés*) El alumno es ——. 9. (*blanco*) Veo una casa ——. 10. (*negro*) El libro no es ——.

D. *Reemplacen la raya con un adjetivo* (Replace the dash with an adjective): 1. La alumna es ——. 2. ¿ Es —— el cuaderno? 3. La tinta es ——; no es ——. 4. Luis es ——. 5. Yo no tomo el lápiz ——. 6. Es español; no es ——. 7. ¿ Es —— el inglés? 8. El libro es ——. 9. Es tiza ——. 10. Clara no es ——.

E. *Escriban enteramente en español:* 1. La lección de hoy no es *difficult.* 2. La mesa es *yellow;* es una mesa *yellow.* 3. Luisa es una alumna *diligent.* 4. La profesora es *Spanish.* 5. Miguel no estudia porque es *a lazy pupil.* 6. No aprende bien en *the Spanish class.* 7. ¿ Comprende usted si la lección es *easy?* 8. El profesor toma *the red notebook.* 9. La lección de hoy es *difficult;* es *a difficult lesson.* 10. Sobre la mesa hay *white chalk.*

F. Test V. *Write the Spanish translation of the adjectives in English:* 1. La gramática no es —— (*difficult*). 2. ¿ Ve Vd. el libro —— (*red*)? 3. Necesito tinta —— (*black*). 4. ¿ Por qué no estudia la lección —— (*easy*)? 5. Clara no es —— (*Spanish*). 6. Luis es un alumno —— (*diligent*). 7. Tomás es un alumno —— (*American*). 8. Una alumna —— estudia mucho (*studious*). 9. Pongo la tiza —— en la mesa (*white*). 10. El español no es —— (*easy*).

G. *Oral:* A difficult lesson; an easy book; the red ink; a green notebook; the English grammar; a diligent pupil; a studious girl; the black pencil; the white house; the Spanish language.

H. *Written:* 1. We are learning an easy lesson. 2. The teacher takes a red book. 3. He asks: "Is the book difficult?" 4. Isabel answers: "The book is easy." 5. Dolores is a Spanish pupil. 6. Mary is an American pupil. 7. In the class we study Spanish grammar. 8. We do not study English grammar. 9. Spanish grammar is easy if we study. 10. English grammar is not difficult for a diligent pupil.

I. Ejercicio de invención. *Completen las oraciones con otras combinaciones de nombre y adjetivo* (Complete the sentences with other combinations of noun and adjective):

1. Yo hablo a la alumna francesa, . . . , . . . , . . . ,
2. Usted toma tiza roja, . . . , . . . , . . . ,
3. Aprendemos el idioma español, . . . , . . . , . . . ,
4. Carmen necesita tinta azul, . . . , . . . , . . . ,

J. Ejercicio de pronunciación:

o [1]: lo   to-mo   co-no   an-do
        to-no   co-mo   po-co   tam-po-co
        so-lo   mo-no   co-lo-co   o-lo-ro-so

Todo lo tomo y lo coloco con el oro.

K. *Dialoguito:*

— Señorita **Díaz, quiero pre-**   Miss Diaz, I want to introduce you
  sentarla al señor Rojas.   to Mr. Rojas.
— **Mucho gusto en conocerlo,**   I am very glad to know you, sir.
  señor.
— **Es un placer conocerla,**   It is a pleasure to know you, young
  señorita.   lady.
— **Gracias, señor, el gusto es**   Thank you, sir, the pleasure is mine.
  mío.

---

[1] The Spanish closed **o** is similar to the *o* in the English word *bone* without the glide sound of *u*. The Spanish closed sound of **o** occurs in all open syllables.

SEXTA

A. *Caso posesivo*

B. *Contracción de la preposición* **de** *y el artículo* **el**

I. Conversación

¿ Sabe usted de quién es esto ? [a]

La lección de hoy es interesante. Al principiar la clase,[b] el profesor enseña algo nuevo. Todo el mundo comprende la lección porque es fácil; no es difícil. El profesor desea saber de quién es cada objeto que hay en la clase. Por ejemplo,[c] toma el libro de 5 un muchacho y pregunta a la clase:

— Clase, atención. ¿ De quién es el libro? ¿ Sabe usted, Andrés?

— El libro es de Roberto.

— Muy bien, Andrés. Y ahora, ¿ cuál es la respuesta a la pre-
10 gunta: ¿ De quién es la pluma fuente?

— La pluma fuente es del alumno Pérez. Es la pluma fuente de Pérez.

— Y esto, ¿ de quién es? — pregunta otra vez [d] el profesor.

Teresa, una alumna de la clase, contesta que es de Elsa. — Es
15 la gramática de Elsa. — Luego el profesor pregunta de quién es otra cosa y otro alumno responde. Todo el mundo responde bien

porque todos comprenden la regla de la lección. La lección es
sobre el uso de la palabra « del ». Por ejemplo, expresamos en
español *the pupil's fountain pen* con « la pluma fuente del alumno »,
the teacher's book con « el libro del profesor ». Si deseamos saber
de quién es una cosa, preguntamos así: 5
— ¿ De quién es esto? ¿ De quién es el cuaderno? ¿ De quién
es el lápiz?
Y la respuesta es siempre:
— Esto es de Roberto. La silla es del [1] señor López. El asiento
es de la alumna.   10
El ejercicio de hoy es interesante. Si comprendemos, la lección
es siempre fácil. Cuando estudiamos y prestamos atención en la
clase, siempre contestamos bien. El profesor de español siempre
hace la clase interesante.

II. Vocabulario

A coro:

NOMBRES

el **asiento** seat
la **cosa** thing
el **ejercicio** exercise
el **muchacho** boy
la **palabra** word
la **regla** rule
la **respuesta** answer
el **uso** use

ADJETIVOS

interesante interesting
nuevo, –a new
otro, –a other, another

VERBO

expresar to express

OTRAS PALABRAS

a to, at
algo something
¿ **cómo**? how?
¿ **cuál**? which? what?

Aprendan de memoria:

(a) ¿ **De quién es esto**? Whose is this?
(b) **al principiar la clase** when the class begins
(c) **por ejemplo** for example
(d) **otra vez** once more, again

[1] The definite article is required before a proper noun modified by a title but not used in direct address.

¿ Qué significa en inglés?

1. hoy, algo, fácil, difícil, la pluma fuente, la lección de Julia, la regla del día.   2. ¿ De quién es el libro?   3. Él pregunta otra vez. 4. Cuando estudia en casa, él contesta bien.   5. Todo el mundo comprende.   6. Nosotros prestamos atención en la clase.   7. ¿ De quién es esto?

III. Preguntas

1. ¿ Cómo es la lección de hoy?   2. ¿ Qué enseña el profesor? 3. ¿ Quién comprende la lección?   4. ¿ Qué desea saber el profesor? 5. ¿ Qué pregunta a la clase?   6. ¿ De quién es la pluma fuente? 7. ¿ Por qué responde bien todo el mundo?   8. ¿ Cómo expresamos en español *the teacher's book?*   9. ¿ Cómo expresa usted en español: *Whose book is it?*   10. ¿ Cuándo contestamos bien?

IV. Gramática

A. POSSESSION

ENGLISH	SPANISH FORM	SPANISH
Philip's book	= the book of Philip :	**el libro** *de* **Felipe**
Anna's grammar	= the grammar of Anna :	**la gramática** *de* **Ana**
the pupil's pencil	= the pencil of the pupil :	**el lápiz** *del* **alumno**
the pupil's mother	= the mother of the pupil:	**la madre** *de la* **alumna**
the teacher's chair	= the chair of the teacher:	**la silla** *del* **profesor**
a girl's notebook	= the notebook of a girl :	**el cuaderno** *de una* **muchacha**

In Spanish, possession is expressed by **de,** *of,* before a proper noun; by **de** + a definite or indefinite article before other nouns. Remember that the possessor always follows the thing possessed.

B. CONTRACTION OF **DE** WITH **EL**

De + **el** contract to **del.**   Note that **de** and **la** do not contract.

V. Ejercicios

A. Repaso oral — Lección quinta.   *Give the Spanish translation of the words in English:*   1. El cuaderno es —— (*black*).   2. Una alumna ——

estudia mucho (*diligent*).   3. Yo no veo la casa —— (*green*).   4. Isabel es —— (*Spanish*).   5. El libro es —— (*red*).   6. La tiza es —— (*white*). 7. La profesora de Isabel es —— (*English*).   8. ¿ Comprende Vd. la regla —— (*easy*)?   9. Rosa no es —— (*studious*).   10. Debemos estudiar mucho para aprender una lección —— (*difficult*).

B. *Den el caso posesivo de* (Give the possessive case of):

1. Es el libro —— Felipe, —— Ana, —— alumno, —— Carmen.
2. ¿ Ve Vd. la gramática —— Alfonso, —— muchacha, —— señor, —— Elsa, —— Carmen y Dolores?
3. Tomo el lápiz —— alumna, —— Luis, —— profesor.
4. Necesito la pluma —— Pedro, —— muchacho, —— alumno.

C. *Usen la forma apropiada de la preposición* **de,** *con o sin el artículo* (Use the correct form of the preposition *de*, with or without the article): 1. No es el lápiz —— alumno.   2. ¿ Quién toma la pluma verde —— Rafael?   3. Hablamos —— ejercicio difícil.   4. Él comprende el uso —— regla.   5. ¿—— quién es el lápiz rojo?   6. Es —— señor. 7. Ellos leen el ejercicio —— día (*day*).   8. ¿ Quién ve la gramática —— Isabel?   9. Leo los ejercicios —— lección.   10. ¿ Quién necesita el libro —— Tomás?   11. No pongo el cuaderno —— muchacho sobre la mesa.   12. La profesora —— muchacha es española.

D. *Escriban enteramente en español:*   1. ¿ *Whose is* esto?   2. La pluma fuente es *black*.   3. Julia es *a German pupil.*   4. La lección es siempre *easy.*   5. No usamos *red chalk.*   6. La clase *does not answer* en inglés. 7. ¿ Qué *do I do* en la clase de español?   8. ¿ En qué idioma *do you answer?*   9. ¿ No *does he study* aquí?   10. Aquí todo el mundo *speaks* español.

E. Test VI. *Write the Spanish translation of the words in English:* 1. ¿ Quién habla —— (*of the lesson*)?   2. ¿ —— es la casa blanca (*Whose*)? 3. La casa es —— (*Albert's*).   4. No hago el ejercicio —— (*of the day*). 5. La tinta roja es —— (*Anna's*).   6. No comprendo el uso —— (*of the rule*).   7. Es la silla —— (*teacher's m.*).   8. Necesito el cuaderno —— (*pupil's f.*).   9. El lápiz rojo no es —— (*Isabel's*).   10. Vemos el libro —— (*Dolores'*).

F. *Oral:* Clara's book; Anna's pencil; the pupil's (*m.*) grammar; Louis' pen; John's chair; Isabel's teacher; today's lesson; Julia's class; the boy's house; whose book? the girl's notebook; the boy's exercise.

G. *Written:* 1. Whose book is it? 2. The teacher takes the girl's book. 3. Does he read Anna's book? 4. Yes, he is teaching today's lesson. 5. Rose, a pupil of the class, knows the lesson. 6. Rose's teacher always speaks Spanish. 7. We must always pay attention in the Spanish class. 8. In Mr. Montes' class, a (**el**) pupil (*m.*) must study the lesson. 9. Albert and Clara are doing the day's exercise. 10. Albert does not practice the exercise of the lesson.

H. Ejercicio de invención. *Hagan oraciones con:*

Yo	aprender	la tinta negra	de Isabel
Él	tomar	el libro fácil	del profesor
Nosotros	desear + *inf.*	la pluma fuente	del señor —
María	usar	el ejercicio	del alumno
Pedro	leer	la lección	de hoy

I. Ejercicio de pronunciación:

ɔ [1]:	sol	por	o-jo	co-lor
	flor	for-ma	te-mor	or-den
	a-mor	bol-sa	cho-rro	pro-fe-sor

La flor roja está en la torre al calor del sol.

J. *Dialoguito:*

— ¿ **Cuál es su nombre, señor?**	What is your name, sir?
— **Mi nombre es Carlos Blanco.**	My name is Charles Blanco.
— ¿ **En qué escuela estudia usted?**	In what school are you studying?
— **Estudio en la escuela Bolívar.**	I am studying at Bolivar School.
— ¿ **Es una escuela pública o particular?**	Is it a public or private school?
— **Es una escuela pública, señor.**	It is a public school, sir.

---

[1] The Spanish open *o* is similar to the *o* in the English word *port.* The Spanish open sound of **o** occurs in all closed syllables. The **o** is also open when it comes in contact with initial **r** or with **rr,** before the **j** sound, or in the diphthong **oi,** (**oy**).

Native climbing coconut palm

Sacromonte, Granada, Spain

Taxco, Mexico

Entrance to Chapultepec Castle, Mexico

View of Lake Atitlán, Guatemala

SELECCIÓN

El círculo español

Soy socio ᵃ del círculo español de nuestra escuela. Hay muchos
socios en nuestro círculo. Tenemos ¹ una reunión todas las sema-
nas.ᵇ El presidente es un muchacho muy popular. Hablamos de
España y de la América española. Todos los socios ᶜ toman parte
en la discusión.   5

a. *What English words do you recognize from the following Spanish
words?*

la reunión, el presidente, popular, España, la parte, la discusión

b. Vocabulario

la **América española** Spanish America	**muchos, –as** many	
	nuestro, –a our	
el **círculo** club	el **socio** member	

c. Frases útiles

(a) **Soy socio.** I am a member.   (c) **todos los socios** all the mem-
(b) **todas las semanas** every week   bers

d. Preguntas

1. ¿ Hay un círculo español en nuestra escuela? 2. ¿ Es usted socio
del círculo español? 3. ¿ Cuándo tenemos reunión? 4. ¿ De qué
hablan ustedes? 5. ¿ Quiénes toman parte en la discusión?

¹ We have.

SÉPTIMA

A. Tercera conjugación: Presente de indicativo

B. Terminaciones del infinitivo

I. Conversación

Escribimos algo en español

Hoy estudiamos una lección nueva. La profesora enseña la conjugación del verbo « vivir ». Si sabemos la conjugación de « hablar y comer », no es difícil la conjugación de « vivir o escribir ». La profesora explica bien la regla a la clase. Casi todo el mundo 5 presta atención y comprende la regla del día. Un alumno escribe la regla en la pizarra. Todos aprendemos la regla porque es fácil. Eugenio desea escribir la conjugación del verbo « vivir » en

70

la pizarra, pero no ve tiza.   No escribe y nadie sabe por qué.   Al fin,ᵃ la profesora pregunta:

— Eugenio, ¿ por qué no escribe usted en la pizarra?

— Porque no hay tiza aquí, señorita — responde Eugenio.

— ¿ Quién sabe dónde hay tiza?   5

— Yo, señorita Martínez; yo sé donde hay tiza.   Hay tiza en la clase del señor Arias.

Eduardo abre la puerta y sale de ᵇ la clase.   Más tarde ᶜ trae tiza de la otra clase.   Luego toda la clase ᵈ escribe la conjugación del verbo « escribir » en los papeles.   Ahora todos escriben y dicen la   10 regla.   Escribimos y decimos la regla porque es importante.   Es una regla muy importante.   Inés y Juana escriben con tinta. Eugenio escribe con tiza en la pizarra.   Felipe escribe con lápiz porque no tiene pluma fuente.

En la clase todos practicamos la conjugación de « abrir, escribir,   15 vivir y salir ».   También practicamos la conjugación de « dar, traer y valer ».   Para practicar el verbo « vivir », la profesora pregunta dónde vivimos.   Todos contestamos que vivimos en la ciudad de Nueva York.   Todo el mundo en la clase vive allí y asiste a la escuela ᵉ pública.   20

II. Vocabulario

A coro:

NOMBRES

la **ciudad** city
la **conjugación** conjugation
Nueva York New York
el **papel** paper
la **puerta** door
el **verbo** verb

ADJETIVOS

importante important
público, –a public

VERBOS

abrir to open

comer to eat
decimos we say
dicen they say
escribir to write
tiene he, she, it has
vivir to live

OTRAS PALABRAS

allí there
casi almost, nearly
donde where
¿ dónde? where?
nadie nobody, no one

Aprendan de memoria:

(a) **al fin** finally, at last

(b) **salir de** to go out of, leave

(c) **más tarde** later (on)

(d) **toda la clase** the whole class

(e) **asistir a la escuela** to attend school

¿ Qué significa en inglés?

1. hoy, enseñar, saber, comer, la regla, la pizarra, la tiza, porque, ¿ por qué? la puerta, decimos, el lápiz. 2. Todo el mundo presta atención en la clase. 3. Todos ellos aprenden la regla. 4. Nadie sabe la regla. 5. Él sabe donde hay tiza. 6. Más tarde Eugenio trae tiza. 7. Todos respondemos que vivimos aquí.

III. Preguntas

1. ¿ Qué estudiamos hoy? 2. ¿ Qué enseña la profesora? 3. ¿ Qué explica bien a la clase? 4. ¿ Quién comprende la regla del día? 5. ¿ Dónde escribe un alumno la regla? 6. ¿ Por qué no escribe Eugenio? 7. ¿ Quién sabe donde hay tiza? 8. ¿ De dónde trae tiza Eduardo? 9. ¿ Con qué escribe Inés? 10. ¿ Qué practica la clase?

For general review purposes, put the following series in the different persons of the present indicative.

The series is an excellent means of increasing the pupil's vocabulary. The chain of actions is easily remembered because each sentence suggests the following one.

Serie [1]

Tomo un libro.	I take a book.
Abro el libro.	I open the book.
Leo un ejercicio.	I read an exercise.
Leo una oración.	I read a sentence.
Leo toda la página.	I read the whole page.

[1] In this series and those which follow, a special attempt should be made by the pupil to memorize them. It is the most economical manner of learning a basic, practical vocabulary in sentence form for immediate use. Each series must be repeated many times in different persons, in the negative and interrogative forms, as well as the different tenses studied. Later they can be used for further vocabulary expansion and as an exercise for conversation or free composition.

IV. Gramática

A. THIRD CONJUGATION — PRESENT TENSE OF STATEMENT FORM

VERB: **vivir** to live			
vivir = infinitive		**viv** = stem	
PERSON	FORMATION	EXAMPLE	ENGLISH
yo	stem + **o**	viv **o**	I live
tú	stem + es	viv es	you live
él, ella, Vd.	stem + **e**	viv **e**	he, she lives, you live
nosotros, –as	stem + **imos**	viv **imos**	we live
vosotros, –as	stem + **ís**	viv ís	you live
ellos, –as, Vds.	stem + **en**	viv **en**	they live, you live
Like **vivir**: **escribir, abrir,** etc.			

Note that to conjugate the present of all regular verbs in –**ir** we add –**o,** –es, –**e,** –**imos,** –ís, –**en** to the stem.   In the present tense the –**ir** verbs differ from the –**er** verbs only in the first and second plural.

Note that the following verbs have the regular endings of their respective conjugations, except the first person singular which is irregular:

caber to fit in	**quepo,** cabes, **cabe, cabemos,** cabéis, **caben**
dar to give	**doy,** das, **da, damos,** dais, **dan**
salir to go out, leave	**salgo,** sales, **sale, salimos,** salís, **salen**
traer to bring	**traigo,** traes, **trae, traemos,** traéis, **traen**
valer to be worth	**valgo,** vales, **vale, valemos,** valéis, **valen**

Práctica: 1. Él ——. 2. Yo ——. 3. Nosotros ——. 4. Ella no ——. 5. Usted no ——. 6. Inés ——. 7. Ellos ——. 8. Todos ——. 9. Ustedes ——. 10. El profesor ——.

B. INFINITIVE ENDINGS

1st conjugation ends in –**ar:**	**habl–ar**	to speak
2nd conjugation ends in –**er:**	**aprend–er**	to learn
3rd conjugation ends in –**ir:**	**viv–ir**	to live

Note that all verbs in Spanish end in –ar, –er, –ir in the infinitive. To conjugate a verb, drop the infinitive ending, and add the personal endings for the various persons.

V. Ejercicios

A. **Repaso oral** — **Lección sexta.** *Give the Spanish translation of the words in English:* 1. Sé el uso —— palabra (*of the*). 2. No leo el ejercicio —— (*Clara's*). 3. ¿ —— es el libro verde (*Whose*)? 4. Tomamos la tiza —— (*teacher's*). 5. Roberto lee el papel —— (*Thomas'*). 6. No es la pluma —— (*Julia's*). 7. Veo la silla —— (*the boy's*). 8. Necesito el cuaderno —— (*Martha's*). 9. Pongo la gramática —— en la mesa (*the girl's*). 10. ¿ De qué color es la pluma —— (*the boy's*)?

B. *Den la forma apropiada del verbo* (Give the proper form of the verb): 1. (*abrir*) Yo —— el cuaderno de Isabel. 2. (*escribir*) Ella —— la regla de la lección. 3. (*vivir*) Nosotros no —— en Nueva York. 4. (*salir*) Yo —— para España. 5. (*dar*) Yo —— el libro de Ana a Felipe. 6. (*ver*) Ellos —— la gramática de María. 7. (*escribir*) ¿ Cuándo —— Vd. la lección? 8. (*traer*) Yo —— tiza a Ricardo. 9. (*abrir*) ¿ Quién —— el libro? 10. (*caber*) Yo —— en la silla.

C. *Usen* **Vd., nosotros, Luis, yo, él** *en cada frase:* 1. ¿ Escribir la regla? 2. Traer la tiza. 3. Abrir el libro. 4. Aprender el español. 5. No caber en la clase. 6. Salir de la clase. 7. Leer el ejercicio. 8. ¿ No vivir en España?

D. *Escriban enteramente en español:* 1. *He writes* algo en español. 2. *I do not know* qué escribir. 3. *The whole class* escribe la regla. 4. ¿ No explica el profesor *the day's lesson?* 5. *I wish to open* el libro para estudiar. 6. ¿ *Don't you live* aquí en Nueva York? 7. *We write* mucho cuando estudiamos. 8. En la clase de español *we do speak* español. 9. ¿ *Do you attend* a una escuela? 10. *There isn't any* tiza blanca aquí.

E. *Pongan el verbo en el presente* (Put the verb in the present):

1. **escribir:**   ¿ —— Vd. en el cuaderno?   Ellos —— la regla.
2. **salir:**   Yo —— de la clase.   ¿ Cuándo —— Vds. de Cuba?
3. **traer:**   ¿ Qué —— yo a Felipe?   Vd. —— el libro.

4. **dar:** ¿ Quién ——— el lápiz a Ana? Yo ——— el lápiz a María.
5. **leer:** ¿ No ——— Vds. bien? Nosotros ——— el español.
6. **estudiar:** Vd. ——— la lección del día. ¿ Qué ——— ellos?
7. **vivir:** ¿ ——— ellos en Panamá? Ella ——— en Cuba.

F. Test VII. *Write the Spanish translation of the verbs in English:*
1. ¿ Quién ——— en la clase (*teaches*)? 2. Ellos ——— en el papel blanco
(*write*). 3. Nosotros ——— el español (*learn*). 4. ——— un lápiz a Lola (*I
give*). 5. ——— la lección de hoy (*I don't know*). 6. ¿ Cuándo ——— Vd.
para Colombia (*are . . . leaving*)? 7. ¿ Qué ——— en la mesa (*do I put*)?
8. ¿ Qué ——— Luis con el libro (*is . . . doing*)? 9. Luis ——— mucho en
casa (*does*). 10. ——— papel a la clase (*I bring*).

G. *Oral:* 1. Who is writing? We do write. They do not write. I
write. 2. We open. What do you open? Don't they open? 3. Do
you live in Cuba? They live in . . . 4. He wishes to live in New York.
5. We must attend class. 6. I am leaving for [1] Colombia. 7. I give the
book to Lola.

H. *Written:* 1. I open the book and write the exercise. 2. Who is
writing on the blackboard? 3. Dolores is writing on the blackboard.
4. You are explaining the lesson to Isabel. 5. What are Philip and Lola
doing? 6. They are studying the use of the rule. 7. The teacher explains the rule in English. 8. I am bringing the book to Louis. 9. The
teacher asks: "When are you leaving for [1] Cuba?" 10. I answer: "I
am leaving today."

I. Ejercicio de invención. *Hagan oraciones con:*

Usted	escribir	el ejercicio	del día
Un alumno	vivir	en una calle	de aquí
Alberto	comprender	la lección	de todos los días
Nadie	estudiar	la regla	de hoy
Yo	tratar de + *verb*	el libro	del profesor

J. Ejercicio de pronunciación:

u:	lu-na	sur	su-ma	gus-to
	bru-to	u-na	plu-ma	nun-ca
	cul-pa	úl-ti-mo	pun-to	a-lum-no

A un alumno nunca le gusta ser el último de su clase.

[1] **para.**

K. *Dialoguito:*

— **Clase, tomen asiento. ¿ Ha sonado el timbre?**	Class, sit down. Has the bell rung?
— **No, señor: todavía no.**	No sir, no yet.
— **Presten atención.**	Pay attention.

SELECCIÓN

¿ Quién es?

Suena el timbre [1] del teléfono en la escuela. Lo atiende [2] la maestra. Oye [3] una voz infantil. Un niño trata de imitar la voz de un hombre.

Voz INFANTIL. ¿ Hablo con la maestra?

5   MAESTRA. Sí, ¿ quién es?

Voz INFANTIL. Es para decirle [4] que el niño Pepito Pérez no va hoy a la escuela porque está enfermo.

MAESTRA. ¡ Qué lástima! [a]   Lo siento mucho. [b]   ¿ Y está grave?

10   Voz INFANTIL. No, no; mañana va a estar bien. [c]

MAESTRA. Me alegro mucho. [d]   ¿ Y quién habla?

Voz INFANTIL. Mi papá.

---

[1] The bell rings.   [2] Attends to it.   [3] She hears.   [4] It is to tell you.

a. What English words do you recognize from the following Spanish words?

el teléfono, infantil, mucho, el papá, mi

b. Vocabulario

enfermo, –a sick
está is
grave seriously ill
la **maestra** teacher (*elementary*)
mi my

el **niño** child
el **papá** father
va goes
la **voz** voice

c. Frases útiles

(a) **¡qué lástima!** what a pity!
(b) **lo siento mucho** I am so sorry
(c) **mañana va a estar bien** tomorrow he will be well

(d) **me alegro mucho** I am very happy to hear it

d. Preguntas

1. ¿Qué suena en la escuela?   2. ¿Qué pregunta la voz infantil?
3. ¿Está grave Pepito?   4. ¿Cuándo va a estar bien?   5. ¿Quién habla a la maestra?

L E C C I Ó N

OCTAVA

A. *El plural de los nombres y de los adjetivos*

B. *Concordancia de los adjetivos*

I. Conversación

Las cosas que vemos en las salas de clase

En las salas de clase vemos muchas cosas. En casi todas las salas de clase hay cinco filas [1] de pupitres [2] con los bancos [3] correspondientes. Vemos también dos puertas grandes y varias ventanas. Cada clase tiene un estante [4] con muchos libros en inglés y algunos
5 en español. En el ropero se ven [5] los abrigos,[6] los sombreros y las gorras [7] de los alumnos. Delante de la clase está la mesa del profesor. Sobre la mesa hay la mar de cosas: [a] libros de todas clases y colores, cuadernos grandes y pequeños, lápices [8] largos y cortos, y una pluma fuente.
10 El profesor está delante de la clase. Desea saber si los alumnos saben el nombre de los varios objetos que hay en la clase.

— ¿ Qué objetos ve usted en la clase, Roberto?

[1] rows. [2] desks. [3] benches. [4] open bookcase. [5] are seen. [6] overcoats. [7] caps.
[8] *Words ending in* z *change the* −z *to* −c *before adding* −es.

78

— Señor profesor, yo veo dos puertas, ventanas, pupitres, un estante con muchos libros y cuatro paredes con cuadros artísticos.

— Muy bien, Roberto. Ahora, Jaime, ¿ cuáles de los objetos son muebles?

— Son muebles la mesa y la silla de usted, el estante de libros, 5
el ropero y los pupitres de los estudiantes.

— Está bien, Jaime. Bueno,[1] Lola, ¿ cuáles son las partes principales de una sala de clase?

— Una sala de clase tiene cuatro paredes, varias ventanas, dos puertas, el suelo y el techo. 10

— Perfectamente,[b] Lola. Y ahora, Teresa, ¿ qué ve usted sobre mi mesa?

— ¿ Quién sabe todas las cosas que hay en la mesa? Veo, por ejemplo, libros y más libros, papeles y más papeles, los ejercicios del día y otros muchos objetos. 15

— Veo que usted sabe observar [2] las cosas, Teresa. Señor Díaz, ¿ quiénes son las personas principales de una escuela?

— Las personas principales son los alumnos.

— ¡ Cómo! [3] ¿ Los alumnos son aquí las personas principales? ¿ Qué dice usted [4] de los profesores? 20

— Señor profesor, sin alumnos, ¿ cómo enseña usted?

— Es verdad. Los profesores y los alumnos son importantes, como es también el director de la escuela.

II. Vocabulario

A coro:

NOMBRES	
el **cuadro** picture	la **persona** person
el **director** principal	el **ropero** wardrobe
el **estudiante** student	la **sala** large room
el **mueble** piece of furniture	la (**sala de**) **clase** classroom
los **muebles** furniture	el **sombrero** hat
el **nombre** name	el **suelo** floor
la **pared** wall	el **techo** ceiling
la **parte** part	la **ventana** window
	la **verdad** truth

[1] Well, now. [2] **saber** + *inf.* = to know how + *inf.* [3] How is that! [4] do you say?

ADJETIVOS
DROPS o and add accent before sing masc n (handwritten note)

alguno, -a some
artístico, -a artistic
correspondiente corresponding
corto, -a short *great - precede* (handwritten)
grande large, great *large - after* (handwritten)
largo, -a long
pequeño, -a small
varios, -as various, several

VERBO
observar to observe, notice

OTRAS PALABRAS
delante de in front of, before
más more
sin without

Aprendan de memoria:

(a) **la mar de cosas** many things   (b) **¡ perfectamente !** quite right ! correct !

¿ Qué significa en inglés ?

1. el pupitre, también, la puerta, la ventana, delante de, el mueble, el ropero, la pared, la escuela.   2. En las salas de clase hay muchas cosas.   3. Cada clase tiene cinco filas de pupitres.   4. Sobre los pupitres hay varias cosas.   5. Los alumnos saben el nombre de varios objetos. 6. Los alumnos ven cuatro paredes y varios cuadros artísticos.   7. Las cosas que hay sobre la mesa del profesor son papeles y más papeles.

III. Preguntas

1. ¿ Qué hay en casi todas las salas de clase?   2. ¿ Cuántas puertas y ventanas vemos?   3. ¿ Qué libros hay en el estante?   4. ¿ Qué ve usted en el ropero?   5. ¿ Qué objeto está delante de la clase?   6. ¿ Qué hay sobre la mesa del profesor?   7. ¿ Quién está delante de la clase?   8. ¿ Qué deben saber los alumnos?   9. ¿ Cuáles son las partes principales de la sala de clase?   10. ¿ Quiénes son las personas principales de una escuela?

Expresiones útiles:

Fórmulas de cortesía

Dispénseme Vd. **Con (su) permiso.** }	Excuse me.
No es nada. **Está Vd. dispensado.** }	Surely; certainly; not at all.
Perdone Vd.	Pardon me.
Lo siento mucho.	I am very sorry.
Con mucho gusto.	With great pleasure.

IV. Gramática

A. THE PLURAL

SINGULAR	PLURAL
el libro rojo	*los* libros rojos
la pluma roja	*las* plumas rojas
el cuaderno azul	*los* cuadernos azules
la regla fácil	, *las* reglas fáciles
un lápiz verde	*unos* lápices verdes
una alumna diligente	*unas* alumnas diligentes

Note that to form the plural in Spanish, nouns and adjectives ending in a vowel take –s; those ending in a consonant add –es. The plural of **el** is **los;** the plural of **la** is **las.** All these forms mean *the.* In the plural **un** changes to **unos,** and **una** to **unas;** the plural forms mean *some, a few.*

B. AGREEMENT OF ADJECTIVES

El libro y el cuaderno son roj*os.*	The book and the notebook are red.
La mesa y la silla son amarill*as.*	The table and the chair are yellow.
Ellos son american*os.*	They are American.
Ana y Felipe son aplicad*os.*	Anna and Philip are studious.

Adjectives always agree in gender and number with the noun or pronoun to which they refer. An adjective modifying several nouns is in the plural. An adjective modifying nouns of different genders is in the masculine plural.

V. Ejercicios

A. Repaso oral — **Lección séptima.** *Give the Spanish translation of the words in English:* 1. Él —— en español (*writes*). 2. —— qué escribir (*I don't know*). 3. ¿ Cuándo —— ellos (*do . . . write*)? 4. No todos ellos —— en la pizarra (*write*). 5. ¿ No —— en la ciudad de Nueva York (*we live*)? 6. ¿ A qué escuela —— usted (*do . . . attend*)? 7. —— aquí, no —— en otra ciudad (*I live*). 8. ¿ Cuándo —— usted de la escuela (*do . . . leave*)? 9. ¿ En qué ciudad —— ustedes (*do . . . live*)? 10. —— algo en español (*We are writing*).

B. *Escriban en el plural:* 1. Él pregunta el nombre del alumno. 2. Escucho la lección.[1] 3. Ella escribe el ejercicio. 4. ¿ Toma Vd. el cuaderno amarillo del alumno? 5. Es la alumna aplicada de la escuela. 6. Yo abro la puerta de la clase. 7. Es la ventana grande de la clase. 8. ¿ Explica usted la regla? 9. ¿ No enseña usted la regla principal? 10. ¿ Es fácil el ejercicio de hoy? 11. Es la mesa de la clase. 12. La alumna norteamericana es aplicada.

C. *Pongan en el plural* (Put in the plural):

el libro rojo	la lección fácil	la escuela pequeña
la mesa blanca	la palabra difícil	la ventana grande
el profesor norteamericano	el cuadro grande	el alumno español
el lápiz pequeño	la otra silla	el ejercicio fácil
la pluma amarilla	la puerta verde	la muchacha aplicada

D. *Escriban en el singular:* 1. Los muchachos toman los libros. 2. Las escuelas son grandes. 3. Hay mesas para los profesores. 4. Los alumnos escuchan las explicaciones. 5. Las reglas son difíciles. 6. Los alumnos son aplicados. 7. Vds. comprenden las reglas fáciles. 8. Nosotros sabemos la lección. 9. Nosotros traemos los libros a la escuela. 10. Escribimos las reglas con lápiz en los cuadernos. 11. Los profesores enseñan el español. 12. Vds. ven los cuadros en las paredes.

E. *Escriban enteramente en español:* 1. Toda la clase *writes* el ejercicio. 2. ¿ Qué *do we eat* hoy? 3. No *I understand* la lección nueva. 4. No es *the teacher's book.* 5. ¿ *Whose is* la casa amarilla? 6. Contestamos a la pregunta *Robert's.* 7. Estudio *the pupil's lesson.* 8. Yo pongo *Peter's fountain pen* aquí. 9. No deseo escribir en *Isabel's notebook.* 10. *The man's book* está sobre la mesa.

F. Test VIII. *Write the Spanish translation of the words in English:* 1. El profesor explica algo a ―――― (*the diligent pupils*). 2. Pongo ―――― en la mesa (*the red books*). 3. Usted ve ―――― (*the white walls*). 4. Necesito ―――― (*the blue pencils*). 5. ¿ Da Vd. ―――― a Juan (*the other chairs*)? 6. No vemos ―――― (*the artistic pictures*). 7. ¿ Por qué no estudia usted ―――― (*the difficult lessons*)? 8. ¿ No asisten ustedes a ―――― (*the public schools*)? 9. Hablamos de ―――― (*some studious pupils*). 10. ―――― no estudian (*The lazy students*).

――――――
[1] All nouns ending in –**ción** lose the written accent in the plural. Why?

G. *Oral:* the small classes; the studious students; the large tables; the red books; the yellow pencils; the white papers; the large doors; the small windows; the Spanish teachers.

H. *Written:* 1. There are some things on the walls. 2. We also see the pictures on the walls. 3. The classes are large. 4. The doors and windows are not small. 5. There are large desks for the pupils. 6. There are seats for the teachers and pupils. 7. Do you write the easy rules or the difficult (ones)? 8. We write the difficult rules on the blackboard. 9. The teachers explain the exercises. 10. If they are easy, we do not write the rules in the notebooks.

I. Ejercicio de invención.   *Imiten las siguientes oraciones:*

1. ¿ Qué objetos ve usted aquí? Veo las puertas, . . .
2. ¿ Qué objetos son muebles de la sala de clase? Las sillas, . . .
3. ¿ Cuáles son partes de la sala de clase? Las ventanas, . . .
4. ¿ Qué objetos hay sobre la mesa del profesor? Sobre la mesa del profesor hay libros, . . .
5. ¿ Qué hacen los profesores en la escuela? Los profesores enseñan el español, . . .
6. ¿ Qué hacen los alumnos? Los alumnos aprenden, . . .

J. Ejercicio de pronunciación:

b [1]:	ba-la	bur-la	bo-la	bom-ba	un be-so
	ban-co	Be-lén	bus-ca	am-bos	un ba-úl
	Ber-ta	Bur-gos	em-ble-ma	tam-bién	sin voz

Benito también busca al hombre.

K. *Dialoguito:*

—¿ **Cuál es la lección de hoy?**	What is today's lesson?
—**La lección de hoy es la lectura de la página** . . .	Today's lesson is the reading on page . . .
—**Señor Palacio, principie la lectura.**	Mr. Palacio, begin the reading.
—**Con mucho gusto.**	With pleasure.
—**Basta, señor Palacio. Siga usted, señorita López.**	That's enough, Mr. Palacio. You may continue, Miss Lopez.

[1] The Spanish sound of **b** is pronounced like *b* in English when beginning a word, a breath group, or after **m** or **n**. Also note that **n** before **b** or **v** has the sound of *m*.

SELECCIÓN

Al baile

— Buenos días, Antonio.

— Buenos días, Carmen. ¿ Qué tal ? [a]

— Muy bien, gracias.

— ¿ Qué hace usted esta noche ? [1]

5　— No mucho.

— ¿ Desea usted ir a un baile ?

— Sí, Antonio, con mucho gusto.[b]　¿ A qué hora [2] principia ?

— A las nueve.

— ¿ A qué hora debo estar lista ?

10　— A las ocho y media.

— ¿ Qué clase de baile es ?

— Es un baile de música hispana.[3]　¿ Baila usted rumbas, mambos, tangos, sambas y cha-cha-chás ? [4]

— Sí, Antonio; los bailo todos.[5]　¿ Qué vestido llevo ?

15　— El vestido blanco.

— Muy bien, hasta luego.[c]

— Hasta luego.

---

[1] this evening.　[2] At what time?　[3] Spanish.　[4] *The original Spanish names are used in English.*　[5] I dance them all.

a. What English words do you recognize from the following Spanish words?

la música, mucho, la clase, hispano, –a, la rumba, el mambo, el tango, la samba, el cha-cha-chá.

b. Vocabulario

bailar to dance
el **baile** dance
conmigo with me
estar to be

ir (a) to go
listo, –a ready
llevar to wear
principiar to begin
el **vestido** dress

c. Frases útiles

(a) **¿qué tal?** how are you? how goes it?

(b) **con mucho gusto** with pleasure, willingly

(c) **hasta luego** see you later (*lit.* until then)

d. Preguntas

1. ¿Quiénes son las dos personas que hablan?   2. ¿Qué hace Carmen la noche del baile?   3. ¿Desea Carmen ir al baile?   4. ¿Qué clase de baile es?   5. ¿Qué bailes baila Carmen?

L E C C I Ó N

NOVENA

*A. Complemento directo personal con **a***

B. Algunos pronombres personales complementos

I. Conversación

Lo que hacemos en la clase de español

Nosotros los estudiantes entramos en [a] la clase y saludamos al profesor. Lo saludamos con mucho respeto. Luego pasamos a nuestro sitio [1] y tomamos asiento. Más tarde tomamos los libros y los cuadernos, y los abrimos. Hacemos esto para repasar la lección
5 del día. Tratamos de aprender bien la lección porque deseamos sacar notas buenas. Las sacamos cuando sabemos muy bien la lección. Copiamos en los cuadernos las palabras y las reglas que no sabemos. Las copiamos y las estudiamos con mucho cuidado.
Así estamos listos para dar la lección y no cometer faltas.[b]
10 Cuando principia la clase, siempre prestamos atención. Escuchamos al profesor cuando explica algo. En una clase no todos los alumnos son aplicados. Siempre hay algunos que son perezosos. Algunos ni [2] abren los libros para estudiarlos. Otros abren los

---

[1] place. [2] do not even.

libros, pero no los estudian, ni preparan la lección del día. Nunca
contestan bien a las preguntas del profesor. Y como es natural,
salen mal ^c en los exámenes finales y no salen aprobados.^d

Joaquín Robles es un alumno modelo. Siempre escucha al
profesor. Lo comprende perfectamente cuando habla español. 5
Aprende los puntos de gramática y los explica muy bien a la clase.
Cuando el profesor lo llama para explicar una regla, él responde
bien. Los otros estudiantes lo admiran y tratan de imitarlo.

El señor Ramiro Moreno es un profesor ideal. Enseña a todos
con entusiasmo y siempre los ayuda. Los alumnos aprenden el 10
español y lo practican mucho en la clase. Él no da ejercicios muy
largos a los alumnos y siempre los ayuda cuando las lecciones son
difíciles. Por eso ^e es muy popular entre todos los estudiantes de
la escuela.

II. Vocabulario

A coro:

NOMBRES

el **cuidado** care
el **entusiasmo** enthusiasm
el **examen** examination
el **modelo** model
la **nota** grade
el **punto** point
el **respeto** respect

ADJETIVO

bueno, –a good

VERBOS

admirar to admire
ayudar to help

copiar to copy
estamos we are
imitar to imitate
llamar to call
pasar to pass
preparar to prepare
repasar to review
sacar to get, obtain
saludar to greet

OTRAS PALABRAS

entre among, between
nunca never

Aprendan de memoria:

(a) **entrar en** to enter, enter into
(b) **cometer faltas** to make mistakes
(c) **salen mal** fail (*in an examination*)
(d) **salir aprobado, –a** to be promoted, pass
(e) **por eso** for that reason, that is why

¿ Qué significa en inglés?

1. luego, saludar, el sitio, abrir, el día, copiar, escuchar, la pregunta, perezoso, –a, un alumno modelo.   2. Tomamos asiento en la clase. 3. Ana saca buenas notas en la clase de español.   4. Todo el mundo está listo para dar la lección.   5. Ustedes nunca cometen faltas.   6. Nadie sale mal en los exámenes.   7. El señor Ochoa no da ejercicios muy largos.

III. Preguntas

1. ¿ Qué hacen ustedes los estudiantes?   2. ¿ Qué hacen ustedes luego?   3. ¿ Por qué tratan ustedes de aprender bien?   4. ¿ Qué copian ustedes en el cuaderno?   5. ¿ Cuándo escuchan al profesor?   6. ¿ Son aplicados todos los alumnos?   7. ¿ Hay alumnos perezosos en la clase? 8. ¿ Qué clase de alumno es Joaquín Robles?   9. ¿ A quién admiran los estudiantes?   10. ¿ Cómo enseña el profesor Ramiro Moreno?

Serie

Paso a la pizarra.	I go to the blackboard.
Tomo tiza.	I take (a piece of) chalk.
Escribo mi nombre.	I write my name.
Paso a mi asiento.	I return to my seat.
Me siento.	I sit down.

IV. Gramática

A. DIRECT PERSONAL OBJECT WITH **A**

(a) **Doy el libro a María.**	I give the book to Mary.
Escribo a Tomás.	I write to Thomas.
(b) **Enseña la lección.**	He teaches the lesson.
Enseña a Tomás y a Marta.	He teaches Thomas and Martha.
Deseo visitar a Cuba.	I wish to visit Cuba.
(c) **Comprendemos al profesor.**	We understand the teacher.
Veo a la madre.	I see the mother.

(a) The preposition **a,** *to,* is used in Spanish as in English, before the indirect object.   (b) It is also used before a direct object which is a definite person, an intelligent animal, or the name of a city or country. This "personal **a**" is not expressed in English. (c) The preposition **a** and the article **el** combine to form **al** before a masculine singular noun: **a** does not combine with **la.**

B. SOME DIRECT OBJECT PRONOUNS

DIRECT
- **lo**
  - **Comprendo a Luis** — *lo* **comprendo** (him).
  - **Toma el libro** — *lo* **toma** (it).
- **la**
  - **Ayudo a Marta** — *la* **ayudo** (her).
  - **Toma la pluma** — *la* **toma** (it).
- **los**
  - **Enseña a los alumnos** — *los* **enseña** (them).
  - **Toma los libros rojos** — *los* **toma** (them).
- **las**
  - **Enseña a las alumnas** — *las* **enseña** (them).
  - **Toma las plumas rojas** — *las* **toma** (them).

The direct object pronouns of the third person singular are: **lo**, *him* and *it*, referring to a masculine noun; **la**, *her* and *it*, referring to a feminine noun. The forms **los** and **las**, the plurals, are also used as direct object pronouns to refer to persons and things.

These pronouns are generally placed before the conjugated verb. If they depend on an infinitive they follow and are attached to it. However, when two verbs are used together, the object pronoun may be used before the conjugated verb or follow the infinitive.

Desea leerlo.	He wishes to read it.
Lo desea leer.	He wishes to read it.

Verb Drill: Learn the very useful verb **tener** in the present tense:

tener to have   **tengo,** tienes, **tiene,** tenemos, tenéis, **tienen**

Práctica: 1. Usted ——. 2. Él ——. 3. Ellos ——. 4. Yo ——.
5. Él no ——. 6. Ustedes ——. 7. ¿—— yo? 8. Lola ——.
9. ¿No —— Vd.? 10. Nosotros no ——.

Expresiones útiles:

Modismos con *tener*

Tengo quince años.	I am fifteen (years old).
Tengo frío (calor).	I am cold (warm).
Vd. tiene hambre (sed).	You are hungry (thirsty).
Tiene sueño.	He is sleepy.
Tenemos razón.	We are right.
Vds. no tienen razón.	You are wrong.
Tengo que hablar.	I must speak.
Tienen miedo.	They are afraid.

V. Ejercicios

A. Repaso oral — Lección octava. *Give the Spanish translation of the words in English:* 1. Nuestra escuela tiene —— (*large windows*). 2. Siempre leemos —— (*easy books*). 3. —— aprenden bien (*The studious pupils*). 4. Ellos no estudian —— (*the difficult exercises*). 5. Nosotros abrimos —— (*the other doors*). 6. No tomo —— (*the yellow books*). 7. En las otras escuelas hay —— (*Spanish teachers*). 8. En la clase hay —— (*English and French girls*). 9. En la escuela hay —— (*large and small classes*). 10. Asistimos a —— (*the other public schools*).

B. *Añadan* **a,** *si es necesario* (Add *a*, if it is necessary): 1. Ellos saben —— la lección. 2. Nosotros comprendemos —— el profesor. 3. Manuel explica —— la regla. 4. El profesor ayuda —— la alumna. 5. Debemos admirar —— España. 6. Vd. no comprende —— ia palabra. 7. ¿ —— quién hablan Vds.? 8. Eduardo contesta —— Rosa. 9. ¿ No aprende Julia —— la frase? 10. Preguntamos —— el profesor. 11. ¿ Cuándo abre Vd. —— el libro? 12. Arturo lee —— el libro.

C. *Contesten:* 1. ¿ Qué (*o a quién*) comprende el àlumno? frase, lección, Luis, gramática, palabra, Arturo, libro, Marta, muchacho, Ana, regla.

2. ¿ Qué (*o a quién*) enseña el profesor? muchacho, clase, regla, lección, alumno, muchacha, Arturo, Lola, Carmen.

3. ¿ Qué (*o a quién*) veo yo? muchacho, mesa, Elsa, profesor, libro, Ana, Tomás, tinta, Vicente, Lola, lápiz.

4. ¿ Qué (*o a quién*) explica él? gramática, muchacho, Bernardo, frase, Berta, lección, Carlota, alumno.

D. *Escriban enteramente en español:* 1. Aquí hay cinco *studious pupils*. 2. Cada clase tiene *large doors and windows*. 3. Sobre la mesa vemos *books of all kinds*. 4. *Not all the classes* escriben los ejercicios. 5. ¿ *Do you live* aquí o en otra ciudad? 6. El profesor *asks* algo en español. 7. ¿ Qué libros *do you read* en español? 8. ¿ Qué *do we know* del señor Sánchez? 9. ¿ *Whose is* la pluma fuente negra? 10. *A Spanish lady* es la profesora de la clase de español.

E. Test IX. *Write the Spanish translation of the words in English:* 1. Los profesores ayudan —— (*the Spanish students*). 2. En una clase de español escribimos —— (*easy and difficult sentences*). 3. Siempre contesto —— (*the easy questions*). 4. Todo el mundo ve —— en las paredes (*the artistic* *pictures*). 5. Ustedes necesitan —— (*intelligent teachers*). 6. Usted debe abrir —— (*the small windows*). 7. Carmen no escribe en —— (*the red notebooks*). 8. Los alumnos escuchan —— (*the Spanish teachers*). 9. El señor Fernández enseña —— (*the studious students*). 10. La señorita López enseña —— (*the men and women*).

F. *Oral:* 1. I see: the lesson, the words, a pupil, a school, Isabel, Louis, the boy. 2. He teaches: the pupil, the lesson, the boys. 3. We need: a book, the grammar, the teacher, the house, Martha, the rules, ink, white chalk.

G. *Written:* 1. Are you helping Thomas? 2. I am helping Thomas and Dolores. 3. Thomas and Dolores do not understand the teacher. 4. Do you ask the teacher when you do not understand? 5. If we study at home, we understand. 6. The teacher speaks to Martha. 7. We see the teacher in the class. 8. Philip asks the teacher: "Whom do you teach?" 9. He answers that he teaches Albert, Robert, and Anna. 10. I teach the boy pupils and the girl pupils.

H. Ejercicio de invención. *Hagan oraciones con las palabras siguientes y con otras palabras* (Make up sentences with the following words and with other words):

1. ¿ Toma	usted	un lápiz? . . .
	el alumno	el libro? . . .
	una persona	una pluma fuente? . . .
2. Nosotros	no vemos	al profesor, . . .
		al señor García, . . .
		a las señoritas, . . .
3. Yo	necesito	algo, . . .
		al señor, . . .
4. Usted	escribe	unos ejercicios, . . .
		a Carmen, . . ., . . .
		. . .
5. Vd. y yo	escribimos	la lección, . . .
6. Felipe	comprende	al profesor, . . .
7. Todos	leen	el libro, . . .

I. Ejercicio de pronunciación:

b [1]: lo-bo	be-be	Bil-ba-o	bo-bo
a-ca-ba	bar-be-ro	Cu-ba	su-ba
Ha-ba-na	ha-bla-ba	a-ma-ba	li-bros

Benito Boscán alababa a ambos bobos en la Habana.

J. *Dialoguito:*

— **Señor García, lea usted despacio y hable más alto.**   Mr. García, read slowly and speak louder.

— **Muy bien, señor.**   Very well, sir.

— **Traduzca la frase al inglés.**   Translate the sentence into English.

SELECCIÓN

En la clase

Un maestro, no muy sabio, pregunta a su clase:

— Si México está limitado al norte [2] por los Estados Unidos, al este y al oeste por los océanos [3] Atlántico y Pacífico, y al sur por la América Central, ¿ cuántos años tengo yo? [4]

---

[1] Whenever **b** is not initial or does not follow **m** or **n,** it is produced by breathing lightly through the lips which hardly touch each other.

The main difference between English *b* and the Spanish soft **b** is that the English *b* is an explosive sound while the Spanish is not. The English *b* lasts but a second, whereas the Spanish **b** may be prolonged indefinitely.   [2] is bordered on the north. [3] oceans. [4] how old am I?

Los alumnos más inteligentes no levantan la mano.[1] No dicen ni una palabra.[2] Desde un rincón al fondo de la clase,[3] el más tonto contesta:

— Cuarenta años, señor maestro.

— Muy bien, muchacho; pero, ¿ cómo lo sabe usted ?   5

— Porque en casa tengo un hermano que tiene veinte años [a] y está solamente [4] medio loco.

a. *What English words do you recognize from the following Spanish words?*

la clase, México, el este, el océano, el Atlántico, el Pacífico, la América Central, inteligente

b. Vocabulario

el **Atlántico** Atlantic (*ocean*)	el **oeste** west
cuarenta forty	el **Pacífico** Pacific (*ocean*)
el **este** east	**por** by, along, through
loco, –a crazy	**sabio** wise, learned
el **maestro** teacher (*elementary*)	el **sur** south
medio, –a half	**tonto, –a** stupid

c. Frase útil

(a) **Tiene veinte años.** He is twenty years old.

d. Preguntas

1. ¿ Cómo es el maestro ? 2. ¿ Cómo está limitado México ? 3. ¿ Qué pregunta el maestro ? 4. ¿ Qué contesta el más tonto ? 5. ¿ Cuántos años tiene el hermano ?

---

[1] do not raise their hands.   [2] don't utter a word.   [3] from a corner in the back of the class.   [4] only.

DÉCIMA

A. *Imperativo con* **usted, nosotros** *y* **ustedes**

B. *Algunos pronombres complementos*

C. *Pronombres complementos con el imperativo*

I. Conversación

Cosas de la escuela Bolívar

Asisto a la escuela Simón Bolívar, así llamada en honor del libertador de Hispano-América. Como es una escuela grande, tiene muchos profesores. Los alumnos son jóvenes, de doce a diez y seis años. Los estudiantes son aplicados, y en general, salen bien
5 en los exámenes.ª Casi todos sacan buenas notas porque muchos de ellos desean entrar en la universidad.

La escuela es un edificio moderno de seis pisos. Cada hora los alumnos cambian de clase.ᵇ Pasan por los corredores, y para subir o bajar usan escaleras o ascensores.¹ Al entrar ² en la sala de
10 clase, los alumnos ponen su ropa en el ropero y toman asiento. Poco después principia la lección del día. Escuchemos lo que pasa en la clase. El profesor pasa lista ᶜ para saber quiénes están ³ presentes y quiénes están ³ ausentes.

¹ elevators. ² In Spanish **al** + *infinitive* is equivalent to English *on* (or *upon*) + present participle. ³ are.

— Bueno, vamos a principiar la lección. No perdamos tiempo.[d]
Fernando, pase usted a la pizarra, tome tiza y escriba su nombre.
Escriba las primeras cinco oraciones. Escríbalas claramente.
Ahora, clase, abran ustedes los libros. Ábranlos en la página 16,
no los abran en otra página. Presten atención todos, y no olviden 5
que la lección de hoy es muy importante. Violeta, lea usted.

— Muy bien, señor, con mucho gusto. Pero antes, sírvase explicar [e] algunas palabras que no comprendo.

— ¿ Cuáles son las palabras que usted no comprende? Pro-
núncielas bien; no las pronuncie mal.   10

— Las palabras son « por qué » y « porque ».

— Clase, tratemos de explicarle las dos palabras. Antonio,
sírvase hablar a la clase de la diferencia entre las dos palabras.
Hable claramente y use palabras fáciles.

— La diferencia es que « por qué » significa *why* y « porque » 15
significa *because*.

Violeta y otros estudiantes leen y explican la lección del día.
Así pasa media hora.

— Ahora, leamos las oraciones de la pizarra. Veamos si hay
faltas. Miren ustedes y pregunten si no comprenden. Traten de 20
aprender todos los puntos de gramática. Voy a [f] explicarles los
puntos difíciles. Escuchen bien porque las reglas de hoy son importantes. Apréndanlas de memoria y no las olviden.

Con esto termina la clase de español. A las tres los alumnos
regresan a casa [g] a preparar los ejercicios para el día siguiente.   25

II. Vocabulario

A coro:

NOMBRES

el **año** year
el **corredor** corridor
la **diferencia** difference
el **edificio** building
la **escalera** stairs, stairway
el **honor** honor
la **hora** hour

el **libertador** liberator
la **oración** sentence
la **página** page
el **piso** floor
la **ropa** clothing
el **tiempo** time
la **universidad** university

ADJETIVOS

ausente absent
diez y seis sixteen
doce twelve
joven young
llamado, –a called
moderno, –a modern
presente present
primero, –a first
siguiente following

VERBOS

bajar to go down
mirar to look (at)

olvidar to forget
pasar to happen
pronunciar to pronounce
regresar to return
significar to mean
subir to go up
terminar to end

OTRAS PALABRAS

antes before
claramente clearly
después later
mal badly

Aprendan de memoria:

(a) **salir bien en el examen** to pass the examination
(b) **cambiar de clase** to change classes
(c) **pasar lista** to call the roll

(d) **no perdamos tiempo** let us not waste time
(e) **sírvase explicar . . .** please explain . . .
(f) **voy a** I am going to
(g) **a casa** home (homeward)

¿ Qué significa en inglés?

1. así, joven, el año, aplicado, –a, el edificio, cada, bajar, subir, principiar, el tiempo. 2. Siempre salimos bien en los exámenes. 3. Cambio de clase cada hora. 4. ¿ Sabe usted quién está ausente? 5. No pronuncie Vd. mal. 6. Abramos el libro en la página 8. 7. Carlos, preste atención. 8. Entremos en la clase. 9. ¿ Qué significa la oración? 10. Pronuncie usted bien el español. 11. No olvide usted esto.

III. Preguntas

1. ¿ A qué escuela asiste usted? 2. ¿ Tiene su escuela muchos profesores? 3. ¿ Cómo son los alumnos? 4. ¿ Por qué sacan buenas notas en la escuela? 5. ¿ Cuándo cambian de clase? 6. ¿ Qué usan para subir o bajar? 7. ¿ Para qué pasa lista el profesor? 8. ¿ Dónde ponen la ropa los alumnos? 9. ¿ Qué palabras no comprende Violeta bien? 10. ¿ Qué deben hacer todos?

Serie

Entro en la escuela.	I enter the school.
Subo la escalera.	I go up the stairs.
Entro en la clase.	I enter the class.
Saludo a mi profesor.	I greet my teacher.
« Buenos días, señor López. »	" Good morning, Mr. Lopez."
Paso a mi asiento.	I go to my seat.
Me siento.	I sit down.

IV. Gramática

A. COMMANDS (VD., VDS., NOSOTROS)

I	II	III
escuchar to listen	**comer** to eat	**abrir** to open
Stem + **-e, -en, -emos**	**-a, -an, -amos**	**-a, -an, -amos**
¡ **Escuche Vd.** !	¡ **Coma Vd.** !	¡ **Abra Vd.** !
Listen! (*sing.*)	Eat! (*sing.*)	Open! (*sing.*)
¡ **Escuchen Vds.** !	¡ **Coman Vds.** !	¡ **Abran Vds.** !
Listen! (*pl.*)	Eat! (*pl.*)	Open! (*pl.*)
¡ **Escuchemos** !	¡ **Comamos** !	¡ **Abramos** !
Let us listen!	Let us eat!	Let us open!

Note that to form the command forms of regular verbs in **-ar**, you add to the stem **-e** for **Vd.** and **-en** for **Vds.** Add **-emos** for the **nosotros**-form. For verbs in **-er** and **-ir**, you add **-a**, **-an** and **-amos** respectively.

B. SOME INDIRECT OBJECT PRONOUNS

Le escribo [a **Vd.**] (*to you*).
Les escribo [a **Vds.**] (*to you*).
Escribo a Carlos — **le escribo** [a **él**] (*to him*).
Escribo a Rosa — **le escribo** [a **ella**] (*to her*).
Escribo a Rosa y a Carlos — **les escribo** [a **ellos**] (*to them*).

As **le** may mean *to him, to her, to it*, the forms in the brackets are used to clarify which person is meant. Similarly as **les** (*pl.*) may mean *to you, to them*, the forms in the brackets are used if necessary.

C. OBJECT PRONOUNS WITH COMMANDS

Tome Vd. el libro.	**Tóme*lo* Vd.**	Take it.
Hable Vd. a Tomás.	**Háble*le* Vd.**	Speak to him.
Abran Vds. la puerta.	**Ábran*la* Vds.**	Open it.
Abramos las ven-	**Abrámos*las*.**	Let us open them !
tanas.		
Leamos los libros.	**Leámos*los*.**	Let us read them.

BUT : ¡ **No abran Vds. las puertas !** ¡ **No *las* abran !** Do not open them!

Object pronouns, direct or indirect, follow and are attached to the verb in affirmative commands, but precede in negative commands. The stress remains on the syllable originally stressed and usually must be indicated with a written accent.

V. Ejercicios

A. Repaso oral — **Lección novena.** *Give the Spanish translation of the words in English:* 1. Usted responde ——— (*the pupil, f.*). 2. Ellos ——— comprenden (*them, m.*). 3. El profesor no ve ——— (*the girl*). 4. ¿ Quién contesta ——— (*the difficult questions*)? 5. No enseñamos ——— (*the lazy pupils*). 6. Yo deseo ——— (*to see her*). 7. Tomo los libros y ——— aquí (*I put them*). 8. Alberto comprende las reglas y ——— (*he learns them*). 9. Isabel es una alumna modelo y los otros alumnos ——— (*imitate her*). 10. Tomamos los cuadernos y ——— (*we open them*).

B. *Escriban las oraciones enteramente en español:* 1. ——— Vd. a una escuela moderna (*Attend*). 2. ——— a los alumnos (*Let us help*). 3. ——— Vds. en la clase (*Don't speak to them, f.*). 4. Las reglas son importantes; ——— (*let us not forget them*). 5. ——— asiento aquí (*Let us take*). 6. Trate usted de ——— (*write to him*). 7. Debo ——— esto (*to explain to him*). 8. ——— Vd. en español (*Speak to her*). 9. ——— en inglés (*Let us not speak to them*). 10. Ustedes no deben ——— esto (*explain to them*).

C. *Escriban enteramente en español:* 1. *Let us pronounce* las palabras de la lección. 2. *Try to learn them* bien porque son importantes. 3. Manuel estudia *all the rules* de la lección. 4. En una lección hay *easy and difficult words*. 5. Los alumnos son *studious and diligent* aquí. 6. La tinta debe ser *black, blue, or red*. 7. No sabemos si Isabel es *English, French, or German*.

8. En la clase de español, ¿ usan Vds. *a difficult grammar?* 9. ¿ Qué hace usted cuando la profesora *explains a lesson?* 10. ¿ Quién *does not understand* la lección de hoy?

D. Test X. *Write the Spanish translation of the words in English:* 1. —— a una escuela pública (*Let us attend*). 2. En la escuela hay profesores españoles; —— en español (*let us speak to them*). 3. —— en inglés (*Don't speak to them*). 4. —— Vds. atención a los profesores (*Pay*). 5. No —— aquí (*write*). 6. —— en los cuadernos (*Let us write*). 7. —— los ejercicios (*Let us read to them*). 8. No —— Vds. las palabras de la lección (*forget*). 9. —— su nombre aquí (*Don't write*). 10. —— Vd. en la pizarra (*Don't write it, m.*).

E. Oral: 1. I read to him, to them, to her. 2. I do not give to him, to them, to Lola, to her. 3. We read it, *m.*, it, *f.*, them, *m.*, them, *f.* 4. Let us open the door; let us not open it. 5. Write to Charles, to him, to her, to them. 6. Study it, *m.*; let us not study them, *f.*

F. Written: 1. Write to him; do not write to them. 2. Let us write to Ernest; we write to him in Spanish. 3. He studies the words and uses them when he writes. 4. When the teacher begins the lesson, all the pupils pay attention. 5. All the teachers explain the lessons to them. 6. Do not forget the first part of the lesson because it is important. 7. Let us pronounce the sentences well; let us learn them by heart. 8. If the pupils do not understand, the teacher explains the rules to them. 9. Let us learn Spanish; let us learn it well. 10. Try to speak it every day.

G. Ejercicio de invención. *Imiten el modelo:*

Modelo: Usted aprende la lección. = Apréndala usted. No la aprenda.

1. Principiamos la lección. 2. Ustedes escriben las oraciones. 3. Vd. escribe al muchacho. 4. Vds. hablan a Elsa. 5. Leemos algo a Carlos y a Carmen. 6. Olvidamos las reglas.

H. Ejercicio de pronunciación:

Pa-ra-ná	Pe-pe	te-mor	óp-ti-mo
nun-ca	le-er	úl-ti-mo	Fi-li-pi-nas
bom-bas	Li-ma	Pa-na-má	a-la-ba-ba

I. *Dialoguito:*

— Señor Molina, siga (continúe) leyendo en español.	Mr. Molina, continue reading in Spanish.
— Sí, señor.	Yes, sir.
— Señor García, ¿ qué significa la palabra ——?	Mr. García, what does the word —— mean?
— Yo lo sé, señor profesor.	I know, teacher.

SELECCIÓN

Mi deporte favorito

El deporte favorito de mi escuela es el fútbol, pero a mí me gusta el béisbol.[a]

— ¿ Es usted miembro de un equipo de su escuela?

— No, pero asisto a todos los partidos de la escuela.[b]

5   — ¿ Tiene su escuela un equipo de fútbol?

— ¡ Excelente! Ganamos casi todos los partidos.

— ¿ Qué deportes son populares en su escuela?

— Casi todos los deportes son populares: el básquetbol, la natación, la carrera, el tenis y el golf.

Monolith idol, Bolivia

Cathedral, Guatemala City

Mayan pyramid, Yucatán, Mexico — *Courtesy of Pan American World Airways*

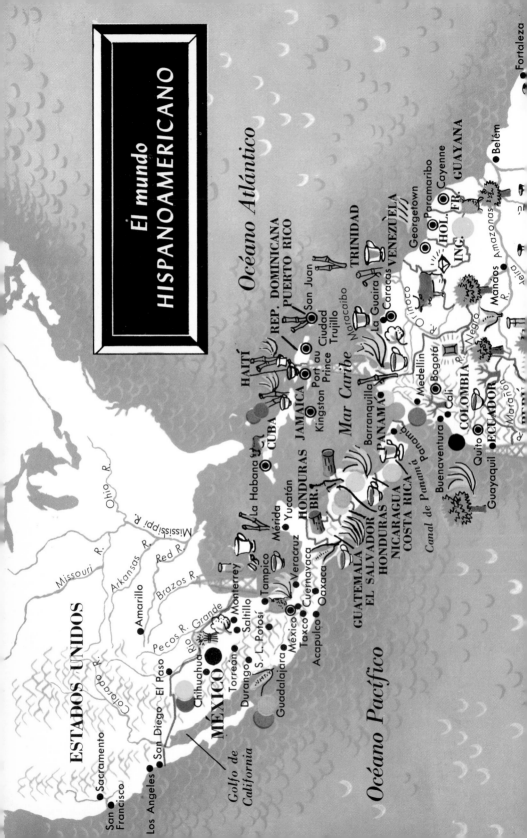

El mundo
HISPANOAMERICANO

Océano Atlántico

Océano Pacífico

Mar Caribe

ESTADOS UNIDOS

MÉXICO

Golfo de
California

Sacramento
San Francisco
Los Ángeles
San Diego
Amarillo
El Paso
Chihuahua
Durango
Torreón
Saltillo
Monterrey
S. L. Potosí
Tampico
Guadalajara
México
Cuernavaca
Taxco
Veracruz
Acapulco
Oaxaca
Mérida
Yucatán

Colorado R.
Ohio R.
Missouri R.
Arkansas R.
Red R.
Mississippi R.
Pecos R.
Brazos R.
Río Grande

La Habana
CUBA
HAITÍ
Kingston
JAMAICA
Port au Prince
REP. DOMINICANA
PUERTO RICO
San Juan
Ciudad Trujillo

GUATEMALA
EL SALVADOR
HONDURAS
HONDURAS BR.
NICARAGUA
COSTA RICA
PANAMÁ
Canal de Panamá

Barranquilla
Maracaibo
La Guaira
Caracas
VENEZUELA
TRINIDAD
Orinoco R.
Medellín
Bogotá
Cali
Buenaventura
COLOMBIA
Quito
Guayaquil
ECUADOR

Georgetown
Paramaribo
Cayenne
ING.
HOL.
FR. GUAYANA

Amazonas R.
Manaos
Negro R.
Marañón R.
PERÚ
Belém
Fortaleza

Washing Panama hats, Ecuador

Oil worker,
San Joaquin, Venezuela

a. What English words do you recognize from the following Spanish words?

favorito, –a, la escuela, el fútbol, el béisbol, excelente, el tenis, el golf

b. Vocabulario

la **carrera** track	el **miembro** member
el **deporte** sport	la **natación** swimming
el **equipo** team	el **partido** game, match
ganar to win	*comprar – to buy*

c. Frases útiles

(a) **A mí me gusta el béisbol** I like baseball

(b) **todos los partidos de la escuela** all the school games

d. Preguntas

1. ¿Cuál es el deporte favorito de su escuela? 2. ¿De qué equipo es usted miembro? 3. ¿Qué deporte le gusta a usted?[1] 4. ¿Asiste usted a todos los partidos de su escuela? 5. ¿Qué deportes tiene su escuela?

[1] do you like?

REPASO DE GRAMÁTICA I

A. Artículos

| | SINGULAR | | PLURAL | |
	Masculino	*Femenino*	*Masculino*	*Femenino*
DEFINIDO	el de + el = del a + el = al	la de la a la	los de los a los	las de las a las
INDEFINIDO	un	una	unos	unas

B. Verbos regulares — Presente de indicativo

SUJETOS	I. hablar	II. aprender	III. vivir
yo	habl o	aprend o	viv o
tú	habl as	aprend es	viv es
él, ella, Vd.	habl a	aprend e	viv e
nosotros, –as	habl amos	aprend emos	viv imos
vosotros, –as	habl áis	aprend éis	viv ís
ellos, –as, Vds.	habl an	aprend en	viv en
1. AFIRMACIÓN	yo hablo	aprendo	vivo
2. NEGACIÓN	yo no hablo	no aprendo	no vivo
3. INTERROGACIÓN	¿ hablo yo?	¿ aprendo yo?	¿ vivo yo?
4. INTERROGACIÓN NEGATIVA	¿ no hablo yo?	¿ no aprendo yo?	¿ no vivo yo?

Práctica: 1. The teacher explains the lesson. 2. What are you writing? 3. Who answers well? 4. They wish to speak to me. 5. We open the books and read them. 6. I help Mary and her sister. 7. All attend classes five days. 8. You must not read this. 9. Don't you want to write her? 10. I don't want to speak English in the Spanish class. 11. We learn our lessons when we study at home. 12. The teacher writes the rule on the blackboard and we read it.

C. Adjetivos y sustantivos

SINGULAR	PLURAL
I. El cuaderno es rojo. La pluma es roja.	Los cuadernos son rojos. Las plumas son rojas.
II. Es un alumno diligente. Es una alumna diligente.	Son alumnos diligentes. Son alumnas diligentes.
III. El libro es fácil. La lección es fácil.	Los libros son fáciles. Las lecciones son fáciles.
IV. Es un muchacho español. Es una muchacha española.	Son muchachos españoles. Son muchachas españolas.

D. Verbos irregulares — Presente de indicativo

Fit into caber: quepo, cabes, **cabe, cabemos,** cabéis, **caben**
Fall caer: caigo, caes, **cae, caemos,** caéis, **caen**
give dar: doy, das, **da, damos,** dais, **dan**
make hacer: hago, haces, **hace, hacemos,** hacéis, **hacen**
put poner: pongo, pones, **pone, ponemos,** ponéis, **ponen**
know saber: sé, sabes, **sabe, sabemos,** sabéis, **saben**
go out salir: salgo, sales, **sale, salimos,** salís, **salen**
have tener: tengo, tienes, **tiene, tenemos,** tenéis, **tienen**
bring traer: traigo, traes, **trae, traemos,** traéis, **traen**
be worth valer: valgo, vales, **vale, valemos,** valéis, **valen**
see ver: veo, ves, **ve, vemos,** veis, **ven**

E. Pronombres complementos, 3ª. persona

SUJETOS	DIRECTO	INDIRECTO
él	lo, le [1]	le
ella	la	le
ellos	los	les
ellas	las	les

[1] While **le** is sometimes used as a masculine personal direct object, the pupil should train himself to use **lo,** and to use **le** only for the indirect object form to avoid confusion.

F. Imperativos

I. hablar	II. aprender	III. vivir
hable Vd.	aprenda Vd.	viva Vd.
hablemos	aprendamos	vivamos
hablen Vds.	aprendan Vds.	vivan Vds.
no hable Vd.	no aprenda Vd.	no viva Vd.
no hablemos	no aprendamos	no vivamos
no hablen Vds.	no aprendan Vds.	no vivan Vds.

IMPERATIVO CON PRONOMBRE COMPLEMENTO

	FORMA POSITIVA	FORMA NEGATIVA
1. COMPLEMENTO DIRECTO	Escríbalo Vd.	No lo escriba Vd.
	Escribámoslo	No lo escribamos
	Escríbanlo Vds.	No lo escriban Vds.
2. COMPLEMENTO INDIRECTO	Háblele Vd.	No le hable Vd.
	Hablémosle	No le hablemos
	Háblenle Vds.	No le hablen Vds.

EJERCICIOS DE REPASO I

(Achievement Test No. 1)

Completen las oraciones en español (Complete the sentences in Spanish):

A. 1. ¿ Qué lengua ——— (*does he speak*)? 2. La mesa es ——— (*white*). 3. ——— la lección (*We learn*). 4. Vds. ——— el ejercicio (*write*). 5. El profesor no ——— en inglés (*asks*). 6. ¿ ——— la regla (*Do they understand*)? 7. ¿ ——— Carmen el libro (*Does . . . open*)? 8. ——— estudiar mucho (*I need*). 9. ¿ ——— hablar español (*Do you wish*)? 10. ¿ Qué ——— ahora (*are you studying*)?

B. 1. Las muchachas son ——— (*studious*). 2. ¿ ——— aprender el español (*Do you wish*)? 3. Alfredo les explica ——— (*the rule*). 4. Comprendemos ——— (*Spanish*). 5. ¿ Es esto ——— (*a book*)? 6. No es ——— (*the classroom*). 7. ¿ Escuchan Vds. ——— (*the teacher*)? 8. Yo ——— pregunto [1] en español (*him*). 9. ¿ ——— comprende Vd. (*Whom*)? 10. ¿ Qué lengua ——— (*are you studying*)?

---

[1] **Preguntar** takes the indirect object of the person and the direct object of the thing.

C. 1. Es un lápiz —— (*green*). 2. Yo no —— en casa (*write*).
3. ¿ —— preguntan ellos (*Whom*)? 4. La respuesta no es —— (*difficult*).
5. El asiento es —— (*the teacher's*). 6. No son los libros —— (*the boy's*).
7. El libro es —— (*red*). 8. ¿ Por qué —— Vd. al profesor (*do . . . not
answer*)? 9. La frase es —— (*easy*). 10. ¿ Quién —— el ejercicio (*is
writing*)?

D. 1. —— la gramática en la mesa (*I put*). 2. ¿ —— lee Vd. el libro
(*To her*)? 3. ¿ Quién —— a Dolores (*is asking*)? 4. ¿ Qué lección les
—— (*does he teach*)? 5. —— la lección de hoy (*I know*). 6. ¿ —— son
los cuadernos (*Whose*)? 7. Son —— (*the pupils'*). 8. Yo siempre comprendo —— (*the teacher*). 9. ¿ Qué —— en la escuela (*do I do*)? 10. ——
comprendo cuando habla español (*Her*).

E. 1. ¿ Quién —— en la pizarra (*is writing*)? 2. La silla es ——
(*the father's*). 3. ¿ Contesta Vd. siempre —— (*the teacher*)? 4. Es la
lección —— (*the day's*). 5. ¿ Son Vds. —— (*studious pupils*)? 6. ¿ Qué
libros —— (*are they reading*)? 7. Ellos —— aprender el español (*need*).
8. ¿ Qué —— aprender (*do we wish*)? 9. —— la lección (*They are explaining*). 10. —— un libro a Amalia (*I give*).

F. 1. Ella necesita —— (*a red pencil*). 2. Deseo visitar —— (*Spain*).
3. No vemos —— de Lola (*the mother*). 4. ¿ Qué lenguas —— (*do you
speak*)? 5. Vd. —— responder en español (*wish*). 6. —— contestar
siempre en español (*We must*). 7. Arturo estudia —— (*a lesson*). 8. ——
en el asiento (*I fit*). 9. El profesor enseña —— (*Carmen*). 10. Escuchamos
—— (*the boys*).

G. 1. Nosotros —— estudiar mucho (*must*). 2. ¿ —— comprende
Vd. cuando habla español (*Him*)? 3. Ellos —— ver los libros (*wish*).
4. —— el uso de la regla (*I do not know*). 5. Es —— (*a green pencil*).
6. Ana toma —— (*a grammar*). 7. ¿ Qué lección —— (*are you reading*)?
8. ¿ Qué —— ella (*is . . . teaching*)? 9. Siempre —— los libros a la
escuela (*I bring*). 10. —— el papel a Julia (*I do not give*).

H. 1. ¿ Habla Vd. de —— (*the Spanish grammar*)? 2. El lápiz negro
es —— (*Theresa's*). 3. ¿ Ve Vd. —— (*the red books*)? 4. Los alumnos
aprenden —— (*the difficult lesson*). 5. Rosa es —— (*a Spanish girl*). 6. El
español no es —— (*an easy language*). 7. ¿ —— son los libros azules
(*Whose*)? 8. Siempre —— esto (*I do*). 9. Nosotros —— el español (*do
learn*). 10. ¿ Qué —— sobre la silla (*do I put*)?

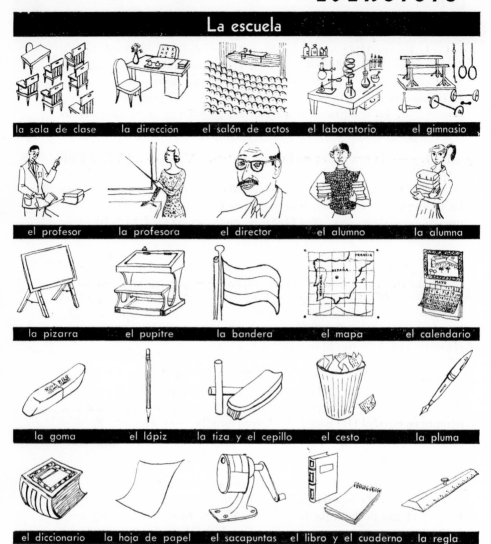

La escuela

la sala de clase   la dirección   el salón de actos   el laboratorio   el gimnasio

el profesor   la profesora   el director   el alumno   la alumna

la pizarra   el pupitre   la bandera   el mapa   el calendario

la goma   el lápiz   la tiza y el cepillo   el cesto   la pluma

el diccionario   la hoja de papel   el sacapuntas   el libro y el cuaderno   la regla

PALABRAS. *Row 1:* classroom, Principal's office, auditorium (assembly hall), laboratory, gym. *Row 2:* teacher (*m.*), teacher (*f.*), Principal, boy student, girl student. *Row 3:* blackboard, desk, flag, map, calendar. *Row 4:* eraser, pencil, chalk and eraser, wastebasket, pen. *Row 5:* dictionary, sheet of paper, pencil sharpener, book and notebook, ruler.

PREGUNTAS. 1. ¿ Cuál es el título (*title*) de la página ... ?   2. ¿ Hay muchas o pocas escuelas en la ciudad?   3. ¿ En qué escuela estudia usted?   4. ¿ Qué estudia usted en la escuela?   5. ¿ Qué salas hay en una escuela?   6. ¿ Qué objetos hay en una sala de clase?   7. ¿ Qué vemos sobre la mesa del profesor?   8. ¿ Quién enseña en la escuela?   9. ¿ Con qué escribimos en la pizarra?

Los deportes

el fútbol	el soccer	el béisbol	el básquetbol	el hockey
la carrera	el boxeo	la natación	la lucha	la esgrima
el tenis	el esquí	el golf	el ciclismo	el tiro al blanco
el polo	el polo acuático	la gimnasia	la pesca	la equitación

PALABRAS. *Row 1:* football, soccer, baseball, basketball, hockey. *Row 2:* track, boxing, swimming, wrestling, fencing. *Row 3:* tennis, ski, golf, bicycling, target practice. *Row 4:* polo, water polo, gymnastics, fishing, horseback riding.

PREGUNTAS. 1. ¿ Qué representan los grabados (*pictures*) de la página . . . ? 2. ¿ Es usted aficionado a (*are you a "fan" of*) los deportes? 3. ¿ Qué deportes le gustan más a usted? 4. ¿ Hace usted gimnasia? ¿ dónde? 5. ¿ Qué deporte o deportes practica usted? 6. ¿ Tiene la escuela un equipo de béisbol? ¿ es bueno? 7. ¿ Cuándo jugamos (*we play*) al tenis? 8. ¿ Cuándo esquiamos? 9. ¿ A quién le gusta esquiar? ¿ por qué? 10. María, ¿ le gusta a usted la natación? ¿ nada usted bien? 11. Felipe, ¿ le gusta a usted el tiro al blanco?

I. 1. ¿Quién —— el ejercicio fácil (*is writing*)? 2. —— las ventanas (*They open*). 3. —— bien la gramática española (*I know*). 4. ¿Qué —— Vd. dar al muchacho (*do . . . wish*)? 5. —— bien el español (*I do not know*). 6. El libro rojo —— mucho (*is worth*). 7. Siempre vemos al padre —— (*Mary's*). 8. —— el cuadro en la pared (*I put*). 9. —— en español (*I answer*). 10. —— a los otros muchachos (*We listen*).

J. 1. ¿Qué —— Vd. ahora (*are . . . doing*)? 2. ¿Qué —— Vds. (*are . . . learning*)? 3. ¿Qué —— Vd. hacer (*do . . . want*)? 4. No enseño —— en la clase (*the boys*). 5. —— para hablar a Tomás (*I am going out*). 6. No necesito —— (*the yellow books*). 7. Él —— habla de la escuela (*to them*). 8. Quiero hablar a —— (*the Spanish girls*). 9. —— contestan en español (*The Spanish boys*). 10. ¿Cabe Vd. en —— (*a small seat*)?

K. 1. ¿Tiene su casa —— (*large windows*)? 2. Otras escuelas tienen —— (*small and large classes*). 3. Nosotros no —— comprendemos (*them, m.*). 4. Ellos desean —— (*to see her*). 5. El profesor toma los libros y —— aquí (*puts them*). 6. José estudia la gramática y —— (*learns it*). 7. Todos —— (*imitate her*). 8. —— a todos (*Let us help*). 9. —— usted ahora (*Don't speak to them*). 10. Tomo los libros y —— en la mesa (*I put them*).

L. 1. —— el libro (*I read to him*). 2. Él estudia las palabras y —— (*learns them*). 3. —— los ejercicios de hoy (*Let us write*). 4. Ellos son alumnos —— (*studious and diligent*). 5. —— Vd. las sillas (*Take*). 6. Los profesores —— las lecciones (*explain to them*). 7. Estudiemos las reglas; —— (*let us not forget them*). 8. —— hablar español (*Try to*). 9. —— las ventanas (*Open*). 10. —— Vds. la lección (*learn*).

M. 1. ¿—— pregunta Vd. (*Whom*)? 2. —— la lección del día (*I do know*). 3. ¿Qué —— aquí (*am I doing*)? 4. —— en español (*Let us speak to them*). 5. Luis —— en la pizarra (*is writing*). 6. ¿—— el libro rojo (*Whose is*)? 7. —— en español aquí (*Let us not speak to them*). 8. Debemos —— en inglés (*write to them*). 9. Si Vd. comprende las reglas —— (*learn them*). 10. —— asiento aquí (*Let us take*).

N. *Repaso de frases útiles:* 1. ¿Dónde —— español (*is spoken*)? 2. —— desea aprender esto (*Everybody*). 3. Deseo asistir a —— (*a Spanish class*). 4. Hablamos español —— (*at home*). 5. El señor López —— español (*knows how to speak*). 6. —— que Inés habla bien (*It is true*). 7. Antonio —— en español (*makes mistakes*). 8. —— les explico la lección (*That is why*). 9. —— Vds. —— la escuela (*Enter*). 10. —— Vd. aquí (*Take a seat*).

y cpolinb q mexuca

SELECCIÓN: *Repaso I*

Las Américas

América es un continente que se extiende [1] de norte a sur.
Tiene casi diez mil millas de largo.[2] Tiene tres partes: la América
del Norte, la América Central y la América del Sur. La América
del Norte comprende el Canadá, los Estados Unidos, México y
la América Central. Todo el continente tiene montañas altas, 5
ríos largos y anchos y productos muy variados.

En la América Central hay seis repúblicas: Guatemala, El Salvador, Honduras, Nicaragua, Costa Rica y Panamá. Cuando
llegaron [3] los españoles los habitantes principales eran [4] los mayas
y los aztecas.[5] El progreso de estas tribus [6] indias sorprendió [7] 10
a los españoles. Los indios tenían [8] ciudades, palacios y pirá-
mides.[9] Aun hoy podemos [10] ver las ruinas de la civilización de los
mayas y de los aztecas.

La América del Sur tiene la forma de un triángulo [11] muy grande.
Las montañas de los Andes se extienden de norte a sur por la 15

---

[1] stretches. [2] in length. [3] arrived. [4] were. [5] the Mayas and the Aztecs. [6] these
tribes. [7] amazed. [8] had. [9] pyramids. [10] we can. [11] triangle.

costa ¹ del Pacífico. Una parte de la América del Sur tiene clima tropical, y otra, clima templado.² Casi todos sus habitantes hablan español o portugués. Las repúblicas de la América del Sur son: Venezuela, el Brasil, el Uruguay, la Argentina, el Paraguay,
5 Chile, el Perú, Bolivia, el Ecuador y Colombia.

Cuando llegaron los españoles a América, el imperio de los incas era ³ un inmenso territorio. Lo formaban las actuales ⁴ repúblicas del Perú, el Ecuador, Bolivia, parte de Colombia, Chile y la Argentina.

10   Cuba, Santo Domingo y Puerto Rico son islas del mar Caribe.

a. *What English words do you recognize from the following Spanish words?*

América, el continente, norte, sur, el Canadá, la montaña, el producto, la república, la tribu, el palacio, la pirámide, la civilización, el maya, la forma, el triángulo, el clima, el imperio, inmenso, –a, el territorio, la isla, el Caribe

b. Vocabulario

alto, –a high	**indio, –a** Indian
ancho, –a wide, broad	la **isla** island
aun even	el **mar** sea
el **Caribe** Caribbean	**mil** thousand
la **civilización** civilization	la **montaña** mountain
la **forma** shape	el **producto** product
el **inca** Inca	el **río** river
el **indio** Indian	las **ruinas** ruins

c. Preguntas

1. ¿ Cuántas partes tiene América? 2. ¿ Qué repúblicas tiene la América del Norte? 3. ¿ Cuáles eran los principales habitantes de la América Central cuando llegaron los españoles? 4. ¿ Qué forma tiene la América del Sur? 5. ¿ Qué repúblicas formaban el imperio de los incas?

¹ coast. ² temperate climate. ³ was. ⁴ It was constituted by the present.

Sección tercera **Casa y familia**

LECCIÓN

ONCE

A. *Presente de indicativo del verbo* **ser;** *uso*

B. **Ser** *con un nombre predicado*

C. *Otros pronombres complementos*

I. Conversación

Los miembros de la familia López

Nuestra familia, que es la familia López, consta de[a] cinco personas: mi padre don Tomás, mi madre doña Carmen, mi hermana Dolores, mi hermano Pedro, y yo, Jorge. Mis abuelos no viven en nuestra casa; les gusta vivir solos,[b] en su propia casa. Mis padres son buenos e inteligentes. Nosotros los hijos somos 5 obedientes y cariñosos. Asistimos todos a una escuela pública muy buena. Por eso, somos aplicados y muy corteses con los profesores. En nuestra familia, mi hermano Pedro desea ser abogado, y yo deseo ser médico. En cambio, mi hermana Dolores desea ser profesora. Mi primo Alfonso estudia para dentista [c] y mi tío Pepe, el 10 padre de Alfonso, es hombre de negocios.

113

Nuestra familia tiene la mar de parientes: tíos y tías, sobrinos y sobrinas, primos y primas y otros parientes lejanos.[1] Tantos son que no sólo viven en la ciudad sino también [d] en varios otros estados. Todos los miembros de la familia López son buenos 5 ciudadanos. Casi todos nuestros parientes son profesionales.

Mi primo Alberto asiste a la misma escuela que yo. Es el hijo del hermano de mi padre. Su nombre es Alberto López y Silva. Usa el apellido del padre y el de la madre.[2] En nuestra casa sólo usamos el apellido de nuestro padre. En España e Hispano- 10 América los miembros de una familia usan el apellido del padre y el de la madre. En cambio, en otras familias sólo usan el apellido del padre. En español, cuando vemos dos apellidos, el primero[3] es del padre y el segundo[4] es de la madre. Hay que notar [e] que en Hispano-América se usa[5] a menudo[f] el apellido del padre y la 15 inicial[6] del apellido de la madre.

Los nombres de pila,[7] tanto en España como[g] en Hispano- América, son nombres de santos. Nombres que no son de santos son raros. El nombre de María es muy popular entre las mujeres hispanas y hay otros muchos nombres para usar en vez del[h] 20 de María[8] como: Carmen, Dolores, Pilar, Consuelo, Amparo, Socorro, Caridad, Guadalupe y muchos más.

II. Vocabulario

A coro:

NOMBRES

el **abogado** lawyer

el **abuelo** grandfather; los **abuelos** grandparents

el **apellido** surname, family name

el **ciudadano** citizen

don (*m.*), **doña** (*f.*) *polite titles used before first names*

España Spain

el **estado** state

la **familia** family

el **hermano** brother; la **hermana** sister

el **hijo** son; la **hija** daughter; los **hijos** sons, son(s) and daughter(s), children

la **madre** mother

el **médico** doctor

el **negocio** business; **hombre de negocios** businessman

el **padre** father;   los **padres** parents

---

[1] distant. [2] the mother's. [3] the first one. [4] the second one. [5] is used. [6] initial. [7] first names. [8] Mary's.

el **pariente** relative
el **primo** cousin; la **prima** cousin
el **santo** saint ~only used To" {DO"
el **sobrino** nephew; la **sobrina** niece
el **tío** uncle; la **tía** aunt; los **tíos** uncles, uncle(s) and aunt(s)

ADJETIVOS

cariñoso, –a affectionate
cortés courteous
mismo, –a same

Aprendan de memoria:

(a) **constar de** to consist of, be composed of
(b) **les gusta vivir solos** they like to live alone
(c) **estudiar para dentista** to study to be a dentist

obediente obedient
profesional professional
propio, –a one's own
raro, –a rare
solo, –a alone
tantos, –as so many

OTRAS PALABRAS

e and (*used before* **i** *or* **hi**, *but not* **hie**)
sólo only

(d) **no sólo . . . sino también** not only . . . but also
(e) **hay que notar** one must note
(f) **a menudo** often
(g) **tanto . . . como** both . . . and
(h) **en vez de** instead of

ad hoc

¿ Qué significa en inglés?

1. mis abuelos, mis padres, aplicado, –a, un hombre de negocios, la ciudad, los miembros de la familia, el apellido, entre las mujeres.   2. Les gusta vivir solos.   3. Asisten a una escuela pública.   4. Todos los miembros de la familia Brown son norteamericanos.   5. Hay que notar esto. 6. Los nombres de pila son nombres de santos.   7. Una familia española tiene la mar de parientes.   8. Todos mis parientes son profesionales. 9. En España e Hispano-América usan uno o dos apellidos.

III. Preguntas

1. ¿ Cuántas personas hay en la familia López?   2. ¿ Viven sus abuelos en casa de usted?   3. ¿ Cómo son sus padres?   4. ¿ A qué escuela asiste usted?   5. ¿ Qué desea ser usted?   6. ¿ Qué desea ser Pedro?   7. ¿ Qué desea ser Dolores?   8. ¿ Cuántos parientes tiene su familia?   9. ¿ Cuántos apellidos usan los españoles?   10. ¿ Qué nombre es muy popular entre las mujeres hispanas?

IV. Gramática

A. PRESENT TENSE OF SER, to be

ser, to be	
SINGULAR	PLURAL
yo soy I am tú eres you are **él, ella, Vd. es** he, she is, you are	**nosotros, –as somos** we are vosotros, –as sois you are **ellos, –as, Vds. son** they are, you are

STATEMENT: **Soy pequeño.** I am small.
QUESTION: ¿ **Soy pequeño?** Am I small?
NEGATION: **No soy pequeño.** I am not small.
NEGATIVE QUESTION: ¿ **No soy pequeño?** Am I not small?

B. SER WITH PREDICATE NOUNS

Alberto es americano.   Albert is an American.
Yo no soy español.   I am not a Spaniard.
El padre de Ana es abogado. Anna's father is a lawyer.
Ana es maestra.   Anna is a teacher.

BUT: **Alberto es un alumno aplicado.** Albert is a studious student.
 Ana es una buena muchacha.   Anna is a good girl.

Note that *a* or *an* is not expressed in Spanish before an unmodified predicate noun denoting a trade, profession, or nationality.

C. OTHER OBJECT PRONOUNS

DIRECT

me {
Juan *me* comprende. John understands me.
Ayúde*me*, por favor. Help me, please.
No *me* llame Vd. Don't call me.
}

nos {
El profesor *nos* ve. The teacher sees us.
Él desea llamar*nos*. He wishes to call us.
Escúche*nos* por favor. Listen to us, please.
}

INDIRECT

me

{

Juan *me* **da el libro.** John gives me the book (John gives the book to me).

Escríba*me* **una carta.** Write me a letter (Write a letter to me).

No *me* **escriba la carta en inglés.** Don't write the letter to me in English.

nos

{

El profesor *nos* **explica la regla.** The teacher explains the rule to us.

Desean dar*nos* **un libro.** They wish to give us a book.

The direct object pronouns, first person singular and plural are: **me** *me*, and **nos** *us*. The indirect object pronouns, first person singular and plural are: **me** (*to*) *me*, and **nos** (*to*) *us*. Remember that: object pronouns, direct or indirect, stand before a conjugated verb and a negative command, but follow and are attached to infinitives and affirmative commands.

Expresiones útiles:

La Hora (Time)

¿ **Qué hora es?**	What time is it?
Es la una (la una y cinco; la una y cuarto; la una y media).	It is one (five after one; quarter after one; half past one).
Son las dos (tres, etc.).	It is two (three, etc.) o'clock.
Son las tres menos cuarto.	It is quarter to three.
Son las cinco en punto.	It is exactly five.
Son las ocho de la mañana (noche).	It is 8 A.M. (P.M.).
¿**A qué hora?**	At what time?

Learn the following irregular verbs in the present indicative and in the imperative:

decir to say, tell	**digo,** dices, **dice, decimos,** decís, **dicen**		
IMPERATIVE	**diga digamos**		**digan**
ir to go	**voy,** vas, **va,** **vamos,** vais, **van**		
IMPERATIVE	**vaya vayamos**		**vayan**
oír to hear	**oigo,** oyes, **oye, oímos,** oís, **oyen**		
IMPERATIVE	**oiga oigamos**	**oigan**	

Práctica: 1. Nosotros ———.   2. Ellos no ———.   3. Yo ———.
4. ¿ ——— usted?   5. Ella ———.   6. ¿ No ——— ustedes?   7. Lola ———.
8. ¿ ——— Carlos?   9. ¡ ——— usted !   10. ¡ No ——— nosotros !

V. Ejercicios

A. Repaso oral — Lección décima. *Give the Spanish translation of
the words in English:* 1. Tome Vd. tiza y ——— en la pizarra (*write*).
2. Abramos la puerta y ——— (*let us enter*).   3. ——— Vds. el libro hoy
(*Read*).   4. ——— leemos el libro (*To them*).   5. María ——— habla (*to you,
pl.*).   6. Yo ——— doy los lápices negros (*to her*).   7. Él ——— enseña en
español (*them, m.*).   8. ——— los cuadernos ahora (*Open, pl.*).   9. ——— las
palabras nuevas (*Let us not forget*).   10. ——— las palabras nuevas que
aprendemos (*Let us use*).

B. *Añadan la forma apropiada de* **ser** (Add the proper form of *ser*):   1. Yo
——— alumna.   2. Ana y Luis ——— los hijos.   3. Ernesto y yo ———
primos.   4. ¿ Quién ——— su hermano?   5. La madre ——— española.
6. ¿ ——— Vds. americanos?   7. La familia no ——— grande.   8. Yo ———
médico.   9. Luis y Felipe desean ——— abogados.   10. ¿ No ——— Vd.
un alumno aplicado?   11. Nosotros ——— hermanos.   12. ¿ ——— Vds.
hijos del señor López?   13. Lola y Ana no ——— hermanas.   14. Mi
apellido ——— . . .

C. *Escojan el pronombre apropiado que corresponda a cada uno de los verbos
siguientes y traduzcan al inglés* (Choose the proper pronoun which goes
with each of the following verbs and translate into English): **yo, Vd.,
él, ella, nosotros, Vds., ellos, ellas.**

aprendemos	oye	quepo	soy
van	traigo	somos	dan
lee	digo	debe	sale
veo	hago	tengo	sé

D. (*a*) *Pongan en plural:* 1. Él es americano.   2. Soy maestra.   3. ¿ Es
Vd. médico?   4. ¿ Cuál es el apellido de la familia?   5. ¿ No es Vd.
español?   6. Ella es alumna.   7. Él no es abogado.   8. La abuela es
española.

(*b*) *Pongan en singular:* 1. Las familias son grandes.   2. Nosotros
somos americanos.   3. ¿ Qué son Vds.?   4. Deseamos ser abogados.
5. Ellas son inglesas.   6. ¿ No son Vds. españoles?   7. Las lecciones son
fáciles.   8. Los libros son rojos.

E. *Escriban enteramente en español:* 1. Saludamos *the teachers.* 2. Ustedes no cometen *mistakes* aquí. 3. *You do not understand them* cuando hablan español. 4. En todas las salas de clase hay *many things.* 5. Vemos en las paredes *several artistic pictures.* 6. Ellos *do not write* en español. 7. *I wish to live* aquí con usted. 8. La casa es *Peter's.* 9. Hablo del libro *pupil's.* 10. Carmen escribe *the day's exercise.* 11. El profesor *teaches us* la lección. 12. *Read me* el libro. 13. *Sell me* la gramática de español, *don't sell me* el libro de inglés. 14. Ella *talks to me* en español. 15. María *writes to us* todas las semanas.

F. Test XI. *Write the Spanish translation of the words in English:* 1. Yo no —— americana (*am an*). 2. Ellos —— médicos (*are*). 3. Luis y yo —— hermanos (*are*). 4. ¿No desea Vd. ser —— (*a teacher*)? 5. Vds. no —— primas (*are*). 6. Vd. —— el hermano de Isabel (*are*). 7. ¿Quién —— la madre de Dolores (*is*)? 8. Yo soy —— (*a lawyer*). 9. Alberto y Felipe —— hijos de la familia Molina (*are*). 10. Mi hermana y yo deseamos ser —— (*teachers*).

G. *Oral:* 1. He is not a teacher. 2. Are you American? 3. Is he a doctor? 4. No, he is a lawyer. 5. Who is a doctor? 6. I am not a Spaniard. 7. What are you saying? 8. I am an American. 9. Write to me. 10. Sell me the grammar.

H. *Written:* 1. Where does your father live? 2. Is he an American or a Spaniard? 3. He is an American. 4. My cousin is a Spaniard. 5. He lives in Spain. 6. He wishes to be a doctor or a lawyer. 7. My uncle is a lawyer. 8. My cousins, Thomas and Philip, are brothers. 9. What is your family name? 10. My name is Blanco.

I. Ejercicio de invención. *Hagan oraciones con:*

Nosotros	es	norteamericano
Luis	son	francesa
Usted	soy	aplicados
Ellos	somos	dentista
El señor Pérez		hombre de negocios
Ella		profesora
Ustedes		inteligentes
Yo		

Make some of the above sentences fit the following patterns with different subjects:

1. No ——.   2. ¿ ——?   3. ¿No ——?

Mi - sing   mi primo

Mis - pl   mis primos

J. Ejercicio de pronunciación:

c [1]:

ca	ce	ci	co	cu
ca-ma	ce-na	ci-ne	co-la	cu-na
cam-po	ce-lo	cin-ta	co-ca	cu-cha-ra
Car-los	Cé-sar	Cis-ne-ros	Con-cha	Cu-ba

Carlota y Carlos van a la cocina a las cinco para comer.

K. *Dialoguito:*

— ¿ **A qué hora principia la clase de español?**   At what time does the Spanish class begin?

— **A las nueve y cuarto.**   At a quarter after nine.

— ¿ **Y cuándo termina?**   And when does it end?

— **A las diez en punto.**   At exactly ten o'clock.

SELECCIÓN

Para otro día

Es la hora del almuerzo.[a] La mamá, como todas las madres, quiere[2] alimentar bien a su hija.

— Isabel — le dice la madre — toma la sopa.

---

[1] **C** before **e** and **i** is pronounced as the *th* in the English word *thin*, but the sound is somewhat prolonged. In Spanish America **c** before **e** and **i** is like *ss* in *hiss*. **C** before **a, o, u** is pronounced like *k*. [2] wants.

— ¡ No me gusta, mamá! — contesta la pequeña.

— Pero está muy rica — añade la madre.   Y después dice:

— Tal vez algún día,[1] si quieres [2] tomar esta sopa, no la tendrás.[3]

La niña la mira con ojos radiantes de alegría [4] y exclama:

— Entonces, mamá, guárdamela [5] para ese día.   5

a. *What English words do you recognize from the following Spanish words?*

la mamá, Isabel, la hora, la sopa, radiante, exclamar

b. Vocabulario

la **alegría** joy

alimentar to feed

el **almuerzo** lunch

añadir to add

después afterwards

este, –a this

ese, –a that

exclamar to exclaim

guardar to keep

la **mamá** mother

el **ojo** eye

radiante bright, radiant

rico, –a delicious, tasty

tal vez perhaps

c. Frase útil

(a) **Es la hora del almuerzo.**   It is lunch time.

d. Preguntas

1. ¿ Qué hora es? 2. ¿ Qué quiere hacer la madre? 3. ¿ Por qué no toma Isabel la sopa? (. . . **le gusta**). 4. ¿ Cuándo no tendrá Isabel la sopa tal vez? 5. ¿ Para cuándo debe guardar la madre la sopa?

[1] some day. [2] you want. [3] you will not have it. [4] radiant with joy. [5] keep it for me.

L E C C I Ó N

DOCE

A. *Adjetivo posesivo*

B. *Uso del artículo definido en lugar del adjetivo posesivo*

I. Conversación

La casa de la familia Alonso

— ¿ En qué clase de casa vive usted, Miguel? ¿ Es una casa particular o un piso en una casa de apartamentos?

— Es una casa particular de dos pisos. Nosotros vivimos en el campo, cerca de la ciudad. Nuestra casa tiene jardín con rosas,
5 violetas, tulipanes y claveles, todas flores bellas.

— Yo al contrario,[a] vivo en la ciudad, en una casa de apartamentos. Nuestro piso es muy cómodo. Las ventanas, por donde entran el aire puro y la luz del sol, son muy grandes.

— ¿ Cuántas piezas tiene su apartamento?

10 — Vamos a ver. Nuestra sala es la pieza principal. Allí es donde [b] recibimos las visitas de nuestros amigos. Nuestro comedor

122

es una pieza grande y clara.   Es allí donde comemos cuando tenemos hambre.[c]   En la cocina mi madre o la criada prepara la comida
para nuestra familia.   El cuarto de baño es para lavarse y asearse.[1]

— Y su padre, ¿ no tiene biblioteca en su apartamento?

— ¡ Ya lo creo! [d]   En nuestro apartamento la biblioteca es una 5
pieza muy importante.   Allí tiene mi padre libros, revistas [2] y
periódicos.   Además, allí es donde los hijos preparamos las lecciones.   Si deseamos leer un libro interesante, siempre halla-
mos algo allí.   Hay muchas revistas y periódicos de todas partes
del mundo, especialmente de los países de habla española.[3]   Todo 10
es admirable allí.   Y en su casa de campo, Miguel, ¿ cómo son
las piezas y los muebles?

— Como nuestra casa es moderna, los cuartos son grandes y
los muebles son muy artísticos.   Por ejemplo, en la sala hay sillas,
sofá, un estante con libros, piano, radio y televisión y una al- 15
fombra.[4]   En nuestros dormitorios se ven camas, cómodas,[5] algunas
sillas y un ropero.   En nuestra cocina hay un refrigerador,[6] el
fregadero,[7] una cocina eléctrica [8] y la mar de utensilios de cocina.[9]
En nuestro cuarto de baño vemos un lavabo [10] con agua fría y caliente, y una bañera [11] con regadera.[12]   20

II. Vocabulario

A coro:

NOMBRES

el **agua** (*f.*) water
el **aire** air
el **amigo** friend
el **apartamento** apartment
la **biblioteca** library, study
la **cama** bed
el **campo** country (*not city*)
el **clavel** carnation
la **cocina** kitchen

el **comedor** dining room
la **comida** meal, food
la **criada** maid
el **cuarto** room
el **cuarto de baño** bathroom
el **dormitorio** bedroom
la **flor** flower
el **jardín** garden
la **luz** light
el **mundo** world

[1] to wash and tidy oneself. [2] magazines. [3] Spanish-speaking countries. [4] rug.
[5] bureaus. [6] refrigerator. [7] sink. [8] electric stove. [9] kitchen utensils. [10] washstand.
[11] bathtub. [12] shower.

el **país** country
el **periódico** newspaper
el **piano** piano
la **pieza** room
el **radio** radio (*cabinet*)
la **rosa** rose
la **sala** parlor, living room
el **sofá** sofa
el **sol** sun
la **televisión** television
el **tulipán** tulip
la **violeta** violet
la **visita** visit, call; visitors

claro, –a clear
cómodo, –a comfortable, cozy
frío, –a cold
particular private
puro, –a pure

VERBOS

hallar to find
recibir to receive

OTRAS PALABRAS

además besides
cerca de near
¿cuánto, –a? how much? **–s, –as?** how many?
especialmente especially

ADJETIVOS

bello, –a beautiful
caliente warm

Aprendan de memoria:

(a) **al contrario** on the contrary
(b) **allí es donde** that is where
(c) **tener hambre** to be hungry
(d) **¡ya lo creo!** yes, indeed!

¿ Qué significa en inglés?

1. una casa particular, una casa de apartamentos, una casa de campo, la luz del sol, una pieza grande y clara, el cuarto de baño. 2. ¿ Vive usted en el campo? 3. Al contrario, mi familia vive en la ciudad. 4. Nuestro apartamento no tiene cinco piezas. 5. ¿ No hay casas particulares en los países de habla española? 6. Hay muchos utensilios de cocina aquí.

III. Preguntas

1. ¿ Vive Miguel en el campo o en la ciudad? 2. ¿ Vive en una casa particular o en un piso? 3. ¿ Qué flores hay en el jardín de Miguel? 4. ¿ Dónde vive el amigo de Miguel? 5. ¿ Cuántas piezas tiene su apartamento? 6. ¿ Para qué usan la sala? ¿ la cocina? 7. ¿ Qué hacen en el comedor? 8. ¿ Para qué es el cuarto de baño? 9. ¿ Tiene biblioteca su apartamento? 10. ¿ Qué preparan los muchachos en la biblioteca? 11. ¿ Cómo es la casa de Miguel? 12. ¿ Qué hay en la sala?

IV. Gramática

A. POSSESSIVE ADJECTIVES

	NOUN SINGULAR		NOUN PLURAL	
	Masc.	*Fem.*	*Masc.*	*Fem.*
my	mi	mi	mis	mis
your (*familiar*)	tu	tu	tus	tus
your, his, her, its	su	su	sus	sus
our	nuestro	nuestra	nuestros	nuestras
your (*familiar*)	vuestro	vuestra	vuestros	vuestras
your, their	su	su	sus	sus

nuestra familia	our family	**su amigo** (**de Vd.**)	your friend
mi madre	my mother	**sus amigos** (**de él**)	his friends
mis hermanos	my brothers	**sus amigos** (**de ella**)	her friends
su hermana	your sister	**sus amigos** (**de ellos**)	their friends

mi casa y mi jardín   my house and garden
mi padre, mi madre   my father, mother,
y mis hermanas   and sisters

Possessive adjectives agree in gender and number with the thing possessed and must be repeated before each noun.

As **su** and **sus** may mean *your, his, her, its, their*, the meaning is made clearer by adding the proper personal pronoun preceded by **de**.

B. ARTICLE USED FOR POSSESSIVE ADJECTIVES

Yo leo su revista *or* **la revista de él.**	I read his magazine.
Necesitamos su libro *or* **el libro de Vd.**	We need your book.
Recibo sus cartas *or* **las cartas de ellos.**	I receive their letters.
Vemos su casa *or* **la casa de ella.**	We see her house.
Ellos abren su puerta *or* **la puerta de Vds.**	They open your door.

Note that the definite article may be used instead of the possessive adjectives **su** and **sus**. In such cases the proper personal pronoun preceded by **de** must be added for the sake of clearness.

V. Ejercicios

A. Repaso oral — **Lección once.** *Give the Spanish translation of the words in English:* 1. Mi padre —— don Tomás (*is*). 2. No —— alumno de la escuela (*I am*). 3. Dolores —— mi hermana (*is*). 4. Mi tío Pepe es —— (*a doctor*). 5. Nosotros —— hijos obedientes (*are*). 6. ¿ Desea Vd. —— dentista (*to be a*)? 7. Pablo y Luis no —— españoles (*are*). 8. Mi padre —— en español (*answers me*). 9. Pedro no —— en inglés (*talk to us*). 10. La profesora —— explica la lección (*to me*).

B. *Copien el modelo:*

MODELO: *your* pieza = su pieza.[1]

1. *your* padre
   our hermanos
   her cocina
   their dormitorio

2. *his* casa
   my cuarto
   your sillas
   their muebles

3. *his* biblioteca
   our piso
   your jardín
   my hermanas

C. *Traduzcan al español los adjetivos posesivos que se encuentran* (are found) *a la derecha de cada frase:*

1. **Su** familia vive en un piso.
2. **Nuestras** piezas son grandes.
3. Pedro recibe a **sus** amigos.
4. **Mis** primas preparan la comida.
5. Hoy **mi** padre no lee.
6. Vive en **nuestra** casa.
7. Deseo vender **mi** libro.
8. **Su** jardín es bonito.
9. Luis mira a **sus** hermanos.
10. **Mi** padre ayuda a Marta.

1. our, my, their
2. his, your, my
3. our, their, her
4. your, our, his
5. your, their, our
6. her, my, your
7. our, his, their
8. my, our, your
9. my, our, her
10. our, your, his

D. *Escriban enteramente en español:* 1. ¿ Ve Vd. *the green pencil?* 2. María es una *studious pupil.* 3. La tiza es *white, blue, or red.* 4. *I answer* siempre en español en la clase. 5. ¿ *What do we learn* en la clase de español? 6. Vds. *learn* mucho aquí. 7. Aquí todo el mundo *learns.* 8. ¿ *Do you need* una pluma fuente? 9. Luis *does not answer* en inglés. 10. ¿ Qué idioma *do you speak* en la clase de español?

[1] In these exercises use the simple form **su** or **sus** as well as the longer forms **su** . . . **de Vd.** or **la** . . . **de Vd.** where possible; e.g., **su pieza, su pieza de Vd., la pieza de Vd.**

E. Test XII. *Write the Spanish translation of the words in English:* 1. ——— vive en una casa particular (*Our family*). 2. ——— José vive en una casa de apartamentos (*My uncle*). 3. ¿ No lee usted ——— (*his book*)? 4. Mis amigos visitan ——— (*his friends*). 5. ——— no es muy cómoda (*Their living room*). 6. Nuestro jardín forma parte de ——— (*our house*). 7. ——— son muy grandes (*Our windows*). 8. ¿ Es ——— muy cómodo (*your apartment*)? 9. ——— prepara la comida en la cocina (*My mother*). 10. ¿ No es española ——— (*your maid*)?

F. Oral: 1. We receive: my friends, his family, your book, your flowers. 2. The boys are: our brothers, your sons, my cousins, their friends. 3. Who is opening: my book, your rooms, their house, our apartment? 4. Our mother wants to read: her books, our exercises, my newspaper.

G. Written: 1. Our house is large and light. 2. This (**Este**) year my family lives in a small apartment. 3. Are there many rooms in your apartment? 4. We have five rooms in our apartment. 5. My mother prepares our meals in the kitchen. 6. Every day my sisters help my mother. 7. They study their lessons in my father's study. 8. We receive our friends in our parlor. 9. My sister goes out with her friends. 10. They spend two hours in our house.

H. Dictado (Dictation):

Mi casa está en la calle (*street*) Bolívar, cerca de la escuela. Es una casa muy cómoda. Vivo allí con mis padres, mis abuelos y mis hermanos. Mi casa consta de cinco piezas. Tiene un patio con muchas flores.

I. Ejercicio de pronunciación:

d [1]:	da-ma	Del-ta	on-da	dí-a	de-más
	da-ta	Du-rán	don-de	du-ro	de-man-da
	da-ba	Dan-te	dan-do	dul-ce	an-dan-do

¿ Dónde anda la dama de Andalucía ?

[1] The letter **d** is similar to the sound of the English *d* when it begins a word or a breath group and after **n** or **l**. Initial **d** is similar to the English except that the point of articulation is further forward. The tip of the tongue touches the upper teeth.

J. *Dialoguito:*

— **Haga usted una pregunta.**	Ask a question.
— ¿ **Cómo se dice esto en español?**	How do you say this in Spanish?
— **Repita eso, por favor.**	Repeat that, please.
— **Con mucho gusto.**	With pleasure.

SELECCIÓN

Un jardín único en el mundo

Cerca de la ciudad de México hay algo muy bonito. Son los jardines flotantes [1] de Xochimilco. Estos preciosos jardines existen desde los tiempos de los aztecas, los indios más poderosos [2] de México. Eran [3] los lugares de recreo de los emperadores
5 aztecas. Al principio los jardines flotaban.[4] Los indios plantaban [5] flores sobre balsas tejidas [6] con ramas y cubiertas de tierra. Así crecían [7] allí flores y plantas de variados y lindos colores. Los jardines se movían [8] de una parte a otra.

Los jardines ya no [9] flotan, pero en cambio hay ahora canales
10 entre ellos. Hoy día [a] podemos navegar en barcas pequeñas. Al pasar por los canales, vemos rosas, claveles, violetas y otras muchas clases de flores.

---

[1] floating. [2] powerful. [3] They were. [4] floated. [5] used to plant. [6] woven wicker rafts. [7] grew. [8] moved. [9] no longer.

En nuestros días Xochimilco es el lugar favorito de muchas personas.   Es visitado [1] especialmente los domingos por la tarde en primavera.   Las personas pasean [2] entre los canales en barcas movidas a remo [b] por los indios.   En otras barcas, hay vendedores de flores que las ofrecen al visitante [3] a bajo precio.   En algunas 5 barcas hay un grupo de músicos que tocan piezas típicas del país. Entre las canciones más populares se oyen [4] « Cielito lindo » [5] y « Allá en el rancho grande ».[6]   ¡Qué lindo es todo eso!   Los árboles y las flores fragantes [7] perfuman el ambiente.   Nos sentimos felices [8] y quisiéramos repetir [9] muchas veces [c] la visita a este lugar 10 de encanto.

a. *What English words do you recognize from the following Spanish words?*

México, flotante, existir, Azteca, el emperador, el indio, plantar, la planta, navegar, el recreo, típico, –a, la flor, variado, –a, la violeta, la rosa, la visita, popular, repetir, la persona

b. Vocabulario

el **ambiente** atmosphere
el **árbol** tree
bajo, –a low
la **barca** (small) boat
bonito, –a pretty
la **canción** song
cubierto, –a covered
desde since
el **emperador** emperor
el **encanto** delight
eso that
existir to exist
favorito, –a favorite
feliz happy
lindo, –a pretty
el **lugar** place

el **músico** musician
ofrecer [10] to offer
la **pieza** piece (of music)
el **precio** price
el **principio** the beginning
¡ **qué** + *adj.* ! how !
la **rama** branch
la **tierra** earth, land, soil
tocar to play (*music* or *an instrument*)
único, –a unique, sole, only one
el **vendedor** peddler
visitar to visit
ya now

[1] It is visited.   [2] travel.   [3] visitor.   [4] are heard.   [5] "My dearly beloved" (*lit.* Pretty Little Heaven.)   [6] Big Ranch.   [7] fragrant.   [8] We feel happy.   [9] we would like to repeat.   [10] Notice the present indicative: **ofrezco**, ofreces, ofrece, etc. In vocabularies this change will be indicated after the verb thus: (**zc**).

c. Frases útiles

(a) **hoy día** nowadays

(b) **barcas movidas a remo** rowboats (*lit:* boats moved by oar.)

(c) **muchas veces** often, many
times

d. Preguntas

1. ¿ Dónde está Xochimilco ? 2. ¿ Quiénes eran los aztecas ? 3. ¿ Cuál es el lugar favorito de muchas personas hoy día ? 4. ¿ Cuándo lo visitan especialmente ? 5. ¿ Qué canciones se oyen ?

TRECE

A. *Presente de indicativo de* **estar**

B. *Uso de* **estar** *para indicar lugar o posición*

I. Conversación

La comida en casa de los Pérez

Tomás, hijo de los Pérez, invita a su amigo Manuel Sánchez, a comer en su casa. Toda la familia Pérez está en el comedor. Todos están a la mesa. Cada sitio tiene cuchillo, tenedor, cuchara y un vaso. Es la hora de la comida. Don Julio el padre, está a un extremo de la mesa. Doña Marta está al otro extremo. 5 Manuel está entre Tomás y su hermana Dolores. Al otro lado están los abuelos.

PADRE. Manuel, hoy es usted uno de la familia. Va a comer con nosotros. Es un placer muy grande para todos.

MANUEL. Muchas gracias,[a] don Julio. Es bueno estar entre 10 ustedes para comer y charlar.[1]

MADRE. La comida está en la mesa. ¿Quién quiere sopa?

TODOS. Todos queremos sopa; sin sopa la comida no es completa.

---

[1] chat.

MANUEL.　¡ Qué bien sabe la sopa! [b]　Ustedes deben tener una buena cocinera.[1]

MADRE.　Hijo, aquí la cocinera soy yo.

TOMÁS.　Mamá, usted no es cocinera; usted es la reina [2] de la 5 casa.

MADRE.　¿ Qué le gusta más, Manuel, la carne o el pescado? [3]

MANUEL.　Me gusta más la carne.

TOMÁS.　¿ Dónde están el pan y la mantequilla,[4] mamá?

MADRE.　Hijo, todo está sobre la mesa.　Ahí están cerca de tu 1) plato, delante de tus ojos.

LOLA.　¿ No come usted legumbres, Manuel?

MANUEL.　Sí, cómo no.[c]　Gracias, Lola, las legumbres parecen muy ricas.

TOMÁS.　¡ Hombre ! [d]　Aquí en nuestra casa toda la comida está 15 siempre muy buena.

LOLA.　Mamá, ¿ qué hay hoy de postre? [5]

MADRE.　Fruta . . . peras, manzanas y uvas.　También tenemos queso y luego café con leche.

Todos toman postre y café y luego dejan la mesa muy contentos 20 con las palabras: « Buen provecho [6] y muchas gracias ».　Los otros contestan: « Igualmente ».[7]

II. Vocabulario

A coro:

NOMBRES

el **café** coffee
la **carne** meat
la **cuchara** spoon
el **cuchillo** knife
el **extremo** extreme, end
la **fruta** fruit
el **lado** side
la **leche** milk
la **legumbre** vegetable
la **manzana** apple

el **pan** bread
la **pera** pear
el **placer** pleasure
el **plato** plate, dish
el **queso** cheese
el **sitio** seat, place
la **sopa** soup
el **tenedor** fork
la **uva** grape
el **vaso** glass

---

[1] cook.　[2] queen.　[3] fish.　[4] bread and butter.　[5] for dessert.　[6] Good appetite. (*before a meal*);　**May** the food do you good. (*after a meal*)　[7] The same to you.

Adobe brick makers, Venezuela

Loading iron ore, Peru

Ripe coffee berries

Silver shop, Taxco, Mexico

ADJETIVOS

completo, –a complete
contento, –a happy, satisfied

OTRA PALABRA

ahí there

VERBOS

dejar to leave
invitar to invite
parecer (zc) to seem

Aprendan de memoria:

(a) **muchas gracias.** thank you
very much.

(b) **¡ Qué bien sabe la sopa !**
How good the soup tastes !

(c) **¡ cómo no !** yes, indeed ! of
course !

(d) **¡ hombre !** well! my good
friend !

¿ Qué significa en inglés?

1. la comida, hoy, el placer, la cocinera, delante de, las legumbres.
2. Es la hora de la comida. 3. Usted va a comer con la familia. 4. ¿ Le
gusta más la carne? 5. Todo está sobre la mesa. 6. La comida está
siempre buena. 7. Es un placer muy grande para nosotros.

III. Preguntas

1. ¿ A quién invita Tomás a comer en su casa? 2. ¿ Dónde está
toda la familia? 3. ¿ Qué tiene cada sitio? 4. ¿ Qué es Manuel hoy?
5. ¿ Con quién va a comer? 6. ¿ Quién quiere sopa? 7. ¿ Quién es la
cocinera de la casa? 8. ¿ Qué dice Tomás de su madre? 9. ¿ Qué le
gusta más a Manuel, la carne o el pescado? 10. ¿ Come Manuel legumbres?

Serie

La criada está en el comedor.	The maid is in the dining room.
Pone la mesa para la comida.	She sets the table for the meal.
La cubre con un mantel.	She covers it with a tablecloth.
Coloca un plato, un cuchillo, una cuchara, un tenedor, un vaso, pan y una servilleta para cada persona.	She places a plate, a knife, a spoon, a fork, a glass, bread, and a napkin for each person.
Llama a los miembros de la familia.	She calls the members of the family.
Dice: « La comida está servida.»	She says: " Dinner is served."

IV. Gramática

A. PRESENT TENSE OF **ESTAR, to be**

estar, to be			
SINGULAR		**PLURAL**	
yo **estoy**	I am	nosotros **estamos**	we are
tú **estás**	you are	vosotros **estáis**	you are
él, ella, **Vd. está**	he, she is, you are	ellos, –as, **Vds. están**	they are, you are

STATEMENT: **Estoy aquí.** I am here.
QUESTION: ¿**Está Ana aquí?** Is Anna here?
NEGATION: **Él no está aquí.** He is not here.
NEGATIVE QUESTION: ¿**No están ellos aquí?** Are they not here?

B. LOCATION OR PLACE   *permanent condition- ser*

TEMPORARY LOCATION

Roberto está en el comedor. Robert is in the dining room.
Los periódicos están sobre la mesa. The newspapers are on the table.

PERMANENT LOCATION

Madrid está en España. Madrid is in Spain.
El comedor está entre dos cuartos. The dining room is between two rooms.

Note that to express location or place, whether temporary or permanent, the verb **estar,** *to be,* must be used. Observe that *to be* is expressed in Spanish by **ser** and by **estar,** but their uses differ.

Learn also the following irregular verbs in the present indicative and imperative:

poder can, be able	**puedo,** p*ue*des, **puede, podemos,** podéis, **pueden**	
IMPERATIVE	—— ——	——
querer to want	**quiero,** qu*ie*res, **quiere, queremos,** queréis, **quieren**	
IMPERATIVE	—— ——	——
venir to come	**vengo,** vienes, **viene, venimos,** venís, **vienen**	
IMPERATIVE	**venga vengamos**	**vengan**

Some regular verbs in –**ar** and –**er** and the irregular verbs **poder** and **querer** change the vowel of the stem, but the personal endings remain regular. In vocabularies this vowel change will be indicated thus: (**ue**) or (**ie**) after the infinitive.

Práctica: 1. Usted ——. 2. Nosotros ——. 3. Ellos no ——. 4. Yo ——. 5. ¿ —— ustedes? 6. ¡ No —— usted! 7. ¿ —— Luis? 8. Él no ——. 9. ¡ —— nosotros! 10. ¿ No —— Rosa?

V. Ejercicios

A. Repaso oral — Lección doce. *Give the Spanish translation of the words in English:* 1. Escribimos a —— en la sala (*our friends*). 2. —— es una pieza importante de la casa (*His library*). 3. Allí es donde estudiamos —— (*our lessons*). 4. Mis abuelos viven en —— (*their apartment*). 5. —— es muy linda (*Your teacher*). 6. —— son muy buenos (*Our parents*). 7. —— es dentista en Boston (*Her cousin*). 8. ¿ Son —— médicos o abogados (*your brothers*)? 9. ¿ Cuál es —— (*your first name*)? 10. Escuchemos lo que pasa en —— (*our school*).

B. *Escriban enteramente en español:* 1. *Our garden* tiene muchas flores. 2. *Your room* no es muy grande. 3. *Her students* son aplicados. 4. Nosotros, los hijos, *are* obedientes. 5. ¿ *Are you* abogado o médico? 6. Tome Vd. el libro y *read it.* 7. *Let us not eat* en casa hoy. 8. Háblele de eso; *don't forget it.* 9. Comprendemos *Louis* muy bien. 10. ¿ *Whom* ayuda usted todos los días?

C. *Usen en el presente de indicativo:* **estar, ser, escuchar, vender, escribir.**

1. Yo ——.	7. Ellos no ——.	13. ¿ No —— Vds.?
2. Vds. ——.	8. Vd. y yo ——.	14. ¿ No —— él?
3. Nosotros ——.	9. ¿ Quién ——?	15. ¿ No —— yo?
4. Él ——.	10. ¿ —— ella?	16. ¿ Quiénes no ——?
5. Ana ——.	11. Alberto no ——.	17. ¿ No —— Vd.?
6. Vd. ——.	12. ¿ —— Juan?	18. ¿ No —— Dolores?

D. *Escojan la forma apropiada de* **ser** *o* **estar:** 1. ¿ Dónde (es *o* está) mi hermana? 2. ¿ Quiénes (son *o* están) en nuestra sala? 3. La comida (es *o* está) aquí. 4. Los vasos (son *o* están) para tomar leche o agua. 5. Toda nuestra familia (es *o* está) en la sala. 6. Mi abuelo y yo (somos *o* estamos) americanos. 7. Ellos (son *o* están) allí para charlar. 8. La carne y el pescado (son *o* están) en la mesa. 9. Yo (soy *o* estoy) en Boston para visitar a mis amigos. 10. ¿ Para qué (es *o* está) Vd. en la cocina?

E. *En las frases siguientes usen* **yo, nosotros, Vd., ellos** *como sujeto:*
1. Estar en Boston. 2. No estar en la clase. 3. ¿ Decir algo? 4. No poder pasar. 5. ¿ Cuándo venir? 6. No querer estar en casa.

F. Test XIII. *Write the Spanish translation of the words in English:* 1. La comida —— en la mesa (*is*). 2. —— en casa de los Pérez (*We are*). 3. España —— en Europa (*is*). 4. Mis hermanos —— aquí (*are*). 5. Los Andes —— en la América del Sur (*are*). 6. Nuestra escuela —— en la ciudad de Nueva York (*is*). 7. ¿ —— en España o en los Estados Unidos (*Are we*)? 8. Es bueno —— entre Vds. (*to be*). 9. Todos nosotros —— aquí para comer (*are*). 10. La casa de ella —— en el campo (*is*).

G. *Oral:* 1. Where is he? 2. What am I saying? 3. The glasses are small. 4. We are always here. 5. The dessert is good. 6. The vegetables are on the table. 7. They want to be in Boston. 8. I am in my house. 9. He can be there. 10. There are glasses on the table.

H. *Written:* 1. Where is your mother, Arthur? 2. My mother and sister are in the parlor. 3. Our parlor is a large room. 4. We are all in the dining room when we eat. 5. There are several chairs and a table in the dining room. 6. We can use them when we eat. 7. Our family is in the dining room now. 8. Why do you go there? 9. We come here to eat and chat (**charlar**). 10. Our meal is always good.

I. Ejercicio de invención. *Completen estas oraciones:*

¿ Están Vds. todos aquí? ¿ en la clase? ——, ——, ——, ——.
¿ Quién está en casa? Yo estoy ——, ——, ——, ——, ——.
¿ No estamos aquí? No, señor; María ——, ——, ——, ——.
¿ Dónde está Vd.? Usted y yo ——, ——, ——, ——.

J. Ejercicio de pronunciación:

d [1]:
de-do	or-den	e-dad	bon-dad	na-da
du-da	se-da	fal-da	pe-did	de-dos
da-do	ma-dre	al-de-a	me-did	me-di-da

Medid un poco de seda y mandadla a la madre de Adela.

[1] When **d** is not initial in a breath group or after **n** or **l**, it is similar to the English sound of *th* in *thus*, but weaker and less interdental. This sound is especially weak when found between two vowels or at the end of a word, in which case it has a tendency to disappear.

K. *Dialoguito:*

— **Levántese usted, por favor.**   Please, rise.

— **¿ En qué puedo servirle,**   What can I do for you, sir?
  señor?

— **¿ Cómo se llama usted?**   What is your name?

— **Jesús Fernández, a las ór-**   Jesus Fernandez, (at your service).
  denes de usted.

SELECCIÓN

¡ Es muy tarde!

Lola, niña de siete años, y su mamá son muy buenas amigas. Todos los días dan un paseo [a] o asisten a alguna función de circo [1] o de cine. Ese día llegaron [2] la mamá y la niña de un paseo nocturno [3] y la hija se acostó [4] en seguida,[b] pues el sueño ya le cerraba los ojos.[5] Estaba [6] muy cansada.

La mamá muy extrañada [7] le dice: [8]

— Dime,[9] Lola, ¿ no rezas [10] esta noche?

— No mamá — responde muy seria.

— ¿ Por qué? — pregunta la madre con gran curiosidad.

— Como es tan tarde no quiero despertar [11] a Dios, que ya debe estar durmiendo.[12]

---

[1] circus performance.   [2] arrived.   [3] evening stroll.   [4] went to bed.   [5] for sleep already closed her eyes.   [6] She was.   [7] surprised.   [8] tells her.   [9] Tell me.   [10] aren't you praying?   [11] I do not wish to wake up.   [12] must be sleeping.

a. *What English words do you recognize from the following Spanish words?*

tarde, la mamá, el circo, nocturno, –a, responder, serio, –a, la curiosidad

b. Vocabulario

cansado, –a tired
Dios God
llegar to arrive
el **paseo** walk
despertar(se)(ie)– to wake xov

pues for, since
serio, –a serious
el **sueño** sleep
tarde late
acostarse (ue)– go to bed

c. Frases útiles

(a) **dar un paseo** to take a walk (stroll)   (b) **en seguida** immediately

d. Preguntas

1. ¿Qué son Lola y su mamá?   2. ¿Qué hacen todos los días?
3. ¿Por qué se acostó Lola en seguida?   4. ¿Qué le pregunta su mamá?
5. ¿Qué contesta la niña?

L E C C I Ó N

CATORCE

A. Adjetivo demostrativo

B. Repetición del adjetivo demostrativo

I. Conversación

En el jardín de la familia Ortega

Los españoles y los hispanoamericanos son aficionados a[a] los jardines, y las flores son muy populares. Todos los miembros de la familia toman parte en su cultivo.[1] La familia Ortega tiene un jardín muy grande detrás de la casa. Luis entra en él [2] un día con Julia Montes, su compañera de escuela.   5

— ¡ Qué hermoso es este jardín! — exclama Julia llena de admiración [3] — Y ¡ qué altos son estos árboles!

— Sí, es verdad; en este jardín hay árboles muy altos y muchas flores hermosas.

— ¿ Quién cultiva estas flores y todas esas plantas?   10

— Todos los miembros de la familia; por ejemplo, papá cultiva estas violetas de aquí, mi hermana Teresa cuida esos claveles de ahí, y yo cultivo aquellas rosas de allí. Como mamá trabaja tanto en casa, no le permitimos cultivar flores en el jardín. Sólo las lleva para adornar [4] las diferentes piezas de la casa.   15

---

[1] raising them.   [2] it.   [3] admiration.   [4] adorn.

— ¡ Qué hermosos son todos estos árboles, Luis ! — exclama Julia.

— ¿ Sabe que estos árboles de aquí son manzanos,[1] esos otros de ahí son perales,[2] aquellos otros de allí son cerezos ? [3]

5   — Sé muy poco sobre árboles y plantas. A propósito,[b] ¿ cuáles de estos árboles dan mucha fruta ?

— Este cerezo da muchas cerezas; [4] ese manzano da muchas manzanas; pero aquellos perales dan pocas peras.

— Y estas plantas, ¿ dan fruta ?

10   — No, Julia, esas plantas no dan fruta; están ahí sólo para adornar el jardín.

Andan un poco más por el jardín y de pronto[c] Julia ve unos árboles muy altos. Curiosa de saber qué clase de árboles son, pregunta a Luis:

15   — ¿ Qué son esos árboles ? ¿ Dan mucha fruta ?

— Esos árboles no dan fruta, Julia. Son árboles de sombra. Esos árboles son los favoritos de la familia. En los días de calor todos los miembros de la familia pasan un buen rato[d] allí. En el verano yo paso varias horas todos los días leyendo [5] libros

20 interesantes a la sombra de esos árboles.

¡ Qué bueno es estar un rato aquí para respirar el aire fresco y puro y ver tantas flores hermosas !

II. Vocabulario - to ahora

A coro:

NOMBRES	ADJETIVOS
el **calor** heat	**curioso, –a** curious
el **día de calor** warm day	**diferente** different, various
el **compañero,** la **compañera de escuela** schoolmate	**fresco, –a** cool
el **otro** other	**hermoso, –a** beautiful
la **planta** plant	**lleno, –a** full
el **rato** while	
la **sombra** shade	
el **verano** summer	

[1] apple trees.   [2] pear trees.   [3] cherry trees.   [4] cherries.   [5] reading.

VERBOS

√**andar** to walk
√ **cuidar** to take care of
√**cultivar** raise, grow
√**llevar** to take, carry
√**permitir** to permit, let

√**respirar** to breathe
√**trabajar** to work

OTRA PALABRA

√**detrás de** behind, in back of

Aprendan de memoria:

√(a) **ser aficionado, –a a** to be a "fan" of

√(b) **a propósito** by the way

√(c) **de pronto** suddenly

√(d) **pasar un buen rato** to have a good time

¿ Qué significa esto en inglés?

1. el jardín, la compañera de escuela, hermoso, –a, la planta, trabajar, tanto, las piezas de la casa.   2. El jardín está detrás de mi casa.   3. ¡ Qué altas son estas casas !   4. ¡ Qué diferentes son las piezas de esta casa !   5. ¿ Dan fruta estos árboles?   6. En los días de calor todo el mundo está allí.   7. Todos los miembros de la familia pasan varias horas en el jardín.

III. Preguntas

1. ¿ A qué son aficionados los españoles y los hispanoamericanos?   2. ¿ Quién toma parte en el cultivo del jardín?   3. ¿ Qué tiene la familia Ortega detrás de la casa?   4. ¿ Con quién entra Luis en el jardín?   5. ¿ Qué hay en el jardín?   6. ¿ Por qué no le permiten cultivar flores a la mamá de Luis?   7. ¿ Qué clase de árboles hay en el jardín?   8. ¿ Qué sabe Julia Montes sobre árboles y plantas?   9. ¿ Dan fruta todos los árboles del jardín?   10. ¿ Cuándo pasa varias horas en el jardín la familia de Luis?

Serie

Ando por el jardín.	I walk through the garden.
Hallo una rosa bonita.	I find a pretty rose.
Saco el cortaplumas.	I take out my penknife.
Corto la rosa para Julia.	I cut the rose for Julia.
« Muchas gracias, Luis.»	"Many thanks, Louis."
« De nada », contesto yo.	"You are welcome," I reply.

Rosa Blanca

Cultivo una rosa blanca
en junio como en enero,
para el amigo sincero
que me da su mano [1] franca.[2]
Y para el cruel que me arranca [3]
el corazón [4] con que vivo,
cardo [5] ni ortiga [6] cultivo:
cultivo una rosa blanca.

José Martí

IV. Gramática

A. DEMONSTRATIVE ADJECTIVES

	SINGULAR				PLURAL	
	Masc.	*Fem.*			*Masc.*	*Fem.*
this:	**este**	**esta**	(near the speaker)	these:	**estos**	**estas**
that:	**ese**	**esa**	(near the person addressed)	those:	**esos**	**esas**
that:	**aquel** (over there)	**aquella**	(away from both)	those:	**aquellos** (over there)	**aquellas**

este muchacho	this boy	**estos cuadros**	these pictures
esta fruta	this fruit	**estas peras**	these pears
aquella ventana	that window	**aquel color**	that color
esas rosas	those roses	**aquellas casas**	those houses

Note that the demonstrative adjectives are always used with a noun, with which they agree in gender and number. **Ese** refers to what is near the person addressed; **aquel** refers to what is away from the speaker as well as the person addressed.

Demonstrative adjectives are often made clearer by adding adverbs: (**de**) **aquí,** *here*, after **este**; (**de**) **ahí,** *there (near you)*, after **ese**; (**de**) **allí,** *there (over there, far from you and me)*, after **aquel**.

[1] hand. [2] sincere. [3] snatches. [4] heart. [5] thistle. [6] nettle.

B. REPETITION OF DEMONSTRATIVE ADJECTIVES

estas rosas y estos claveles   these roses and carnations
aquellos perales y aquellos cerezos   those pear and cherry trees

Like the articles, demonstrative adjectives are repeated with
each noun they modify.

Learn the imperative of the following irregular verbs:

dar:	dé	demos	den
decir:	diga	digamos	digan
estar:	esté	estemos	estén
hacer:	haga	hagamos	hagan
ir:	vaya	vayamos	vayan
oír:	oiga	oigamos	oigan
poner:	ponga	pongamos	pongan
saber:	sepa	sepamos	sepan
salir:	salga	salgamos	salgan
ser:	sea	seamos	sean
tener:	tenga	tengamos	tengan
traer:	traiga	traigamos	traigan
venir:	venga	vengamos	vengan
ver:	vea	veamos	vean

V. Ejercicios

A. Repaso oral — Lección trece. *Give the Spanish translation of the
words in English:* 1. Hoy José no —— en casa (*is*). 2. Varias cosas ——
sobre la mesa (*are*). 3. Todos nosotros —— aquí para comer (*are*).
4. ¿ —— aquí el Sr. Pérez (*Is*)? 5. Toda la familia —— en casa porque
es domingo (*is*). 6. ¿ —— su casa en el campo (*Is*)? 7. Yo —— en la
escuela cinco días de la semana (*am*). 8. ¿ —— Vd. en casa todos los
días (*Are*)? 9. Cuando Vds. —— en casa, ¿qué libros leen (*are*)?
10. Hoy no todos los muchachos —— en la ciudad (*are*).

B. *Usen la forma apropiada de* **este, ese** *y* **aquel.** *Imiten el modelo:*

MODELO: este jardín de aquí, ese jardín de ahí, aquel jardín de allí.

1. —— claveles; —— flor; —— árboles; —— hombre.
2. —— manzanas; —— violetas; —— rosa; —— jardines.
3. —— peras; —— cerezas; —— flores; —— peral.

C. (1) *Lean y traduzcan*; (2) *pongan en plural:*

(*a*) esta casa blanca   (*b*) aquel clavel blanco
  este árbol grande   ese jardín bonito
  aquella cereza amarilla   aquella familia grande

(3) *Lean y traduzcan*; (4) *pongan en singular:*

(*a*) estas violetas pequeñas (*b*) aquellas madres españolas
  aquellos árboles altos   esos hombres americanos
  esas manzanas grandes   estos claveles rojos

D. *Imiten el modelo:*

MODELO: este: casa y jardín = *this house and garden* = esta casa y este
  jardín.

1. ese: lápiz y papel   4. este: alumnos y profesores
2. aquel: flores y árboles   5. ese: perales y cerezos
3. este: violeta y clavel   6. aquel: libro y cuaderno

E. *Reemplacen el singular con el plural o viceversa:* 1. No puedo ver ese
árbol. 2. Estos árboles son hermosos. 3. Dé esta flor a María. 4. Estas
casas son pequeñas. 5. Estos cerezos dan mucha fruta. 6. Aquellas
violetas y aquellos claveles son hermosos. 7. Esta casa y este jardín no
son grandes. 8. ¿Qué fruta da este árbol? 9. Paso dos horas en aquel
jardín. 10. Pongamos estas flores en la sala.

F. Test XIV. *Write the Spanish translation of the words in English:*
1. ¿Qué son —— árboles (*these*)? 2. —— muchachos de ahí entran en
el jardín (*Those*). 3. —— manzano de ahí no es hermoso (*That*). 4. ——
peral alto de allí da mucha fruta (*That*). 5. —— violeta de ahí es bonita
(*That*). 6. Traiga —— flores a María (*those*). 7. —— son del señor
Blanco (*This house and garden*). 8. ¿Puede Vd. ver —— árboles de allí
(*those*)? 9. —— flores de allí son rosas (*Those*). 10. Digo que
cultivo —— (*these carnations and violets*).

G. *Oral:* 1. That tall tree (*near you*); those pear trees; those red roses;
that white rose. 2. This white house; these red apples; these blue violets.
3. Those beautiful flowers (*over there*); that tall cherry tree; those yellow
pears; those green apples. 4. Those flowers and trees; these roses and
carnations; this house and garden; these pear and cherry trees.

H. *Written:* 1. This house and garden are Mr. Molina's. 2. He is a lawyer. 3. I am a son of the Molina family. 4. I grow those violets and carnations (*near you*). 5. Do you grow these roses and carnations? 6. These violets and roses are pretty. 7. Those trees (*near you*) are pear trees. 8. That tree (*over there*) is tall. 9. That apple tree bears many apples. 10. I spend two hours in the shade of that tree (*over there*).

I. Ejercicio de invención. *Completen estas oraciones:*

1. Tome este libro, ese ——, aquel ——.
2. Lean Vds. esta ——, esa ——, aquella ——.
3. Lean estos ——, esos ——, aquellos ——.
4. Recibimos esta —— y esta ——, aquellos —— y estas ——.
5. Salga de esta ——, esa ——, este ——.
6. Vea este ——, esa ——, ese ——.

J. Ejercicio de pronunciación:

g [1]:

ga	**ge**	**gi**	**go**	**gu**
ga-to	án-gel	gi-rar	go-ma	gus-to
pa-ga	gen-til	má-gi-co	la-go	se-gun-do
Gar-cí-a	Ar-gen-ti-na	Bél-gi-ca	Go-dos	Gu-ru-gú

A Gustavo García no le gustan los gatos de la Argentina.

K. *Dialoguito:*

— **Presten atención. Escuchen bien. ¿ Cuál es la lección de hoy?**
Pay attention. Listen carefully. What is today's lesson?

— **La lección de hoy es la lectura de la página . . .**
Today's lesson is the reading on page . . .

— **Señor López, levántese y principie la lectura.**
Mr. Lopez, stand up and begin the reading.

Lea despacio, pronuncie bien y no cometa faltas.
Read slowly, pronounce well, and don't make any mistakes.

— **Sí, señor; así lo haré.**
Yes, sir; I shall do so.

[1] The letter **g** before **e** and **i** is similar to the sound of *h* in *hush*, but considerably more exaggerated and harsher.

Initial **g** before **a, o,** and **u** is similar to the sound of the English *g* in *go*, but it is considerably weaker when found between two vowels.

SELECCIÓN

Un lago [1] en las nubes

En la América del Sur hay un lago tan alto, que se puede decir [2] que está en las nubes. Está escondido [3] entre las grandes y altas montañas del Perú y Bolivia, a más de dos millas sobre el nivel [4] del mar. Se llama [5] el Lago Titicaca, y es el lago navegable
5 más alto del mundo. Como está entre el Perú y Bolivia, pertenece a los dos países, y cada uno tiene su puerto en su lado. El puerto peruano [6] se llama Puno, y el puerto boliviano [7] se llama Guaqui. El viaje entre Puno y Guaqui es muy popular entre los visitantes [8] de la América del Sur. Esto parece un viaje por las nubes.
10   Pueden verse [9] en las aguas azules del lago las balsas, que son los barcos [10] de caña [11] de los indios, y los flamencos,[12] pájaros [13] de grandes alas [14] y curiosos picos.[15] Las balsas cruzan a menudo de puerto a puerto, y los indios llevan allí sus cosas para venderlas. Además, se ven [16] varias islas en el lago. Entre ellas la Isla del Sol
15 tiene ruinas de los indios que vivieron [17] allí. Cuenta la leyenda [18] que fué [19] de la Isla del Sol de donde salieron [20] el indio Manco Capac y su esposa Mamá Ocllo a buscar un lugar para fundar la capital del gran imperio inca.

[1] lake. [2] can be said. [3] hidden. [4] level. [5] It is called. [6] Peruvian. [7] Bolivian. [8] visitors. [9] There can be seen. [10] boats. [11] reed. [12] flamingos. [13] birds. [14] wings. [15] beaks. [16] are seen. [17] lived. [18] Legend has it. [19] it was. [20] came forth.

a. What English words do you recognize from the following Spanish words?

la montaña, la milla, navegable, el puerto, el visitante, el barco, el indio, el flamenco, curioso, –a, la ruina, la leyenda, la esposa, fundar, el imperio

b. Vocabulario

mirar - look at

buscar to look for
cruzar to cross
la **esposa** wife
fundar to establish
la **nube** cloud

pertenecer (zc) to belong
el **puerto** port
tan so
el **viaje** trip

c. Preguntas

1. ¿ Qué se puede decir del Lago Titicaca?   2. ¿ Entre qué países está el lago?   3. ¿ A qué países pertenece el lago?   4. ¿ Qué ven los visitantes en las aguas del lago?   5. ¿ Cuál es la isla más importante del Lago Titicaca?

QUINCE

A. Pretérito de los verbos regulares

B. Uso general del pretérito

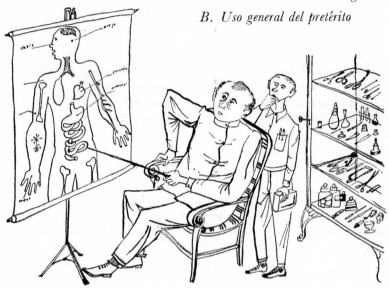

I. Conversación

¿ Qué sabe usted del cuerpo humano ?

Fernando tomó de la biblioteca un libro que su padre compró para él. Lo abrió y lo examinó. Luego lo estudió con mucho cuidado porque es sobre el cuerpo humano. Como su padre es médico, Fernando quiere seguir[1] la misma profesión. Cuando
5 terminó el libro descubrió ciertos puntos difíciles. Trató de ver a su padre, y al fin, lo halló en la biblioteca. Al ver al hijo, su padre le preguntó:

— ¿ Qué pasa,[a] Fernando ?

— Nada, sólo que leí y estudié un libro sobre el cuerpo humano
10 y hallé varios puntos que no comprendí bien.

[1] wishes to follow.

— ¿ Qué es lo que no comprendiste?

— Papá, ¿ qué significa la palabra *extremidades?* [1]

— Las extremidades son los brazos y las piernas.   ¿ Quieres saber más?

— Sí, papá, como usted sabe, yo quiero ser médico como usted 5 y todo el cuerpo humano me interesa mucho.[b]

— ¡ Bien, hombre, bien!   A ver [c] si sabes cuántas partes tiene la cabeza.

— Eso es fácil.   La cabeza tiene el cráneo [2] y la cara.

— ¿ Y qué contiene el cráneo?   10

— El cráneo contiene el cerebro, que usamos para pensar.[3] El cráneo está cubierto de pelo, negro, blanco, rubio,[4] rojo o castaño.[5]

— ¿ Qué partes tiene la cara?

— Eso también es fácil.   La cara tiene la frente,[6] los ojos, la 15 nariz, la boca con los labios y la barbilla.[7]

— ¿ Qué parte del cuerpo une la cabeza con el tronco? [8]

— El cuello une la cabeza con el tronco.

En ese momento sonó el teléfono y el padre contestó.   Lo llamaron para ir a ver a un amigo enfermo.   El doctor Ochoa prometió ir 20 a verlo más tarde y luego continuó el examen de su hijo Fernando.

— ¿ Cuáles son las partes del tronco?

— Sé la respuesta, papá.   Las partes del tronco son el pecho y el vientre.[9]

— Muy bien, hijo.   ¿ Qué contiene el pecho?   25

— El corazón y los pulmones.[10]

— ¿ Y el vientre?

— El estómago,[11] el hígado,[12] los intestinos [13] y otros varios órganos.[14]

— Y las extremidades, ¿ qué partes tienen?   30

— Las extremidades superiores son los brazos que tienen las manos con los dedos.   En cambio, las extremidades inferiores son las piernas que tienen los pies con los dedos.

El padre de Fernando quedó muy contento con el examen de su hijo y le prometió un regalo.   35

---

[1] extremities.   [2] cranium.   [3] to think.   [4] blond.   [5] brown.   [6] forehead.   [7] chin.
[8] trunk.   [9] abdomen.   [10] lungs.   [11] stomach.   [12] liver.   [13] intestines.   [14] organs.

II. Vocabulario

A coro:

NOMBRES	ADJETIVOS

NOMBRES

la **boca** mouth
el **brazo** arm
la **cabeza** head
la **cara** face
el **cerebro** brain
el **corazón** heart
el **cuello** neck
el **cuerpo** body
el **dedo** finger; **dedo del pie** toe
el **labio** lip
la **mano** hand
el **momento** moment
la **nariz** nose
el **pecho** chest
el **pelo** hair
el **pie** foot
la **pierna** leg
la **profesión** profession
el **regalo** present
el **teléfono** telephone

ADJETIVOS

cierto, –a certain
humano, –a human
inferior inferior, lower
superior superior, upper

VERBOS

comprar to buy
contener (*conjugated like* **tener**) to contain
continuar [1] to continue
descubrir to discover
examinar to examine
prometer to promise
quedar to remain
sonar (ue) to ring
unir to join, unite

OTRA PALABRA

nada nothing

Aprendan de memoria:

(a) **¿ Qué pasa?** What is the matter?

(b) **me interesa mucho . . .** I am very interested in . . .

(c) **a ver** let's see

¿ Qué significa esto en inglés?

1. comprar, abrir, examinar, el cuerpo humano, la biblioteca, la cabeza, la cara, la nariz, los ojos, llamar, los brazos, las manos. 2. Al fin halló a su padre. 3. Fernando quiere ser médico como su padre. 4. Usamos el cerebro para pensar. 5. ¿ Qué partes tiene la cara? 6. ¿ Cuáles son las partes de la cabeza? 7. Mi padre quedó contento con mi examen.

---

[1] Notice present indicative: **continúo**, continúas, **continúa**, **continuamos**, continuáis, **continúan**.

III. Preguntas

1. ¿Qué tomó Fernando de la biblioteca? 2. ¿Cómo estudió Fernando el libro? 3. ¿Qué quiere ser Fernando? 4. ¿Cuáles son las extremidades? 5. ¿Cuántas partes tiene la cabeza? 6. ¿Para qué usamos el cerebro? 7. ¿De qué está cubierto el cráneo? 8. ¿Qué partes tiene la cara? 9. ¿Qué hace el cuello? 10. ¿Cuáles son las partes del tronco?

IV. Gramática

A. THE PRETERIT TENSE OR PAST ABSOLUTE

SUJETOS	I. comprar	II. vender	III. vivir
	I bought, did buy	I sold, did sell	I lived, did live
ayer, anoche, el mes pasado, la semana pasada, el año pasado[1]			
yo	compr é	vend í	viv í
tú	compr aste	vend iste	viv iste
él, ella, Vd.	compr ó	vend ió	viv ió
nosotros, −as	compr amos	vend imos	viv imos
vosotros, −as	compr asteis	vend isteis	viv isteis
ellos, −as, Vds.	compr aron	vend ieron	viv ieron

Note (a) that the preterit of regular verbs is formed from the stem of the verb; (b) that for verbs in −**er** and −**ir** the preterit endings are the same; (c) that in the first person plural of verbs in −**ar** and −**ir,** the present and the preterit have exactly the same form.

B. GENERAL USE OF THE PRETERIT

El año pasado vendí mi casa.	Last year I sold my house.
Escribió a su amigo.	He wrote to his friend.
Contestaron en seguida.	They answered immediately.
Él escribió la carta.	He wrote the letter (*on that occasion*).
Subieron a su cuarto.	They went up to his room (*on that occasion*).

[1] yesterday, last night, last month, last week, last year.

The preterit is used to express a wholly completed past action or state. It is the ordinary past tense of conversation and corresponds to the English simple past tense. In order to make sure that the verb expresses a single action, see if the phrase *on that occasion* can be added to an English past form without changing the meaning. Note that the auxiliary *did*, found in English with the negative and interrogative verb form, is not expressed in Spanish.

V. Ejercicios

A. Repaso oral — **Lección catorce.** *Give the Spanish translation of the words in English:* 1. —— es mi compañera de escuela (*That girl*). 2. —— con todas las flores es muy hermoso (*This garden*). 3. —— no son de nuestro jardín (*These flowers*). 4. —— son muy altos (*Those trees*). 5. ¿Qué son —— (*these plants*)? 6. Todos nosotros cultivamos —— (*these roses*). 7. —— dan muchas cerezas (*These cherry trees*). 8. Coman ——; son de nuestro jardín (*these apples*). 9. Ustedes compran ——; no es de su jardín (*this fruit*). 10. Quiero darles —— para su madre (*those flowers*).

B. *Escojan el pronombre apropiado que corresponda a cada uno de los verbos siguientes y traduzcan al inglés* (Choose the proper pronoun which goes with each of the following verbs and translate into English): **yo, Vd., él, ella, nosotros, ellos, –as, Vds.**

visitó	vivió	vendió	usó
aprendimos	recibimos	respondí	comprendí
escribieron	saludaron	salieron	contestó
pregunté	enseñé	hablamos	exclamé
estudiaron	debimos	necesitó	bajaron

C. *Añadan las terminaciones del pretérito del verbo:* 1. Ayer yo invit— a Dolores. 2. ¿Quién habl— de Madrid? 3. Yo viv— allí muchos años. 4. ¿Quién contest— a María? 5. Vd. no escrib— a Isabel. 6. Vds. le respond— ayer. 7. El año pasado yo vend— mi casa. 8. ¿Qué recib— Vd. anoche? 9. Ellos comprend— el uso de la palabra. 10. Ayer ellas salud— a mi amigo.

D. *Sustituyan la raya con el pretérito de indicativo:*

1. **comprar:**   Él lo —— ayer.   Yo —— la casa.
2. **aprender:**   ¿ Qué —— Vd.?   Nosotros no —— esto.
3. **abrir:**   ¿ Quién —— la ventana?   ¿ —— Vds. la puerta?
4. **saludar:**   José —— a María.   Ellos —— al padre.
5. **responder:** Nosotros —— en español.   ¿ Cuándo —— ellos?
6. **escribir**   Yo le —— la carta (*letter*).   ¿ Qué le —— Vd.?

E. *Escriban completamente en español:* 1. ¿ Dónde *is* su casa de Vd.?
2. *Our apartment* no es muy grande. 3. *In their kitchen* hay la mar de
cosas. 4. *We are the children* de la familia. 5. ¿ Cuál *is your first name?*
6. *Don't forget* las palabras difíciles. 7. *Let us copy* esto y no eso. 8. *Let
us write to them* que estamos en la ciudad. 9. Tomamos los libros y *we
put them* aquí. 10. Nuestra profesora ayuda *everybody.*

F. Test XV. *Write the Spanish translation of the words in English:* 1. Don
Luis —— a su hijo en casa (*did not find*). 2. Este hombre —— dónde
vive la familia López (*asked*). 3. ¿ A quién —— ayer (*did you write*)?
4. El otro día —— a José (*I did not understand*). 5. ¿ Qué —— de España
la semana pasada (*did they receive*)? 6. Los dos —— en el cuarto de
Joaquín (*entered*). 7. ¿ Qué —— el mes pasado (*did you promise to do*)?
8. ¿ Por qué —— todas las ventanas (*did you open*)? 9. ¿ A qué hora ——
el otro día (*did we eat*)? 10. ¿ —— en esta hermosa ciudad (*Do you live*)?

G. *Oral:* 1. I visited the doctor. We visited our friends. You visited
him. Did they visit Joseph? 2. Who sold the book? They did not sell
it. Did we sell it? I did not sell it. 3. The father received a letter
(**la carta**). When did we receive a letter? Did you receive it?

H. *Written:* 1. Where did your family live last year? 2. We lived
in Boston. 3. Didn't Arthur visit your family? 4. Yes, he spent two
months in my house. 5. We used the room two months. 6. We wrote
letters to my friend John. 7. We received letters from Philip, Albert, and
Carmen. 8. Philip wrote letters in Spanish. 9. I did not understand
them. 10. My friend understood the letters; he studied Spanish.

I. Ejercicio de invención. *Usen estas palabras para hacer oraciones en el
pretérito:*

Usted	comprar	este libro	ayer
Nosotros	hablar de	aquella casa	el otro día
Ustedes	comprender	a Felipe	aquel día
Yo	abrir	esas ventanas	la semana pasada
Inés y José	recibir	algo útil	el año pasado

J. Ejercicio de pronunciación:

h [1]: ha-bi-ta   hé-ro-e   a-hí   a-ho-ra   hú-me-do
    la Ha-ba-na   He-re-dia   Hi-dal-go   Hon-du-ras   hún-ga-ro

j [2]: ca-ja   de-je   hi-jo   re-loj   jun-to
    Ja-pón   Je-sús   Ji-mé-nez   Jo-sé   Ju-lio

José y Jesús Jiménez habitan juntos en la Habana ahora.

K. *Dialoguito:*

— **Abran Vds. el libro en la**   Open your books on page . . .
página . . . Roberto, em-   Robert, begin to read. Do you
piece a leer. ¿ Entiende Vd.   understand what you have read?
lo que ha leído?
— **Sí, señor; perfectamente.**   Yes, sir; very well.
— **Muy bien; traduzca al**   Very well; translate into English.
inglés.

SELECCIÓN

¡ Hijas útiles !

Ayer el señor López llegó a casa a las cinco de la tarde.[a]   Cuando
entró, sus tres hijas lo saludaron.   Después de algunos minutos,
el padre les preguntó:

    — ¿ Ayudasteis a mamá en las tareas [3] de la casa?
5   — ¡ Oh sí, papá ! — le contestaron las tres juntas.
    — ¿ Qué hicisteis ? [4]

---

[1] The letter **h** is one of the few letters which are silent in Spanish.   [2] The sound of
j is the same as **g** before **e** and **i**; *i.e.* similar to the exaggerated sound of *h* in the
word *horse*. However, in Spanish America this sound is softened to the usual sound
of the English *h*. When the letter **j** is final it is weak and almost silent.   [3] chores.
[4] did you do?

— Yo lavé los platos — dijo [1] la mayor.
— Y yo los sequé [2] — añadió la segunda.
— Y yo recogí [3] los pedazos del suelo — dijo la menor.

a. *What English words do you recognize from the following Spanish words?*

tarde, entrar, el minuto, el papá, el plato, seguro, –a

b. Vocabulario

juntos, –as together
la **mayor** the eldest
la **menor** the youngest

el **minuto** minute
el **pedazo** piece
útil useful

c. Frase útil

(a) **de la tarde** in the afternoon (*when time is given*)

d. Preguntas

1. ¿ Quién llegó a casa?   2. ¿ Quiénes lo saludaron?   3. ¿ Qué preguntó el padre a las hijas?   4. ¿ Qué contestó cada hija?   5. ¿ Cuántas hijas ayudaron a la madre?

[1] said. [2] (I) dried. [3] picked up.

LECCIÓN

DIECISÉIS

A. *Números cardinales*

B. *Números ordinales*

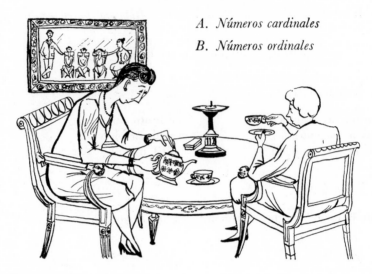

I. Conversación

Algo más sobre la familia López

Como ya saben ustedes la familia López es muy grande. La familia misma consta de diez personas, si contamos ambos abuelos. Además, tiene la mar de parientes, que viven por toda la ciudad. Hay parientes cercanos y lejanos.[1] Viven en la ciudad de cuarenta
5 a cincuenta parientes cercanos, y otros parientes lejanos viven dispersos [2] por todo el país. Todos juntos suman más de ciento, es decir,[a] más de cien personas.

La familia López tiene ocho tíos y doce tías; tiene diecinueve primos y veintiuna primas, veintisiete sobrinos y treinta y cuatro
10 sobrinas. La semana pasada,[b] llegó de España una parienta y visitó la familia López. Hablaron de varias cosas y ella preguntó por [3] los varios parientes de la familia.

— ¿ Dónde viven los abuelos, aquí en la ciudad ?

[1] immediate and distant. [2] scattered. [3] asked after.

— Viven en la calle Sesenta y seis, número quince, al oeste.

— ¿ Cuál es el número de su teléfono ?

— El número es BA 4-46-79.

— Y nuestro primo Anselmo, ¿ dónde vive ?

— Como no lo vemos a menudo, no sé si vive en la Primera, 5
Segunda o Tercera avenida.   Creo que el número de su casa es
sesenta y cinco o cincuenta y seis.   Si usted quiere el número de
su teléfono, está en la guía de teléfonos.[1]

— Y nuestra prima Eulalia, ¿ cuántos años tiene ?

— Según ella, no tiene más que veintiún años,[c] pero yo creo 10
que no va a ver los treinta otra vez.   A propósito, ¿ en qué hotel
para usted ?   Tenemos ganas de visitarla [d] uno de estos días.

— Paro en el hotel Oviedo que está en la calle Cuarenta y
ocho, número cincuenta, al oeste.   El número del teléfono es
MA 7-12-59, extensión sesenta y cuatro.   15

A las cinco, la parienta terminó su visita y regresó a su hotel.

II. Vocabulario

A coro:

NOMBRES

la **avenida** avenue
la **calle** street
la **extensión** extension
el **hotel** hotel
el **número** number
la **parienta** woman relative

ADJETIVOS

ambos, –as both
mismo, –a oneself, very

VERBOS

contar (**ue**) to count
creer to believe, think
parar to stop
sumar to add

OTRA PALABRA

según according to

Aprendan de memoria:

(a) **es decir** that is to say
(b) **la semana pasada** last week
(c) **No tiene más que veintiún**

años. She is only twenty-one.
(d) **tener gana(s) de** to desire, feel
like

[1] telephone directory.

¿ Qué significa esto en inglés?

1. los abuelos, cien personas, la mar de cosas, parientes cercanos, por todo el país, por toda la ciudad, algo más, la semana pasada.   2. ¿ Quién vive en la calle Setenta y dos?   3. ¿ Cuál es el número de su teléfono?   4. Mi número está en la guía de teléfonos.   5. No sé dónde vive su primo.   6. ¿ Cuántos años tiene Vd.?   7. Tengo más de veintiún años.

III. Preguntas

1. ¿ De cuántas personas consta la familia López?   2. ¿ Cuántas clases de parientes tiene la familia?   3. ¿ Cuántos parientes cercanos viven en la ciudad?   4. ¿ Quién llegó de España la semana pasada?   5. ¿ Dónde viven los abuelos?   6. ¿ Cuántos años tiene la prima Eulalia?   7. ¿ Dónde está el hotel Oviedo?   8. ¿ Cuál es el número del teléfono del hotel?   9. ¿ A qué hora terminó su visita la parienta?   10. ¿ Adónde (*Where?*) regresó la parienta?

Serie

Deseo visitar a mi amigo.	I wish to visit my friend.
Voy a su casa.	I go to his house.
Toco a la puerta.	I knock at the door.
La criada abre la puerta.	The maid opens the door.
La criada dice: « ¡ Adelante ! »	The maid says: "Come in!"
Entro y pregunto: « ¿ Está en casa el señor López? »	I enter and ask: "Is Mr. Lopez at home?"
Paso a la sala.	I pass to the parlor.
Charlo una hora con mi amigo.	I chat an hour with my friend.
Luego regreso a casa.	Then I return home.

IV. Gramática

A. CARDINAL NUMBERS

0	**cero**		6	**seis**
1	**un(o), una**		7	**siete**
2	**dos**		8	**ocho**
3	**tres**		9	**nueve**
4	**cuatro**		10	**diez**
5	**cinco**		11	**once**

12	doce	22	veintidós (veinte y dos)
13	trece	30	treinta
14	catorce	31	treinta y un(o), una
15	quince	32	treinta y dos
16	dieciséis (diez y seis)	40	cuarenta
17	diecisiete (diez y siete)	50	cincuenta
18	dieciocho (diez y ocho)	60	sesenta
19	diecinueve (diez y nueve)	70	setenta
20	veinte	80	ochenta
21	veintiún(o),[1] –una (veinte y	90	noventa
	un(o), una)	100	ciento (cien)

(a) **un año**   **veintiún periódicos**
    one year   twenty-one newspapers

Note that **uno** becomes **un** before a masculine noun.

(b) **cien libros**   **cien casas**
    one hundred books   one hundred houses

Ciento becomes **cien** immediately before nouns of either gender.

(c) **dieciséis hombres**   or   **diez y seis hombres**
    veintitrés trajes   or   **veinte y tres trajes**
    veinticinco pesetas   or   **veinte y cinco pesetas**

BUT: **treinta y tres cuentos**

Compound numbers from 16 to 29 may be written separately or as one word, in which case **y** changes to **i**.

B. ORDINAL NUMBERS

1st	**primero (primer)**	6th	**sexto**
2nd	**segundo**	7th	**séptimo**
3rd	**tercero (tercer)**	8th	**octavo**
4th	**cuarto**	9th	**noveno (nono)**
5th	**quinto**	10th	**décimo**

(a) **las primeras tiendas**   **la segunda calle**
    the first stores   the second street

[1] Note the accent on **veintiún.** Notice also **dieciséis** and **veintidós.**

(b) **Luis Catorce**   **Alfonso Trece**
    Louis XIV   Alfonso XIII

   Página quince   **Capítulo doce**
    Page fifteen   Chapter twelve

   La calle Veinte, al oeste **La avenida Dieciocho, al este**
    West Twentieth Street   Eighteenth Avenue, East

To refer to the order of sovereigns, pages and chapters, streets
and avenues, the cardinal number is used in Spanish when the
number is higher than 10.

(c) **el primero de junio**   **el dos de mayo**
    (on) June first   (on) May second

   el catorce de julio   **el doce de octubre**
    (on) July fourteenth   (on) October twelfth

To refer to dates in Spanish, the cardinal number and not the
ordinal is used, except for the first.

Learn the following verbs in the present indicative and imperative.

---

pedir (i) to ask for   **pido,** p*i*des, **pide, pedimos,** ped*í*s, **p*i*den**
    IMPERATIVE   **p*i*da p*i*damos   p*i*dan**

sentir (ie) to regret, feel   *sien*to, si*e*ntes, **siente, sentimos,** sent*í*s, *sien*ten
    IMPERATIVE   **si*e*nta sintamos   si*e*ntan**

dormir (ue) to
  sleep   **duermo,** du*e*rmes, **duerme, dormimos,** dorm*í*s, **duermen**
    IMPERATIVE   **duerma durmamos   duerman**

A few verbs of the third conjugation change the stem vowel
before the infinitive from **o** to **ue,** or **e** to **ie** or **i.** This change
occurs when **o** and **e** are stressed. In vocabularies these changes
are indicated thus: **pedir (i), sentir (ie), dormir (ue).**

Práctica: 1. Él——. 2. Yo no——. 3. Nosotros——. 4. ¿——
Vd.?   5. ¡—— Vds.!   6. La madre——.   7. Vd. y yo——.
8. ¿No——ellos? 9. ¡—— Vd.! 10. ¿Quién——? 11. Ella——.
12. ¿No—— yo?

Expresiones útiles:

Fechas (Dates)

¿ **A cuántos** (**cómo**) **estamos hoy**?	What day of the month is it today?
Estamos a primero (**a dos, etc.**) **de** . . .	Today is the first (the second, etc.) of . . .
¿ **Cuál es la fecha de hoy**?	What is today's date?
Hoy (**mañana**) **es el primero** (**el tres, etc.**) **de** . . .	Today (tomorrow) is the first (the third, etc.) of . . .

V. Ejercicios

A. Repaso oral — **Lección quince.** *Give the Spanish translation of the words in English:* 1. Él —— muy interesante el libro sobre el cuerpo humano (*found*). 2. ¿ Qué —— la semana pasada (*did you study*)? 3. —— una parte del libro cuando lo leí (*I did not understand*). 4. El otro día —— a nuestro amigo López (*we called*). 5. El examen —— aquel mismo día (*did not end*). 6. ¿ A quién —— la semana pasada (*did the doctor visit*)? 7. Ellos —— eso (*did not promise to do*). 8. Francisco —— allá (*promised to go*). 9. Él —— el mes pasado (*wrote to them*). 10. ¿ —— todas las ventanas del cuarto (*Did you open*)?

B. *Escriban con letras los números de las frases siguientes:* 1. La madre de Luis tiene 35 años; su padre tiene 40 años. 2. En la página 65 hay sólo 92 palabras. 3. ¿ Tiene Vd. 16 o 17 años? 4. Vamos a estar en esta ciudad 15 o 20 días. 5. En esta escuela pequeña hay sólo 100 asientos. 6. En esta tienda se venden trajes de 50, 60, 80 y 90 pesos cada uno. 7. Él lee una revista de 75 páginas. 8. Ellos viven en el número 57 de esa calle. 9. Compraron 5 libros y pagaron 20 pesos. 10. En esa biblioteca hay 53 hombres, 25 mujeres y 65 niños.

C. *Escriban estas oraciones enteramente en español:* 1. *Let us use* palabras fáciles en la conversación. 2. ¿ *Understand* Vd. bien lo que le digo? 3. *Let us not write to him* el lunes de esta semana. 4. Tomamos estos libros y *we put them* aquí. 5. Pase Vd. a las ventanas y *open them*. 6. Los estudiantes estudian las lecciones y *learn them*. 7. Estudio el español pero no *practice it* aquí. 8. Vemos *many things* en las calles de una ciudad. 9. *He is writing* algo en su cuaderno. 10. Los estudiantes *attend* una escuela pública o particular.

D. Test XVI. *Write the Spanish translation of the words in English:* 1. Mi familia consta de —— (*14 persons*). 2. Si una pera vale 5 centavos, ¿cuánto valen —— (*25 pears*)? 3. La hora tiene —— (*60 minutes*). 4. El año tiene —— (*52 weeks*). 5. El número de su teléfono es —— (*45-93*). 6. Hay muchas tiendas en la —— (*Fifth Avenue*). 7. Todos nosotros vivimos en la —— (*65th Street*). 8. ¿No vivió Vd. en la ——, al oeste (*23rd Street*)? 9. El año pasado ellos vivieron en la —— (*Fourth Avenue*). 10. ¿Qué pasó en la —— el otro día (*14th Street*)?

E. *Oral:* 1. Today we saw 23 houses, 10 schools, 50 hotels, 70 gardens, and 93 men and women. 2. He lives on: Fifth Avenue, 6th Street, 14th Street, 23rd Street, 42nd Street, 96th Street. 3. Did you examine Chapter 1, Chapter 10, Chapter 14, and Chapter 18 of this grammar? 4. He visited Joseph on May 2nd; she visited us October 12th; we received his letter January 22nd; he wrote March 1st.

F. *Written:* 1. Today is the first of July. 2. Mrs. Molina and her maid are going to buy many things on 28th Street. 3. There are almost 100 stores on that street. 4. They want to buy 3 books, 10 or 15 apples, and 25 or 30 pears. 5. They are going to spend 30 or 40 days in the country. 6. They are leaving July 4th. 7. The Molina family spends 5 weeks in the country with their friends. 8. They have 75 or 80 friends there. 9. The children must return on September 10th when school opens (**se abre**). 10. They have almost 70 relatives.

G. Ejercicio de invención.

Lean Vds: 5, 10, 15, 20, 25, 30, 35, 40, . . . ,
             100, 90, 80, 70, 60, 50, 40, . . . ,
             La calle 14, 23, 42, 86, 97, . . . ,
             21 periódicos, 51 revistas, . . . ,
             El 14 de julio, 76 hombres, 44 casas, . . . ,

H. Ejercicio de pronunciación:

ll [1]:	ha-lla	si-lla	a-llí	a-llá	e-lla
	ca-lla	lle-ga	be-llo	po-llo	llu-via
	Se-vi-lla	lle-no	ga-lli-na	llo-rar	Ma-llor-ca

Un caballero sevillano llega a Mallorca un día de lluvia.

[1] The letter ll is similar to the *lli* in the English word *million*. Some speakers in Spain and in Spanish America pronounce it like the English *y* in *yes*.

I. *Dialoguito:*

—**Lea usted despacio, señor Blanco.**   Read slowly, Mr. Blanco.

—**Sí, señor; con mucho gusto.**   Yes, sir; with pleasure.

—**Repita la frase y pronuncie con cuidado.**   Repeat the sentence and pronounce carefully.

—**Así lo haré, señor profesor.**   I shall do so, teacher.

SELECCIÓN

El jipijapa

Es muy curioso saber que los sombreros llamados [1] aquí de Panamá, no los hacen en Panamá, sino en el Ecuador. Se llaman así porque Panamá ha sido [2] siempre el centro de ese comercio. Allí llegaban [3] grandes cantidades de esos sombreros, que luego se exportaban [4] a otros países.   5

La paja [5] con que hacen esos sombreros la obtienen de una planta llamada [6] toquilla. Es abundante [7] en los países tropicales, especialmente en el Ecuador. Tiene una altura de cinco a diez pies y no tiene tronco.[8] Sus hojas salen del suelo en forma de abanico.[9] Las hojas producen la fibra [10] con que hacen los sombreros de Panamá o jipijapa.   10

Los campesinos [11] cortan las hojas antes de abrir y las limpian [12] dejando [13] sólo la fibra. Entonces las meten en agua hirviendo,[14] las sacan y las ponen a secar [15] a la sombra. Después de uno o dos días las ponen al sol a blanquear.[16] Cuando la fibra está blanca pueden tejerse [17] los sombreros.   15

[1] called. [2] has been. [3] arrived. [4] were exported. [5] straw. [6] called. [7] plentiful. [8] stem. [9] fan. [10] produce the fiber. [11] farmers. [12] clean. [13] leaving. [14] boiling. [15] to dry. [16] to bleach. [17] be woven.

Los tejedores [1] de estos sombreros tienen gran experiencia [2] y habilidad.[3] Hacen los sombreros a mano con las fibras de toquilla. Como la fibra se quiebra [4] fácilmente si está seca, los tejedores humedecen [5] con frecuencia [a] los dedos en agua que 5 ponen en cáscaras de coco.[6] Así la paja está siempre suave y no se quiebra. Los mejores sombreros se hacen [7] antes de salir el sol,[8] cuando hace fresco.[b]

Los sombreros son más o menos caros, según el tejido.[9] En los tipos más perfectos, el tejido es tan fino que puede enrollarse [10] 10 el sombrero y hacerlo pasar [c] por una sortija.[11] Los mejores sombreros de Panamá se hacen en Montecristi, en el Ecuador. En Guayaquil, el puerto principal del Ecuador, cuestan [12] hasta cien dólares. Se venden [13] en los Estados Unidos hasta por quinientos [14] dólares. Hoy día, no se usan [15] los sombreros de Panamá en este 15 país tanto como antes.

a. What English words do you recognize from the following Spanish words?

curioso, –a, el centro, el comercio, obtener, la planta, abundante, el tronco, la forma, producir, la experiencia, el tipo, perfecto, –a, pasar, usar, la cantidad, Panamá, exportar, la fibra, la habilidad, la frecuencia, fino, –a, el puerto, principal, el dólar, tropical

b. Vocabulario

la **altura** height	la **hoja** leaf
antes de before	**mejor** better
la **cantidad** quantity	**menos** less
caro, –a dear	**meter** to put (in)
el **comercio** commerce, business	**seco, –a** dry
cortar to cut	**sino** but
después de after	**suave** soft
entonces then	el **suelo** ground, soil
hasta up to	el **tipo** kind, type

---

[1] weavers. [2] experience. [3] skill. [4] breaks. [5] moisten. [6] coconut shells. [7] are made. [8] before sunrise. [9] the weave. [10] be rolled. [11] ring. [12] cost. [13] They are sold. [14] five hundred. [15] are not used.

Kavanaugh Building,
Buenos Aires

Inca Mayor,
Cuzco, Peru

Pottery,
Guatemala

Ocean resort, Valparaiso, Chile

Streets of Guanajuato, Mexico

c. Frases útiles

(a) **con frecuencia** frequently   (c) **hacer pasar** to cause to pass
(b) **hace fresco** it is cool

d. Preguntas

1. ¿Dónde se hacen los sombreros de Panamá? 2. ¿Con qué clase de paja hacen los sombreros? 3. ¿Quiénes hacen los sombreros? 4. ¿Cuánto cuesta un buen sombrero de Panamá? 5. ¿Cuáles son los mejores sombreros de Panamá?

LECCIÓN

DIECISIETE

A. **Estar** *con adjetivos*

B. *Concordancia*

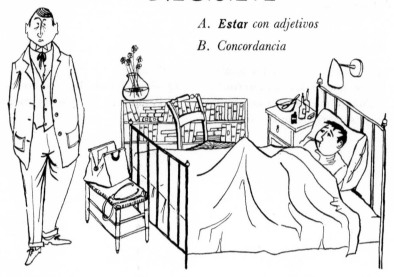

I. Conversación

Eugenio está enfermo

Eugenio Lara no asistió a las clases el martes pasado. En general, es un joven sano [1] y activo. Siempre está bueno, nunca está malo. Eugenio no sabe lo que es estar enfermo. Pero hoy está en casa con dolor de cabeza. Tose [2] mucho y está muy pálido.[3]
5 Toda la familia está muy triste. Cuando su madre lo ve así, telefonea [4] al doctor Suárez, que es amigo de la familia.

Al cabo de media hora,ª llegó el médico a casa de los Lara. Primero saludó a los padres y luego entró en la sala. En seguida principió la conversación.

10 MÉDICO. ¿Qué pasa, doña Rita? ¿Quién está malo?

MADRE. Eugenio no está bien. No sé lo que tiene.[5] Hoy parece otra persona.

---

[1] healthy. [2] He coughs. [3] pale. [4] telephones. [5] I don't know what is the matter with him.

PADRE. Todos estamos tristes porque Eugenio tiene dolor de cabeza y tose mucho.

(Entran todos juntos en el cuarto donde está Eugenio sentado en la cama)

MÉDICO. ¿ Cómo está usted, Eugenio? 5

EUGENIO. Estoy muy enfermo. Me duelen los músculos [1] y tengo dolor de cabeza. No tengo ganas de hacer nada.

MADRE. ¿ Ve usted, doctor, qué pálido está mi hijo?

MÉDICO. No es nada,[b] señora. Eugenio no está muy malo. Es cuestión de guardar cama [c] un par de días. Además, no debe 10 ni leer ni estudiar durante ese tiempo.

Al oír esto, Eugenio olvidó sus dolores. Ya no tiene que [d] asistir a las clases el resto de la semana. ¡ Qué bueno es no asistir a la escuela !

EUGENIO. ¿ Qué como, doctor ? 15

MÉDICO. Usted puede tomar sopa y leche, pero no debe comer carne todavía.

EUGENIO. Muy bien, doctor, muchas gracias.

MÉDICO. El enfermo necesita mucho aire fresco. Vamos a ver, ¿ están cerradas las ventanas? 20

MADRE. No, doctor, todas están abiertas.

Todos salieron del cuarto. El médico dice a los padres que lo que tiene el muchacho no es cosa grave. No es nada más que [e] un resfriado. Como es natural, los padres quedaron muy contentos. Toda la familia está muy contenta, y especialmente Eugenio que 25 tiene un par de días de fiesta.[f]

II. Vocabulario

A coro:

NOMBRES

la **conversación** conversation
la **cuestión** question, case
el **dolor** ache, pain

el **enfermo** sick one
el **par** few, couple
el **resfriado** cold
el **resto** rest

[1] my muscles ache.

ADJETIVOS

abierto, –a open
activo, –a active
cerrado, –a closed
grave serious
malo, –a sick

sentado, –a seated, seating
triste sad

OTRAS PALABRAS

durante during
todavía yet

Aprendan de memoria:

(a) **al cabo de media hora** after half an hour
(b) **no es nada** that's nothing
(c) **guardar cama** to stay in bed
(d) **tener que** + *inf.* to have to + *inf.,* must
(e) **no . . . más que** only
(f) **día de fiesta** holiday

¿ Qué significa esto en inglés?

1. un joven, un dolor de cabeza, toda la familia, media hora, toser mucho, además, durante, el resto de la semana, comer carne.   2. Hoy no está en casa.   3. ¿ Quién llegó a casa de los Lara?   4. Eugenio parece otra persona.   5. No todos asistieron a la escuela.   6. Al oír esto, Eugenio olvidó sus dolores.   7. Todos salimos del cuarto.

III. Preguntas

1. ¿ Quién no asistió a las clases el martes pasado?   2. ¿ Qué clase de joven es Eugenio?   3. ¿ Por qué está en casa hoy?   4. ¿ Cómo está la familia de Eugenio?   5. ¿ A quién telefonea la madre?   6. ¿ Cuándo llegó el médico?   7. ¿ Qué pregunta el médico a la madre?   8. ¿ En qué cuarto entran todos juntos?   9. ¿ Cuántos días debe guardar cama Eugenio?   10. ¿ Por qué está contento Eugenio?

Expresiones útiles:

La Salud (Health)

¿ Cómo está Vd. ? **¿ Cómo sigue Vd. ?**	How are you?
Bien, gracias, ¿ y Vd. ?	Well, thanks, and you?
Así, así.	Fairly well.
¿ Cómo están en casa ?	How are they at home?
Perfectamente, gracias.	Very well, thanks.

IV. Gramática

A. ESTAR WITH ADJECTIVES

Felipe está enfermo.	Philip is ill.	(*Temporary condition*)
Luis está ausente.	Louis is absent.	(*Accidental condition*)
Rosa está sentada.	Rose is seated.	(*Result of an action*)
La comida está servida.	Dinner is served.	(*Result of an action*)

Observe that **estar,** *to be,* must be used with an adjective that expresses (a) a temporary or accidental condition,[1] or (b) the result of an action. When the adjective expresses a permanent or lasting condition, the verb **ser** must be used and not **estar,** thus:

La escuela es alta.	The school is high.	(*It is always high.*)
Carmen es bonita.	Carmen is pretty.	(*She is always so.*)
La tiza es blanca.	The chalk is white.	(*It does not change color.*)

B. AGREEMENT WITH ESTAR

Mi hermano está sentado.	My brother is seated.
Esa puerta está abierta.	That door is open.
Estos muchachos están enfermos.	These boys are ill.
¿ Están cerradas las ventanas?	Are the windows closed?

Note that the adjective used after **estar** agrees in gender and number with the subject. This is also true when the past participle is used as an adjective.

V. Ejercicios

A. Repaso oral — Lección diez y seis. *Give the Spanish translation of words in English:* 1. Esto vale —— pesos (*twenty-five*). 2. Hay —— minutos en una hora (*sixty*). 3. El día tiene —— horas (*twenty-four*). 4. Cada mes tiene —— días (*thirty or thirty-one*). 5. Mi casa está en la calle —— (*eighty-ninth*). 6. Vivimos en la —— (*Fifth Avenue*). 7. El número de mi teléfono es —— (*eighty-seven fifty-two*). 8. El número de mi casa es —— (*eight-five-two*). 9. ¿ Sabe Vd. que febrero tiene —— días (*twenty-eight*)? 10. ¿ Cuánto suman —— (*thirty-five and forty*) ?

[1] The adjectives **nuevo, -a,** *new;* **viejo, -a,** *old;* **joven,** *young;* **rico, -a,** *rich;* **pobre,** *poor,* are considered as denoting a permanent condition. Hence, **mi abuelo es viejo; el padre de mi amigo es rico,** etc.

B. *Pongan estas frases en plural:* 1. Esta muchacha está enferma. 2. Él está ausente. 3. Su hermana está sentada. 4. Esta ventana está cerrada. 5. ¿No está Vd. bien? 6. ¿Quién está triste? 7. No estoy sentado. 8. Vd. está contento.

C. *Escojan la forma apropiada de* **ser** *o* **estar:** 1. Rosa (es *o* está) sentada. 2. Luis (es *o* está) muy bien. 3. Las puertas (son *o* están) cerradas. 4. Mis hermanos (son *o* están) en la escuela. 5. Aquel muchacho (es *o* está) el hijo de don Felipe. 6. Nosotros (somos *o* estamos) primos. 7. Yo no (soy *o* estoy) cansado. 8. ¿ (Es *o* Está) Vd. médico? 9. Rosa (es *o* está) enferma. 10. Ellos (son *o* están) ausentes de la clase. 11. Las ventanas (son *o* están) abiertas. 12. Estos muchachos (son *o* están) contentos.

D. *Completen con el verbo* **ser** *o* **estar:** 1. La familia —— triste. 2. Nosotros —— siempre cansados. 3. Ellas —— sentadas cerca de la ventana. 4. Todos los deportes —— interesantes. 5. Don Felipe —— el padre de la familia. 6. Doña María —— española. 7. ¿Quién —— enfermo? 8. Juan —— amigo de la familia Molina. 9. La biblioteca —— cerrada. 10. Rosa no —— sentada allí.

E. Test XVII. *Give the Spanish translation of the words in English:* 1. ¿ —— Vds. enfermos (*Are*)? 2. La puerta debe —— abierta (*to be*)· 3. ¿Por qué —— ella contenta (*is*)? 4. ¿ —— Vd. amigo de don Felipe (*Are*)? 5. Nosotros no —— bien (*are*). 6. ¿Dónde —— sentada la muchacha (*is*)? 7. Don Felipe —— español (*is*). 8. ¿Cuándo —— Vds. cansados (*are*)? 9. Nosotras —— hermanas (*are*). 10. Nuestras primas —— tristes (*are*).

F. *Escriban enteramente en español:* 1. Nuestros hermanos no *are sad.* 2. ¿Por qué *did they open* la puerta? 3. Hablo español pero no *speak it* muy bien. 4. La biblioteca pública *is* en aquella calle. 5. Todas las ventanas *are closed.* 6. Escriba a Ernesto, *write to him* hoy. 7. El Sr. García *tried to see* a aquel hombre. 8. Mi pluma fuente no *is* sobre la mesa. 9. ¿Quién de Vds. es *a doctor?* 10. Usted *need* muchas cosas para contestarle.

G. *Oral:* 1. Who is absent? 2. You are not ill. 3. Are you tired? 4. They are sad. 5. My sister is seated. 6. Those windows are open. 7. The doors are closed. 8. He is a doctor.

H. *Written:* 1. We are not absent from school today. 2. We are not absent because we are not ill. 3. We are tired but we can go to school. 4. In the class we are seated near the door. 5. All the windows of the classroom are open. 6. The doors of the classroom are closed. 7. When we are ill we are absent from school. 8. We spend the day at home. 9. We read books and magazines (**revistas**). 10. The door is closed and the windows are open.

I. *Completen las oraciones de la derecha haciendo los cambios necesarios:*

¿ Cómo está su madre?   Está muy buena.

    su hermana?⎤   ⎧ enfermo.
    este joven?⎟   ⎪ triste.
    la tía de él?⎬   ⎨ sentado.
    María?⎟   ⎪ cansado.
    el profesor?⎦   ⎩ . . .

¿ Están abiertas o cerradas las puertas?

Las puertas —— cerrado.
Las ventanas —— abierto.
Los hombres —— enfermo.
Todos —— sentado.
¿ Quiénes —— presente?

J. Ejercicio de pronunciación:

ñ [1]:

sa-ña	a-ño	da-ño	ni-ño	ba-ñe
Es-pa-ña	ba-ño	do-ña	re-ñir	mu-ñe-ca
ma-ña-na	ma-ña	ño-ño	ca-ño	me-ñi-que

La niña del señor Núñez baña y riñe a la muñeca.

K. *Dialoguito:*

— ¿ **Quién sigue?**   Who is next?
— **Servidor (servidora).**   I, sir.
— **Siga Vd. leyendo el mismo** Go on reading the same paragraph.
 párrafo.
— **Sí, señor. Con mucho gusto.** Yes, sir. Willingly.
— **Basta, gracias. Siéntese.** Thank you, that is enough. Sit down.

[1] The letter **ñ** is similar to the *ni* in *union* but not preceded by the *n* sound which is present in English.

SELECCIÓN

La mujer económica

El señor Molina se casó con [a] una mujer muy económica.[1] Cuando iba de compras,[2] siempre compraba [3] las cosas donde se vendían más baratas.[4]   Un día entró en una carnicería: [5]

— ¿ Cuánto vale [b] un kilo de carne ? — preguntó al carnicero.[6]

5   — Un peso treinta — respondió él.

— Pero señor, es muy caro.   El carnicero de la otra esquina [7] me lo vende [8] por un peso diez.

— ¿ Y por qué no lo compra usted allí?

— Porque no tiene hoy.

10   — Bueno.   Entonces cuando yo no tenga tampoco,[9] también se lo venderé [10] a ese mismo precio.

a. *What English words do you recognize from the following Spanish words?*

económico, –a, responder, precio

[1] economical.   [2] she went shopping.   [3] used to buy.   [4] were sold the cheapest.
[5] butcher shop.   [6] butcher.   [7] corner.   [8] sells it to me.   [9] I don't have any either.
[10] I'll sell it to you.

b. Vocabulario

barato, –a cheap
la **compra** purchase
el **kilo** kilo (*a little over two pounds*)

el **peso** *monetary unit of some Spanish-
American countries*

c. Frases útiles

(a) **casarse con** to marry (*somebody*)

(b) **¿ cuánto vale . . . ?** how much
is . . . ?

d. Preguntas

1. ¿ Con quién se casó el señor Molina? 2. ¿ Dónde compraba las cosas? 3. ¿ Dónde entró un día? 4. ¿ Por qué no compra la carne allí? 5. ¿ Qué precio tiene que pagar en la otra carnicería?

L E C C I Ó N
DIECIOCHO

A. Pretérito de algunos verbos irregulares

B. Pretérito de otros verbos

I. Conversación

¡ Qué bueno es el cuarto de Pedro León !

José Espinosa es un joven muy simpático y muy amigo[1] de Pedro León. El año pasado pudo visitarlo por primera vez en su casa. Al bajar del ómnibus, tuvo que andar tres o cuatro cuadras y sólo así pudo llegar a[a] casa de su amigo. Llamó a la puerta y
5 Pedro bajó a recibirlo. Pedro lo condujo a su cuarto. José puso su sombrero y su abrigo en el ropero. Después tomaron asiento y principiaron a hablar. Así estuvieron varias horas y conversaron sobre varios asuntos. Tanto hablaron que al fin no supieron qué decir. Al poco rato,[b] principiaron a hablar del cuarto de Pedro.
10 — Pedro, me gusta mucho este cuarto.[c] Es grande y claro.

  — A mí me gusta[c] también. Es el cuarto ideal para un estudiante: un escritorio, varias sillas, una cómoda, un ropero, un espejo[2] grande y otros muebles útiles.

  — No sólo útiles sino también muy artísticos. Y ese espejo, tan
15 grande que se ve uno todo.[3]

[1] a very good friend. [2] mirror. [3] one sees all of himself.

174

— Y, ¿ qué tal le gustan los cuadros ᶜ de las paredes?

— Magníficos e interesantes.   Me gustan especialmente las vistas del campo.

— Lo que más me gusta a mí del cuarto ¹ es que estas ventanas dan al parque.ᵈ Aquellas flores y aquellos árboles forman una 5 vista muy agradable.   Aquellas flores tienen todos los colores del arco iris.²

Luego los dos amigos hablaron un poco de los deportes de su escuela, pues ambos son buenos atletas ³ y por consiguiente ᵉ muy aficionados a los deportes.   10

— A propósito, Pedro, ¿ estuvo usted presente en el juego de pelota ⁴ el sábado pasado?

— No, traté de verlo pero no pude ir allá.   Tuve que jugar un partido de tenis con Carlos García.

— Yo también traté de verlo, pero había ⁵ tanta gente que la 15 mitad de nosotros no cupimos en el estadio.⁶

Los muchachos hablaron más de tres horas.   Al fin, cuando salió José para regresar a su casa, Pedro lo acompañó hasta el lugar donde tomó el ómnibus.

II. Vocabulario

A coro:

NOMBRES	ADJETIVOS

NOMBRES

el **abrigo** overcoat
el **asunto** topic, subject
la **cómoda** bureau
la **cuadra** block (*of houses*)
el **escritorio** desk
la **gente** people
el **juego** game
la **mitad** half
el **ómnibus** omnibus, bus
la **vez** time, occasion
la **vista** view

ADJETIVOS

agradable pleasant
magnífico, –a magnificent
simpático, –a nice, agreeable, friendly

VERBOS

acompañar to go with, accompany
conducir (**zc**) to lead
conversar to converse, talk
formar to form
jugar (**ue**) to play

¹ What I especially like about the room.   ² rainbow.   ³ athletes.   ⁴ ball game (*lit.* the game of ball).   ⁵ there were.   ⁶ stadium.

Aprendan de memoria:

(a) **llegar a** to arrive (in, at)

(b) **al poco rato** after a short while

(c) **A mí me gusta mucho este cuarto.** I like this room very much. (*singular subject*) **¿ Qué tal le gustan los cuadros?** How do you like the pictures? (*plural subject*)

(d) **dar al parque** to face, open on the park

(e) **por consiguiente** consequently

¿ Qué significa en inglés?

1. el joven, simpático, –a, al bajar, la cuadra, muy amigo, el año pasado, por primera vez. 2. Un hombre llamó a la puerta; ábrala. 3. Conversamos sobre varios asuntos importantes. 4. Al poco rato, principiaron a hablar de todo. 5. Me gusta mucho su cuarto. 6. Este espejo es tan grande que se ve uno todo. 7. Me gustan especialmente las vistas.

III. Preguntas

1. ¿ Quién es José Espinosa? 2. ¿ Cuándo pudo visitar a su amigo por primera vez? 3. ¿ Quién bajó a recibirlo? 4. ¿ Dónde puso José su abrigo? 5. ¿ De qué conversaron los dos amigos? 6. ¿ Qué muebles tiene el cuarto de Pedro? 7. ¿ Cómo son los cuadros de las paredes? 8. ¿ Adónde dan las ventanas del cuarto? 9. ¿ Qué color tienen las flores? 10. ¿ De qué hablaron después los dos amigos?

Serie

Subí a mi cuarto.	I went up to my room.
Abrí la puerta.	I opened the door.
Entré en el cuarto.	I entered the room.
Abrí mi maletín.	I opened my brief case.
Saqué varios libros.	I took out several books.
Tomé asiento.	I took a seat.
Escribí el ejercicio del día.	I wrote the day's homework.
Aprendí la lección de memoria.	I learned the lesson by heart.
Descansé media hora.	I rested half an hour.
Luego continué mis estudios.	Then I continued my studies.
Estudié una hora más.	I studied an extra hour.
Después, bajé al comedor.	Afterwards, I went down to the dining room.

IV. Gramática

A. IRREGULAR PRETERIT

──────SIMILAR STEMS──────	
andar to walk	**anduve,** anduviste, **anduvo, anduvimos,** anduvisteis, **anduvieron**
caber to fit	**cupe,** cupiste, **cupo, cupimos,** cupisteis, **cupieron**
conducir to lead, guide	**conduje,** condujiste, **condujo, condujimos,** condujisteis, **condujeron**
estar to be	**estuve,** estuviste, **estuvo, estuvimos,** estuvisteis, **estuvieron**
poder to be able	**pude,** pudiste, **pudo, pudimos,** pudisteis, **pudieron**
poner to put	**puse,** pusiste, **puso, pusimos,** pusisteis, **pusieron**
saber to know	**supe,** supiste, **supo, supimos,** supisteis, **supieron**
tener to have	**tuve,** tuviste, **tuvo, tuvimos,** tuvisteis, **tuvieron**

Note (a) that in these verbs a change has taken place in the stem of the infinitive and that the stem vowel in each of them is **–u–**; (b) that if the stem of an irregular verb changes in the preterit, the endings are: **–e,** –iste, **–o, –imos,** –isteis, **–ieron,** without any accent marks; (c) that when the preterit stem ends in **j,** as in **conduje,** the third person plural ends in **–eron.**

B. THE PRETERIT OF OTHER VERBS

pedir (i)   to ask for: **pedí,** pediste, **pidió, pedimos,** pedisteis, **pidieron**

Like **pedir: servir** to serve; **vestir** to dress

sentir (ie)   to regret, feel: **sentí,** sentiste, **sintió, sentimos,** sentisteis, **sintieron**

Like **sentir: preferir** to prefer

dormir (ue) to sleep: **dormí,** dormiste, **durmió, dormimos,** dormisteis, **durmieron**

Like **dormir: morir** to die

Práctica (en el presente y en el pretérito): 1. Él ——. 2. ¿ —— ellos? 3. Ana ——. 4. Vds. no ——. 5. Yo ——. 6. Nosotros ——. 7. ¿No —— Carlos? 8. Ella ——. 9. ¿ —— Inés? 10. Los abuelos ——.

Notice that third conjugation verbs that change the stem vowel in the present indicative have a new change in the third person, singular and plural, of the preterit indicative.

V. Ejercicios

A. Repaso oral — Lección diez y siete. *Give the Spanish translation of the words in English:* 1. Todos ellos —— esta semana (*are sick*). 2. Los amigos de Ramón —— hoy (*are sad*). 3. Cuando Juana ——, no asiste a las clases (*is ill*). 4. Hoy la escuela —— (*is closed*). 5. Si Vds. abren la puerta, —— (*it is open*). 6. La señora Pérez —— aquí (*is seated*). 7. Doña Marta —— hoy (*is tired*). 8. Los alumnos de la clase —— (*are seated*). 9. Todos los miembros de la familia —— (*are happy*). 10. Todos nosotros —— a la mesa (*are seated*).

B. *Usen* (a) *el pretérito y* (b) *el presente del verbo al margen:*

1. **visitar:**   él ——, Vd. ——, yo ——, nosotras ——.
2. **vender:**   Vds. ——, Vd. y yo ——, ellas ——, Vd. ——.
3. **vivir:**   María ——, Vds. ——, yo ——, nosotros ——.
4. **andar:**   Vd. ——, ellos ——, ella ——, Vds. ——.
5. **estar:**   Ana ——, yo ——, ellos ——, Vd. y yo ——.
6. **caber:**   Vd. ——, ellos ——, yo ——, nosotros ——.
7. **poder:**   nosotros ——, ellos ——, Vd. ——, yo ——.
8. **poner:**   él ——, nosotros ——, Vds. ——, yo ——.
9. **saber:**   ella ——, yo ——, Vd. ——, ellas ——.
10. **salir:**   Vds. ——, Luis ——, nosotras ——, ellos ——.

C. *Conjuguen en el pretérito:*

1. **Visitar** a Lola.   2. No **poder** andar.
   No **saber** qué decir.   **Comprender** el español.
   ¿ Dónde **poner** esto ?   **Abrir** las ventanas.
   Estar en casa.   No **caber** aquí.

D. *Cambien el verbo al pretérito:* 1. Roberto está allí. 2. Nosotros lo visitamos. 3. Ellos abren la puerta. 4. ¿ Quién vende algunos libros? 5. Los libros no caben aquí. 6. No podemos ver a Clara. 7. ¿ Dónde pone Vd. las revistas (*magazines*)? 8. No sabe qué contestar. 9. Mi amigo me conduce a su casa. 10. No puedo salir de aquí.

E. *Escriban enteramente en español:* 1. *He did not sleep* muy bien. 2. Casi todos en aquella familia *died.* 3. Si un libro vale 15 pesetas, 5 valen *seventy-five* pesetas. 4. Como Vd. sabe, hay *fifty-two* semanas en el año. 5. *They preferred to go to* aquella escuela. 6. ¿ *What did you promise to do* a su amigo Marcos? 7. *That girl* es mi compañera de escuela. 8. *Our friends* están en la sala. 9. ¿ Quién sabe qué *asked for* al profesor de francés? 10. No todos los miembros de la familia *sleep* en casa.

F. Test XVIII. *Write the Spanish translation of the words in English:* 1. Mi amigo —— su periódico aquí (*put*). 2. Nosotros —— asiento en la sala (*took*). 3. No —— más personas en el cuarto (*fit*). 4. Esto es lo que —— allí (*I could not see*). 5. Ellos —— la semana pasada (*could not visit her*). 6. Cuando entramos —— qué decir (*we did not know*). 7. ¿ Qué —— sobre la mesa (*did you put*)? 8. ¿ Quién —— al apartamento de Pedro (*led him*)? 9. Ayer —— un partido de tenis (*I could not see*). 10. ¿ Qué —— en el cuarto de Pedro (*did they serve*)?

G. *Oral:* 1. Did you visit him? 2. They went up to his library. 3. He did not know it. 4. We could not examine all the books. 5. He bought several magazines. 6. What did you find there? 7. I received a Spanish magazine from Mr. Molina. 8. They conducted you to the library. 9. He slept well. 10. You asked for my book.

H. *Written:* 1. We visited our friends last week. 2. We went up to Mr. Molina's library. 3. How many hours were you in his library? 4. We do not know; we spent two or three hours there. 5. We could not read some books there because we did not have the[1] time. 6. We looked at several magazines; we did not understand them. 7. In the magazines we found many interesting things. 8. Mr. Molina received these magazines from Spain. 9. When Robert visited the library he found many interesting books. 10. Mr. Molina led him through his library.

I. Ejercicio de invención. *Hagan tantas oraciones como puedan con las siguientes expresiones y cámbienlas al pretérito* (Form as many sentences as you can with the following expressions and change them to the preterit):

Ellos	visitar	a sus amigos
Yo	poner	mi sombrero aquí
Nosotros	estar allí	tres horas
¿ Quién	saber algo	de esas cosas
Usted no	conducir	a su compañero a su casa
Todos	no caber	en aquel cuarto pequeño

[1] Do not translate.

J. Ejercicio de pronunciación:

qu [1]:   *que*   *qui*

que-da	que-rer	qui-ta	a-quí
por-que	par-que	quin-ta	quí-mi-ca
Que-rol	Que-ré-ta-ro	Quin-ta-na	I-qui-que

El señor Quintana queda aquí en el parque quince minutos.

K. *Dialoguito:*

— ¿ **Qué quiere decir la palabra ... ?**   What does the word . . . mean?

— **La palabra ... significa ... en inglés.**   The word . . . means . . . in English.

— ¿ **Cómo se dice eso en español?**   How do you say that in Spanish?

— **No sé; lo siento mucho.**   I don't know; I'm very sorry.

SELECCIÓN

Carnaval, fiesta de la alegría

Una de las fiestas más populares, tanto en España como en Hispano-América, es el carnaval.[2] El carnaval es la fiesta de la alegría. Todos se vuelven locos,[3] cantando y bailando[4] por las calles. La gente toca toda clase de instrumentos.[5] Durante el
5 carnaval nadie está triste.

---

[1] The letter q appears only in the combination of **qu,** before the vowels **e** and **i.** The sound of **qu** is similar to the English *k.*   [2] Carnival.   [3] All go crazy.   [4] singing and dancing.   [5] instruments.

Esta fiesta se celebra [1] durante los tres días que preceden [2] al Miércoles de Ceniza.[3] Es movible, y cae generalmente hacia fines [4] de febrero o a principios de marzo. Todo el mundo quiere pasar un buen rato el domingo, lunes y martes de carnaval; ricos y pobres, nobles y humildes [5] — todos se divierten.[6]   5

Es verdaderamente [7] interesante asistir al carnaval en una ciudad hispanoamericana. Las calles están adornadas [8] con luces de colores, arcos [9] y figuras cómicas.[10] La gente usa disfraces,[11] es decir, vestidos o trajes raros y atractivos. Unos se disfrazan de [12] Pierrot, otras de Colombina, en fin,[a] cada uno lleva un vestido 10 atractivo. Durante el día hay desfiles [13] de coches y pasan muchas comparsas — grupos de personas que visten el mismo disfraz.[11] Entre las comparsas o entre las personas que van en coche o a pie [b] hay verdaderas batallas de confeti y serpentinas.[14] Bandas de música [15] recorren las calles y en los parques y plazas públicas se 15 baila [16] libremente. A menudo alguien nos dice al oído: « ¿ A que no sabes quién soy? » [17] Al volver la cara, vemos que es una máscara [18] y claro, ¡ imposible reconocerla ! [19]

Por la noche [c] hay bailes formales y populares que duran hasta la mañana del día siguiente. El último día, martes de carnaval, 20 hay una verdadera explosión de alegría. Por la tarde [c] tiene lugar [d] un desfile de carros alegóricos [20] con premios [21] para los más bellos y originales. Por la noche, en los bailes finales, todos se despiden del [e] carnaval. Muchas parejas [22] van directamente [23] del baile a la iglesia a recibir la ceniza el Miércoles de Ceniza. 25

Entonces comienza un largo período [24] de tranquilidad, de ayuno,[25] y de oración que dura cuarenta días y se llama cuaresma.[26]

a. *What English words do you recognize from the following Spanish words?*

atractivo –a, el coche, el carro, la figura, el grupo, la plaza, la tranquilidad

---

[1] is celebrated.   [2] precede.   [3] Ash Wednesday.   [4] toward the end.   [5] humble. [6] has a good time.   [7] truly.   [8] decorated.   [9] arches.   [10] comical.   [11] **disfraz** (*pl.* **disfraces**) disguise.   [12] dress as.   [13] parades.   [14] streamers.   [15] (*military*) bands. [16] one dances.   [17] I'll bet you don't know who I am.   [18] mask, masquerader.   [19] recognize her.   [20] allegorical floats.   [21] prizes.   [22] couples.   [23] straight.   [24] period. [25] fasting.   [26] is called Lent.

b. Vocabulario

alguien somebody
atractivo, –a attractive
la **batalla** battle
cantar to sing
durar to last
la **fiesta** celebration, feast
la **iglesia** church
libremente freely
el **oído** (inner) ear

la **oración** prayer
el **parque** park
la **plaza** square, plaza
el **pobre** the poor (one)
recorrer to walk through
el **traje** suit
último, –a last
verdadero, –a real

c. Frases útiles

(a) **en fin** in short
(b) **ir a pie** to go on foot
(c) **por la noche (tarde, mañana)** in the evening (afternoon, morning)

(d) **tener lugar** to take place
(e) **todos se despiden (de)** all take leave (of)

d. Preguntas

1. ¿ Cuál es una de las fiestas más populares en España ? 2. ¿ Cuándo se celebra la fiesta del carnaval ? 3. ¿ Cuántos días dura el carnaval ? 4. ¿ Qué actividades hay durante el martes de carnaval ? 5. ¿ Cuántos días dura la cuaresma ?

DIECINUEVE

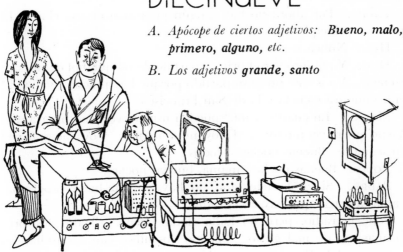

A. *Apócope de ciertos adjetivos:* **Bueno, malo, primero, alguno,** *etc.*

B. *Los adjetivos* **grande, santo**

I. Conversación

La familia Ríos pasa un buen rato

La familia Ríos es muy numerosa. Hoy va a pasar [a] la noche en casa, pero algunos miembros de la familia quieren ir al cine o al teatro. De este grupo unos quieren ver un drama o una comedia, mientras que otros deciden ir a algún cine para ver una película al estilo de Hollywood. 5

Los padres y los niños se quedan [1] en casa para oír la radio o ver algún programa de televisión. El padre toma el periódico para escoger algo interesante. Como desea complacer [2] a su familia, escoge el primer programa que parece ser popular. Pero cada miembro de la familia quiere oír un programa diferente. Por 10 fin,[b] el padre pone [3] la televisión para ver cuál es el programa que prefiere la familia. Hay una gran variedad: programas de música popular y clásica,[4] noticias del día, una pieza de teatro [5] y varios otros programas. Entonces el padre pregunta:

[1] remain. [2] please. [3] turns on. [4] classical. [5] theater play.

PADRE. ¿Cuál es el programa favorito de todos?

HIJA. A mí me gusta un programa de música de baile.[1] ¿Hay tal cosa?

PADRE. Por ahora no hay ningún programa de esa clase. El
5 primero principia a las once.

HIJA. Nunca tengo suerte.[c]

HIJO. Yo quiero ver el primer partido de básquetbol de nuestra escuela. Va a ser [a] un gran partido porque hay mucha rivalidad [2] entre nuestra escuela y la de San Francisco.[3]

10 MADRE. En cuanto a mí,[d] pueden ustedes ver cien programas. Yo no quiero ver ninguno. Estoy muy cansada. Voy a acostarme [4] en seguida. Buenas noches a todos.

TODOS. Buenas noches, mamá, buenas noches.

PADRE. Si en la televisión no hay ningún buen programa,
15 vamos a ver lo que hay en la radio.

Pone la radio, pero no halla nada bueno. Todos los programas son de mal gusto. Por eso, los niños van a estudiar las lecciones del día siguiente. Al principio, el padre no puede sintonizar [5] la estación porque hay un ruido que molesta. Al fin
20 coge la estación,[6] escucha por un cuarto de hora lo que pasa en el mundo y después decide apagar la radio [7] y acostarse.[8]

II. Vocabulario

A coro:

NOMBRES

el **cine** movie, cinema
la **comedia** comedy
el **cuarto** quarter
el **drama** play
la **estación** station
el **estilo** style
el **grupo** group
el **gusto** taste
la **noticia** news

la **película** picture, "movie"
el **programa** program
la **radio** radio
el **ruido** noise
el **teatro** theater
la **variedad** variety

ADJETIVOS

ninguno, –a no, not . . . any
numeroso, –a numerous

---

[1] dance music. [2] rivalry. [3] St. Francis. [4] I'm going to bed. [5] tune in. [6] gets the station. [7] turn off the radio. [8] go to bed.

VERBOS

decidir to decide
escoger [1] to choose
molestar to annoy, disturb
preferir (**ie**) to prefer

OTRAS PALABRAS

mientras (**que**) while
tal such, such a

Aprendan de memoria:

(a) **ir   a** + *inf.* to be going to
+ *inf.*

(b) **por fin** at last, finally

(c) **nunca tengo suerte** I am never
lucky

(d) **en cuanto a mí** as for me, as
far as I am concerned

¿ Qué significa en inglés?

1. la noche, este grupo, algún cine, un drama, una película, los padres, el periódico, en casa.   2. Los miembros de la familia quieren ver un programa de televisión.   3. Siempre escogemos programas interesantes.   4. Algunos miembros de la familia deciden ir al cine.   5. ¿ Cuál es el programa favorito de usted?   6. Buenas noches a todos.   7. No hay ningún buen programa en la televisión esta noche.

III. Preguntas

1. ¿ Dónde va a pasar la noche la familia Ríos?   2. ¿ Adónde quieren ir algunos miembros de la familia?   3. ¿ Adónde quieren ir otros?   4. ¿ Para qué se quedan en casa los padres y los niños?   5. ¿ Qué programa escoge el padre?   6. ¿ Qué quiere oír cada miembro de la familia?   7. ¿ Qué programas hay en la televisión?   8. ¿ Qué programa quiere ver la hija?   9. ¿ Por qué no quiere ver la televisión la madre?   10. ¿ Qué hacen por fin los niños?

IV. Gramática

Shortened Form of Adjectives

A. BUENO, MALO, PRIMERO, etc.

un buen año	a good year	**un año bueno**
un mal hombre	a bad man	**un hombre malo**
el primer día	the first day	**el día primero**
ningún hombre	no man	**hombre ninguno**

[1] Notice: **escojo, escoges, escoge, escogemos,** escogéis, **escogen.** Why is the first person singular written with a **j** instead of a **g**?

The adjectives **bueno,** *good;* **malo,** *bad;* **uno,** *a, an;* **alguno,** *some;* **ninguno,** *no, none, not . . . any;* **primero,** *first;* **tercero,** *third,* drop the final **o** when they stand immediately before a masculine singular noun. Note that **alguno** and **ninguno** become **algún** and **ningún.**

B. GRANDE AND SANTO

(a) **un gran hombre**   **una gran fiesta**
    a great man   a great holiday
    un libro grande   **una casa grande**
    a big book   a large house

(b) **San Juan**   **Santo Domingo**   **Santa María**
    St. John   St. Dominic   St. Mary
    San José   **Santo Tomás**   **Santa Marta**
    St. Joseph   St. Thomas   St. Martha

(a) **Grande** becomes **gran** when standing before a masculine or feminine singular noun. When it precedes the noun it means *great;* when it follows, the full form is used and **grande** generally means *large.*

(b) **Santo,** *saint,* becomes **San** before masculine names of saints except those beginning with **Do** and **To.** The feminine form is never shortened.

V. Ejercicios

A. Repaso oral — Lección diez y ocho. *Give the Spanish translation of the words in English:* 1. Todos los muebles —— en el cuarto (*did not fit*). 2. Pablo y su amigo —— a la ciudad ayer (*could not go*). 3. Ellos —— mucho de eso (*did not know*). 4. ¿ Cuándo —— Vds. en casa de los López (*were*)? 5. José —— qué decir (*did not know*). 6. Ayer —— en casa de Francisco (*we slept*). 7. Los dos amigos —— de los deportes (*could speak*). 8. ¿ Dónde —— el libro que leí ayer (*did you put*)? 9. El lunes pasado —— las clases (*we could not attend*). 10. El mes pasado Eugenio —— muy enfermo (*was*).

B. *Usen la forma apropiada del adjetivo en cursiva:* 1. (*ciento*) Hoy hay —— hombres en el teatro. 2. (*bueno*) Junio es siempre un —— mes del

año.   3. (*ninguno*) El piano no cabe en —— cuarto de la casa.   4. (*primero*)
¿ Cuál es el —— día de la semana?   5. (*tercero*) El señor Elso salió para
España el —— mes del año.   6. (*grande*) Simón Bolívar es un ——
general.   7. (*alguno*) José va a ver a su amigo —— día.   8. (*bueno*) Mi
padre es un —— hombre; mi madre es también una —— mujer.
9. (*ciento*) Voy a darle —— libros para su biblioteca; en mi biblioteca
hay —— noventa y cinco.   10. (*santo*) Ellos viven en la calle de ——
Felipe; yo vivo en la de —— Marta.   11. (*grande*) La —— fiesta nacional
de este país es el 4 de julio.   12. (*malo*) Juan es un —— estudiante, pero
su hermana no es una —— alumna.

C. *Escriban enteramente en español:*   1. ¿ Dónde *did you put* mi pluma
fuente?   2. *You could not see him* ayer en el teatro.   3. ¿ Qué *did they know*
de su amigo?   4. Todos *are sick* en casa.   5. Siempre *we are well* en esta
ciudad.   6. Tres alumnos *are absent.*   7. La madre *is sad.*   8. Nuestros
parientes son *twenty or thirty.*   9. Julio tiene *thirty-one days.*   10. El número
de mi casa es *seventy-nine,* en la calle *fifty-four.*

D. *Usen estas expresiones con los varios sujetos:*

ser bueno	**estar bueno**	**vender esto**	
Luis ——	Vds. ——	mi madre ——	¿ no —— Vd. ?
yo ——	el hombre ——	Carlos no ——	¿ —— ella ?
nosotros ——	ellos ——	ellas no ——	¿ no —— yo ?

E. Test XIX.   *Write the Spanish translation of the words in English:*
1. Algunos pudieron ir a —— (*a good theater*).   2. —— visitó la familia
(*Some friend*).   3. En la biblioteca hay —— (*a hundred books*).   4. ——
no quiere trabajar mucho (*A bad boy*).   5. Alicia sabe que Bolívar es ——
(*a great man*).   6. Esta noche hay —— de música (*a good program*).   7. ——
de escuela no es bueno (*The first year*).   8. ¿ Quién pasó por la calle de
—— (*St. Peter*)?   9. ¿ Qué —— de televisión puso el Sr. García (*good
program*)?

F. *Oral:*   1. January is the first month of the year.   2. What is the
third day of the week?   3. Washington is a great man.   4. Boston is a
great city.   5. Buy a good book.   6. Let us read some books.   7. We
want to see them some day.   8. No man reads this book.

G. *Written:*   1. Today we spend an evening at home.   2. Is it the
first day or the third day of the week?   3. There is a good television pro-

gram every Tuesday. 4. Our great city has almost a hundred programs during the week. 5. The whole family listens to a good program of popular music. 6. No member of the family listens to a bad program. 7. More than (**de**) a hundred persons live on St. John's street and see many television programs. 8. One day of each week St. Thomas's church has an interesting program of classical music. 9. No man is absent. 10. Some boys go to the movies.

H. Ejercicio de invención, *Hagan tantas oraciones completas como puedan con las siguientes expresiones* (Form as many complete sentences as you can with the following expressions):

Algunos hombres	querer ir	a un buen teatro
Ningún amigo	decidir ver	al mal muchacho
Cien personas	querer ver	algunos buenos libros
Aquel gran hombre	decidir vivir	en alguna ciudad de allí
Todos ustedes	no poder ir	al cine San Vicente
Yo no sé qué	decir	a algunos de sus amigos

I. Ejercicio de pronunciación:

r [1]: es-cri-bir	me-re-cer	pa-ra	ca-ro	sur
ins-cri-bir	ce-re-bro	pe-ro	ce-ro	cu-ra
Ma-rí-a	Bar-ce-lo-na	Gi-bral-tar	Cór-do-ba	Ar-gen-ti-na

Carmen Rodríguez escribió a su primo en Caracas a las tres de la tarde.

J. *Dialoguito:*

— **Señorita Martínez, haga una pregunta en español.**	Miss Martinez, ask a question in Spanish.
— **¿ Qué tiempo hace hoy?**	How is the weather today?
— **Señor López, responda a la pregunta.**	Mr. Lopez, answer the question.
— **Hoy hace buen tiempo, señorita.**	Today is good weather, Miss.
— **Otra pregunta, señorita Pérez, ¿qué tiempo hizo ayer?**	Another question, Miss Perez, how was the weather yesterday?
— **Ayer hizo muy mal tiempo.**	The weather was very bad yesterday.

[1] Single **r** when not initial in a word or a breath group, or preceded by **l, n,** and **s,** is trilled clearly with the tip of the tongue against the upper gums.

SELECCIÓN

El pobre chico

Carlitos ha salido [1] a hacer algunas compras [a] que le encargó la mamá. La madre espera visita por la tarde.

Cuando regresa, el chico se pone [2] a jugar. La señora está ocupada en sus quehaceres.[3]

Es la hora del té, y la madre pregunta a Carlitos: 5

— ¿ Dónde están los pasteles [4] que te mandé comprar ? [5]

— Aquí los tienes, mamá.

— ¿ Te dieron tan pocos ?

— Me dieron más, mamá, pero le regalé algunos a un chico que tenía mucha hambre.[6]   10

La señora se conmovió [7] hasta el punto de llorar. Tenía [8] un hijo modelo. Y después de alabarlo y darle [9] muchos besos, le preguntó:

— Dime,[10] querido, ¿ quién era [11] ese chico ?

— Yo, mamá . . . — contesta Carlitos con una sonrisa.[12]   15

a. *What English words do you recognize in the following Spanish words?*

la visita, ocupado, –a, la hora, el té, la mamá, me, mucho, –a, el modelo

---

[1] has gone out. [2] starts. [3] housework. [4] pastry. [5] **te** (*fam.*) **mandé comprar** I sent you out to buy. [6] was very hungry. [7] was touched. [8] She had. [9] after praising and giving him. [10] Tell me. [11] was. [12] smile.

b. Vocabulario

alabar to praise
el beso kiss
el chico child, boy
encargar to order
esperar to wait for, expect
llorar to cry, weep

mandar to order, send
ocupado, –a busy
querido, –a dear
regalar to give (a present)
el té tea
el título title

c. Frase útil

(a) hacer algunas compras   to do some shopping

d. Preguntas

1. ¿Quién sale?   2. ¿Para qué sale?   3. ¿Qué espera la madre?
4. ¿Qué le manda comprar la madre?   5. ¿Quién es el pobre chico?

VEINTE

A. Pretérito de otros verbos irregulares

B. Uso especial del pretérito

I. Conversación

¿Para qué sirven [a] los sentidos?

El año pasado Manolo y Luisa estuvieron en la misma escuela y asistieron a la misma clase. Leyeron y estudiaron los mismos libros y escribieron los mismos ejercicios. Hicieron eso todos los días del año.[b] Cierto día la lección fué sobre los sentidos. Como no sabían [1] mucho sobre la materia,[2] la mamá quiso prepararlos 5 bien para el examen. Por eso les hizo muchas preguntas: [c]

— ¿ Cómo supieron que su tía vino acá [3] ayer ?

— ¡ Qué pregunta ! Como es natural, supimos que ella vino acá porque la vimos.

— ¿ Y con qué la vieron ?   10

— La vimos con los ojos.

— Entonces, ¿ para qué sirven los ojos ? [a]

---

[1] did not know. [2] subject. [3] here.

— Los ojos sirven para ver.

— Como ven ustedes, los ojos son para ver las cosas. A propósito, ¿ qué oyeron ustedes en la calle ayer por la mañana ?

— Oímos el ruido de los coches que pasaban [1] y las voces de la
5 gente.

— ¿ Cómo los oyeron ?

— Porque tenemos oídos que sirven para oír.

— Ahora, vamos a otra cosa. ¿ Qué hay en esta bolsa de papel [2] que está sobre la mesa ?

10   — ¿ Cómo vamos a saberlo si usted no la abre ?

— No, no; no es necesario abrirla. ¿ Por qué no acercan ustedes la nariz ?

— Ah, ya sabemos; es café.

— ¿ Por qué dijeron que es café ?

15   — Dijimos que es café porque lo olimos con la nariz, que es el órgano del olfato.[3]

— Muy bien, hijos. Ahora, Manolo, puede usted coger la pera que puse anoche sobre la mesa. Ahora, pártala en dos, la mitad para Luisa y la otra mitad para usted. Cómanla ustedes.

20   — Con mucho gusto, mamá.

— ¿ Qué tal estuvo la pera ?

— Estuvo muy rica.

— ¿ Cómo saben que la pera estuvo rica ?

— Porque la lengua y el paladar [4] . . .

25   — ¡ Eso es ! [d] La lengua y el paladar son . . .

— Los órganos del gusto.

— Ahora, con los ojos cerrados, van a tocar la mesa. ¿ Es dura o blanda ? [5]

— Es dura, mamá, no es blanda.

30   — ¿ Cómo saben que es dura ?

— Por los dedos, que son los principales órganos del tacto.[6]

— En fin, ¿ cuáles son los sentidos ? — preguntó la madre a Manolo.

— Los sentidos son cinco: los ojos para ver, los oídos para oír,
35 el paladar y la lengua para gustar, los dedos para tocar y la nariz para oler.

---

[1] were passing. [2] paper bag. [3] sense of smell. [4] tongue and palate. [5] soft. [6] touch.

II. Vocabulario

A coro:

NOMBRES

el **coche** car
el **órgano** organ
el **sentido** sense

ADJETIVOS

duro, –a hard
necesario, –a necessary

VERBOS

acercar to approach, bring near
coger (*conjugated like* **escoger**)
    to take
oler [1] (**ue**) to smell – *huelo eto*
partir to divide, cut
tocar to touch

OTRA PALABRA

anoche last night

Aprendan de memoria:

(a) **¿ para qué sirven . . . ?** what
    are . . . used for?
(b) **todos los días del año** every
    day in the year

(c) **hacer preguntas** to ask ques-
    tions
(d) **¡ Eso es !** That's it! That's
    right !

¿ Qué significa en inglés?

1. acá, ayer, las cosas, por eso, todos los días, la misma escuela, cierto día, el año pasado. 2. El profesor quiso preparar la clase para el examen. 3. ¿ Para qué sirven las manos? 4. ¿ Qué hicieron ustedes ayer por la mañana? 5. ¿ Qué hay sobre su mesa en casa? 6. Vamos a saber los libros que usted lee. 7. No es necesario trabajar mucho si trabajamos todos los días.

III. Preguntas

1. ¿ Quiénes asistieron a la misma clase el año pasado? 2. ¿ Qué estudiaron los dos? 3. ¿ Cuánto tiempo hicieron eso? 4. ¿ Qué quiso hacer la mamá? 5. ¿ Para qué sirven los ojos? ¿ Para qué sirven los oídos? 6. ¿ Qué es la nariz? 7. ¿ Qué son la lengua y el paladar? 8. ¿ Qué son los dedos? 9. ¿ Cuántos son los sentidos? 10. ¿ Cuáles son y para qué sirven?

[1] Notice that initial **ue** in this verb is spelled **hue**: **huelo**, hueles, **huele, olemos,** oléis, **huelen.**

Dictado: Examen

— ¿ Puede Vd. nombrar cinco días de la semana, sin nombrar ni el lunes, ni el martes, ni el miércoles, ni el jueves, ni el viernes?

— Sí, señor; anteayer, ayer, hoy, mañana, pasado mañana.

IV. Gramática

A. IRREGULAR PRETERIT OF OTHER VERBS

(a)	decir to say	**dije,** dijiste, **dijo, dijimos,** dijisteis, **dijeron**
	hacer to do	**hice,** hiciste, **hizo, hicimos,** hicisteis, **hicieron**
	querer to want	**quise,** quisiste, **quiso, quisimos,** quisisteis, **quisieron**
	venir to come	**vine,** viniste, **vino, vinimos,** vinisteis, **vinieron**
(b)	dar to give	**di,** diste, **dió, dimos,** disteis, **dieron**
	ser (ir) to be (go)	**fuí,** fuiste, **fué, fuimos,** fuisteis, **fueron**
	ver to see	**vi,** viste, **vió, vimos,** visteis, **vieron**
(c)	caer to fall	**caí,** caíste, **cayó, caímos,** caísteis, **cayeron**
	creer to believe	**creí,** creíste, **creyó, creímos,** creísteis, **creyeron**
	leer to read	**leí,** leíste, **leyó, leímos,** leísteis, **leyeron**
	oír to hear	**oí,** oíste, **oyó, oímos,** oísteis, **oyeron**
	traer to bring	**traje,** trajiste, **trajo, trajimos,** trajisteis, **trajeron**
(d)	cruzar to cross	**crucé,** cruzaste, **cruzó, cruzamos,** cruzasteis, **cruzaron**
	explicar to explain	**expliqué,** explicaste, **explicó, explicamos,** explicasteis, **explicaron**
	jugar (ue) to play (a game)	**jugué,** jugaste, **jugó, jugamos,** jugasteis, **jugaron**

(a) Four of these verbs, **decir, hacer, querer,** and **venir,** have –i– for stem vowel in the preterit, and the same endings as irregular verbs (**–e,** –iste, **–o, –imos,** –isteis, **–ieron**), with the exception of the third plural ending of **decir** whose preterit stem ends in –j– and whose third plural ends in **–eron.**

(b) **Dar, ser,** and **ir** are quite irregular; **dar** has the endings of a verb of the second or third conjugation, and **ser** and **ir** are identical in the preterit.

(c) If the stem of a verb ends in a vowel (**ca–er, cre–er**), the **i** of endings **–ió** and **–ieron** changes to **y**. Note the accent mark over **í** in each ending. Observe also that **traer** does not follow this rule.

(d) Verbs ending in **–car, –gar,** and **–zar,** change the **c** to **qu,** **g** to **gu,** and **z** to **c** before the vowel **e** to keep the pronunciation of **c, g,** and **z** as in the infinitive.

B. SPECIAL USE OF THE PRETERIT

Ayer fuí a su casa dos veces.	Yesterday I went to his house twice.
Anoche Perico preguntó a su abuelo varias cosas.	Last night Perico asked his grandfather several things.
El año pasado mi abuelo leyó el periódico todos los días.	Last year my grandfather read the newspaper every day.

The preterit is used to express repeated actions in the past when included in a definite period of time. In this case the act is emphasized and not the duration of time.

V. Ejercicios

A. Repaso oral — Lección diez y nueve. *Give the Spanish translation of the words in English:* 1. ¿ Quiere Vd. leer —— (*a good book*)? 2. Mi compañero recibió —— el año pasado (*one hundred books*). 3. Ellos viven en —— (*a great city*). 4. Vamos al —— de la calle (*first theater*). 5. ¿ No es usted —— (*a good man*)? 6. Salieron de la calle de —— (*St. Peter*). 7. —— lo condujo al cine (*No man*). 8. El padre no ve a —— de la familia (*some members*). 9. La calle de —— está cerca de aquí (*St. Thomas*). 10. ¿ Cuál es —— del año (*the first month*) ?

B. *Repitan las oraciones con los sujetos* **nosotros, ellos** *y* **Vd.:** 1. Yo oí a Rosa. 2. Fuí a la biblioteca. 3. ¿ A quién di el periódico? 4. ¿ Qué traje a casa? 5. Escribí la carta. 6. Quise ir al cine. 7. No dije eso. 8. No leí esa novela (*novel*). 9. Compré varias revistas. 10. Estuve en casa todo el día.

C. *Cambien los verbos en cursiva al pretérito:* 1. Él *dice* la verdad. 2. No *quieren* estar solos. 3. ¿ A quién *oye* Perico? 4. ¿ Cuándo *trae* Vd. los libros? 5. ¿Cuándo *lee* María los periódicos? 6. No *hago* esto. 7. *Vengo* aquí con mi amigo. 8. ¿A quién *dan* Vds. el libro? 9. El lápiz *cae* de la mesa. 10. ¿Qué *hace* aquel hombre? 11. Ellos no *creen* esto. 12. Este libro no *cabe* aquí.

D. *Llenen los espacios en blanco* (blank spaces) *con el pretérito de los verbos que aparecen al margen:*

1. **hacer:**   yo ——, Vds. ——, nosotros ——, él ——.
2. **venir:**   nosotras ——, yo ——, Vd. ——, ellas ——.
3. **caer:**   ella ——, nosotros ——, ellos ——, yo ——.
4. **creer:**   yo ——, Vd. ——, ellos ——, nosotros ——.
5. **leer:**   nosotros ——, yo ——, Vd. y yo ——, Vds. ——.
6. **oír:**   ella ——, yo ——, nosotros ——, ellas ——.
7. **ser:**   él ——, yo ——, Vds. ——, Vd. y yo ——.
8. **dar:**   nosotros ——, yo ——, Ana ——, Vd. ——.
9. **querer:** yo ——, Luis ——, Vds. ——, María ——.
10. **decir:** Vds. ——, yo ——, él ——, nosotros ——.

E. *Reemplacen la raya con el verbo en el presente y pretérito:* 1. ¿Adónde —— Vd. (*ir*)? 2. Nosotros —— a nuestros amigos (*recibir*). 3. ¿Qué —— Vds. en mi cuarto (*hacer*)? 4. Yo —— visitar a su tío (*querer*) 5. Isabel no —— estar allí (*poder*). 6. ¿Quién —— estas revistas (*leer*)? 7. Mis amigos —— de su casa (*salir*). 8. Nosotros no —— (*venir*). 9. Ellos no —— eso (*creer*). 10. La novela —— interesante (*ser*). 11. Vds. —— por aquí (*andar*). 12. Ellos no lo —— (*decir*).

F. *Escriban enteramente en español:* 1. Todos *did not study* la misma lección. 2. Su padre *did not find* a su hijo en la biblioteca. 3. *I promised* verlo el otro día. 4. *This garden* no es de la familia Ortega. 5. *This house and garden* son de mi tío. 6. *That girl* es amiga de mi hermana. 7. ¿Quién *is* delante de la clase? 8. *I am* al lado de Alicia. 9. El pan y la mantequilla (*butter*) *are* sobre la mesa. 10. *Our parents* son españoles.

G. Test XX. *Write the Spanish translation of the words in English:* 1. Mi hermano —— ayer (*came*). 2. ¿—— Vd. a mi primo (*Did . . . hear*)? 3. ¿Qué —— ellos el otro día (*did . . . say*)? 4. No —— en el cine ayer (*I was*). 5. Nosotros —— nuestros libros a la escuela (*brought*). 6. —— estas revistas (*I received*). 7. ¿Dónde —— Vd. mi novela (*did . . . put*)? 8. Ellos no —— ver a su amigo (*could*). 9. —— a don Felipe en casa (*I found*). 10. ¿Adónde —— Vd. a Felipe (*did . . . conduct*)?

Roof tops, Taxco, Mexico

View of Caracas, Venezuela

Obelisk in Buenos Aires, Argentina

House in Medellín, Colombia

Art class, Belo Horizonte, Brazil

Weaving blankets, Chile

Harvesting oats near Madrid, Spain

Burton Holmes from Ewing Galloway

Hand-loomed textiles, Guatemala

Environs of Lake Atitlán, Guatemala — *Courtesy of Pan American World Airways*

Library,
University of Mexico

H. *Oral:* 1. He didn't say it.   2. I did do it.   3. Why did you come?
4. I gave him this.   5. They didn't come here.   6. Did you believe it?
7. Where did he read the letter?   8. I didn't hear him.   9. Didn't we
bring the novel (**la novela**)?   10. What did I do?

I. *Written:* 1. Did you go to the theater last night?   2. No, we could
not do that (**eso**).   3. My father wanted to read an interesting novel.
4. My mother read the book last week.   5. I went to the parlor to study.
6. My friend came to our house to study also.   7. The two boys studied
an hour.   8. They did many useful things last night.   9. My grandfather
went to the "movies" many times last year.   10. He did not want to be
alone in his room.

J. Ejercicio de invención.   *Usen estas oraciones en el pretérito y hagan
nuevas combinaciones:*

Ningún libro	caber	allí
Estos señores	estar	en la casa de Luis
Todos nosotros	andar	por aquellas calles
Usted	poder vender	las cosas ayer
Algunos hijos	conducir	a sus amigos por la ciudad
Nadie	saber qué hacer	en Nueva York

K. Ejercicio de pronunciación:

a-cer-ca	don-de	us-ted	quin-qué	cin-co
cu-cha-ra	an-dan-do	pa-ño	hu-mo	po-llo
ce-re-bro	es-cri-bir	má-gi-co	ji-pi-ja-pa	Es-pa-ña
Jo-sé	Ma-drid	Ar-gen-ti-na	la Ha-ba-na	Se-vi-lla

Nuestra madre nos preparó muy bien para el examen sobre los sentidos.

L. *Dialoguito:*

— **Sr. Lara, pase usted a la pizarra.**
Mr. Lara, please pass to the blackboard.

— **Clase, ¿hay faltas en lo escrito?**
Class, are there any mistakes in the written work?

— **Sí, señor, hay varias.**
Yes, sir, there are several.

— **¿Cuáles son las faltas?**
What are the mistakes?

— **Tome tiza y el cepillo y corrija todas las faltas.**
Take the chalk and eraser and correct all the mistakes.

SELECCIÓN

Cervantes y El Quijote

La gente de habla española ª considera a Cervantes como la gente de habla inglesa considera a Shakespeare. Si Shakespeare es el autor más grande de Inglaterra, Cervantes es sin duda ᵇ el escritor más famoso de España.

5   Miguel de Cervantes escribió una obra maravillosa ¹ sobre Don Quijote, su caballo Rocinante y su escudero ² Sancho Panza. Esta novela tan famosa bastó para proclamar ³ a Cervantes el mejor escritor de la lengua española. Este libro nos cuenta ⁴ la historia de un caballero llamado Don Quijote, noble, valiente y generoso,

10   que trata de ayudar a los débiles ⁵ y de servir a la justicia. Para hacerlo se mete ⁶ en numerosas aventuras ⁷ que son a menudo superiores a sus fuerzas. Don Quijote lucha siempre por el honor y nunca por ganancia ⁸ personal.

Don Quijote, montado ⁹ sobre Rocinante, va de un lugar a otro

15   en busca ¹⁰ de aventuras, muchas de ellas muy cómicas y hasta ridículas,¹¹ que divierten ¹² muchísimo al lector.¹³ A su lado va montado en un burro Sancho Panza, el escudero más simpático del mundo, comiendo, bebiendo y diciendo refranes ¹⁴ que revelan el alma y la filosofía del pueblo español.

---

¹ wonderful. ² squire. ³ proclaim. ⁴ tells us. ⁵ weak. ⁶ plunges into. ⁷ adventures. ⁸ gain. ⁹ mounted. ¹⁰ search. ¹¹ even ridiculous. ¹² amuse. ¹³ reader. ¹⁴ eating, drinking, and reciting proverbs.

a. *What English words do you recognize from the following Spanish words?*

el autor, considerar, famoso, −a, maravilloso, −a, la novela, proclamar, noble, valiente, generoso, −a, servir, la justicia, numeroso, −a, la aventura, cómico, −a, ridículo, −a, la filosofía

b. Vocabulario

el **alma** (*f.*) soul, heart	la **justicia** justice
bastar to be enough	**luchar** to fight
el **caballero** knight, gentleman	el **mejor** the best
el **caballo** horse	**muchísimo** very much
el **escritor** writer	la **novela** novel
famoso, −a famous	la **obra** work (mental)
la **fuerza** strength	el **pueblo** people
generoso, −a generous	**servir** (**i**) to serve
la **historia** story	**superior** (**a**) greater (than)
Inglaterra England	

c. Frases útiles

(a) **de habla española** of Spanish   (b) **sin duda** without doubt
speech, Spanish-speaking

d. Preguntas

1. ¿ Qué es Cervantes para los españoles? 2. ¿ Sobre qué escribió Cervantes una obra maravillosa? 3. ¿ Qué trató de hacer don Quijote? 4. ¿ En busca de qué va don Quijote? 5. ¿ Qué revelan los refranes de Sancho Panza?

Dictado: Luis XIV y el cortesano

Luis XIV, rey de Francia, preguntó un día a uno de sus cortesanos: « ¿ Sabe Vd. el castellano? » — « No, señor, — respondió el cortesano, — pero lo aprenderé. » El cortesano estudió diligentemente aquel idioma creyendo que el rey tenía intención de nombrarlo embajador en la corte de España. Seis meses después dijo al monarca: « Señor, ahora sé el castellano. » « Muy bien, — contestó Luis XIV, — en ese caso, puede Vd. leer *El Quijote* en el original. »

REPASO DE GRAMÁTICA II

A. Ser y estar

SUJETOS	ser	estar
yo	soy	estoy
tú	eres	estás
él, ella, Vd.	es	está
nosotros, -as	somos	estamos
vosotros, –as	sois	estáis
ellos, –as, Vds.	son	están

B. Presente de otros verbos irregulares

decir:	digo, dices, **dice**, decimos, decís, dicen
dormir (ue):	d**ue**rmo, d**ue**rmes, d**ue**rme, dormimos, dormís, d**ue**rmen
ir:	voy, vas, **va**, **vamos**, vais, **van**
ofrecer (zc):	ofre**z**co, ofreces, ofrece, ofrecemos, ofrecéis, ofrecen
oír:	oigo, oyes, **oye**, **oímos**, oís, **oyen**
pedir (i):	p**i**do, p**i**des, p**i**de, pedimos, pedís, p**i**den
poder (ue):	p**ue**do, p**ue**des, p**ue**de, podemos, podéis, p**ue**den
querer (ie):	qu**i**ero, qu**i**eres, qu**i**ere, queremos, queréis, qu**i**eren
sentir (ie):	s**i**ento, s**i**entes, s**i**ente, sentimos, sentís, s**i**enten
venir:	vengo, vienes, **viene**, venimos, venís, **vienen**

C. Pretérito de indicativo

SUJETOS	I. hablar	II. comer	III. vivir
yo	habl **é**	com **í**	viv **í**
tú	habl aste	com iste	viv iste
él, ella, Vd.	habl **ó**	com i**ó**	viv i**ó**
nosotros, –as	habl amos	com imos	viv imos
vosotros, –as	habl asteis	com isteis	viv isteis
ellos, –as, Vds.	habl aron	com ieron	viv ieron

Práctica: 1. Yo ——. 2. Nosotros no ——. 3. ¿ Cuándo —— Vds. ?
4. ¿ Dónde —— Vd. ? 5. Ellos no ——. 6. Él —— en España.

D. Pretérito irregular

andar: [1]	**anduve,** anduviste, **anduvo, anduvimos,** anduvisteis, **anduvieron**
caer: [2]	**caí,** caíste, **cayó, caímos,** caísteis, **cayeron**
conducir:	**conduje,** condujiste, **condujo, condujimos,** condujisteis, **condujeron**
dar: [3]	**di,** diste, **dió, dimos,** disteis, **dieron**
decir:	**dije,** dijiste, **dijo, dijimos,** dijisteis, **dijeron**
hacer:	**hice,** hiciste, **hizo, hicimos,** hicisteis, **hicieron**
poder:	**pude,** pudiste, **pudo, pudimos,** pudisteis, **pudieron**
poner:	**puse,** pusiste, **puso, pusimos,** pusisteis, **pusieron**
querer:	**quise,** quisiste, **quiso, quisimos,** quisisteis, **quisieron**
saber: [4]	**supe,** supiste, **supo, supimos,** supisteis, **supieron**
ser: [5]	**fuí,** fuiste, **fué, fuimos,** fuisteis, **fueron**
tener:	**tuve,** tuviste, **tuvo, tuvimos,** tuvisteis, **tuvieron**
traer:	**traje,** trajiste, **trajo, trajimos,** trajisteis, **trajeron**
venir:	**vine,** viniste, **vino, vinimos,** vinisteis, **vinieron**

E. Pretérito de otros verbos

cruzar:	**crucé,** cruzaste, **cruzó, cruzamos,** cruzasteis, **cruzaron**
dormir (ue):	**dormí,** dormiste, **durmió, dormimos,** dormisteis, **durmieron**
explicar:	**expliqué,** explicaste, **explicó, explicamos,** explicasteis, **explicaron**
jugar:	**jugué,** jugaste, **jugó, jugamos,** jugasteis, **jugaron**
pedir (i):	**pedí,** pediste, **pidió, pedimos,** pedisteis, **pidieron**
sentir (ie):	**sentí,** sentiste, **sintió, sentimos,** sentisteis, **sintieron**

Práctica: 1. I went. 2. I did give. 3. He did not read. 4. Did you put? 5. Didn't we bring? 6. She did have. 7. You did not want. 8. I was not a teacher. 9. They did not know. 10. He did not do. 11. When did you come? 12. We played there. 13. She slept here. 14. What did you read? 15. Did you know? 16. I did not cross the street. 17. John and Mary studied Spanish last year. 18. When did you play basketball with John? 19. Did you play tennis also? 20. Did you play tennis with your Spanish teacher?

[1] Like **andar: estar (estuv–).**   [2] Like **caer: creer, leer, oír.**   [3] Like **dar: ver.**   [4] Like **saber: caber.**   [5] Identical with **ser: ir.**

F. Imperativo de verbos irregulares

	usted	nosotros	ustedes
dar:	dé	demos	den
decir:	diga	digamos	digan
dormir:	duerma	durmamos	duerman
estar:	esté	estemos	estén
hacer:	haga	hagamos	hagan
ir:	vaya	vayamos	vayan
oír:	oiga	oigamos	oigan
pedir:	pida	pidamos	pidan
poner:	ponga	pongamos	pongan
saber:	sepa	sepamos	sepan
salir:	salga	salgamos	salgan
sentir:	sienta	sintamos	sientan
ser:	sea	seamos	sean
tener:	tenga	tengamos	tengan
traer:	traiga	traigamos	traigan
venir:	venga	vengamos	vengan
ver:	vea	veamos	vean

Pongan los siguientes verbos en el imperativo:

MODELO: dar nosotros, —— Vd. = demos nosotros, dé Vd.

hacer Vd., no —— Vds.
oír Vd., —— Vds.
saber Vds., —— Vd.
no decir nosotros, —— Vd.
dormir Vds., no —— nosotros
poner Vd., —— nosotros
salir Vds., —— nosotros
pedir nosotros, no —— Vds.
ver Vd., —— Vds.

Práctica: 1. Let us give him the book now. 2. Say something.
3. Don't sleep here. 4. Come here. 5. Hear me. 6. Let us ask for
something. 7. Let us know the truth. 8. Bring your books to school.
9. See me at one o'clock. 10. Let us leave now.

17   12   *7   2
*16   11   *6   1
15   10   5
*14   9   4
*13   8   3

G. Adjetivos Posesivos

SINGULAR		PLURAL	
Masc.	*Fem.*	*Masc.*	*Fem.*
mi	mi	mis	mis
tu	tu	tus	tus
su	su	sus	sus
nuestro	nuestra	nuestros	nuestras
vuestro	vuestra	vuestros	vuestras
su	su	sus	sus

H. Adjetivos Demostrativos

SINGULAR			PLURAL	
Masc.	*Fem.*		*Masc.*	*Fem.*
este	esta	[que está cerca de *mí* (*me*)]	estos	estas
ese	esa	[" " " " *Vd.*]	esos	esas
aquel	aquella	[" " " " *él*]	aquellos	aquellas

I. Apócope de ciertos adjetivos

MASCULINO	FEMENINO
un buen hombre	una buena mujer
un mal libro	una mala revista
algún ejercicio	alguna frase
ningún mes	ninguna semana
el primer cuarto	la primera casa
un gran médico	una gran profesora
San Antonio	Santa Teresa
BUT: Santo Tomás	Santa Rosa
Santo Domingo	Santa Clara

J. Uso de los números

NÚMEROS CARDINALES

0	cero	17	diecisiete (diez y siete)	
1	un(o), una	18	dieciocho (diez y ocho)	
2	dos	19	diecinueve (diez y nueve)	
3	tres	20	veinte	
4	cuatro	21	veintiún(o),[1] –una (veinte y	
5	cinco		un(o), una)	
6	seis	22	veintidós (veinte y dos)	
7	siete	30	treinta	
8	ocho	31	treinta y un(o), una	
9	nueve	32	treinta y dos	
10	diez	40	cuarenta	
11	once	50	cincuenta	
12	doce	60	sesenta	
13	trece	70	setenta	
14	catorce	80	ochenta	
15	quince	90	noventa	
16	dieciséis (diez y seis)	100	ciento (cien)	

NÚMEROS ORDINALES

1st	primero (primer)	7th	séptimo
2nd	segundo	8th	octavo
3rd	tercero (tercer)	9th	noveno (nono)
4th	cuarto	10th	décimo
5th	quinto	11th	undécimo
6th	sexto	12th	duodécimo

Calles:	En la calle Tercera, en la Quinta avenida	(Ordinals used up to and including *ten*, cardinals used thereafter.)
Monarcas:	Carlos Quinto, Felipe Segundo, Alfonso Trece	"
Capítulos:	Capítulo segundo, Capítulo veinte	"
Páginas:	página tercera, página once	"

[1] Note the accent on **veintiún**. Notice also **dieciséis** and **veintidós**.

K. Pronombres complementos, 1ª persona

SUJETOS	DIRECTO	INDIRECTO
yo	me	me
nosotros, –as	nos	nos

EJERCICIOS DE REPASO II.
(*Achievement Test No. 2*)

Completen en español:

A. 1. Soy —— (*an American*). 2. Ellos son —— (*Spanish*). 3. ¿ Qué quiere —— Roberto (*to be*)? 4. —— hombres quieren visitar a Julia (*These*). 5. ¿ Para quién son —— rosas (*these*)? 6. —— árboles no son altos (*Those*). 7. Mi padre no es —— (*a doctor*). 8. José y yo —— primos (*are*). 9. La familia no —— grande (*is*). 10. Mi apellido —— . . . (*is*).

B. 1. —— son hermosos (*These roses and carnations*). 2. —— jardín es muy grande (*This*). 3. —— árbol es un peral (*That*). 4. Estas flores son —— (*red*). 5. —— casa es pequeña (*This*). 6. El jardín es de —— hombre (*that*). 7. ¿ Dónde —— Vd. el español (*did . . . learn*)? 8. —— tíos no oyen bien (*Our*). 9. ¿ —— Vds. para España el año pasado (*Did . . . leave*)? 10. —— al profesor (*I understood*).

C. 1. —— padre es abogado (*My*). 2. —— madre quiere leer una novela (*Our*). 3. ¿ Adónde van —— amigos (*our*)? 4. Ellos —— su casa (*sold*). 5. Rosa —— una revista (*bought*). 6. Yo no —— a mi amigo (*did . . . write*). 7. ¿ Cuándo —— Vd. esta carta (*did . . . receive*)? 8. ¿ —— Vds. a Alberto (*Do . . . understand*)? 9. —— mucho en España (*We learned*). 10. ¿ Quién —— mi gramática (*took*)?

D. 1. ¿ Dónde vive —— (*your family*)? 2. ¿ Cuántas piezas hay en —— (*our house*)? 3. Recibo —— en la sala (*my friend*). 4. —— prepara la comida (*Our maid*). 5. —— son grandes (*Our beds*). 6. —— son pequeñas (*Your chairs*). 7. —— son españolas (*His sisters*). 8. ¿ —— es esta novela (*Whose*)? 9. Esta novela es —— (*Arthur's*). 10. Estos libros son —— (*Martha's*).

E. 1. Mis hermanos —— en casa (*are not*). 2. Amalia —— en el comedor (*is*). 3. ¿ Cómo —— Vds. hoy (*are*)? 4. —— muy bien (*We are*). 5. Mis hermanas —— bonitas (*are*). 6. —— hijos de la familia Molina (*We are not*). 7. Mi madre —— cansada (*is*). 8. Nosotros —— en la sala (*are*). 9. ¿ —— americano (*Are you*)? 10. —— en España (*We are not*).

F. 1. ¿ Quién —— con Alberto (*walked*)? 2. —— hablar (*He could not*). 3. ¿ Quién —— el libro aquí (*put*)? 4. —— en mi casa (*They were*). 5. —— en este piso (*We lived*). 6. El piano —— en el cuarto (*did not fit*). 7. —— saber la verdad (*They could not*). 8. Mis amigos —— a su casa (*guided him*). 9. ¿ —— estas revistas (*Did you buy*)? 10. Las revistas —— en la mesa (*are*).

G. 1. ¿ —— eso (*Did you know*)? 2. Mis tíos —— (*are seated*). 3. Aquella puerta —— (*is open*). 4. Aquellos muchachos —— (*are tired*). 5. —— allí dos horas (*We were*). 6. —— en la biblioteca (*They did not speak*). 7. ¿ Cómo —— su padre (*is*)? 8. —— ir aquel día (*She could not*). 9. Aquellas ventanas —— (*are closed*). 10. Mi abuelo —— español (*is*).

H. 1. Mi amigo leyó —— (*the third book*). 2. El mes pasado compré —— (*one hundred books*). 3. El número de mi casa es —— (*eighty-six*). 4. Mi amigo y yo vamos al cine en la calle —— (*seventy-second*). 5. El —— de diciembre es una fiesta popular (*twenty-fifth*). 6. —— fué un rey famoso de España (*Charles V*). 7. La hora tiene —— (*sixty minutes*). 8. El número de mi teléfono es (*79-35*). 9. Yo vivo en la calle Sucre —— (*number ninety*). 10. Poca gente vive en —— (*Fifth Avenue*).

I. 1. ¿ Qué le —— (*did they tell*)? 2. Mi padre siempre —— (*is well*). 3. Hoy ellos —— (*are ill*). 4. Estos muchachos —— (*are not bad*). 5. ¿ Dónde —— don Felipe (*is*)? 6. ¿ Es su padre —— (*a doctor*)? 7. ¿ Dónde —— Boston (*is*)? 8. Mi madre —— en este cuarto (*is*). 9. Mi hermana —— bonita (*is*). 10. ¿ Por qué —— Vds. tristes hoy (*are*)?

J. 1. Mi madre —— (*is good*). 2. Lo —— para ayudar a Tomás (*I did*). 3. ¿ A quién —— visitar (*did you wish*)? 4. —— de la biblioteca (*He left*). 5. ¿ Por dónde—— (*did they walk*)? 6. ¿ —— aquella novela interesante (*Did he read*)? 7. Estas novelas son —— (*famous*). 8.——

no están aquí (*Their brothers*). 9. ——— ausentes de las clases (*We were not*). 10. ¿ De quién ——— estas revistas (*are*)?

K. 1. Mi padre ——— (*sees me*). 2. ——— estas flores para ella (*I buy*). 3. Ellos ——— en español (*talk to us*). 4. ——— el libro blanco (*Give me*). 5. ——— cerca de aquí (*Wait for me*). 6. Él ——— la regla (*explains to us*). 7. El profesor no ——— comprende (*me*). 8. ——— en inglés, por favor (*Don't talk to me*). 9. Ella desea ——— dos lápices amarillos (*give me*). 10. ¿ Quién ——— (*wishes to visit me*)?

L. 1. Yo quiero comprar ——— (*these things*). 2. Nosotros ——— al profesor (*understand*). 3. Ellos no ——— a Julia (*want to visit*). 4. Ella no es ——— (*our friend*). 5. ¿ No son Vds. ——— (*his sisters*)? 6. Él no vió ——— (*my friend*). 7. ¿ Quién es ——— aquí (*a doctor*)? 8. Todos compraron ——— (*that magazine*). 9. Yo no ——— su carta (*did . . . receive*). 10. El doctor no leyó ——— (*John's novel*).

M. 1. ——— quiere ver al doctor Díaz (*This good man*). 2. Yo ——— en la escuela ahora (*am not*). 3. ¿ ——— esta casa grande (*Whose is*)? 4. ——— Vds. esto hoy (*Do*). 5. Nosotros ——— al cine (*are going*). 6. Vimos ——— en la calle (*one hundred men*). 7. Los dos ——— el otro día (*visited her*). 8. Hay muchas tiendas en la ——— (*Fifth Avenue*). 9. Estos hombres ——— sentados (*are*). 10. Ellos ——— esta semana (*could not see me*).

N. 1. El número de su teléfono es ——— (*2-4-6-7*). 2. ¿ Qué le dijo Vd. cuando ——— (*saw him*)? 3. ——— Vd. ahora (*Don't talk to her*). 4. ¿ Qué ——— a Vd. cuando le preguntó (*did he answer you*)? 5. Sé donde ——— su casa (*is*). 6. ¿ Por qué ——— Vds. tristes (*are*)? 7. ¿ ——— aquella novela famosa (*Did you read*)? 8. ——— dónde vive (*I asked him*). 9. ¿ Quién ——— esta semana (*wants to write him*)? 10. ——— Vd. ese libro (*Give me*).

O. 1. ——— salió del cuarto (*All of a sudden*). 2. Anoche ——— con mi amigo (*I had a good time*). 3. ——— los deportes (*We are fans of*). 4. Él ——— cuando está malo (*stays in bed*). 5. Trabajamos ——— (*every day*). 6. ¿ ——— visitar a sus amigos (*Do you feel like*)? 7. ——— esta semana (*We have to study*). 8. ——— en la clase de español (*I ask questions*). 9. ——— compró un auto (*At last*). 10. ——— a las tres (*We go home*).

La casa

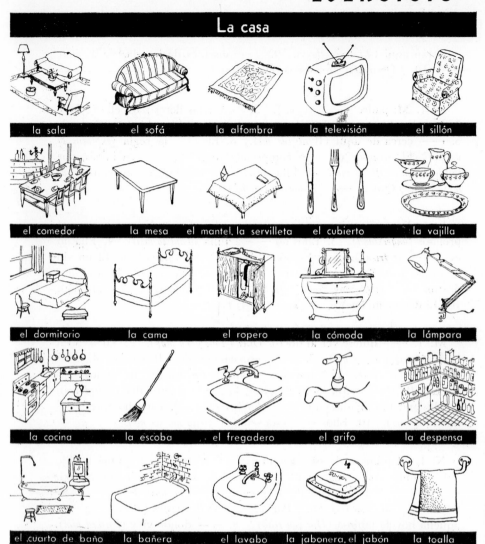

la sala	el sofá	la alfombra	la televisión	el sillón
el comedor	la mesa	el mantel, la servilleta	el cubierto	la vajilla
el dormitorio	la cama	el ropero	la cómoda	la lámpara
la cocina	la escoba	el fregadero	el grifo	la despensa
el cuarto de baño	la bañera	el lavabo	la jabonera, el jabón	la toalla

PALABRAS. *Row 1:* living room, sofa, rug, television set, arm (easy) chair. *Row 2:* dining room, table, tablecloth and napkin, place setting, china. *Row 3:* bedroom, bed, wardrobe, bureau, lamp. *Row 4:* kitchen, broom, sink, water faucet, pantry. *Row 5:* bathroom, bathtub, washstand, soap dish and soap, towel.

PREGUNTAS. 1. ¿ Vive usted en una casa particular o en una casa de apartamentos? 2. ¿ Cuántos pisos tiene su casa? 3. ¿ Cuáles son los cuartos principales de un apartamento? 4. ¿ Dónde dormimos? 5. ¿ Qué vemos en la sala? 6. ¿ Dónde vemos el fregadero? 7. ¿ Es útil o inútil un espejo (*mirror*) en el cuarto de baño? 8. ¿ Para qué sirve el lavabo? 9. ¿ Tiene usted ropero? 10. ¿ Para qué usamos la vajilla y el cubierto?

208

ORAL

Los alimentos

| los guisantes | el repollo | los frijoles | la zanahoria | la lechuga |

| la patata (papa) | el maíz | el arroz | el rábano | la calabaza |

| el melocotón | la naranja | la manzana | las uvas | la pera |

| la carne | el pescado | los huevos | el queso | la leche |

| el pan | la mantequilla | la torta | el helado | el chocolate |

PALABRAS. *Row 1:* peas, cabbage, beans, carrot, lettuce. *Row 2:* potato, corn, rice, radish, pumpkin. *Row 3:* peach, orange, apple, grapes, pear. *Row 4:* meat, fish, eggs, cheese, milk. *Row 5:* bread, butter, cake, ice cream, chocolate.

PREGUNTAS. 1. ¿ Qué alimentos (*foods*) preparamos para la comida? 2. ¿ Qué pide usted en un restaurante? 3. ¿ Le gusta a usted el pan con mantequilla? 4. ¿ Qué frutas le gustan a usted? 5. ¿ Compra usted muchas manzanas? 6. ¿ Cuánto vale una buena manzana? 7. ¿ Qué legumbres toma usted cuando come? 8. ¿ Qué prefiere usted para postre (*dessert*), torta o helado? 9. ¿ Qué le gusta más, la carne o el pescado? 10. ¿ Come usted carne todos los días? 11. ¿ Toma Vd. dos vasos de leche todos los días?

SELECCIÓN: Repaso II

La Argentina, granero [1] de Sud América

La Argentina es el país más grande de habla española del Nuevo Mundo. Es también una de las repúblicas más importantes de Hispano-América. Su territorio es la tercera parte del [2] de los Estados Unidos. Está muy lejos de nosotros, en el otro extremo
5 de la América del Sur. Debido [3] a su gran extensión, la Argentina tiene todos los climas. Pero no solamente es un país extenso, sino que es también muy rico. La parte más grande e importante del país es la pampa. ¿ Qué es la pampa? Es una inmensa llanura sin límites. Parece un mar de hierba.[4] ¿ Por qué es tan impor-
10 tante? Porque produce cantidades enormes de trigo,[5] maíz y otros granos. La pampa es el granero del mundo.

El habitante de la pampa es el gaucho, el *cowboy* argentino. Millones de vacas, ovejas [6] y caballos viven en la pampa. ¡ Cuánta carne produce y exporta la Argentina ! ¡ Qué cantidades de lana
15 se obtienen todos los años ! ¡ Qué excelentes caballos tiene ese país ! Son todos finos y muy buenos.

En la pampa están algunas ciudades principales de esa gran nación. Hacia la costa atlántica está la capital, la bella ciudad de Buenos Aires. Es la más grande de la América del Sur, y la
20 tercera de todo el continente americano. Es el centro cultural, industrial y comercial del país. Tiene tres millones de habitantes,

---

[1] grain storehouse.   [2] of that.   [3] Due.   [4] grass.   [5] wheat.   [6] sheep.

más o menos, y casi la mitad son europeos. Es una ciudad muy progresista. Tiene grandes avenidas y mucho tránsito sobre y bajo tierra. La vida de Buenos Aires es tan activa como la de Nueva York.

a. *What English words do you recognize from the following Spanish words?*

el territorio, la parte, los Estados Unidos, el extremo, el clima, inmenso, −a, el límite, producir, enorme, exportar, excelente, nación, la costa, el habitante, el tránsito, activo, −a

b. Vocabulario

bajo under
la **extensión** surface
el **grano** grain
hacia towards
la **lana** wool
lejos far

la **llanura** plain
el **maíz** corn
rico, −a rich
el **territorio** territory, surface
el **tránsito** traffic
la **vaca** cow
la **vida** life

c. Preguntas

1. ¿ Qué es la Argentina? 2. ¿ Cuál es la parte más grande del país? 3. ¿ Qué animales domésticos viven en la pampa? 4. ¿ Qué es Buenos Aires? 5. ¿ Cuántos habitantes tiene?

Sección cuarta **Ciudad y campo**

L E C C I Ó N
VEINTIUNA

A. *El participio pasado*

B. *El verbo auxiliar* **haber** *y el presente perfecto*

I. Conversación

¡ Siempre me ha gustado mi ciudad !

La ciudad donde he pasado toda mi vida está en el estado de
Nueva York. Es una ciudad moderna con parques y paseos
atractivos, casas con adelantos [1] modernos y edificios de todas
clases. Esta ciudad siempre ha tenido edificios públicos y particulares como bibliotecas, iglesias, museos, escuelas y casas de aparta- 5
mentos. En el centro están las mejores tiendas. El barrio comercial
ha estado siempre en la parte baja de la ciudad; el barrio residencial,[2] en la parte alta. El sector del este [3] ha sido siempre el
barrio de los pobres mientras que el de los ricos [4] está al oeste.
En toda la ciudad ha habido en todo tiempo [a] calles y avenidas 10
anchas. En el centro es donde están los almacenes,[5] los monu-
mentos, los bancos, la catedral, los hoteles, los cines y los teatros.
Para ir de un lugar a otro hemos usado siempre el metro,[6] trenes,
ómnibus, automóviles [7] y otros vehículos.[8]

---

[1] improvements. [2] residential district. [3] East side. [4] the rich man's district.
[5] department stores. [6] subway. [7] automobiles. [8] vehicles.

Emilio Lara, que ha vivido siempre en la ciudad, ha invitado a su amigo Pérez, que ha residido [1] toda su vida en el campo. Éste [2] va a visitar a la familia de su amigo. Ha llegado a la ciudad hoy, domingo por la tarde. Todos los miembros de la familia
5 Lara lo han recibido muy bien en su casa. En la sala han principiado a hablar de la vida de una ciudad moderna como Nueva York. Eso siempre ha interesado mucho a Joaquín Pérez. Vamos a oír parte de la conversación:

— Como es la primera vez que he visto una ciudad moderna,
10 quiero hacerles varias preguntas. Dígame,[3] Emilio, ¿cómo ha pasado usted esta semana y qué ha hecho?

— La he pasado muy bien, pero he hecho tantas cosas que no sé dónde principiar. Esta semana he asistido a las clases y he hecho mis ejercicios. También he practicado varios deportes. Además,
15 he tenido tiempo para ayudar a mi madre, y aun para ir al cine.

— Al parecer,[b] usted ha estado muy ocupado. Y usted, Julia, ¿ que ha hecho?

— Yo he ido a la oficina a trabajar como siempre, he contestado muchas cartas y he escrito muchas otras nuevas. Algunos días
20 no he comido porque no he tenido tiempo.

— Usted es una muchacha muy ocupada, como Emilio. Y usted, don Luis, ¿ ha trabajado como sus hijos?

— Nosotros los padres, hemos trabajado siempre más que nuestros hijos. Lo hemos hecho porque el coste [4] de la vida ha
25 subido.

— Esta conversación me ha hecho ver que la vida en la ciudad no es tan atractiva. La vida del campo es mucho más tranquila y agradable.

II. Vocabulario

A coro:

NOMBRES

el **banco** bank

el **barrio** district, section

la **carta** letter

la **catedral** cathedral

el **centro** center, midtown; downtown

el **monumento** monument

----

[1] has lived. [2] The latter. [3] Tell me. [4] the cost.

el **museo** museum

la **oficina** office

la **tienda** store

el **tren** train

ADJETIVOS

atractivo, –a attractive

comercial commercial

tranquilo, –a calm, quiet

Aprendan de memoria:

(a) **en todo tiempo** at all times   (b) **al parecer** apparently

¿ Qué significa en inglés?

1. la ciudad, una casa con adelantos modernos, los edificios públicos y particulares, en el centro, el barrio residencial. 2. Vamos al cine todos los sábados. 3. ¿ Qué usa usted para ir de un lugar a otro? 4. Mi amigo Pedro ha vivido aquí. 5. He hecho esto como la primera vez. 6. No hemos hecho tantas cosas como antes. 7. Todos los jóvenes practican algún deporte. 8. He vivido siempre en la ciudad. 9. ¿ Ha vivido Vd. siempre en Nueva York? 10. ¿ Cuántos deportes ha practicado Vd. esta semana?

III. Preguntas

1. ¿ Qué ciudad está en el estado de Nueva York? 2. ¿ Qué hay en una ciudad moderna? 3. ¿ Dónde están las mejores tiendas? 4. ¿ Dónde está el barrio comercial? 5. ¿ Dónde está situado el barrio residencial? 6. ¿ Dónde viven los pobres? ¿ y los ricos? 7. ¿ Qué usa la gente para ir de un lugar a otro? 8. ¿ Dónde ha residido toda la vida Joaquín Pérez? 9. ¿ Cómo ha recibido la familia Lara a Joaquín Pérez? 10. ¿ De qué han hablado la familia Lara y Joaquín Pérez? 11. ¿ Es atractiva la vida en la ciudad? 12. ¿ Dónde es más tranquila y agradable la vida?

Repaso. Cómo pasa Manuel la semana

1. El domingo va a la iglesia.
2. El lunes asiste a la escuela.
3. El martes toma una lección de música.
4. El miércoles va al teatro.
5. El jueves visita a sus amigos.
6. El viernes sale a paseo.
7. El sábado hace compras en las tiendas.

IV. Gramática

A. THE PAST PARTICIPLE

INFINITIVE	PAST PARTICIPLE ENDING	PAST PARTICIPLE
habl–ar	–ado	hablado
com–er	–ido	comido
viv–ir	–ido	vivido

The past participle of regular as well as many irregular verbs is formed by adding –**ado** to the stem of verbs in –**ar**; –**ido** is added to the stems of verbs in –**er** and –**ir**.

However, the following past participles are quite irregular.

———————————Irregular Past Participles———————————

abrir: **abierto,** opened	morir: **muerto,** died
cubrir: **cubierto,** covered	oír: **oído,** heard
decir: **dicho,** said	poner: **puesto,** put
escribir: **escrito,** written	romper: **roto,** broken
hacer: **hecho,** made, done	ver: **visto,** seen
leer: **leído,** read	volver: **vuelto,** returned

B. THE AUXILIARY VERB **HABER** AND THE PRESENT PERFECT

haber + past participle				
yo	he	+ *past participle*	I have	+ *past participle*
tú	has	+ *past participle*	you have	+ *past participle*
él, ella, Vd.	ha	+ *past participle*	he, she has, you have	+ *past participle*
nosotros, –as	hemos	+ *past participle*	we have	+ *past participle*
vosotros, –as	habéis	+ *past participle*	you have	+ *past participle*
ellos, –as, Vds.	han	+ *past participle*	they have, you have	+ *past participle*

PRETERIT: **hube,** hubiste, **hubo, hubimos,** hubisteis, **hubieron**

Note that in Spanish the present perfect tense is formed with the present indicative of **haber** followed by the past participle, which parts must never be separated.

The use of this tense corresponds to that of the English present perfect.

Haber is never used independently, except as an impersonal verb: **hay,** *there is, there are.* Note the following examples:

PRESENT: **Hay una tienda en esta calle.**
There is a store in this street.
Hay muchas casas bonitas.
There are many pretty houses.

PRETERIT: **No hubo clase ayer.**
There was no class yesterday.
Anoche hubo muchos hombres aquí.
Last night there were many men here.

Expresiones útiles:

Modismos con *haber*

Hay un libro sobre la mesa.	There is a book on the table.
Hay diez tiendas en la ciudad.	There are ten shops in the city.
Hay lodo (polvo).	It is muddy (dusty).
Hay que estudiar para aprender.	One must study in order to learn.

V. Ejercicios

A. Repaso oral — Lección veinte. *Give the Spanish translation of the words in English:* 1. Fernando —— a la biblioteca (*went*). 2. —— el mismo ejercicio (*I did not do*). 3. ¿ Qué —— la semana pasada (*did they say*)? 4. —— lo que yo dije a Felipe (*You did not believe*). 5. —— las revistas que Vd. compró (*We brought*). 6. Don Ramón —— el regalo a su hijo (*gave*). 7. Isabel —— aquel libro interesante (*did not read*). 8. —— aquí con mi amigo Roberto (*I came*). 9. Los libros —— de la mesa (*fell*). 10. Lo —— cuando entró (*I heard*).

B. *Den el presente perfecto de las mismas personas:*

MODELO: hable Vd. = Vd. ha hablado.

1. compren Vds.	2. ayuden Vds.	3. andemos
hablemos	reciba Vd.	leamos
halle Vd.	no corte Vd.	escriba Vd.
vea Vd.	abran Vds.	hagamos

C. *Den el participio pasado de:*

1. visitar	2. dar	3. oír	4. vivir
saber	abrir	vender	leer
comprender	responder	escribir	llamar
salir	cubrir	hacer	morir
volver	ver	romper	poner

D. *Escriban enteramente en español:* 1. Su padre no *is a doctor.* 2. Los miembros de esta familia *are professionals.* 3. Pablo, Pedro y yo *are* primos. 4. *I am not* Francisco López. 5. *Let us enter* en esta casa. 6. *Take* usted tiza para escribir en la pizarra. 7. *Write* ustedes esto en papel. 8. *Speak to him* en español. 9. *Let us write to them* hoy y no mañana. 10. *Let us open* todas las ventanas.

E. *Cambien al plural o al singular:* 1. Hoy hemos hecho esto. 2. ¿ Han visitado Vds. las tiendas? 3. ¿ Dónde ha comprado Vd. esta cosa útil? 4. ¿ Cuándo ha comprado Vd. este bonito sombrero? 5. Ella ha visto un manzano en aquel jardín. 6. ¿ Por qué han vuelto ellos a su casa? 7. ¿ Cómo han pasado Vds. la tarde? 8. Yo he comido aquí. 9. Ella ha escrito a su amiga de Cuba. 10. Yo no he recibido esta carta de Panamá.

F. Test XXI. *Write the Spanish translation of the words in English:* 1. —— una semana aquí (*We have spent*). 2. La señora Ortega —— un programa de radio (*has listened*). 3. —— mucho tiempo este mes (*I have not had*). 4. Todos ustedes —— a sus amigos (*have invited*). 5. Rafael —— en casa hoy (*has not been*). 6. Los señores —— aquí todo el año (*have lived*). 7. ¿ De qué —— ustedes hoy (*have spoken*)? 8. Alberto —— varios deportes (*has practiced*). 9. Cada una de las muchachas —— a las clases este año (*has attended*). 10. ¿ Cuántas cartas —— de Cuba (*have you received*)?

G. *Oral:* 1. I have written; they have eaten; he hasn't opened; I have not written; we have called. 2. We have returned; what have you seen? she has heard; you have not seen; have I not found? they have read. 3. I have not read; he has not done this; what have they written?

H. *Written:* 1. Have you done many useful things today? 2. Yes, sir; we have done and seen several things. 3. The whole family has spent the day at home. 4. My mother has written several letters to her friends in Colombia. 5. My father has received and answered many letters from Buenos Aires. 6. My brothers and I have visited several stores on this street. 7. We have also bought many things at Blanco's store. 8. We have brought these things home. 9. My parents have bought many things in the city. 10. We have seen much but have bought very little.

I. Ejercicio de invención. *Añadan más participios pasivos a cada forma del verbo* **haber** (Add more past participles to each form of the verb **haber**):

1. He comido, ——, ——, ——, ——.
2. Nosotros hemos hablado, ——, ——, ——.
3. Usted ha asistido, ——, ——, ——, ——.
4. Pilar ha abierto, ——, ——, ——, ——.
5. Ellos han hecho, ——, ——, ——, ——.

J. Ejercicio de pronunciación:

r (*initial*) [1], **rr:**

ri-co	ru-mor	re-gre-so	ba-rril	ca-rro
hon-ra	al-re-de-dor	re-co-rrer	ci-ga-rro	co-rri-da
Ri-be-ra	Ri-car-do	In-gla-te-rra	Gue-rre-ro	Is-ra-el

Rápidos corren los carros por la vía del ferrocarril.

K. *Dialoguito:*

— **Hay una falta en la pizarra. ¿ Cuál es? Usted, Jaime, corríjala.**
There is a mistake on the blackboard. What is it? James, correct it.

— **Con mucho gusto, señor.**
Yes, sir. Gladly.

— **¿ Cómo se escribe la palabra . . . ?**
How do you spell the word . . . ?

— **La palabra . . . se escribe así . . .**
The word . . . is spelled so . . .

— **Borre lo escrito y vuelva a su asiento.**
Erase the written work and go to your seat.

[1] The letter **r**, initial or preceded by **l**, **n**, or **s** or when double, is a repeated trill, double the length of a single **r**. This sound has usually from three to five vibrations and in slow or emphatic speech the number of vibrations may be even more.

SELECCIÓN

El joven tiene buen oído [1]

Un joven va a una casa de comercio para buscar empleo. Allí necesitan un empleado con buen oído.

EL GERENTE. ¿ Tiene usted buen oído?

EL JOVEN. Sí, señor; tengo un oído excelente.

5   El gerente le pone un reloj al oído y le pregunta:

— ¿ Oye Vd. el tic-tac de este reloj?

EL JOVEN. Sí, señor; oigo el tic-tac muy bien.

EL GERENTE. ¡ Qué curioso ! [a]   ¡ Este reloj está parado desde hace tres días ! [b]

a. *What English words do you recognize from the following Spanish words?*

el comercio, necesitar, el empleo, el empleado, excelente, el tic-tac

b. Vocabulario

el **empleado** employee	el **gerente** manager
el **empleo** employment	el **reloj** watch

c. Frases útiles

(a) ¡ **Qué curioso** ! How strange !

(b) **Está parado desde hace tres días.**
    It stopped three days ago.

d. Preguntas

1. ¿ Adónde va el joven?   2. ¿ Qué necesitan allí?   3. ¿ A quién habla el gerente?   4. ¿ Qué oye el joven?   5. ¿ Desde cuándo está parado el reloj?

[1] hearing.

LECCIÓN

VEINTIDÓS

A. *Nombres usados en sentido general*

B. *Nombres partitivos*

I. Conversación

Vamos al cine

En la vida moderna el cine es una necesidad. Las películas son interesantes para los niños, para los jóvenes y para los hombres y las mujeres. Mientras unos van al cine, otros miran la televisión en casa.

Me gusta mucho ir al cine. Voy al cine una vez a la semana.[1] Siempre tengo que ir a un cine que está lejos de mi casa.[a] Cerca de nosotros no hay cine. Este año he visto películas muy interesantes. Hoy he encontrado a mi amigo Luis en la calle. Todos los sábados por la tarde vamos juntos al cine.

— Luis, ¿ qué ponen en el cine hoy? [2]

— *La tabla redonda.*[3]

— ¿ Es una película en cinemascopio? [4]

— Sí, y es también en color.

— ¿ Vamos al cine este sábado, o no quiere ver películas esta semana?

[1] once a week. [2] what are they showing today? [3] *The Round Table.* [4] cinemascope.

223

— ¡ Cómo no !

— Entonces lo espero a la puerta del teatro a las tres, hora en que principia la película.

— ¿ Le molesta si llevo a Carmen conmigo ?

5   — Al contrario. ¿ Por qué no viene con ella su hermana Alicia ? Como usted sabe, yo creo que ella es muy simpática.

— Muy buena idea. Voy a invitarla por teléfono.

(En el cine)

— Aquí no hay asientos. Ah, en aquella fila hay cuatro asientos
10 juntos.

— Tomemos asiento; no tenemos tiempo que perder.[1]

— Ya principia la película.

— ¡ Qué lindo paisaje ! La naturaleza es siempre atractiva.

— ¡ Qué buen mozo [2] es el héroe ! [3]   Pero los héroes de cine son
15 siempre buenos mozos.

— Y la estrella [4] es muy bella. Las estrellas de cine son siempre hermosas.

(Después de la película)

— ¡ Qué bien trabajan [5] los actores y las actrices ! Casi todos
20 son buenos artistas.

— A mí me interesa la trama.[b]

— A mí me gusta más la música.[c] La música me encanta.[6]

— La fotografía del cinemascopio es algo extraordinario,[7] como también la música.

25   — La película es excelente desde todos los puntos de vista.[d] Vale la pena verla.[e] Todos pasamos un buen rato en el cine.

II. Vocabulario

A coro:

NOMBRES	
el **actor** actor	la **idea** idea
la **actriz** actress	el **mozo** young man
la **artista** artist	la **naturaleza** nature
la **fotografía** photography	la **necesidad** necessity
	el **paisaje** scenery; landscape

---

[1] we haven't any time to lose. [2] How handsome! [3] the hero. [4] the star. [5] (they) act. [6] holds me spellbound. [7] exceptional.

ADJETIVO

excelente excellent

Aprendan de memoria:

(a) **estar lejos (cerca) de mi casa**
to be far from (near) my house

(b) **A mí me interesa la trama.** I
am interested in the plot.

(c) **A mí me gusta más la música.**
I prefer the music. I like the

VERBO

encontrar (ue) to find

music better.

(d) **desde todos los puntos de
vista** from every point of view

(e) **Vale la pena verla.** It is
worth while seeing it.

¿ Qué significa en inglés ?

1. la vida moderna, los hombres y las mujeres, están en casa,
voy al cine, algo interesante. 2. Me gusta ir al teatro. 3. Siempre
han ido juntos al cine. 4. No hemos visto películas este mes. 5. In-
vitémosla por teléfono. 6. Los espero a la puerta. 7. Tomemos asiento
cerca de aquí.

III. Preguntas

1. ¿ Qué es el cine en la vida moderna? 2. ¿ Para quién son interesantes las películas? 3. ¿ Va usted al cine una vez a la semana?
4. ¿ Hay un cine cerca de su casa? 5. ¿ Invita usted a sus amigos al cine
alguna vez? 6. ¿ Qué le gusta a usted en una película? 7. ¿ Cómo
son casi siempre el héroe y la estrella del cine? 8. ¿ Cómo trabajan los
actores y las actrices? 9. ¿ Qué dicen de la fotografía del cinemascopio?
10. ¿ Cómo pasamos el rato en el cine?

IV. Gramática

A. NOUNS IN A GENERAL SENSE

La lana es útil.
Wool (*in general*) is useful.

**Los vestidos de señora son de
seda.**
Women's dresses are of silk.

Las españolas son bellas.
Spanish women are beautiful.

Usan la seda para las corbatas.
They use silk for neckties.

When the words *in general, usually, generally* are understood in
English after a noun, the definite article must be used with the
noun in Spanish.

B. NOUNS IN A PARTITIVE SENSE

Los niños llevan gorra.	Children wear caps (*some, not all*).
¿ Usan sombrero los hombres?	Do men wear hats?
Los niños pobres no llevan zapatos en el verano.	Poor children do not wear (*any*) shoes in the summer.

Whenever *some* or *any* is understood before a noun following a verb in English, the article is usually omitted in Spanish.

GUSTAR, to please, like

Me gusta leer.	I like to read (It pleases me to read).
Nos gusta el libro.	We like the book (The book pleases us).
Le gustan las flores.	She likes flowers (Flowers please her).

The verb **gustar** has for its subject what the person likes, which generally follows the verb. The characteristic construction is the indirect object of the person who likes + the verb **gustar** in the third person singular or plural + the subject, i.e.: **Me gusta el español.** *I like Spanish.* (*Spanish is pleasing to me.*)

Like **gustar: tocar,** *to be one's turn;* **sobrar,** *to have left over;* **faltar,** *to be lacking;* **interesar,** *to interest;* **importar,** *to be important, to matter;* **agradar,** *to please.*

Práctica: 1. *We like* el campo en verano. 2. ¿ Qué *do you like* a Vd. aquí? 3. *I like* los buenos libros. 4. *They do not like* las casas grandes. 5. *He does not like* bailar. 6. Todos estos cuentos *interest me.* 7. ¿ Cuánto dinero *does she lack?* 8. *It is my turn* leer un poco. 9. Eso no *is important to me.* 10. Muchas cosas *please us.*

V. Ejercicios

A. Repaso oral — Lección veintiuna. *Give the Spanish translation of the verbs in English:* 1. Yo —— en una oficina (*have worked*). 2. Ellos —— en el campo (*have lived*). 3. Nuestra familia —— en su casa (*has eaten*). 4. Ramón —— una ciudad atractiva (*has visited*). 5. Las otras personas —— a ver a sus amigos (*have gone*). 6. Nosotros no —— todas las cartas (*have answered*). 7. ¿ Por qué no —— usted esta semana (*have worked*)? 8. Eugenio Cruz —— una carta a sus padres este mes (*has written*). 9. Miguel siempre —— español a su profesor (*has spoken*). 10. Usted —— de abrir la puerta pero no ha podido (*have tried*).

B. *Traduzcan al español:* 1. Do you speak Spanish? 2. We have done this. 3. Are you going there? 4. What have you seen? 5. Let us buy this. 6. Travel (*sing.*) with me. 7. I do not fit in here. 8. She has said that. 9. Let us travel soon. 10. Who said that? 11. Who has seen her? 12. What did they say? 13. Who has opened the door? 14. What do I put here? 15. I am always eating.

C. *Escriban enteramente en español:* 1. ¿ *What things* ve usted en una clase? 2. *They study* la lección del día. 3. La profesora enseña *the pupils.* 4. ¿ Sabe usted las palabras o *don't you know them?* 5. Estudien ustedes la lección y *learn it.* 6. Hay muchas cosas que comprar porque *we need them.* 7. Tomo la pluma fuente y *I use it.* 8. Hay *large doors* en nuestra casa. 9. ¿ Es usted *French, Spanish, or American?* 10. ¿ No tiene usted *artistic pictures* en su casa?

D. Test XXII. *Give the Spanish translation of the words in English:* 1. No hay —— cerca de nuestra casa (*any movie theater*). 2. —— son siempre útiles (*Friends*). 3. No hemos encontrado —— interesantes allí (*any books*). 4. —— son populares en aquel país (*Spaniards*). 5. Alicia no tiene —— (*any brothers*). 6. —— es muy atractiva (*Spanish music*). 7. En —— el cine es importante (*modern life*). 8. —— van al cine (*Men and women*). 9. —— es interesante en una ciudad moderna (*Life*). 10. Usted no ha recibido —— allí (*any newspapers*).

E. *Oral:* 1. Boys are good. 2. Buy (**Vds.**) some shoes. 3. Men and women work. 4. Films are not always interesting. 5. They did not need any books. 6. Have you any newspapers? 7. He received some newspapers from Cuba. 8. Letters are always interesting.

F. *Written:* 1. Where do men and women go to the movies? 2. I don't know. I haven't any time to go to the movies. 3. Colored films are very popular with (**entre**) Americans. 4. Boys and girls go to the movies in [1] the afternoon or in [1] the evening. 5. Students cannot go there because they haven't time. 6. They buy books and other useful things. 7. Do you see any pictures during the year? 8. I see some good pictures but not many. 9. I am interested in (**Me interesan**) the scenery and the stars of the movies. 10. I am also interested in (**Me interesa**) film photography.

[1] **por.**

G. Ejercicio de pronunciación:

s [1]: so-los   los ni-ños   so-mos   des-de   is-la
         sa-las   las ma-nos   sa-len   lis-to   es-tas
         Ro-sa   es-bel-to   So-ro-lla   des-ga-rra   Su-sa-na

Somos españoles y escribimos cartas a los amigos de los Estados Unidos.

H. *Dialoguito:*

— **Saquen ustedes los cuadernos y escriban lo siguiente.**
— **¿ Escribimos con tinta o con lápiz?**
— **Como ustedes gusten. No olviden la puntuación. La puntuación es muy importante.**

Take out your notebooks and write the following.
Do we write it in ink or pencil?

As you please.   Don't forget your punctuation.   Punctuation is very important.

,	**la coma** comma	¡	**el principio de admiración** first exclamation point
;	**punto y coma** semicolon	!	**el fin de admiración** final exclamation point
.	**punto final** period; **punto y seguido** period, same paragraph; **punto y aparte** period, new paragraph	( )	**el paréntesis** parenthesis; **abrir (cerrar) el paréntesis** to begin (end) the parenthesis
:	**los dos puntos** colon		
· · ·	**los puntos suspensivos** leaders	« »	**las comillas** quotation marks
¿ ?	**los signos de interrogación** question marks	-	**el guión** hyphen
¡ !	**los signos de admiración** exclamation points	—	**la raya** dash
¿	**el principio de interrogación** first question mark	§	**el párrafo** paragraph
		··	**diéresis** dieresis
		A	**la letra mayúscula** capital letter
?	**el fin de interrogación** final question mark	a	**la letra minúscula** small letter

----

[1] The letter **s** is similar to the *s* in the English word *so* but pronounced with the tip of the tongue in a lower position than in English, in order to produce a softer and less hissing effect.

The letter **s** is like *s* in the English word *is* when final in a syllable before a voiced consonant **b, d, g, l, m, n, y,** or **hi.**

Carrying wild orchids, Mexico

Making guitars, Peru

Library, Santiago College, Chile

Sisal bag factory, El Salvador

SELECCIÓN

Costa Rica

Costa Rica es en verdad un país rico como su nombre lo dice.
Rico en productos, rico en flores, rico en climas. El calor y la
humedad [1] de la costa del Caribe, hacen esta región muy fértil.
Allí están las grandes plantaciones de bananos.[2] Por Limón, el
puerto principal en el Atlántico, salen millares [3] de racimos [4] de 5
bananas y de cocos [5] para los mercados [6] de la América del Norte.
La meseta [7] y partes del centro, producen el café que ha hecho
famosa a Costa Rica. Allí están las principales ciudades de la
República.
San José, la capital, está casi a 4,000 pies sobre el nivel del mar.[8] 10
Los habitantes, en su mayoría son blancos, descendientes [9] de
españoles, sin mezcla [10] de razas.[11] Son todos de una gran cultura.[12]
Las brisas tibias [13] y perfumadas [14] mantienen la temperatura [15]
ideal todo el año. Son abundantes [16] las flores, y especialmente
las orquídeas.[17]   15

---

[1] humidity. [2] banana (tree.) [3] thousands. [4] bunches. [5] coconuts. [6] markets.
[7] plateau. [8] sea level. [9] descendants. [10] mixture. [11] races. [12] culture. [13] gentle
breezes. [14] fragrant. [15] temperature. [16] numerous. [17] orchids.

El punto más alto de Costa Rica es el volcán ¹ Irazú, situado a doce millas de San José. Muchas personas lo suben para gozar del panorama.ᵃ Desde el cráter ² del Irazú, pueden ver los dos océanos,³ el Atlántico y el Pacífico, que bañan las costas de Costa
5 Rica.

a. *What English words do you recognize from the following Spanish words?*

el producto, el clima, la humedad, la plantación, el banano, el puerto, el centro, producir, el café, famoso, −a, la república, la raza, el punto, el volcán

b. Vocabulario

bañar to bathe, wash	la **milla** mile
mantener (*conjugated like* **tener**) to keep, maintain	la **plantación** plantation
la **mayoría** majority	**situado, −a** situated

c. Frase útil

(*a*) **gozar del panorama**   to enjoy the view

d. Preguntas

1. ¿ En qué es rica la república de Costa Rica?   2. ¿ Qué hay en la costa del Caribe?   3. ¿ Qué producen la meseta y las partes altas del centro?   4. ¿ A qué altura está situada la ciudad de San José?   5. ¿ Qué pueden ver las personas desde el cráter del Irazú?

¹ volcano.   ² crater.   ³ oceans.

VEINTITRÉS

A. *El futuro regular*

B. *El futuro irregular*

I. Conversación

Las estaciones del año

Como todo el mundo sabe, la primavera empezará el veintiuno de marzo. La primavera es sin duda la estación [1] más agradable del año. Durante esta época, no hará mal tiempo,[a] al contrario, hará buen tiempo.[a] No hará ni frío ni calor.[b] El tiempo estará fresco casi siempre. Pero en el mes de abril, lloverá a menudo. 5
Durante la primavera los campos se cubrirán de [2] hierba y los árboles de hojas verdes. En los jardines verá la gente la mar de flores tales como: rosas, violetas, claveles y tulipanes.

El verano es la estación en que hace calor.[b] Si hace demasiado calor, habrá a veces [c] tempestades [3] y después hará fresco de nuevo.[4] 10
El verano es la estación preferida de los estudiantes. Si los alumnos han estudiado mucho durante el año, pasarán las vacaciones [5] muy contentos. Si hace mucho calor, irán al campo, a la playa o a

---

[1] season. [2] will be covered with. [3] storms. [4] again. [5] will spend their vacation.

231

las montañas a pasar algunas semanas.   Los ricos pasarán las vacaciones en el extranjero.[d]   En el verano las escuelas están cerradas y no se abrirán [1] hasta principios de septiembre.

El otoño ha sido y será siempre la estación de las cosechas [2] y 5 también de las frutas.   En esta estación los árboles perderán las hojas, pero antes de caer [3] al suelo, las hojas se pondrán [4] de varios colores: pardas, rojas, amarillas y doradas.   Inútil es decir que esta época será poco agradable para los estudiantes, porque tendrán que ir a la escuela.   Entonces es cuando terminarán los días 10 felices de las vacaciones.   Pero en cambio, empezará la estación de los deportes que tienen lugar al aire libre.[e]

En el invierno casi siempre hace frío.   A menudo hiela [5] y nieva.[6]   Como es natural, llevamos ropa de lana y abrigo.   Hay muchos aficionados a los deportes de invierno.   Durante esta 15 estación se celebrarán [7] fiestas importantes, como el Día de Acción de Gracias [8] y la Navidad.   Esta última es muy importante para el mundo de habla española.   La gente envía a sus amigos tarjetas [9] que dicen « Felices Pascuas ».[f]   Lo mismo se dice a un amigo al verlo, a lo que el otro contesta: « Igualmente, gracias ».[10]   El Día 20 de Año Nuevo todo el mundo saluda a los demás con las palabras « Feliz Año Nuevo ».[f]   La respuesta es siempre la misma: « Igualmente, muchas gracias ».   El Día de Reyes [11] se celebrará el 6 de enero, y es el día en que los niños hispanos recibirán los regalos, si han sido buenos todo el año.

II. Vocabulario

A coro:

NOMBRES

el **Día de Año Nuevo** New Year's Day
la **época** time, period
la **hierba** grass
el **invierno** winter

la **Navidad** Christmas
el **otoño** autumn
la **playa** beach
la **primavera** spring
las **vacaciones** vacation

[1] will not open.   [2] harvest.   [3] *In Spanish prep.* + *inf.* = *English prep.* + *pres. part.*
[4] will become.   [5] it freezes.   [6] snows.   [7] will be celebrated.   [8] Thanksgiving Day.
[9] cards.   [10] The same to you, thank you.   [11] Epiphany.

ADJETIVOS

dorado, -a gold, golden
hispánico, -a Hispanic, Spanish
inútil needless
pardo, -a brown
preferido, -a preferred

VERBOS

celebrar to celebrate
cubrir to cover

empezar (ie) to begin
enviar [1] to send
llover (ue) to rain
perder (ie) to lose

OTRA PALABRA

demasiado too, too much

Aprendan de memoria:

(a) **Hace mal (buen) tiempo.** It is bad (good) weather.
(b) **Hace calor (frío).** It is warm (cold).
(c) **a veces** at times, sometimes
(d) **en el extranjero** abroad
(e) **al aire libre** in the open
(f) **¡ Felices Pascuas y Feliz Año Nuevo !** Merry Christmas and a Happy New Year.

¿Qué significa en inglés?

1. todo el mundo, sin duda, durante esta época, al contrario, la mar de cosas, caer al suelo. 2. Este mes no hará ni frío ni calor. 3. En abril lloverá a menudo. 4. En verano hace calor. 5. ¿ Dónde pasará usted las vacaciones? 6. Las escuelas se abrirán a principios de septiembre. 7. Soy aficionado a los deportes de invierno.

III. Preguntas

1. ¿ Cuándo empezará la primavera? 2. ¿ Cómo es la primavera? 3. ¿ Qué tiempo hará durante esa época? 4. ¿ Cómo es el verano? 5. ¿ Por qué es el verano la estación preferida de los estudiantes? 6. ¿ Dónde pasamos las vacaciones de verano? 7. ¿ Qué estación es el otoño? 8. ¿ Cuándo hace casi siempre frío? 9. ¿ Qué dice usted a sus amigos al verlos en Navidad? 10. ¿ Qué decimos a nuestros amigos el Día de Año Nuevo?

Refrán

Mañana será otro día.   Tomorrow is another day.

[1] Notice present indicative: **envío, envías, envía, enviamos, enviáis, envían.**

Serie

Abriré la maleta.	I shall open my bag (suitcase).
Pondré dos trajes en ella.	I shall put two suits in it.
Añadiré camisas, cuellos y cor-batas.	I shall add shirts, collars and neckties.
Necesitaré también guantes y zapatos.	I shall also need gloves and shoes.
Cerraré la maleta.	I shall close my bag (suitcase).

Manuel López y Martínez
desea a Vd. y a los suyos Felices Pascuas y
Próspero Año Nuevo

IV. Gramática

A. THE FUTURE

Sujetos	I. hablar	II. aprender	III. escribir
	I shall speak, etc.	I shall learn, etc.	I shall write, etc.
mañana, la semana próxima, el próximo mes, el año próximo, pronto, en seguida [1]			
yo	hablar é	aprender é	escribir é
tú	hablar ás	aprender ás	escribir ás
él, ella, Vd.	hablar á	aprender á	escribir á
nosotros, –as	hablar emos	aprender emos	escribir emos
vosotros, –as	hablar éis	aprender éis	escribir éis
ellos, –as, Vds.	hablar án	aprender án	escribir án

[1] tomorrow, next week, next month, next year, soon, immediately.

The future is formed by adding **–é, –ás, –á, –emos, –éis, –án** to the infinitive. In general, the future is used as in English.

Voy a escribir.	I am going to write.
Mañana vamos a salir.	Tomorrow we are going to go out.

The immediate future may be formed by conjugating **ir + a + infinitive.**

B. THE IRREGULAR FUTURE

		YO	TÚ	ÉL, ELLA, VD.
haber	to have	**habré**	habrás	**habrá**
poner	to put	**pondré**	pondrás	**pondrá**
decir	to say	**diré**	dirás	**dirá**
hacer	to do	**haré**	harás	**hará**
querer	to want	**querré**	querrás	**querrá**

NOSOTROS	VOSOTROS	ELLOS, –AS, VDS.
habremos	habréis	**habrán**
pondremos	pondréis	**pondrán**
diremos	diréis	**dirán**
haremos	haréis	**harán**
querremos	querréis	**querrán**

Note these irregular future forms. Observe that while the stem is irregular, the endings in all verbs are regular.

Like **haber** (the **e** of the infinitive ending is dropped): **poder,** *to be able, can;* **saber,** *to know;* **caber,** *to fit;* **querer,** *to want;* thus **podré, podrás, podrá,** etc.; **sabré; cabré; querré.**

Like **poner** (a **d** replaces the characteristic infinitive vowel): **salir,** *to go out, leave;* **tener,** *to have;* **valer,** *to be worth;* **venir,** *to come;* thus **saldré, saldrás, saldrá; tendré; valdré; vendré.**

Notice the future of **decir,** *to say,* **diré,** etc.; **hacer,** *to do,* **haré,** etc.

V. Ejercicios

A. Repaso oral — Lección veintidós. *Give the Spanish translation of the words in English:* 1. Esto es muy útil para —— *(students).* 2. Ellos no han comprado —— aquí (*any books*). 3. —— viven en las ciudades o en el campo (*Men*). 4. En casa —— son siempre buenas (*the meals*). 5. Marta no puede hallar —— en el jardín (*any flowers*). 6. Les gusta visitar —— (*Spanish cities*). 7. —— están en el centro de la ciudad (*Public buildings*). 8. —— de televisión no son siempre interesantes (*Programs*). 9. En —— hay varios barrios (*large cities*). 10. —— tienen todos los adelantos modernos (*Offices*).

B. *Completen en el futuro:* 1. Él visitar— a su amigo. 2. Nosotros ayudar— a Carlos. 3. Ellos no abrir— la puerta. 4. Él leer— mucho de esa famosa ciudad. 5. ¿ Cuánto tiempo pasar— Vd. en Buenos Aires? 6. ¿ Saldr— ellas para Buenos Aires el mes próximo? 7. ¿ Cuándo regresar— Vds. a casa? 8. Vds. querr— ver a sus amigos. 9. ¿ Estar— ella allí dos meses? 10. ¿ No viajar— ellos con su padre? 11. ¿ Qué har— yo allí? 12. ¿ Qué comprar— ellos para mí (*me*)?

C. *Pongan el verbo en el futuro:*

1. **escribir:** Vd. ——, nosotros ——, ellos ——, yo ——.
2. **ayudar:** nosotras ——, él ——, ¿ —— yo? Vds. no ——.
3. **comer:** ellas ——, yo ——, ella no ——, nosotros ——.
4. **venir:** yo no ——, él ——, ¿ —— Vds.? nosotros ——.
5. **tener:** Vd. ——, ¿ —— yo? nosotros no ——, ellos ——.
6. **estar:** ellas ——, ella no ——, yo ——, nosotros ——.
7. **saber:** nosotras ——, Vds. no ——, yo ——, ¿ —— Vd.?
8. **poder:** ellos ——, nosotras ——, él ——, yo ——.
9. **poner:** ella no ——, ellos ——, ¿ —— yo? Vd. y yo ——.
10. **decir:** yo ——, Vds. ——, ellas ——, Vd. ——.
11. **hacer:** Vds. ——, él no ——, yo ——, nosotros ——.
12. **querer:** nosotras ——, Vds. ——, yo ——, ella no ——.

D. *Pongan el verbo en el futuro:* 1. *Salgo* para Boston. 2. Él *puede* hacerlo. 3. Nosotros *abrimos* las ventanas. 4. Ellos *ponen* varias cosas sobre la mesa. 5. ¿ *Viaja* Vd. con él? 6. ¿ Qué *hace* ella en Boston? 7. *Escribo* muchas cartas. 8. ¿ Cuándo *regresa* Vd. a su casa? 9. ¿ Qué novelas *leen* Vds.? 10. Él *quiere* aprender eso.

E. *Escriban enteramente en español:* 1. Los alumnos —— aquella lección para mañana (*will study*). 2. —— es siempre atractiva en el campo (*Nature*). 3. —— son populares en las ciudades (*Movies*). 4. ¿ Cuándo

—— en una ciudad como Buenos Aires (*have you lived*)? 5. Los Ríos ——
a sus amigos en esta ciudad (*have received*). 6. Nadie —— en su casa
(*wanted to answer him*). 7. Yo —— cuando llegué (*tried to speak to him*).
8. No creyeron lo que —— (*I told him*). 9. Cada uno —— un programa
interesante (*decided to hear*, **escuchar**). 10. Algunos no pueden ir a ——
(*a good theater*).

F. *Pongan estos verbos* (a) *en el pretérito;* (b) *en el presente perfecto;* (c) *en
el futuro:*

Modelo: él habla = habló = ha hablado = hablará

Vd. sabe	salimos	puedo ir	doy
él tiene	ellas hacen	Vd. dice	ellos son
Vds. oyen	ella pone	él vale	ella escribe
yo digo	abrimos	Vds. leen	salgo
él abre	ellos compran	Vd. pone	ella cubre
Vd. ve	Vds. dicen	ella está	yo hago

G. Test XXIII. *Give the Spanish translation of the words in English:*
1. ¿ Qué —— el Sr. Alonso (*will say*)? 2. Usted —— todas las ventanas
(*will open*). 3. Siempre —— a mis amigos (*I shall help*). 4. ¿ Dónde ——
Vds. estas revistas (*will put*)? 5. —— a mi madre en la ciudad (*I shall
write*). 6. Les —— esta semana (*we shall speak*). 7. ¿ Cuándo —— este
periódico (*will you read*)? 8. La primavera —— el veintiuno de marzo
(*will arrive*). 9. ¿ Qué —— Vds. en la primavera (*will do*)? 10. La
nieve —— los campos en invierno (*will cover*).

H. *Oral:* 1. I shall leave; I shall visit; I shall not open; I shall need;
I shall travel. 2. You (**Vd.**) will speak; you will buy; you will want to
see; you will read; you will do. 3. We shall say; we shall do; we shall
come; we shall be; we shall read. 4. They will return; they will attend;
they will find; they will put; they will be able.

I. *Written:* 1. Our family will soon leave for Buenos Aires. 2. We
shall buy many things. 3. My sister will need several suits. 4. The
whole family will need many things. 5. Each member of the family will
need something different. 6. Will you spend several months in Buenos
Aires? 7. We shall be there a year. 8. My sisters, my brothers and I
shall attend classes in that city. 9. We shall see many interesting things
in that famous city. 10. We shall soon speak Spanish.

J. Ejercicio de invención. *Añadan otros verbos en el futuro:*

1. Nosotros escribiremos, ——, ——, ——, ——, ——, ——.
2. Usted sabrá, ——, ——, ——, ——, ——, ——.
3. Yo ayudaré, ——, ——, ——, ——, ——, ——.
4. Usted y yo regresaremos, ——, ——, ——, ——, ——, ——.
5. Ellos saldrán, ——, ——, ——, ——, ——, ——.
6. Vd. no tendrá, ——, ——, ——, ——, ——, ——.
7. Él irá, ——, ——, ——, ——, ——, ——.
8. Ella no será, ——, ——, ——, ——, ——, ——.

K. Ejercicio de pronunciación:

v[1] :

va-so	ver-so	vi-ve	in-va-dir	sal-vo
ven-de	va-ca	vol-ver	in-vi-to	sal-va-je
Val-dés	vi-da	vi-vi-mos	en-vol-ver	ne-var

Los vemos volver por el valle en la verde primavera.

L. *Dialoguito:*

— **Saquen ustedes el ejercicio (la tarea) de hoy. Señorita Sánchez, recoja los ejercicios.**	Take out today's homework. Miss Sanchez, collect the assignments.
— **¿Dónde los pongo, señor profesor?**	Where shall I put them, teacher?
— **Haga el favor de ponerlos sobre mi escritorio.**	Please put them on my desk.

Dolora [2]

En este mundo traidor [3]
nada es verdad ni mentira; [4]
todo es según el color
del cristal [5] con que se mira.

Ramón de Campoamor

---

[1] The letters **b** and **v** are pronounced alike in Spanish. When initial or when preceded by **m** or **n,** they are like the *b* in the English word *bone.* In other positions **b** and **v** are pronounced with lips that do not close, while the air escapes through them.
[2] *short sentimental poem invented by the Spanish poet Campoamor.*   [3] treacherous, false.
[4] lie.   [5] crystal, glass.

SELECCIÓN

Lógica [1]

(Esta escena pasa en un tranvía [2] de la ciudad.)

EL CONDUCTOR.[3]   En este tranvía no se permite fumar,[4] señor.

EL VIAJERO.   Ya lo sé [5] . . . pero yo no fumo [6] . . .

EL CONDUCTOR.   ¿ No tiene usted la pipa [7] en la boca?

EL VIAJERO.   Sí, la tengo; pero también tengo los pies en los 5
zapatos, pero no camino.

a. *What English words do you recognize from the following Spanish words?*

la lógica, la escena, el conductor, la pipa, la persona

b. Vocabulario

caminar to walk
el **cuento** story
la **escena** scene

el **viajero** traveler
el **zapato** shoe

c. Preguntas

1. ¿ Cuáles son las personas de este cuento?   2. ¿ Quién habla
primero?   3. ¿ Qué dice al viajero?   4. ¿ Qué tiene el viajero en la boca?
5. ¿ Fuma o no el viajero?

[1] Logic.   [2] streetcar.   [3] motorman.   [4] smoking is not allowed.   [5] I know it.
[6] I'm not smoking.   [7] pipe.

L E C C I Ó N

VEINTICUATRO

A. Números cardinales

B. Uso especial de los números cardinales

I. Conversación

Ricardo y Pedro van de compras

Ricardo y Pedro son estudiantes norteamericanos que viven en la calle 186, número 475, al oeste. Es fin de curso del año 19... Van de compras al centro de la ciudad.[1] Tienen que comprar muchas cosas para la madre de Ricardo y otras muchas
5 para ellos mismos.[2] El 9 de julio van a salir para la playa donde van a pasar las vacaciones de verano.[a]

— ¿ Cuántas cosas tiene usted que comprar en esta calle?

— Miles y miles, pero no tengo idea de [b] cuántas.

— Aquí está la tienda que buscamos, el número 514, de la calle
10 Wáshington.

— No, el número que buscamos es el 714. Tenemos que caminar ocho cuadras más.

— ¡ Adelante,[c] pues ! ¡ No perdamos tiempo !

---

[1] midtown.   [2] for themselves.

— Aquí está por fin la tienda.   Entremos para comprar lo que necesitamos.

— ¡ Hombre, he perdido la lista que me dió mi madre !

— ¿ No sabe usted de memoria [d] lo que escribió su madre en el papel?   5

— Caramba,[1] algunas cosas las sé, pero no todas.

— Compre huevos,[2] leche, mantequilla,[3] queso,[4] azúcar, harina [5] y pan.   Si falta algo podemos venir otra vez.

— Si he olvidado algo, mamá va a perder la paciencia.

— ¡ Hombre, tengo una idea !   ¿ Por qué no compra una caja 10 de dulces para su madre?

— No es mala la idea.   Voy a hacerlo así.   ¿ No está la confitería [6] en la calle Lincoln, número 365?   Andemos de prisa [e] porque ya es tarde.   Compraremos otro día las cosas nuestras.

Al llegar a casa los dos muchachos, la madre preguntó a Ricardo: 15

— ¿ Ha traído usted todas las cosas que le mandé comprar?

— No, mamá; yo lo siento mucho.   Perdí la lista y compré solamente huevos, leche, mantequilla, queso, azúcar, harina y pan.

— Pero, hombre, ¡ si [7] son las cosas que pedí !

— Y aquí tiene usted una caja de dulces que yo compré para 20 usted.

— Muchas gracias, hijo.   Es mi marca [8] favorita.   ¡ Qué hijo bueno tengo !

II. Vocabulario

A coro:

NOMBRES

el **azúcar** sugar
la **caja** box
el **curso** course (*of study*)
el **dulce** candy
la **lista** list
la **paciencia** patience

la **prisa** haste
de prisa fast

VERBO

faltar to be missing

[1] Great Scott.   [2] eggs.   [3] butter.   [4] cheese.   [5] flour.   [6] candy store.   [7] but.
[8] brand.

Aprendan de memoria:

(a) **pasar las vacaciones de verano** to spend the summer vacation

(b) **no tengo idea (de)** I can't imagine

(c) **¡ Adelante !** Go ahead ! Let's go !

(d) **saber de memoria** to know by heart

(e) **andar de prisa** to walk fast

¿ Qué significa en inglés ?

1. la calle, el oeste, el centro de la ciudad, el fin de curso, mi marca favorita.   2. Los dos van a pasar las vacaciones de verano.   3. Tienen que caminar diez cuadras.   4. No sé de memoria todas las palabras. 5. He comprado una caja de dulces.   6. Al llegar, entraron en la casa. 7. ¿ Qué le mandé comprar ?

III. Preguntas

1. ¿ Quiénes son Ricardo y Pedro ?   2. ¿ Qué época es ?   3. ¿ Qué tienen que hacer ?   4. ¿ Para dónde van a salir ?   5. ¿ Qué ha perdido uno de los estudiantes ?   6. ¿ Qué ha comprado Ricardo para su madre ? 7. ¿ Qué compró Ricardo en la confitería ?   8. ¿ Qué le preguntó la madre a Ricardo ?   9. ¿ Qué contestó Ricardo a su madre ?   10. ¿ Qué dijo su madre al recibir la caja de dulces ?

Las tiendas de la ciudad

1. El panadero [1] hace y vende pan en la panadería.
2. El sastre [2] hace y vende trajes en la sastrería.
3. El confitero [3] vende dulces en la confitería.
4. El carnicero [4] vende carne en la carnicería.
5. El zapatero hace, compone [5] y vende zapatos en la zapatería.
6. El sombrerero [6] vende sombreros y gorras en la sombrerería.
7. El frutero [7] vende frutas en un puesto de frutas o frutería.
8. El farmacéutico [8] vende drogas en la farmacia.
9. La modista [9] hace y vende vestidos para señoras en su tienda.
10. El librero [10] vende libros en la librería.
11. El joyero [11] vende joyas [12] en la joyería.[13]

---

[1] baker.   [2] tailor.   [3] confectioner.   [4] butcher.   [5] mends.   [6] hatter.   [7] fruit dealer. [8] druggist.   [9] dressmaker.   [10] bookseller.   [11] jeweler.   [12] jewels.   [13] jeweler's shop.

IV. Gramática

A. CARDINAL NUMBERS

100	ciento (cien)	800	ochocientos, –as
101	ciento un(o), una	900	*novecientos, –as*
135	ciento treinta y cinco	1000	mil
200	doscientos, –as	1100	mil cien(to)
300	trescientos, –as	2000	dos mil
500	*quinientos, –as*	1,000,000	un millón (de)
600	seiscientos, –as	2,000,000	dos millones (de)
700	*setecientos, –as*	1,000,000,000,000	un billón (de)

B. SPECIAL USE OF CARDINAL NUMBERS

(a)   **ciento treinta clases**   130 classes
      mil alumnos pequeños   a thousand small pupils

BUT: **cien compañeros**   a hundred companions

Note that with **cien(to)** and **mil** the indefinite article is not used.

(b) **mil cuatrocientos noventa y dos**   fourteen hundred ninety-two
    tres mil cincuenta y siete   three thousand fifty-seven
    tres mil cuatrocientos veinti-   three thousand four hundred
    cinco   twenty-five

Above a thousand, counting is done in thousands and hundreds.

(c) **un millón de habitantes**   one million inhabitants
    veinticinco millones de personas twenty-five million persons

Millón and **billón** require **de** before a noun.

(d) **trescientos muchachos**   300 boys
    doscientas treinta muchachas   230 girls
    quinientos mil dólares $500,000

The multiples of **ciento** agree in gender and number with the following noun, even when another numeral follows.

(e) **ciento diez**   one hundred *and* ten
    quinientos treinta   five hundred *and* thirty
    mil ochenta   one thousand *and* eighty

In a series of compound numbers the conjunction *and* in English is not translated after **ciento** and **mil**.

V. Ejercicios

A. Repaso oral — **Lección veintitrés.** *Give the Spanish translation of the verbs in English:* 1. ¿ En qué mes —— mucho (*will it rain*)? 2. —— muchas cosas (*We shall need*). 3. —— ver a todos sus amigos (*He will want*). 4. Isabel —— estas cosas aquí (*will put*). 5. Ellos no —— salir con Vd. (*will be able*). 6. ¿ Cuántas semanas —— en aquella ciudad (*will you be*)? 7. ¿ Cuándo —— para Madrid (*will you leave*)? 8. Mañana —— al campo (*we shall go*). 9. ¿ Cuántos meses —— en el campo este verano (*will he spend*)? 10. ¿ Cuándo —— la estación de los deportes (*will begin*)?

B. *Escriban con letras los números de las frases siguientes:* 1. Llegó de Cuba el primero de mayo de 1898. 2. Yo viví en la calle 142, número 525. 3. Hay varias ciudades que tienen 3,000,000 de habitantes. 4. Si hoy es el 15 de agosto, ¿ qué fecha será mañana? 5. El doce de octubre de 1492 es una fecha inmortal en la historia de España. 6. El dos de mayo de 1808 es otra fecha gloriosa para España. 7. Abrieron este colegio (*school*) en el año 1765. 8. Asisten a esta escuela de 850 a 900 estudiantes. 9. El restaurante donde comemos está en la calle 48, número 345 al este. 10. En nuestro colegio hay casi 500 profesores.

C. *Escriban enteramente en español:* 1. ¿ Es *easy or difficult* esta lección? 2. Usamos *white and red chalk* en la clase. 3. Todo el mundo estudia *a difficult lesson*. 4. Pedro es *studious and diligent*. 5. *We understand* lo que usted dice. 6. ¿ *Do you wish to learn* el español en esta clase? 7. La clase *does not answer* en inglés. 8. ¿ Qué *do I do* para ir al cine esta tarde? 9. ¿ Qué *do you do* en la biblioteca? 10. ¿ Qué *does he ask* en la clase?

D. Test XXIV. *Write the Spanish translation of the words in English:* 1. En este edificio trabajan casi —— (*five hundred persons*). 2. Esta escuela pública tiene de —— a —— alumnos (*seven hundred . . . nine hundred*). 3. Pasaron —— coches por esta calle (*nine hundred and fifty*). 4. Llegamos aquí —— (*the first of June*). 5. Viví en la calle —— (*one hundred sixty-five*). 6. Dicen que esta ciudad tiene —— habitantes (*eight million*). 7. Si hoy es el ——, ¿ qué día será mañana (*twenty-fifth of May*)? 8. El doce de octubre de —— es una fecha importante (*fourteen ninety-two*). 9. Otra fecha importante es el dos de mayo —— (*eighteen hundred eight*). 10. En este teatro caben de mil a —— personas (*a thousand five hundred*).

E. *Oral:* 1. Who were Charles V, Philip II, Louis XIV, and Alfonso XIII? 2. They lived on Third Street, First Avenue, Seventh Avenue,

Twelfth Avenue, Thirty-third Street.   3. We shall read the thirteenth chapter, the twenty-fourth chapter, the thirtieth chapter.   4. We bought our things on East 42nd Street, West 53rd Street, on Fifth Avenue, on Eighth Avenue.   5. There are almost 500 men, 700 women, 900 children.   6. These dates are important: July 4, 1776, November 11, 1918, December 7, 1941.

F. *Written:* 1. When we went to Buenos Aires, we lived on Fifth Street, number 255.   2. We arrived there the 15th of January, 1944.   3. This city has almost three million inhabitants.   4. I began my classes March 1st, 1935.   5. The school has almost a thousand pupils.   6. It is on Sarmiento Street, number 765.   7. In another school there are almost 500 students.   8. I saw from 700 to 900 students every day.   9. We walked through the streets of Charles V, Louis XIV, and Philip II.   10. We are going to return to the United States June 25, 1965.

G. **Ejercicio de invención.** *Escriban con letras:*

MODELO: el 4 de julio de 1776. el cuatro de julio de mil setecientos setenta y seis.

1. el 12 de octubre de 1492.
2. el 2 de mayo de 1808.
3. el 11 de noviembre de 1918.
4. Mi cumpleaños (*birthday*) es ———.
5. Nueva York tiene una población (*population*) de ———.
6. La población de los Estados Unidos es de ———.

Lean: $100 + 400 = 500$; $550 + 150 = 700$;

175, 413, 561, 227, 333, 750, 999, 500, 700, 900.

$253 + 69 + 347 = 669$; $277 + 9 + 88 + 304 = 678$.

Escriban: ocho mil quinientos; tres mil novecientos; siete mil ciento dos.

H. **Ejercicio de pronunciación:**

t [1]:	la-ta	an-te	tin-ta	tan-to	tu-te
	pa-ta-ta	te-ma	ton-to	to-tal	tu-mul-to
	Ta-jo	Vi-cen-te	Ti-ti-ca-ca	To-le-do	Ven-tu-ra

Matilde trajo una taza de té con la tetera a Tito.

[1] Note that the Spanish t is purely explosive and not followed by the breathing sound as in English. The sound of t in Spanish is pronounced farther forward in the mouth and is always dental. The tip of the tongue is pushed forward till it barely touches the lower front teeth and leans heavily on the upper front teeth.

I. *Dialoguito:*

— ¿ **Qué idioma habla usted ?**   What language do you speak ?

— **Inglés y un poco de es-**   English and a little Spanish. And
pañol.[1]   **Y usted, ¿ habla**   you, do you speak English ?
usted inglés?

— **Ni una palabra. Lo siento**   Not a word. I'm very sorry.
mucho.

— **Yo también.**   So am I.

SELECCIÓN

Oro, platino, esmeraldas [2]

Colombia, situada en el extremo noroeste [3] de la América del
Sur, tiene tres zonas: la occidental [4] o del Pacífico, la central o
del río Magdalena y la oriental [5] o de los llanos.[6]   La cordillera
de los Andes atraviesa [7] a Colombia de norte a sur. Además es el
5 único país del continente sudamericano que tiene costas en ambos
océanos.

---

[1] The following languages may be substituted: **el francés,** *French;* **el alemán,**
German; **el ruso,** *Russian;* **el italiano,** *Italian* . . .   [2] platinum, emeralds.   [3] northwest.   [4] western.   [5] eastern.   [6] plains, prairies.   [7] crosses.

Colombia es el primer país en la producción de oro, y en calidad de esmeraldas. Otros productos importantes son el café, del que sólo el Brasil produce más; y la tagua o marfil vegetal [1] con lo cual se hacen botones.[2] Famosas en el mundo entero son las esmeraldas de Colombia. Las más bellas y finas vienen de las 5 minas de Muzo.

La capital de Colombia es Bogotá. Ha sido llamada la « Atenas [3] de América », por su gran cultura. Está situada en una alta meseta [4] en el interior del país, rodeada de montañas. Su clima fresco hace la vida muy agradable. La comunicación [5] de Bogotá 10 con los puertos de la costa es difícil. Sin embargo, la ciudad es un importante centro comercial. El viaje por río desde la costa del Caribe hasta la capital, duraba [6] de ocho días a un mes. Ahora, gracias a la comunicación aérea,[7] el viaje de 450 millas se hace en dos horas y media.   15

En el camino se ve un maravilloso panorama. Desde las alturas del avión puede admirarse [8] el largo río Magdalena. Además, se ven vastas llanuras,[9] bosques impenetrables [10] y altas montañas. Cerca de la capital está la famosa catarata [11] del Tequendama. Ésta [12] es una de las atracciones [13] naturales más hermosas de 20 Colombia.

Un tipo de colombiano [14] es el colombiano muy culto [15] y amante de la poesía; [16] su conversación es siempre amena [17] y atractiva. Otro tipo interesante entre los habitantes de Colombia, en cambio, es el « llanero ».[18] Vive en las inmensas llanuras de Colombia. 25 Como el gaucho argentino, el llanero ama el campo, su libertad y su caballo.

a. *What English words do you recognize from the following Spanish words?*

situado, –a, la zona, el Pacífico, norte, sur, la producción, el producto, entero, –a, la mina, la cultura, la costa, agradable, la milla, maravilloso, –a, el centro, vasto, –a, interesante

---

[1] vegetable ivory.   [2] with which buttons are made.   [3] Athens.   [4] plateau.   [5] communication.   [6] used to last.   [7] aerial.   [8] one can admire.   [9] wide plains.   [10] thick forests.   [11] waterfall.   [12] This.   [13] attractions.   [14] Colombian.   [15] cultured.   [16] lover of poetry.   [17] pleasant.   [18] plainsman, cowboy.

b. Vocabulario

amar to love	la **libertad** freedom
la **calidad** quality	la **mina** mine
el **camino** way, road	el **oro** gold
embargo: sin — nevertheless	**rodear** to surround
entero, –a whole, entire	la **zona** zone

c. Preguntas

1. ¿Cuáles son los productos más importantes de Colombia? 2. ¿De dónde obtiene Colombia las esmeraldas más bellas? 3. ¿Dónde está situada Bogotá, capital colombiana? 4. ¿Qué ve y admira el viajero desde las alturas del avión? 5. ¿Quién es el llanero de Colombia?

LECCIÓN

VEINTICINCO

A. *Comparativo de igualdad: adjetivos y adverbios*

B. *Comparativo de igualdad con los nombres*

I. Conversación

Dos amigos van al campo

Pedro Otero es estudiante de la escuela superior [1] Sucre. Es tan aplicado como su amigo Pablo Hernández. El uno es tan simpático como el otro. Como los dos amigos tienen libre el sábado y tienen dinero, deciden hacer un viaje [a] al campo. Pablo ve a su amigo en la clase de español y le pregunta: 5

— ¿ Compró usted los billetes [2] para el viaje del sábado?

— No, todavía no.[b] He estado tan ocupado como usted esta semana. Hoy los compraré sin falta [3] porque tengo una hora libre y puedo ir a la estación.

— Compre Vd. dos billetes de primera,[4] de ida y vuelta,[5] por 10 favor.[c]

— A propósito, ¿ vamos a facturar el equipaje [6] o no?

---

[1] high school.   [2] tickets.   [3] without fail.   [4] first class.   [5] round trip.   [6] to check the baggage.

249

— Es mejor no facturarlo. El viaje es tan corto que no vale la pena.

— ¿ A qué hora salimos de [d] la ciudad ?

— Hay tantos trenes por la mañana como por la tarde. Vamos
5 a salir a las nueve de la mañana.[e] ¿ Dónde lo espero ?

— En la estación de ferrocarril, cerca del reloj que está a la derecha del despacho de billetes.[1]

(Al día siguiente [f] en la estación.)

— Hay la mar de gente; hay tantos hombres como mujeres.
10 ¿ De qué andén [2] sale el tren ?

— Este tren de las nueve siempre sale a tiempo.[g] Creo que sale del andén número cinco.

— ¿ Dónde cambiamos de tren ?

— No es necesario cambiar porque es un tren directo.[3]

15 — ¿ A qué hora llega al pueblo de Icaza ?

— No llegará tan tarde como el sábado pasado. Este tren es tan rápido como todos los demás. Si llegamos a tiempo, podremos estar tantas horas como siempre al aire libre y tomar el sol.

Después de hora y media, los dos amigos llegaron a tiempo.
20 Pasaron al aire libre tanto tiempo como pudieron. Tomaron el sol y respiraron aire fresco y puro. Los dos muchachos regresaron a casa al día siguiente, muy contentos. Ellos siempre hallan el campo tan atractivo como la ciudad donde viven.

II. Vocabulario

A coro:

NOMBRES

la **derecha** right side
el **dinero** money
el **ferrocarril** train
el **pueblo** town

ADJETIVO

libre free
rápido, –a fast, rapid

VERBO

cambiar (**de**) to change

OTRA PALABRA

los **demás** the rest

[1] ticket office.   [2] platform.   [3] through train.

Aprendan de memoria:

(a) **hacer un viaje** to take a trip
(b) **todavía no** not yet
(c) **por favor** please
(d) **salir de (la ciudad)** to leave (the city)

(e) **a las nueve de la mañana** at nine in the morning (*time mentioned*)
(f) **al día siguiente** the next day
(g) **a tiempo** on time

¿ Qué significa en inglés?

1. es estudiante, los dos amigos, tan aplicado como, en la clase de español, tan ocupado como, tantos trenes como. 2. Los dos amigos deciden ir al campo. 3. Lo esperaré cerca del reloj. 4. ¿ No es el ómnibus tan rápido como el avión? 5. Los amigos llegaron a tiempo. 6. Para algunos el campo es tan interesante como la ciudad.

III. Preguntas

1. ¿ De qué escuela es estudiante Pedro Otero? 2. ¿ Cómo son los dos estudiantes? 3. ¿ Qué deciden hacer el sábado? 4. ¿ Cuándo comprará Pedro los billetes? 5. ¿ Vale la pena facturar el equipaje? 6. ¿ A qué hora van a salir para el campo? 7. ¿ Sale a tiempo el tren de las nueve? 8. ¿ Por qué no tienen que cambiar de tren? 9. ¿ Qué podrán hacer si llegan a tiempo? 10. ¿ Cuándo regresaron a casa?

Examen

Preguntan a un niño en un examen:
— ¿ Cuántas estrellas [1] hay en el cielo? [2]
— Hay tantas estrellas como pelos tengo en la cabeza.
— ¿ Y cuántos pelos tiene Vd. en la cabeza?
— Tengo tantos pelos como estrellas hay en el cielo.

IV. Gramática

A. COMPARISON OF EQUALITY: ADJECTIVES AND ADVERBS

El muchacho es tan pobre como yo.   The boy is as poor as I.
Clara no es tan bella como Marta.   Clara is not so beautiful as Martha.
Él habla tan bien como ella.   He speaks as well as she.
Este cuento es tan largo como el otro.   This story is as long as the other.

tan + *adj.* (or *adv.*) + **como** = as + *adj.* (or *adv.*) + as

[1] stars. [2] sky.

In comparing an adjective or an adverb, *as . . . as* or *so . . . as* are expressed in Spanish by **tan** placed immediately before the adjective or adverb, and **como** immediately after it.

B. NOUNS

Yo no tengo tanto dinero como Vd.	I have not so much money as you.
Él escucha con tanta atención como Vd.	He listens with as much attention as you.
Nosotros leemos tantos cuentos como él.	We read as many stories as he.
Hubo tantas muchachas como muchachos.	There were as many girls as boys.

tanto, –a, –os, –as . . . como = as much (as many) . . . as

In comparing nouns, *as much . . . as, as many . . . as* are expressed in Spanish by **tanto, –a . . . como** and **tantos, –as . . . como**.
The adverbial combination of *as much as*, is **tanto como: Trabajo tanto como usted.** *I work as much as you.*

V. Ejercicios

A. Repaso oral — Lección veinticuatro. *Give the Spanish translation of the numbers in English:* 1. Vivimos en la calle ——— (*two hundred and five*). 2. El número de mi casa es ———, en la calle Sucre (*seven hundred fifteen*). 3. En los Estados Unidos el cuatro de Julio de ——— es importante (*seventeen seventy-six*). 4. Mi padre ha llegado a este país en ——— (*nineteen hundred five*). 5. Busco la tienda del número ——— (*five hundred seventy-eight*). 6. El día de mi cumpleaños es el ——— de diciembre (*six*). 7. Un traje para hombre vale de cincuenta a ——— pesos (*three hundred*). 8. ¿ Es el número de su teléfono ——— (*twenty-eight, forty-nine*)? 9. Entre América y Europa hay una distancia de ——— millas (*two or three thousand*). 10. Este libro tiene más o menos ——— páginas (*five hundred*).

✓**B.** *Traduzcan las palabras en inglés:*

1. *as many* lápices *as* plumas
   as many ventanas *as* puertas
   as much dinero *as* tiempo
   as much lana *as* seda

2. *as* larga *as* la otra calle
   as inteligente *as* su hermana
   as interesantes *as* los otros
   as bonitas *as* sus hermanas

✓**C.** *Completen las siguientes oraciones con* **tan ... como** *o* **tanto, -a ... como:**
1. Estas vacaciones fueron ... largas ... las otras. 2. Inés es ... hermosa ... Ana. 3. Este cuento será ... interesante ... el otro. 4. Rosa habla español ... mal ... su hermano. 5. Yo escuché con ... atención ... mi hermana. 6. Aquel muchacho leyó ... periódicos ... yo. 7. He visto ... árboles en este jardín ... en aquel jardín. 8. En ese cuarto hay ... ventanas ... puertas. 9. Estos cuadros son ... importantes ... los otros. 10. Isabel toca el piano ... bien ... su prima.

D. *Escriban enteramente en español:* 1. Mi cumpleaños es el *December* 6.
2. Él no es *as young as* parece. 3. *The poor* no tienen *any* dinero. 4. ¿ Dónde *will you spend* las vacaciones este año? 5. *He has not lived* en aquel barrio.
6. ¿ Qué *did we say* a Fernando ayer? 7. Le gusta *the first program* de la televisión. 8. *St. John* es la capital de Puerto Rico. 9. Alicia escribió que *is ill.* 10. *I did not open* todas las ventanas.

✓**E. Test XXV.** *Write the Spanish translation of the words in English:*
1. Este cuento es —— el otro (*as interesting as*). 2. El inglés le gusta —— el francés (*as much as*). 3. Yo tengo —— como usted (*as many friends*).
4. Ana es —— una rosa (*as beautiful as*). 5. Nosotros no estamos ——
Vds. (*as sad as*). 6. Estos muchachos son —— los otros (*as studious as*).
7. Va a comprar —— la otra vez (*as many tickets as*). 8. Rafael está ——
Eduardo (*as busy as*). 9. Ellos estudiarán —— siempre (*as many hours as*).
10. Les gusta viajar por tren —— por avión (*as much as*).

F. *Oral:* 1. Lola is: as beautiful as; as intelligent as; as rich as; as studious as ... 2. I have: as much money as; as many books as; as many cousins as; as many uncles as ... 3. My sister plays the piano as well as I. 4. Here I shall spend as many weeks as you. 5. Everybody knows that I am as tall as you.

G. *Written:* 1. The two friends want to spend as many hours as ever (**siempre**) in the country. 2. They are at the station as soon as the others (**los demás**). 3. The one is as busy as the other in order to prepare for [1] the trip. 4. The other persons are in the station as many hours as the two friends. 5. The train we take arrives as late as ever. 6. On the trip one friend is as happy as the other. 7. For these two boys the country is as attractive as the city. 8. When they go to the country they visit

---

[1] Do not translate.

a friend who is as intelligent as interesting. 9. The two boys believe that the country is as important as the large city. 10. They have as many friends in the country as they have in the city.

H. Ejercicio de invención. *Formen varias combinaciones con estas oraciones:*

1. Nosotros	estar	tan ocupado	como los otros
2. Ellos	ser	tan joven	como Vds.
3. Yo	leer	tantas revistas	como Vd.
4. Usted	llegar	tan temprano	como su hermano
5. Fernando	comprar	tantos libros	como Pilar
6. Todos Vds.	trabajar	tan bien	como los demás
7. María	ser	tan hermosa	como Rosa

I. Ejercicio de pronunciación:

z [1]: ti-za   vez   zo-rra   a-zul
        ca-be-za   fe-liz   a-rroz   an-da-luz
        Za-ra-go-za Pé-rez   Zo-rri-lla Zur-ba-rán

Pérez es andaluz pero vive feliz en Zaragoza.

J. *Dialoguito:*

— ¿ **De dónde es usted?**   Where are you from?
— **Soy de los Estados Unidos.**[2]   I'm from the United States.
— ¿ **De qué estado?**   From what state?
— **Del estado de California.**[3]   From the state of California.
— ¿ **Y de qué ciudad?**   And from what city?
— **De San Francisco.**   From San Francisco.
— ¿ **En qué hotel para Vd. en esta   In what hotel are you stop-
   ciudad?**   ping in this city?
— **En el Monterrey.**   At the Monterrey.
— ¿ **Cuánto tiempo se queda aquí?**   How long are you staying
                                               here?
— **Depende de muchas cosas.**   It depends on many things.

---

[1] The letter **z** is pronounced like *th* in the English word *thin*, only the sound is somewhat prolonged. Note that this same sound appears when **c** is followed by **e** or **i**. In Spanish America **z** and **c** in such cases are generally pronounced like *s* in *sat* and *seat*. [2] Or: **España,** *Spain;* **Francia,** *France;* **Inglaterra,** *England;* **Alemania,** *Germany;* **Rusia,** *Russia;* . . . [3] Or: Nevada; Montana; Washington; . . .

SELECCIÓN

En una tienda de juguetes [1]

Una señora entró en una tienda de juguetes y pidió una muñeca.[2]
El empleado le mostró una muy linda.
— ¿ Cuánto vale?
— Cinco pesos, señora.
— ¿ Habla?   5
— Sí, señora, dice « mamá ».
— ¿ Nada más? [a]
— Señora, ¿ qué quiere por cinco pesos?   ¿ Una muñeca que
cante el himno nacional? [3]

a. *What English words do you recognize from the following Spanish
words?*

entrar, el empleado, la mamá, el peso, el himno, nacional

b. Vocabulario

mostrar (ue) to show

c. Frase útil

(a) ¿ **Nada más?**   Anything (Nothing) else?

d. Preguntas

1. ¿ En dónde entró la señora?   2. ¿ Qué pidió al empleado?
3. ¿ Cuánto vale la muñeca?   4. ¿ Qué dice la muñeca?   5. ¿ Quiere
mucho la señora por cinco pesos?

[1] toys.   [2] doll.   [3] that sings the national anthem.

LECCIÓN

VEINTISÉIS

A. El verbo reflexivo

B. Uso del artículo definido con el verbo reflexivo

I. Conversación

Pancho Silva busca empleo [a]

Hoy Pancho Silva tiene que buscar empleo. Por eso se levanta muy temprano y principia a asearse. Primero se baña con agua caliente y fría. Luego se lava bien la cara y las manos con jabón,[1] se seca y se peina [2] y se mira al espejo. Después de vestirse pasa
5 al comedor y se desayuna. Toda la familia está contenta. ¿ Por qué? Porque el hijo va a buscar empleo y ganarse así la vida.[b] A la media hora [c] el joven se pone la chaqueta,[3] el abrigo y el sombrero. Al salir de casa Pancho ve a un amigo que se llama Miguel.
10 — ¿ Adónde va usted, Pancho ?

[1] soap. [2] combs his hair. [3] coat.

— Voy a buscar un empleo de oficina.[1]

— ¿ Ya no asiste usted a la escuela superior?

— No, Miguel; me gradué en junio. Ahora tengo que buscar empleo y ganarme así la vida.

— ¿ Qué sueldo [2] espera usted ganar? 5

— Eso depende del [d] empleo y de las horas de trabajo.

— Yo también tengo trabajo de oficina, con un sueldo de noventa dólares a la semana.[3]

— ¿ Cuántas horas al día [3] se queda en la oficina?

— Todos nos quedamos allí de las nueve de la mañana a las 10 cinco de la tarde.

— ¿ Tiene su casa alguna vacante? [4]

— Creo que sí.[c] ¿ Por qué no va usted a ver al gerente?

— Me gusta la idea. ¿ En qué compañía trabaja usted?

— Trabajo en la casa Blanco, Pardo y Compañía. 15

— ¿ En qué calle se halla esa firma?

— Nuestra casa se halla en la calle del Príncipe,[5] número 10, al oeste.

— ¿ Qué toma usted para llegar allá?

— Puedo tomar el tren, el tranvía [6] o el ómnibus. 20

— ¿ Es posible ver al gerente hoy?

— No sé qué decirle.

— Si no puedo verlo hoy, ¿ a qué hora puedo verlo mañana?

— Entre las diez y las doce de la mañana, y entre las dos y las cuatro de la tarde. 25

— Muchas gracias. Mañana voy a ver al gerente. A propósito, ¿ cómo se llama?

— Se llama don Jaime García.

— Al hablarle, ¿ puedo mencionar [7] su nombre?

— Sí, sí. ¡ Cómo no ! Perdone Vd., Pancho, debo marcharme 30 en seguida. No quiero llegar tarde a la oficina.

— Muchas gracias por los informes.[8]

— ¡ Buena suerte ! Le gustará el trabajo en mi compañía. ¡ Hasta la vista !

— ¡ Hasta la vista, Miguel ! 35

---

[1] office job.   [2] salary.   [3] a week; a day.   [4] vacancy.   [5] Prince.   [6] streetcar.
[7] mention.   [8] information.

II. Vocabulario

A coro:

NOMBRES

la **compañía** company
el **dólar** dollar
el **espejo** mirror
la **firma** firm, company
el **trabajo** work

VERBOS

asearse to tidy up
bañarse to bathe, take a bath
desayunarse to have breakfast
ganar to earn
graduarse (*conjugated like* **continuar**) to be graduated

llamarse to be called, named
marcharse to go away, leave
mirarse to look at oneself
peinarse to comb one's hair
ponerse to put on
quedarse to remain, stay
secarse to dry oneself
vestirse (**i**) to get dressed

OTRAS PALABRAS

allá there
posible possible
temprano early

Aprendan de memoria:

(a) **buscar empleo** to look for a job
(b) **ganarse la vida** to earn one's living
(c) **a la media hora** a half hour later
(d) **depender de** to depend on
(e) **creo que sí** (**no**) I think so (not)

¿ Qué significa en inglés?

1. luego, porque, el trabajo, la oficina, agua caliente y fría, buscar empleo, ¿ por qué? 2. Él pasa al comedor para desayunarse. 3. Trabajamos para ganarnos la vida. 4. Al salir me pongo el sombrero y el abrigo. 5. ¿ Quién se graduó en junio? 6. Todos ellos trabajan todos los días. 7. ¿ En qué compañía trabaja usted?

III. Preguntas

1. ¿ Qué tiene que hacer Pancho Silva? 2. ¿ Qué hace al levantarse? 3. ¿ Qué hace en el comedor? 4. ¿ Por qué está contenta toda la familia? 5. ¿ A quién ve Pancho al salir de casa? 6. ¿ Adónde va Pancho? 7. ¿ Qué clase de trabajo tiene Miguel? 8. ¿ Dónde quiere trabajar Pancho? 9. ¿ Tiene alguna vacante la compañía en que trabaja Miguel? 10. ¿ A qué hora puede Pancho ver al gerente?

Serie

Me levanto a las siete.	I get up at seven o'clock.
Me lavo las manos y la cara.	I wash my hands and face.
Me limpio los dientes.	I wash my teeth.
Me peino.	I comb my hair.
Me visto.	I dress myself.
Bajo al comedor.	I go down to the dining room.
Me desayuno a las ocho.	I breakfast at eight.
Voy a la escuela.	I go to school.

IV. Gramática

A. THE REFLEXIVE VERB

		lavarse to wash (oneself)	
yo	*me* **lavo**	I wash myself	
tú	*te* lavas	you wash yourself	
él, ella, Vd.	*se* **lava**	he, she, washes himself, herself, you wash yourself	
nosotros, –as	*nos* **lavamos**	we wash ourselves	
vosotros, –as	*os* laváis	you wash yourselves	
ellos, –as, Vds.	*se* **lavan**	they wash themselves, you wash yourselves	

PERFECT **me he lavado**   FUTURE **me lavaré**
PRETERIT **me lavé**   COMMANDS **lávese Vd., lávense Vds.**
BUT: **No se lave Vd., No se laven Vds.**

		peinarse to comb one's hair	
yo	**deseo peinar***me*	I wish to comb my hair	
tú	deseas peinar*te*	you wish to comb your hair	
él, ella, Vd.	**desea peinar***se*	he, she wishes to comb, etc., you wish to comb, etc.	
nosotros, –as	**deseamos peinar***nos*	we wish to comb, etc.	
vosotros, –as	deseáis peinar*os*	you wish to comb, etc.	
ellos, –as, Vds.	**desean peinar***se*	they wish to comb, etc., you wish to comb, etc.	

The reflexive pronouns (**me, te, se, nos, os, se**) are placed before the conjugated verb. If the conjugated verb is followed by the infinitive, the reflexive pronoun may either be joined to the infinitive or may precede the conjugated verb. It is always attached to a positive command. The original stress of the verb must be kept, and sometimes requires a written accent.

B. THE REFLEXIVE WITH THE DEFINITE ARTICLE

Me lavo *las* manos.	I wash my hands.
Debemos lavar*nos las* orejas.	We must wash our ears.
Se lava *la* cara.	He washes his face.
Ellos *se* quitan *el* sombrero.	They take off their hats.

The definite article, — and not the possessive adjective, as in English, — is often used with reflexive verbs when speaking of parts of the body or articles of clothing, if the sense is clear.

UNA CARTA

Nueva York, 16 de enero de 19 . . .
Calle 69, Número 123, oeste.

Sr. Don Juan Muñoz,
Ciudad

Muy señor mío: [1]

A fines de junio terminaré mis estudios en la escuela Bolívar y siento vivos deseos de completar mi preparación [2] en una casa de comercio. Al terminar mis cursos comerciales me recibiré [3] de perito mercantil.[4] Sé taquigrafía,[5] mecanografía,[6] y hablo bastante bien el español. ¿Hay una vacante en su firma para un joven con estos conocimientos?

Le pido a Vd. mil excusas [7] por la molestia [8] y le saludo muy cordialmente.[9]

Quedo de Vd. atto. s. s.[10]

JUAN PALACIO

[1] Dear Sir: [2] training. [3] I shall graduate. [4] business expert. [5] shorthand. [6] typing. [7] excuses. [8] trouble. [9] cordially. [10] **De Vd. atento y seguro servidor,** Yours very truly.

Gypsies, Granada, Spain —
Courtesy of Pan American World Airways

Indian dancers, Peru

Holy Week, Seville, Spain

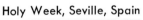

Plume dancers, Oaxaca, Mexico

Gauchos in stable

Procession, Tehuantepec, Mexico

V. Ejercicios

A. Repaso oral — Lección veinticinco. *Give the Spanish translation of the words in English:* 1. Vds. escriben —— pueden (*as well as*). 2. Él trabajará —— yo (*as many days as*). 3. Estos señores llegaron —— pudieron (*as late as*). 4. —— mujeres viajan por avión (*As many men as*). 5. Esta familia es —— la otra (*as rich as*). 6. ¿ Come Vd. —— yo (*as much meat as*)? 7. Luisa habla español —— Isabel (*as badly as*). 8. Este periódico es —— el otro (*as important as*). 9. Todas las hermanas son —— inteligentes (*as pretty as*). 10. Todos nosotros somos —— Vds. (*as tall as*).

B. *Conjuguen:*

   (*a*) PRESENTE: 1. *Levantarse* tarde. 2. ¿ Cómo *llamarse?*
   (*b*) PRETÉRITO: 1. *Lavarse* la cara. 2. *Ponerse* el sombrero.
   (*c*) FUTURO: 1. *Quedarse* allí. 2. *Mirarse* al espejo.
   (*d*) PERFECTO: 1. Siempre *lavarse*. 2. *Quitarse* el sombrero.
   (*e*) IMPERATIVO (Vd., Vds.): 1. *Quedarse* aquí. 2. *No vestirse* ahora.

C. *Escriban la forma apropiada del verbo reflexivo:* 1. (*quitarse*) José —— el sombrero. 2. (*levantarse*) Mañana Vds. —— temprano. 3. (*Quitarse*) ¡ —— Vd. el abrigo ! 4. (*mirarse*) Ella siempre —— al espejo. 5. (*lavarse*) Quiero —— las manos. 6. (*ponerse*) Yo —— el sombrero cuando salgo. 7. (*quedarse*) Toda la familia —— en casa. 8. (*ponerse*) Necesitamos —— el abrigo. 9. (*marcharse*) ¿ A qué hora —— Vds.? 10. (*lavarse*) No —— Vd. las manos ahora.

D. *Escriban enteramente en español:* 1. ¿ A qué hora *do you get up* todos los días? 2. Cuando salgo *I put on my* abrigo. 3. *Get up* Vd. porque es tarde. 4. Juan tiene *as many friends as* Pedro. 5. *Let us eat* en este restaurante. 6. Pilar siempre sabe *what* quiere. 7. Emilio *has not opened* todas las ventanas. 8. *Send him* estos libros en seguida. 9. ¿ *Whose* es este reloj? 10. Mañana *we shall visit* a nuestros amigos.

E. Test XXVI. *Write the Spanish translation of the verbs in English:* 1. Yo siempre —— temprano (*get up*). 2. Los muchachos pequeños no quieren —— (*wash their hands*). 3. ¿ A qué hora —— (*do you bathe*)? 4. Esta mañana —— a las siete (*we have gotten up*). 5. ¿ Cómo —— este señor (*is called*)? 6. ¿ —— temprano esta mañana (*Are you going* *to get up*)? 7. Nuestros abuelos —— allí dos meses (*will remain*). 8. Cuando salgo —— (*I put on my hat*). 9. ¿ Quién —— a las ocho (*left*)? 10. ¿ Cómo —— el director de su escuela (*is called*)?

✓ **F.** *Oral:* 1. I wash my hands; you get up early; we always get up late. 2. Today we have remained home; we shall get up early; he has not washed his hands. 3. Will you get up early tomorrow? Will you wash your hands and face? 4. He has not washed his face; he put on his hat but not his overcoat. 5. Tomorrow we shall get up early; we shall wash our hands and face; we shall remain home. 6. Remain (**Vd.**) here; don't stay at your brother's house.

G. *Written:* 1. Our family is called Perez. 2. All the members of our family are called Perez. 3. My name is John and my brother's name is Ernest. 4. We all get up at seven o'clock every day. 5. Each one washes his hands and face. 6. My sister Helen gets up late. 7. She gets up late and stays home all day. 8. My brother Peter never washes (**ni**) his neck or (**ni**) ears (**la oreja**). 9. When my father goes out to work, he puts on his hat and coat. 10. My mother stays home and prepares the meals (**la comida**).

H. Ejercicio de invención. *Imiten los modelos usando* (using) *otros verbos reflexivos:*

1. Me llamo, no me llamo, ¿ me llamo? ¿ no me llamo?
2. Vd. quiere levantarse, no quiere levantarse, ¿ quiere levantarse? ¿ no quiere levantarse?
3. Nos debemos lavar, no nos debemos lavar, ¿ nos debemos lavar? ¿ no nos debemos lavar?

Otros verbos reflexivos: **bañarse, ponerse, quedarse, mirarse, . . .**

I. Ejercicio de pronunciación:

ia (ya) [1]	ie (ye)	io (yo)	iu (yu)
lim-pia	hie-rro	pa-tio	viu-da
jo-ya	tie-ne	ma-yo	ciu-dad
via-je	ye-so	a-diós	yu-go
Go-ya	yer-ba	yo-do	Yu-ca-tán

[1] Note that when **y** or **i** precedes the vowels **a, e, o, u,** the **y** or **i** has the same sound as the *y* in the English word *yes*.

J. *Dialoguito:*

— **Quiero comprar algunas cosas.**   I want to buy some things.
  ¿ **Cuánto vale esto?**   How much is this?
— **Cinco centavos la pieza.**[1]   Five cents a piece.
  ¿ **Qué más, señor?**   What else, sir?
— **Nada más por ahora.**   Nothing else, for the present.

SELECCIÓN

El puente entre dos continentes y dos mares

La república de Panamá representa el puente del mundo.   Une dos continentes: la América del Norte y la América del Sur.   Une también dos océanos, el Atlántico y el Pacífico, por medio del Canal de Panamá.   En los extremos del Canal están las principales ciudades de este país: Panamá y Colón.   Panamá, la capital del país, está en la costa del Pacífico y muy cerca de Balboa.   Balboa es el puerto norteamericano del Canal en esa costa.   Colón, en la costa del Atlántico, es la ciudad hermana de Cristóbal, el puerto norteamericano del Canal en ese lado.   Para atravesar [2] el Canal, cuya extensión es de algo más de [3] cuarenta millas de costa a costa [4] los vapores [5] emplean ocho horas.   Hay otros medios de ir de una costa a otra.   El ferrocarril de Panamá a Colón hace el viaje en hora y media.   Además, hay una carretera [6] moderna entre estas dos importantes ciudades.

---

[1] **la libra,** *a pound;* **el kilo,** *a kilo;* **la botella,** *a bottle;* ...   [2] To cross.   [3] a little more than.   [4] from coast to coast.   [5] steamers.   [6] highway.

La capital, tiene representantes [1] de casi todas las razas y de todos los países. Es una ciudad moderna que guarda al mismo tiempo muchos recuerdos de la época colonial. Su famosa avenida Central, es la calle principal de comercio. Allí en cadena [2] con-
5 tinua, están los bazares orientales con toda clase de novedades y atracciones.[3] Hay un tránsito muy activo [4] en la ciudad; y líneas de autobuses, curiosamente llamados « chivas »,[5] hacen el servicio [6] hasta la zona del Canal. Los conductores,[7] popularmente llamados chiveros [8] manejan a tanta velocidad,[9] que parece que hacen
10 volar las chivas.[10]

Hay tres ciudades importantes en el interior del país. Sus habitantes se ocupan en la agricultura. Cultivan bananas, cocos [11] y otros productos tropicales, que exportan a los Estados Unidos en grandes cantidades.

a. *What English words do you recognize from the following Spanish words?*

el continente, representar, la América del Norte, la América del Sur, el Atlántico, el Pacífico, el extremo, la costa, la hora, moderno, –a, la raza, famoso, –a, el tránsito, activo, –a, la velocidad, cultivar

b. Vocabulario

cuyo, –a whose, of which
emplear to use, employ
exportar to export
el medio means
ocuparse (en) to be engaged in
l puente bridge

la raza race
el recuerdo remembrance, memory
representar to represent
unir to join, unite

c. Preguntas

1. ¿ Qué representa la república de Panamá ? 2. ¿ Cuáles son las dos ciudades principales de la zona norteamericana ? 3. ¿ Cuál es la capital de la república de Panamá ? 4. ¿ Cuál es su calle de comercio principal ? 5. ¿ Qué cultivan los habitantes de Panamá ?

[1] representatives.   [2] chain.   [3] novelties and attractions.   [4] heavy traffic.   [5] goats.
[6] run.   [7] motormen.   [8] goatherds.   [9] drive so fast.   [10] make the autobuses fly.
[11] coconuts.

VEINTISIETE

A. Formación del gerundio

B. Forma progresiva del verbo

I. Conversación

En el restaurante

La familia Pérez está celebrando la fiesta de San Nicolás. ¿Saben ustedes por qué? Porque es el día del santo de Nicolás, uno de los hijos. La madre está preparando la comida, pero el padre no quiere dejarla [1] trabajar porque está muy cansada. Por eso, el padre decide celebrar la fiesta en un restaurante de la 5 ciudad. Ahora toda la familia está llegando al restaurante. Allí ya están sirviendo la comida.[a] El restaurante está lleno de gente y el padre está hablando con el mozo. A los pocos minutos, toda la familia toma asiento a una mesa para seis. Mientras ellos van escogiendo en la lista [2] lo que van a comer, el mozo está sirviendo 10 en otras mesas.

PADRE. ¿Ya saben ustedes lo que quieren comer?

TODOS. Todavía estamos escogiendo lo que vamos a comer.

MADRE. Estoy pensando si les gusta más entremés [3] o ensalada.[4]

[1] let her.   [2] bill of fare, menu.   [3] appetizer.   [4] salad.

265

Hijos.   Entremés ahora y postre [1] al fin de la comida.

Nicolás.   Como hoy es el día de mi santo, voy a comer todo lo que está en la lista.

Madre.   Pero, Nicolás, ¿ quién puede comer tantos platos?

5   Nicolás.   Yo, mamá, yo los como todos y muchos más si papá me permite hacerlo.

Padre.   ¿ Y quién va a pagar el médico y las medicinas?

Mozo.   Señores, ¿ qué van a comer?

Madre.   Entremés para todos, pescado [2] para dos, un bistec [3]
10 con patatas fritas [4] para el señor, chuletas de cordero [5] para tres. ¿ Qué ensalada nos están preparando?

Mozo.   Están preparando ensalada de lechuga,[6] tomate [7] y pepino.[8]

Hijos.   ¿ Qué hay de postre? [9]

15   Mozo.   Helado de fresa,[10] pastel de manzana,[11] queso y fruta.

Nicolás.   Yo tomo los cuatro.

Madre.   ¡ Qué apetito tiene nuestro hijo !

Han terminado la comida y ahora están tomando café, pero los hijos toman sólo leche.   Después de la comida, todos se quedan a
20 la mesa charlando [12] de varias cosas.   Todos están diciendo que la comida ha estado muy rica.   Nicolás está pensando en [b] algo. ¿ Cómo puede llevar a casa lo que no pudo comer?   Por fin, el padre se decide a [c] pagar la cuenta y poco después salen todos ellos del restaurante para su casa.

II. Vocabulario

A coro:

NOMBRES	VERBOS
el **apetito** appetite	**pagar** to pay
la **cuenta** check, bill	**pensar** (**ie**) to think
la **medicina** medicine	
el **mozo** waiter	
el **restaurante** restaurant	

---

[1] dessert.   [2] fish.   [3] steak.   [4] fried potatoes.   [5] lamb chops.   [6] lettuce.   [7] tomato.   [8] cucumber.   [9] for dessert.   [10] Strawberry ice cream.   [11] apple pie.   [12] chatting.

Aprendan de memoria:

(a) **Están sirviendo la comida.** They are serving dinner.
(b) **pensar en** to think of
(c) **decidirse a** + *inf.* to decide to + *inf.*

¿ Qué significa en inglés?

1. porque, ¿ por qué? ¿ para qué? por eso, un restaurante, toda la familia.   2. Estamos celebrando la fiesta de San Nicolás.   3. No quiero dejar trabajar a mi madre.   4. Todos nosotros tomamos asiento.   5. No sabemos qué comer.   6. Todavía estoy escogiendo lo que voy a comer. 7. Me gusta mucho esta ensalada.

III. Preguntas

1. ¿ Qué está celebrando la familia Pérez?   2. ¿ Qué está haciendo la madre?   3. ¿ Dónde decide el padre celebrar la fiesta?   4. Al llegar la familia, ¿ qué están haciendo en el restaurante?   5. ¿ Dónde toma asiento toda la familia?   6. ¿ Qué quieren comer los muchachos? 7. ¿ Qué va a comer Nicolás?   8. ¿ Qué no quiere pagar el padre? 9. ¿ Qué están tomando al terminar la comida?   10. ¿ Quién paga la cuenta después de la comida?

IV. Gramática

A. THE PRESENT PARTICIPLE (GERUND)

1st conjugation		2nd conjugation	
dese-ando	wishing	**com-iendo**	eating
termin-ando	ending	**comprend-iendo**	understanding
tom-ando	taking	**respond-iendo**	answering
3rd conjugation			
	abr-iendo	opening	
	escrib-iendo	writing	
	omit-iendo	omitting	

```
┌────────────────IRREGULAR PRESENT PARTICIPLES────────────────┐
│ caer:        cayendo       falling      oír:        oyendo    hearing      │
│ corregir(i): corrigiendo   correcting   poder(ue):  pudiendo  being able   │
│ creer:       creyendo      believing    ser:        siendo    being        │
│ decir:       diciendo      saying       traer:      trayendo  bringing     │
│ ir:          yendo         going        venir:      viniendo  coming       │
│ leer:        leyendo       reading      ver:        viendo    seeing       │
└─────────────────────────────────────────────────────────────┘
```

```
┌────────────────OTHER PRESENT PARTICIPLES────────────────┐
│         dormir (ue): durmiendo    sleeping                │
│         pedir (i): pidiendo       asking for              │
└──────────────────────────────────────────────────────────┘
```

Note that the present participle is formed by adding –**ando** to the stem of verbs in –**ar,** and –**iendo** to that of verbs in –**er** and –**ir.**

B. THE PROGRESSIVE TENSES

(a) **Estoy acabando la carta.**   I am finishing the letter.
    Está escribiendo la dirección.   He is writing the address.
    Rosa va explicando la carta.   Rose is explaining the letter.
(b) **Me estoy cayendo. Estoy cayén-**   I am falling down.
    dome.

The present participle added to the various tenses of the verb **estar** or **ir** forms the progressive tenses. The present participle does not change its form for agreement.

Reflexive and personal object pronouns precede the conjugated verb. They follow a present participle, and are attached to it to form one word. The original stress is then indicated by a written accent.

V. Ejercicios

A. Repaso oral — Lección veintiséis. *Give the Spanish translation of the words in English:* 1. ¿A qué hora —— ayer (*did you get up*)? 2. ¿Nadie quiere decir cómo —— estas calles (*are called*)? 3. Necesitamos —— todos los días (*bathe*). 4. Carmen no —— el vestido blanco y verde (*will put on*). 5. ¿Por qué no —— al espejo (*look at yourself*)?

6. —— aquí hasta mañana (*Remain, pl.*).   7. Siempre —— si él tiene mucho tiempo (*I ask myself*).   8. Todo el mundo —— en esta casa (*is called Lopez*).   9. Algún hombre —— de aquella casa grande (*will leave*). 10. José —— tres veces ayer (*combed his hair*).

B. *Escriban el infinitivo de los gerundios siguientes:*

1. viniendo	2. asistiendo	3. trayendo	4. sabiendo
leyendo	pudiendo	poniendo	pidiendo
oyendo	sintiendo	diciendo	viendo
teniendo	cayendo	abriendo	haciendo
yendo	siendo	trabajando	andando

C. *Escriban* (a) *el gerundio;* (b) *el participio pasado de:*

1. ver	2. caer	3. pedir	4. andar	5. tomar
leer	poder	hacer	repetir	recibir
oír	pasar	regresar	estar	venir
dormir	escribir	caber	traer	saber
decir	ir	poner	querer	lavar

D. *Escriban enteramente en español:*   1. Aquel muchacho *is reading* el periódico de hoy.   2. ¿A qué hora *do you get up?*   3. Esta calle es *as long as* la otra.   4. Compro *as many things as* siempre.   5. Un buen auto vale *from two to four thousand* dólares.   6. Todo el mundo *will say* que aquella casa es cómoda.   7. Los alumnos *do not attend* la escuela ni el sábado ni el domingo.   8. En *Spanish gardens* siempre hay flores.   9. ¿Quién de ustedes *has said* eso?   10. *We have been* en el cine hoy.

E. Test XXVII.   *Write the Spanish translation of the words in English:* 1. ¿Qué —— la familia de Pérez (*is celebrating*)?   2. Todos —— algo para la fiesta (*are preparing*).   3. —— a los amigos de Nicolás (*They are writing*).   4. Mi hermana Rosa —— a la mesa (*is serving*).   5. ¿En qué —— ahora (*are you thinking*)?   6. Usted —— esto por algún tiempo (*are doing*).   7. Ella —— siempre al espejo (*is looking at herself*).   8. —— las ventanas y no las puertas (*I am opening*).   9. ¿En qué página —— (*are you reading*)?   10. Mi amigo —— algo difícil a este muchacho (*is explaining*).

F. *Oral:*   1. What are you asking?   2. Are they telling the truth? 3. Why are we listening?   4. Who is eating?   5. Who is sleeping? 6. What are they bringing?   7. What are you reading?   8. What are they explaining?

G. *Written:* 1. Today the family is not eating at home. 2. They are all celebrating St. Nicholas' day. 3. They are thinking of the many things they are going to eat. 4. My father is telling the waiter what (**lo que**) the family wants. 5. We all are eating what is on the table. 6. My parents are taking their coffee with milk. 7. Everybody is speaking to the waiter, telling him that the meal is very good. 8. Many people are eating in that restaurant. 9. After the meal, the Perez family leaves the restaurant to go home. 10. The whole family is thinking of the good meal in the restaurant.

H. Ejercicio de invención. *Escriban estas oraciones, usando la forma progresiva; luego combinen las expresiones para hacer otras oraciones:*

¿ Qué	está usted escribiendo	en este momento ?
¿ Con qué	están ellos haciendo	esto ?
¿ A quién	estamos preguntando	aquí ?
¿ Con quién	estoy hablando	en español ?
¿ Para quiénes	están ustedes trabajando	en esta ciudad ?
¿ De qué	está hablando Lola	ahora ?

I. Ejercicio de pronunciación:

ai (ay) [1]	**au**	**ei (ey)**	**eu**	**oi (oy)**
ai-re	au-tor	rei-na	deu-da	boi-na
cai-go	cau-sa	vein-te	neu-tro	oi-ga
hay	flau-ta	rey, ley	reu-ma	hoy, soy
ca-ray	Pau-la	pei-nes	Eu-ro-pa	doy, voy

J. *Dialoguito:*

— ¿ **Cuánto vale esto ?** [2]	How much is this ?
— **No mucho; sólo diez pesos.**	Not much; only ten pesos.
— **Eso es demasiado; le doy ocho y medio.**	That is too much; I'll offer you eight and a half.
— **No puedo venderlo a ese precio.**	I can't sell it at that price.
— **Lo siento mucho.**	I'm very sorry.

[1] Review these sounds in the introduction. Note that the sound of **o** is open in the diphthongs **oi** and **oy**; the **e** is open in the diphthongs **ei** and **ey**. [2] **eso,** *that,* **aquello,** *that;* **este objeto,** *this object;* **aquel sombrero,** *that hat;* ...

SELECCIÓN

A mitad de precio ª

Sarasate, el violinista y compositor español, supo que algunos de sus admiradores[1] ricos deseaban mucho erigirle una hermosa estatua.[2]

— ¿ Cuánto costará la estatua ?[3] — preguntó el violinista.

— ¡ Casi diez mil pesetas ![4] — fué la respuesta.　　　　　5

— ¡ Diez mil pesetas ! — exclamó Sarasate muy emocionado.[5]
— ¡ Por cinco mil yo mismo[6] me pongo[7] en el pedestal !

ª. *What English words do you recognize from the following Spanish words?*

el precio, el violinista, español, el admirador, la estatua, costar, el compositor, exclamar, el pedestal

b. Vocabulario

el **compositor** composer

---

[1] admirers.　[2] wanted to erect a beautiful statue to him.　[3] I wonder what the statue costs.　[4] peseta (*Spanish monetary unit*).　[5] excited.　[6] I myself.　[7] will stand.

c. Frase útil

(a) **a mitad de precio** at half price

d. Preguntas

1. ¿Quién fué Sarasate? 2. ¿Qué deseaban sus admiradores? 3. ¿Cuánto costará la estatua? 4. ¿Va a costar la estatua mucho o poco? 5. ¿Quién se pondrá en el pedestal a mitad de precio?

VEINTIOCHO

A. *Comparativo de los adjetivos*

B. *Comparativo delante del verbo*

I. Conversación

Inés y su madre van de compras

Inés Fernández va a entrar en una escuela de internas [1] fuera de la ciudad. Por eso, necesita más ropa que hasta ahora. Esta mañana su madre y ella han decidido ir de compras. Han tomado el ómnibus y en menos de media hora han llegado al barrio de las tiendas.[2] Allí es donde hay más tiendas que en ninguna [3]   5 otra parte de la ciudad.

— Primero vamos a la tienda de Herrera porque no queremos pagar más de lo que debemos. He visto en el periódico esta mañana que hay una venta especial de vestidos buenos y baratos. He notado también que los vestidos eran [4] mejores y más baratos   10 que los vestidos de otras tiendas — dice Inés a su madre.

— Tiene usted mejores ideas de lo que yo creía [5] — responde la madre.

---

[1] boarding school.   [2] shopping district.   [3] any.   [4] were.   [5] thought.

— Mis colores favoritos son rojo, verde y azul; me gustan más que los otros. Creo también que Herrera tiene un surtido [1] mejor que las demás tiendas en esos colores.

— ¿ Cuánto valían [2] los vestidos modelo [3] anunciados en el
5 periódico?

— Muy baratos; no más de veinticinco pesos y no menos de doce y medio. Si no me gustan, voy a escoger unos trajes, o bien, blusas y faldas.[4]

— Aquí está la tienda. Hemos llegado antes de lo que esperá-
10 bamos.[5] ¡ Mire qué vestidos y qué sombreros ! Son más atractivos que los vestidos y los sombreros de otras tiendas. Vamos a entrar.

— Espere un momento, mamá; veo un sombrero muy bonito a tres pesos. A ese precio es una ganga.[6]

— A propósito, ¿ no necesita un par de zapatos?

15 — Sí, mamá, gracias; uno o dos pares para la escuela. Me son más importantes que ninguna otra cosa. Vamos a la sección de zapatos.[7]

— Preguntemos.[8] Aquella señorita nos ayudará.

— ¿ En qué piso venden ropa para señoritas?

20 — En el segundo piso, a la derecha.[a]

— ¿ Dónde está la sección de zapatos?

— En el quinto piso, a la izquierda.[a]

Después de hora y media, madre e hija han comprado mucho más de lo que necesitaban.[9] Las dos salieron de la tienda más
25 contentas que nunca.[b] En cambio, el padre no se puso [10] muy contento cuando recibió las cuentas, y las pagó con menos entusiasmo [11] que en otras ocasiones.[12]

II. Vocabulario

A coro:

NOMBRES   ADJETIVO
el **par** pair   **especial** special
la **venta** sale

---

[1] stock. [2] were . . . worth. [3] model dresses. [4] blouses and skirts. [5] hoped.
[6] bargain. [7] shoe department. [8] Let us ask. [9] needed. [10] did not become.
[11] enthusiasm. [12] occasions.

S

VERBOS

anunciar to advertise
notar to notice, note

OTRA PALABRA

fuera de outside of

Aprendan de memoria:

(a) **a la derecha** (**izquierda**) to the right (left)
(b) **más contentas que nunca** happier than ever

¿ Qué significa en inglés?

1. barato, –a, fuera de la ciudad, hay, un sombrero muy bonito, una ganga, la sección de zapatos. 2. Vamos a entrar en una escuela superior este otoño. 3. Su hija necesita más ropa para este año. 4. Las dos llegaron al barrio de las tiendas. 5. Vamos a la tienda de Pérez. 6. No les gustan los vestidos baratos. 7. Pregunte Vd. cerca de la puerta. 8. Necesito un par de zapatos. 9. Las dos salieron de la tienda de Herrera. 10. Madre e hija compraron más de lo que necesitan.

III. Preguntas

1. ¿ Dónde va a entrar Inés Fernández? 2. ¿ Qué han decidido hacer su madre y ella? 3. ¿ Adónde van de compras? 4. ¿ Qué ha visto Inés en el periódico? 5. ¿ Cuáles son los colores favoritos de Inés? 6. ¿ Qué van a comprar madre e hija? 7. ¿ Qué ve la hija al entrar en la tienda? 8. ¿ Qué necesita Inés para la escuela? 9. ¿ En qué piso está la sección de zapatos? 10. ¿ Pagó el padre las cuentas con entusiasmo?

Refranes

Más vale

saber que tener.	Knowledge is better than riches.
tarde que nunca.	Better late than never.
callar que mucho hablar.	Silence is golden.
un « toma » que dos « te daré ».	One gift is worth two promises.
pájaro en mano que cientos volando.	A bird in the hand is worth two in the bush.
algo que nada.	Something is better than nothing.
ir solo que mal acompañado.	It is better to be alone than in bad company.

IV. Gramática

A. THE COMPARATIVE OF ADJECTIVES

Unos vestidos son más bonitos que otros.	Some dresses are prettier than others.
Él es menos pobre que yo.	He is less poor than I.
Vale más de diez pesos.	It is worth more than ten pesos.

Learn the following irregular comparatives:

bueno, –a	good	mejor	better
malo, –a	bad	peor	worse
grande	large	más grande (*size*), mayor (*usually age*)	larger, older
pequeño, –a	small	más pequeño (*size*), menor (*age*)	smaller, younger

más bonito que, más bonita que, más bonitos que, más bonitas que, más de cinco, menos de diez

Observe that to form the comparative of adjectives we place **más**, *more*, or **menos**, *less*, before them. *Than* is **que** after an adjective, **de** before a numeral.

B. THE COMPARATIVE BEFORE VERBS

Compran más de lo que necesitan.	They buy more than they need.
Gasta más de lo que tiene.	He spends more than he has.
Hace menos de lo que dice.	He does less than he says.

Note that *than* before a verb is **de lo que** in Spanish.

V. Ejercicios

A. Repaso oral — Lección veintisiete. *Give the Spanish translation of the words in English:* 1. Alberto no ——— por la ventana (*is looking*). 2. ¿ Qué ——— de mi padre (*are you saying*)? 3. Aquel joven ——— de su familia (*is speaking*). 4. Nadie ——— en la pizarra (*is writing*). 5. ¿ A quién ——— Pedro y yo (*are we listening*)? 6. Ahora ——— un vaso de leche (*I am taking*). 7. ¿ Quién ——— lo que quiero (*is bringing*)? 8. Todos nosotros ——— algo bueno (*are eating*). 9. Este muchacho ——— lo que digo (*is listening*). 10. ¿ Qué ——— Isabel y Carmen (*are doing*)?

B. *Write the Spanish translation of the words in English:* 1. Mi amigo comprende el español —— yo (*better than*). 2. Esta fiesta me gusta —— la otra (*more than*). 3. Ellos cantaron —— cinco horas (*more than*). 4. Este traje es —— el otro (*shorter than*). 5. Hay —— cien hombres allí (*less than*). 6. Esta casa es —— la otra (*worse than*). 7. ¿ Quién deseará ser —— ellos (*poorer than*)? 8. Aquel hombre habla —— debe (*more than*). 9. Este cuarto es —— el otro (*larger than*). 10. Estos libros son —— los demás (*less interesting than*).

C. *Escriban enteramente en español:* 1. Estos vestidos son *prettier than* los otros. 2. Dicen que las muchachas son *more studious than* los muchachos. 3. ¿ No son los edificios de la ciudad *larger than* los edificios del campo? 4. Este teatro tiene de *1,000* a *1,500* asientos. 5. Todos ellos *understood* lo que él dijo. 6. Mis hermanos viven en *the same house*. 7. Los objetos que vemos sobre la mesa son *the teacher's*. 8. El café con leche es *very popular* en España. 9. *We have not seen* a nuestros amigos esta semana. 10. *I shall see* a Juan mañana a las nueve.

D. Test XXVIII. *Write the Spanish translation of the words in English:* 1. La hija es —— la madre (*more beautiful than*). 2. Nuestra casa es —— la casa de los Arias (*larger than*). 3. Este mes hemos comprado —— el mes pasado (*less books than*). 4. Usted siempre está —— nosotros (*busier than*). 5. Estos libros son mucho —— los otros (*more interesting than*). 6. Su sombrero blanco es —— los otros que tiene (*prettier than*). 7. ¿ Compró Vd. más o menos —— (*than you say*)? 8. Esta semana trabajaremos —— la semana próxima (*more hours than*). 9. Aquí hay más —— (*than we think*). 10. —— y hombres van al cine (*More than 150 women*).

E. *Oral:* 1. He is larger than I. 2. They spent (**gastar**) more than you. 3. We spoke more than twenty minutes. 4. Don't remain here more than we. 5. He understands more than he says. 6. Eat less than I. 7. Let us eat more. 8. You are more studious than your brother. 9. She eats less than her brother. 10. Are you older than she?

F. *Written:* 1. Miss Fernandez will be in a better school this year. 2. It will be a smaller school than the other. 3. Her father will spend (**gastar**) more than 1,500 dollars. 4. She will have more friends than last year. 5. Today the mother and daughter are buying more than they need. 6. Do girls buy more or less than they need? 7. Certain things are much more important than others. 8. Today the two spent more than a hundred dollars. 9. Are the dresses which they have bought today cheaper than the others? 10. Look here. Is this hat smaller or larger than the others which I have?

G. Ejercicio de invención.

(*a*) *Formen varias oraciones con estas expresiones:*

1. José	ser	más inteligente que	sus compañeros.
2. Usted	trabajar	más horas que	su padre.
3. Estos señores	estar	más contentos que	los demás.
4. Yo	leer	menos revistas que	mis amigos.
5. Ellos	comprar	más de lo que	necesitar.

(*b*) *Escriban algunas oraciones en el presente, pasado y futuro:*

H. Ejercicio de pronunciación:

STRONG VOWELS [1]

ae	ao	ee, eo	oa, oe
ca-e	ca-ca-o	le-er	pro-a
ma-es-tro	sa-ra-o	cre-er	hé-ro-e
Ja-én	Ca-lla-o	de-se-o	No-é

WEAK VOWELS

iu		ui	
ciu-dad	triun-fo	rui-do	cui-da-do
viu-da	diur-no	rui-na	cui-ta

I. *Dialoguito:*

— **Tráigame una botella de gaseosa** [2] **con dos vasos.**	Bring me a bottle of soda with two glasses.
— **En seguida, señor.**	Right away, sir.
— **¿ Es esto bueno para tomar en verano?**	Is this good to drink in summer?
— **No hay nada mejor en toda la ciudad.**	There is nothing better in the whole city.

[1] The vowels a, e, and o are called strong, while i and u or y are weak. Two strong vowels are pronounced separately with the stress usually on the first. The combination of a strong and weak vowel forms a diphthong with the stress falling on the strong vowel. When two weak vowels form a diphthong the stress is on the second vowel. When one of the vowels has an accent they are pronounced separately.   [2] el **vino,** *wine;* la **cerveza,** *beer;* el **agua mineral,** *mineral water;* . . .

Dictado: entre padre e hijo

PADRE. Un niño se levantó temprano y halló una bolsa [1] llena de oro.
HIJO. El que [2] perdió el oro se levantó más temprano.   Así es mejor
levantarse tarde que temprano.

SELECCIÓN

El Perú, país de ricas tradiciones

El Perú es una república rica en tradiciones y en prosperidad
material.[3]   Tiene un pasado histórico muy interesante pues fué el
país de los antiguos incas.   Esos indios, los más civilizados de la
América del Sur, han dejado muchos recuerdos en el país.

En el Perú pueden notarse tres regiones diferentes.   La costa, 5
bañada por el Pacífico, es arenosa [4] y seca.   En esa región no
llueve casi nunca; sin embargo, hay algunos valles [5] fértiles re-
gados [6] por ríos.   Allí producen algodón [7] y azúcar.   Hacia el
este, están las montañas de los Andes.   En esta región, llamada la
sierra,[8] vive la mayor parte de la población.   Allí el clima es 10
templado.[9]   Se produce maíz, que es el principal alimento de los
indios, habitantes de la sierra.   Los indios, descendientes [10] de
los incas, viven en esas tierras altas.   No se han mezclado con los
blancos y conservan sus costumbres y tradiciones.   Crían llamas,
los animales más útiles a los indios.   La región de la sierra es 15
también el centro minero [11] del país.   En Cerro de Pasco, están las

---

[1] pocketbook.   [2] He who.   [3] material prosperity.   [4] sandy.   [5] valleys.   [6] watered.
[7] cotton.   [8] highlands.   [9] temperate.   [10] descendants.   [11] mining.

minas de cobre [1] más viejas de Sud América. La tercera región
del Perú está hacia el este de los Andes. Allí el clima es caluroso,[2]
hay mucha humedad y vegetación [3] abundante. En ese lugar
nace el Amazonas, el río más grande del mundo.

5 Lima, la bella capital peruana, está a una distancia de ocho
millas de su puerto, el Callao, en el Pacífico. Lima es una ciudad
comercial, hermosa y grande. Tiene partes antiguas y modernas.
En Lima pueden verse las calles estrechas y las casas de estilo
colonial. La catedral es uno de los edificios más admirados. Fué
10 construída por los españoles. En su interior se conservan los restos [4]
de Pizarro, el conquistador del Perú. La parte moderna de la
ciudad de Lima tiene anchas avenidas y hermosos paseos. Lima
tiene el honor de tener allí la Universidad de San Marcos, la más
antigua de toda América.

a. *What English words do you recognize from the following Spanish
words?*

la república, la tradición, histórico, –a, interesante, civilizado, –a,
notar, la región, diferente, la costa, fértil, el valle, producir, la montaña,
el clima, el habitante

b. Vocabulario

el **alimento** food, nourishment
conservar to preserve
construído, –a constructed
la **costumbre** habit, custom

criar to raise
estrecho, –a narrow
la **humedad** humidity
mezclarse to mix
peruano, –a Peruvian

c. Preguntas

1. ¿ Qué clase de país es el Perú? 2. ¿ Cómo es su pasado histórico?
3. ¿ Quiénes fueron los incas? 4. ¿ Cuántas regiones tiene el país?
5. ¿ A qué distancia de Lima está el Callao? 6. ¿ Cuáles son algunas
cosas interesantes de Lima?

[1] copper. [2] hot. [3] vegetation. [4] remains.

VEINTINUEVE

*A. Uso del reflexivo **se** en vez de la voz pasiva*

*B. Uso impersonal de **se***

I. Conversación

En la playa

Durante las largas vacaciones de verano se sabe que la familia Pérez no se queda en la ciudad. Pasa todo el tiempo en la playa. Allí se corre, se juega [1] en la arena [2] y se nada [3] en el mar, y así se pasan las horas. Como la familia pasa allí todo el día, se lleva comida para todos. Cuando se tiene hambre, se come; cuando 5 se tiene sed,ª se toma refresco. Después de la comida, todos se echan en la arena para descansar y tostarse [4] al sol. De ese modo, todos ellos pasan tardes muy agradables en la playa.

— Pancho, ¿ quieres ir a nadar conmigo ?

— Ahora, no; he comido demasiado y no puedo moverme.[5] Si 10 quieres nadar, ¿ por qué no llamas a nuestra hermana Rosa ?

— No, me gusta más ir a nadar contigo.[6] Como yo no sé nadar bien, tú puedes ayudarme en caso de peligro.

---

[1] one plays. [2] sand. [3] one swims. [4] to tan. [5] move. [6] with you.

— Si puedes esperar media hora, iremos a nadar los tres juntos:
Rosa, tú y yo.

— Rosa, ¿ quieres jugar a la pelota ᵇ conmigo?

— No, no tengo ganas. Estoy cansada. Quiero descansar un
5 rato. Dentro de media hora jugaré contigo.

— Aquí hace mucho calor. Vamos cerca del agua, donde no
hace tanto calor.

— Muy bien, entonces no nos quedamos aquí.

(Llegan cerca del agua)

10   — ¡ Madre mía ! ᶜ ¡ Qué calor hace ᵈ aquí ! Y, ¿ qué se lee en
aquel letrero? ¹ « Se prohibe nadar ».²

— En ese caso, si no se puede nadar, ni jugar a la pelota, al
menos ᵉ se podrá jugar a los naipes.³

— Vosotras podéis jugar a los naipes, pero yo voy a leer una
15 novela.

— Para estar aquí mejor que en otro sitio se necesitan dos
parasoles.⁴ Pancho, tú que eres muy fuerte, ¿ por qué no vas a
alquilarlos? ⁵ Hombre, allí se ve un letrero que dice « Se alquilan
parasoles ».⁶

20   — No, muchas gracias. Con este calor, no tengo ganas ni de
moverme.

— ¡ Qué caballero tenemos por hermano ! ¡ Vaya un caballero ! ⁷ No se molesta por nadie, ni aun por sus hermanas.

— Tenéis razón; ᶠ soy caballero. Y como los caballeros no
25 trabajan, yo no trabajo tampoco.

— Muchas gracias, hermano.

— No hay de qué, no hay de qué.ᵍ

II. Vocabulario

A coro:

NOMBRES	ADJETIVO
el **caso** case	**fuerte** strong
el **letrero** sign	
el **peligro** danger	
el **refresco** refreshment	

¹ sign. ² No swimming. ³ cards. ⁴ beach umbrellas. ⁵ to rent them. ⁶ beach
umbrellas rented. ⁷ Quite a gentleman!

VERBOS

correr to run
descansar to rest
echarse to lie down
molestarse to be bothered
nadar to swim

OTRAS PALABRAS

dentro de within
no . . . tampoco neither, not . . . either

Aprendan de memoria:

(a) **tener sed** to be thirsty
(b) **jugar a la pelota** to play ball
(c) **¡ Madre mía !** Good Heavens !
(d) **¡ Qué calor hace!** How hot it is!

(e) **al menos** at least
(f) **tener razón** to be right
(g) **No hay de qué.** You're welcome.

¿ Qué significa en inglés?

1. las vacaciones de verano, todo el tiempo, todo el mundo, durante, de ese modo. 2. Así es como pasan las horas. 3. En la playa se nada en el verano. 4. Todos se echan en la arena para tostarse. 5. Le gusta más nadar que caminar. 6. Aquí hace mucho calor.

III. Preguntas

1. ¿ Se queda la familia Pérez en la ciudad durante el verano?
2. ¿ Dónde pasa todo el tiempo? 3. ¿ Qué se hace en la playa? 4. ¿ Qué hacen después de la comida? 5. ¿ Por qué no quiere nadar Pancho?
6. ¿ Por qué no quiere jugar Rosa a la pelota? 7. ¿ Dónde no hace tanto calor? 8. ¿ Qué va a hacer Pancho? 9. ¿ Qué se necesita contra el sol? 10. ¿ Por qué no quiere Pancho ir a alquilar los parasoles?

Refrán

Poco a poco se va lejos.[1]   Make haste slowly.

IV. Gramática

A. THE PASSIVE **SE**

¿ Qué se vende en la tienda?
Se ven muchas tiendas.

Se pueden ver muchos trajes. ⎫
Pueden verse muchos trajes. ⎭

What is sold in the store?
Many stores are seen.

Many suits can be seen.

[1] *Literally*, Little by little one goes far.

In Spanish the passive voice is used less than in English. Instead, the reflexive form is employed, especially when the agent (= doer) is not indicated. The verb is singular or plural according to the subject which often follows.

B. THE IMPERSONAL PASSIVE **SE**

Aquí se habla español.	Spanish is spoken here.
¿ Cómo se entra?	How do you (does one) enter?
Se dice que hay muchos españoles en Nueva York.	It is said that there are many Spaniards in New York.

An indefinite or impersonal subject, expressed in English by *one, we, you, they, people,* is also expressed in Spanish by the reflexive form. Note that in this case the verb is always in the third person singular.

Expresiones útiles:

El tiempo (Weather)

¿ Qué tiempo hace?	How is the weather?
Hace buen tiempo.	It is good weather.
¿ Qué tiempo hace hoy?	What kind of weather is it today?
Hace mal tiempo.	It is bad weather.
Hace frío.	It is cold.
Hace calor.	It is warm.
Hace mucho calor.	It is very hot.
Hace viento.	It is windy.
Hace fresco.	It is cool.
Hace sol.	The sun is shining.
Hace luna.	The moon is shining.
Hace un tiempo muy malo.	It is very bad weather.
Hace un tiempo magnífico.	It is fine weather.

V. Ejercicios

A. Repaso oral — Lección veintiocho. *Give the Spanish translation of the words in English:* 1. Carlos habla español —— Eduardo (*better than*). 2. Creo que Vd. escribe —— yo (*more letters than*). 3. Trabajo —— ocho horas (*more than*). 4. Los hombres y las mujeres están —— aquí —— allí (*happier . . . than*). 5. Hemos pasado —— el año pasado (*a better vacation*

than). 6. Todo el mundo sabe que el avión es —— el tren (*faster than*).
7. No sé si tengo —— Vd. (*more or less than*). 8. Usted toca el piano
—— cree él (*better than*). 9. Fernando llegará —— dice su hermano
(*earlier than*). 10. Estos árboles son —— los otros (*higher than*).

B. *Imiten el modelo:*

MODELO: *Ver* — muchas cosas = *Se ven* muchas cosas.
  Deben verse muchas cosas.
  Se deben ver muchas cosas.

1. *Vender* —— dulces aquí. 2. *Abrir* —— las tiendas. 3. *Escribir*
—— estas cartas. 4. *Hacer* —— muchas cosas. 5. ¿ Por dónde ——
pasar? 6. *Comprar* —— sombreros. 7. Aquí *hablar* —— inglés y
español. 8. *Comer* —— muy bien allí. 9. *Entrar* —— por esta puerta.
10. ¿ Cuántas horas —— *trabajar?* 11. *Ver* —— muchos letreros.
12. Aquí —— *vender* libros viejos. 13. *Hablar* —— muchos idiomas.
14. ¿*Escribir* —— cartas aquí? 15. ¿ A qué hora —— *abrir* las tiendas?

✓ **C.** *Write the Spanish translation of the words in English, using the reflexive
form:* 1. En Nueva York —— muchos españoles (*are seen*). 2. ¿ Dónde
—— su casa (*is found*)? 3. ¿ Cómo —— esta palabra en español (*does one
write*)? 4. —— sombreros en esta tienda (*You can buy*). 5. ¿ Cuándo
—— esta casa (*will be sold*)? 6. —— flores en aquella tienda (*Were
bought*). 7. ¿ Qué —— de eso (*was said*)? 8. Hoy —— muchas cosas
(*have been done*). 9. En las bibliotecas —— muchos libros (*are read*).
10. En el verano —— ropa de nilón (*one wears*).

✓ **D.** *Escriban enteramente en español:* 1. En esta biblioteca *are seen* muchos
libros. 2. ¿ Dónde *are bought* estas cosas? 3. *Five hundred boys* asisten a
esta escuela. 4. ¿ Qué día de la semana *will they leave* para Madrid?
5. *We received* a nuestros amigos el mes pasado. 6. Ellos *have not lived*
en aquella ciudad. 7. ¿ *Did you understand* lo que le enseñaron allí?
8. Los miembros de *our family* son muchos. 9. *Let us write them* una carta
en español. 10. Esta pluma fuente es *John's*.

E. Test XXIX. *Write the Spanish translation of the words in English:*
1. La pluma fuente —— para escribir (*is used*). 2. Aquí —— muchas
cosas útiles (*can be bought*). 3. ¿ A qué hora —— aquí (*does one eat*)?
4. —— que pasan las vacaciones en la playa (*It is known*). 5. ¿ Qué
idioma —— en su casa (*is spoken*)? 6. En este hotel —— muchos idiomas
diferentes (*are spoken*). 7. Todo esto —— en aquella tienda (*can be
bought*). 8. Todas las otras tiendas —— a esa hora (*are opened*). 9. ¿ Dónde

—— una caja de dulces (*can one buy*)?   10. Aquí nada —— para hoy (*is needed*).

F. *Oral:* 1. This store is opened; these stores must be opened; these things will be sold; books will be bought and sold. 2. How many languages does one speak in this city? 3. How do you write this? 4. What is seen on the sign? 5. Can this be done? 6. Spanish is spoken here.

G. *Written:* 1. Many persons are seen at the seashore. 2. Many things can be seen there. 3. Many hours are spent on the sand of the seashore. 4. Where can one swim here? 5. There are many places where one is permitted to swim. 6. Two things are needed: chairs and a beach umbrella for the family. 7. Many signs can be seen. 8. Many books are sold here. 9. One hears Spanish and it can be understood. 10. Many languages are spoken at the seashore.

H. Ejercicio de invención:

Escriba Vd. los nombres de diez países donde se habla español.

Modelo: En España se habla español.

I. Ejercicio de pronunciación:

ua [1]	ue	ui	uo
a-gua	bue-no	rui-do	cuo-ta
guar-da	lue-go	cui-da	re-si-duo
cuar-to	cuen-to	cui-da-do	con-ti-nuo
E-cua-dor	Ve-ne-zue-la	Lui-sa	in-di-vi-duo

J. *Dialoguito:*

— ¿ **Cuál es su nacionalidad?**	What is your nationality?
— **Soy ciudadano norteamericano.**[2]	I am an American citizen.
— ¿ **Dónde vive Vd. en esta ciudad?**	Where are you living in this city?
— **Por un par de días en el hotel Sucre.**	For a few days at the Sucre Hotel.

---

[1] When **u** precedes another vowel in the same syllable, the **u** has the sound of *w* in the English word *win*.   [2] **argentino, –a,** *Argentine;* **uruguayo, –a,** *Uruguayan;* **chileno, –a,** *Chilean;* **español, –a,** *Spanish;* **portugués, –esa,** *Portuguese;* **alemán, –ana,** *German;* **ruso, –a,** *Russian;* . . .

SELECCIÓN

El platillo de plata [1]

La escena pasa en el comedor de la familia Pérez. Esta noche tienen invitados.[2] Entre ellos algunas personas son muy honradas [3] y otras no.

Uno de los invitados, al llegar a los postres, esconde [4] un platillo de plata en el bolsillo. Otro que es amigo de la familia lo observa 5 y dice a todos:

— Señores, ustedes no lo saben, pero yo soy mago.[5] Si ustedes lo dudan voy a demostrarlo ahora. Voy a hacer un juego de magia.[6] Voy a hacer pasar un platillo de plata al bolsillo de alguien que está aquí entre nosotros. Atención: uno, dos, 10 tres ... Ya está en el bolsillo de aquel señor.

Dicho y hecho.[a] El primero mete la mano en el bolsillo y saca el platillo de plata.

Todo el mundo felicita [7] al segundo por su notable suerte.[8]

a. *What English words do you recognize from the following Spanish words?*

la escena, pasar, la familia, la persona, observar, la atención, demostrar

---

[1] silver saucer.   [2] guests.   [3] honest.   [4] hides.   [5] magician.   [6] magic trick.
[7] congratulates.   [8] trick.

b. Vocabulario

el **bolsillo** pocket   **dudar** to doubt

c. Frase útil

(a) **Dicho y hecho.** No sooner said than done.

d. Preguntas

1. ¿ Dónde pasa la escena? 2. ¿ Qué observa uno de los invitados? 3. ¿ Quién hace un juego de magia? 4. ¿ Qué hace pasar al bolsillo de alguien? 5. ¿ A quién felicita todo el mundo?

TREINTA

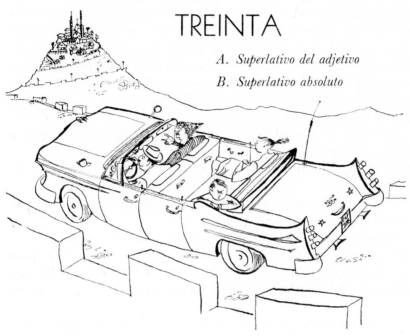

A. *Superlativo del adjetivo*

B. *Superlativo absoluto*

I. Conversación

Una excursión al campo

Es el mes de junio, el mejor mes del año. Hace muy buen
tiempo. Es un día ideal para hacer una excursión al campo.
Toda la familia Pérez va a salir de la ciudad. La madre y la hija
están muy ocupadas en la preparación de la comida. El padre y
el hijo ya han sacado del garaje su elegantísimo [1] coche. Por fin   5
el auto está listo para el viaje.

MADRE. Ya tenemos la comida lista. Podemos salir en seguida.

LOLITA. ¿ Adónde vamos, papá ?

PADRE. Vamos a dar un paseo en coche [a] al pueblo de Miraflores, el pueblo más pintoresco de por aquí.[2]   10

LUIS. ¿ Cuánto tiempo va a durar el viaje ?

PADRE. Creo que durará dos horas y media, más o menos.

---

[1] very attractive.   [2] around here.

A los pocos minutos toda la familia está en camino.[1] Todos
están muy contentos de salir de la ciudad y respirar el aire purísimo
del campo. Quince minutos después están ya fuera de la ciudad.
Ven por todas partes [b] campos fertilísimos con flores de todos
5 los colores del arco iris. Observan una serie [2] de casas bellísimas,
montañas y árboles altísimos y lagos [3] muy lindos. Toda la familia
se queda encantada [4] al llegar a Miraflores y ver el pueblo más
pintoresco de toda la región.

MADRE. Este pueblo es el más atractivo de todos los que he
10 visto.

LOLITA. Miren aquella iglesia; es el edificio más grande del
pueblo.

LUIS. Aquí, como en la ciudad, la gente más joven y la más
vieja van al cine.

15 PADRE. Al parecer, la gente más rica del lugar tiene las casas
más grandes y más elegantes [5] del pueblo. La gente más pobre
de aquí vive en las casas más pequeñas y más viejas. Pasemos
ahora por la calle Mayor,[6] que es la más larga y la más ancha del
pueblo.

20   A toda la familia le gustó muchísimo la excursión. A la sombra
de un árbol altísimo y muy grande, todos se sentaron para hacer
la comida [c] más rica de todo el año. Cuando regresaron a casa
entraron muy alegres porque gozaron del aire fresco y puro del
campo. Aquel día les pareció cortísimo, tal vez el más corto de su
25 vida.

II. Vocabulario

A coro:

NOMBRES	ADJETIVOS
el **arco iris** rainbow	**alegre** happy
el **auto** auto, car	**fértil** fertile
la **excursión** excursion, outing	**pintoresco, –a** picturesque
el **garaje** garage	
la **preparación** preparation	VERBO
la **región** region	**sentarse (ie)** to sit down

[1] on the way.   [2] line.   [3] lakes.   [4] spellbound.   [5] stylish.   [6] Main Street.

Aprendan de memoria:

(a) **dar un paseo en coche** to go
for a ride

(b) **por todas partes** everywhere

(c) **hacer una comida** to take a
meal

¿ Qué significa en inglés?

1. el campo, el viaje, en seguida, el pueblo, durar, la comida, al parecer.   2. ¿ Cuál es el mejor mes del año?   3. Toda la familia está ocupadísima.   4. Vamos a salir de la ciudad.   5. Al llegar al pueblo ven la iglesia.   6. Es el edificio más grande del pueblo.   7. Les gustó la excursión, pero aquel día les pareció ser el día más corto del año.

III. Preguntas

1. ¿ Cuál es el mejor mes del año?   2. ¿ Por qué están muy ocupadas la madre y la hija?   3. ¿ Qué han sacado el padre y el hijo?   4. ¿ Adónde va la familia Pérez?   5. ¿ Cuánto tiempo va a durar el viaje?   6. ¿ De qué están todos muy contentos?   7. ¿ Qué ven por todas partes?   8. ¿ Qué observan en el camino?   9. ¿ Por qué se queda encantada la familia?   10. ¿ Para qué se sentaron a la sombra de un árbol?

IV. Gramática

A. SUPERLATIVE OF ADJECTIVES

Estas flores son las más bonitas.   These flowers are the prettiest.

Son los días más cortos del año.   They are the shortest days in the year.

Es la estación más fría del año.   It is the coldest season of the year.

Es la fiesta menos importante de la primavera.   It is the least important holiday in the spring.

el más corto de, la más corta de, los más cortos de, las más cortas de

To form the superlative of the adjective, place the definite article before **más** or **menos**.   After the superlative *in* is expressed by **de**. Note that the noun modified by the superlative is placed between the definite article and **más** or **menos**.

This is the general rule for comparison, but the adjectives listed on the following page have an irregular superlative.

IRREGULAR COMPARISON

POSITIVE		COMPARATIVE		SUPERLATIVE	
bueno	good	**mejor**	better	**el mejor**	the best
malo	bad	**peor**	worse	**el peor**	the worst
grande	large	**mayor**	larger, older	**el mayor**	the largest, eldest
pequeño	small	**menor**	smaller, younger	**el menor**	the smallest, youngest

B. THE ABSOLUTE SUPERLATIVE

La Navidad es una fiesta muy popular o **popularísima.**	Christmas is a very (most) popular holiday.
El invierno es una estación muy triste o **tristísima.**	Winter is a very sad season.
Los pájaros cantan canciones muy bellas o **bellísimas.**	The birds sing very (most) beautifu. songs.
Los días son muy largos o **larguísimos.**[1]	The days are very long.

Observe that when the adjective expresses the highest quality without comparison, *very* or *most* is expressed by the suffix –**ísimo**. If the adjective ends in a consonant, the suffix is attached directly; if the adjective ends in a vowel, the vowel is dropped. The absolute superlative is also formed by placing **muy,** *very*, before the adjective.

V. Ejercicios

A. Repaso oral — **Lección veintinueve.** *Give the Spanish translation of the words in English:* 1. Aquellas flores —— en la misma tienda (*were bought*). 2. En nuestra casa —— muchos libros (*are read*). 3. —— mucho en esta ciudad (*Has been done*). 4. ¿Cuándo —— esto (*can be done*)? 5. Todas estas cartas —— (*have been answered*). 6. ¿Cuántos idiomas modernos —— (*will be taught*)? 7. Estas ventanas pequeñas —— ahora (*must not be opened*). 8. Aquí —— muy bien (*one eats*). 9. Quiero saber lo que —— en este edificio (*one will do*). 10. Pregúntele si el hombre —— en aquella ciudad (*has been seen*).

---

[1] Note the insertion of **u** to keep the original hard sound of **g**; compare with **rico** — **riquísimo.**

Bullfight, Spain

Wine festival, Jerez de la Frontera, Spain

"Romería del Rocío," Seville, Spain

Bullfighter costumes, Spain

Gym class, Caracas, Venezuela

Trout fishing, Chile

Jai alai, San Sebastián, Spain

Tennis player, Santiago, Chile

Sailing, Balearic Islands, Spain

Argentine
gaucho

B. *Copien el modelo:*

MODELO: tan bello como, más (menos) bello que, el más (menos)
bello de, muy bello o bellísimo.

1. bonito	2. grande	3. diligente	4. pobre
popular	alegre	corto	importante
rico	aplicado	triste	simpático

C. *Escriban enteramente en español:* 1. Él usa *Mr. Fernandez' fountain pen.*
2. De aquí no vemos *the father's house.* 3. *Our garden* no es grande. 4. *Their apartment* es pequeñísimo. 5. Quiero saber dónde *you were* ayer. 6. ¿ A qué hora *did she return* a casa? 7. Escriba Vd. *five thousand seven hundred ninety-three.* 8. El número del teléfono es BA *two twenty-five ninety-five.* 9. Los edificios de la ciudad son *very high.* 10. Los Ríos son *the best friends in the world.*

D. *Cambien del singular al plural:* 1. Él visitó la biblioteca más popular de la ciudad. 2. Le gusta comprar la casa más bella de la calle. 3. Coma Vd. la fruta más rica de la estación. 4. Yo vi la casa más alta de la ciudad. 5. ¿ Quién llamó al peor estudiante de la escuela? 6. ¿ Quién cogió la flor más bonita del jardín? 7. Para mí (*me*) este libro es el más interesante de la biblioteca. 8. Es el monumento más alto de la ciudad. 9. Se estudia el idioma más útil de hoy. 10. Es el muchacho más aplicado de la escuela.

E. *Cambien a la forma superlativa en* –**ísimo:** 1. Esta flor es muy hermosa. 2. Aquella época fué muy corta. 3. Esa novela es muy interesante. 4. Mi gramática es muy larga. 5. Estos cuentos son muy cortos. 6. Estos hombres son muy ricos. 7. Este baile es muy popular. 8. Estos jardines son muy pequeños. 9. Nuestras vacaciones serán muy largas. 10. Me vendió unos trajes muy bonitos.

F. Test XXX. *Write the Spanish translation of the words in English:*
1. Junio es —— (*the best month in the year*). 2. Hoy hace —— (*very bad weather*). 3. ¿ Sabe Vd. cuál es —— la ciudad (*the highest building in*)? 4. Los días de invierno siempre han sido —— (*very sad*). 5. Todos estos libros son —— la biblioteca (*the most important in*). 6. Visité —— la ciudad (*the most interesting buildings in*). 7. ¡ Qué —— se ven en este jardín (*very beautiful colors*) ! 8. Se dice que esta ciudad es —— (*the most modern in the world*). 9. Dolores es la muchacha —— la familia (*the most beautiful in*). 10. El verano tiene las noches —— (*the shortest in the year*).

294 Primer curso para todos

G. *Oral:* 1. It is the shortest day in the year. 2. He bought the most popular magazine in the city. 3. This book has very interesting stories. 4. Mary will be the tallest girl in the family. 5. Read me the smallest book in the library. 6. Will you give me a very useful gift? 7. She has given me a very short pencil.

H. *Written:* 1. June is the best month in the year for (**para**) an excursion. 2. Excursions are very popular in the months of June and July. 3. As you know, the summer is the best season in the year for students. 4. In the summer there are very long days and the nights are very short. 5. The Perez family wants to visit the largest town in the state. 6. On the trip they see very beautiful country houses. 7. The town is the most attractive in the region. 8. The church is the highest building in the town. 9. The poorest people have the smallest and oldest houses in town. 10. The day seemed very short to the whole family.

I. Ejercicio de invención. *Completen las oraciones siguientes con otros ejemplos del superlativo:*

1. Tome Vd. el libro más popular de la biblioteca, ——, ——, ——.
2. Escriban la carta más corta del mes, ——, ——, ——, ——.
3. Leamos la vida del hombre más célebre del país, ——, ——, ——, ——.
4. Coma Vd. ——, ——, ——, ——.
5. Subamos ——, ——, ——, ——.
6. Inés es muy hermosa o hermosísima, ——, ——, ——, ——.

J. Ejercicio de pronunciación:

n = m	nv = mb	n = m	n = m
conmigo	envidia	un verso	tan bien
inmenso	convertir	un brazo	San Pedro
inmortal	tranvía	un pollo	San Vicente
inmediato	convenir	un bosque	San Blas

K. *Dialoguito:*

— ¿ **Dónde hay un buen hotel?**   Where is there a good hotel? I
Quiero pasar la noche allí.   want to spend the night there.

— El Hotel Estrella está muy cerca de aquí. Aquí tiene Vd. la dirección.	The Star Hotel is very near here. Here is the address.
— ¿ Qué tal son los cuartos y la comida ?	How are the rooms and the food ?
— Los cuartos son muy buenos y la comida, excelente.	The rooms are very good and the meals, excellent.

SELECCIÓN

Nicaragua, país de lagos

Nicaragua es el país más grande de la América Central.   Es tierra de bellos lagos y majestuosos volcanes.[1]   Los lagos más grandes del país son el Managua y el Nicaragua.   Están en una región de volcanes.   El lago Nicaragua es el mayor de la América Central.   El pequeño río Tipitapa lo une al lago Managua y éste   5 tiene salida al [2] Atlántico por otro río, el San Juan.   Un vapor puede entrar del Atlántico, pasar por el río San Juan, entrar en el lago Managua, pasar por el río Tipitapa, entrar en el lago Nicaragua y llegar hasta veinte kilómetros [3] de la costa del Pacífico. En esta parte de Nicaragua — entre el lago Nicaragua y el Pacífico 10 — se podría construir [4] un canal para comunicar [5] los dos océanos. En el año 1916 los Estados Unidos le compraron a [a] Nicaragua el derecho de construir ese canal.   Sin embargo, no se ha construído todavía.   En opinión de los ingenieros [6] norteamericanos este canal costaría más que el de Panamá.[7]   15

Nicaragua es un país principalmente agrícola.[8]   Los productos

[1] majestic volcanoes.   [2] this one empties into.   [3] kilometer.   [4] could be built.
[5] connect.   [6] engineers.   [7] would cost more than the one in Panama.   [8] agricultural.

más importantes son café, azúcar, arroz,[1] cacao [2] y tabaco.[3]   La
producción de bananas ha disminuído [4] últimamente.[5]

La mayor parte de [b] los habitantes viven en el oeste y casi todos
son mestizos.[6] Hay también muchos indios de pura raza. En el
5 este donde están las plantaciones de bananos, hay muchos negros
que vinieron de las Antillas.[7]

La capital del país es Managua. Está situada a la orilla del
lago del mismo nombre. En las aguas del lago, como en un espejo,
se refleja la silueta del Momotombo,[8] el volcán dormido. Mana-
10 gua fué casi totalmente destruída [9] en 1931 por un terremoto.[10]
En poco tiempo [c] volvieron a construir [d] la ciudad. Hoy día es
el centro intelectual y comercial del país.

a. *What English words do you recognize from the following Spanish
words?*

majestuoso, –a, el volcán, la región, el Atlántico, entrar, pasar, el
Pacífico, la parte, construir, la opinión, costar, el producto, el habitante,
la silueta, el centro

b. Vocabulario

el **derecho** right
  dormir (ue) to sleep
  intelectual intellectual
el **negro** Negro

la **orilla** shore, bank
  reflejarse to be reflected
el **vapor** ship

c. Frases útiles

(a) **comprar a** to buy from
(b) **la mayor parte de** the greater
    part of
(c) **en poco tiempo** in a short time

(d) **volver a** + *inf.* to do again (*the
   action of the inf.*) **volver a construir** to reconstruct

d. Preguntas

1. ¿ Qué es Nicaragua?   2. ¿ Cuáles son los dos lagos principales
del país?   3. ¿ Cuáles son los productos más importantes del país?
4. ¿ Dónde vive la mayor parte de los habitantes?   5. ¿ Dónde está
situada Managua?

[1] rice.   [2] cocoa.   [3] tobacco.   [4] has diminished.   [5] lately.   [6] half-breeds.   [7] the
Antilles.   [8] the image of Momotombo is reflected.   [9] totally destroyed.   [10] earthquake.

REPASO DE GRAMÁTICA III

A. Participio pasado

INFINITIVO	TERMINACIÓN	PARTICIPIO PASADO
habl–ar	–ado	hablado
com–er	–ido	comido
viv–ir	–ido	vivido

PARTICIPIOS PASADOS IRREGULARES

abrir: **abierto,** opened
cubrir: **cubierto,** covered
decir: **dicho,** said
escribir: **escrito,** written
hacer: **hecho,** made, done
leer: **leído,** read

morir: **muerto,** died
oír: **oído,** heard
poner: **puesto,** put
romper: **roto,** broken
ver: **visto,** seen
volver: **vuelto,** returned

B. *Tener* y *haber*

SUJETOS	tener	haber
yo	tengo	he + p.p.
tú	tienes	has + p.p.
él, ella, Vd.	tiene	ha + p.p.
nosotros, –as	tenemos	hemos + p.p.
vosotros, –as	tenéis	habéis + p.p.
ellos, –as, Vds.	tienen	han + p.p.

Práctica: 1. What have you done? 2. Who has opened the door? 3. I have read that book. 4. She has died this week. 5. Where have you put my hat? 6. We have not bought the house. 7. Have you eaten today? 8. Where have you lived? 9. Haven't you said that? 10. I have not seen her this month. 11. Have you written the letter? 12. I have read these magazines. 13. He has spoken to Carmen. 14. We have heard the Spanish teacher sing "Me gustan todas." 15. She has lived in a beautiful house.

C. Futuro

SUJETOS	I. hablar	II. aprender	III. vivir
yo	hablar é	aprender é	vivir é
tú	hablar ás	aprender ás	vivir ás
él, ella, Vd.	hablar á	aprender á	vivir á
nosotros, –as	hablar emos	aprender emos	vivir emos
vosotros, –as	hablar éis	aprender éis	vivir éis
ellos, –as, Vds.	hablar án	aprender án	vivir án

FUTURO IRREGULAR

caber:	cabré, cabrás, cabrá, cabremos, cabréis, cabrán
decir:	diré, dirás, dirá, diremos, diréis, dirán
haber:	habré, habrás, habrá, habremos, habréis, habrán
hacer:	haré, harás, hará, haremos, haréis, harán
poder:	podré, podrás, podrá, podremos, podréis, podrán
poner:	pondré, pondrás, pondrá, pondremos, pondréis, pondrán
querer:	querré, querrás, querrá, querremos, querréis, querrán
saber:	sabré, sabrás, sabrá, sabremos, sabréis, sabrán
salir:	saldré, saldrás, saldrá, saldremos, saldréis, saldrán
tener:	tendré, tendrás, tendrá, tendremos, tendréis, tendrán
valer:	valdré, valdrás, valdrá, valdremos, valdréis, valdrán
venir:	vendré, vendrás, vendrá, vendremos, vendréis, vendrán

Práctica: 1. I shall not speak now. 2. We shall learn that. 3. They will open the windows. 4. You will not say that. 5. Rosa will do it. 6. Philip and Mary will not be there. 7. Will you come here? 8. Shall I come tomorrow? 9. When will you leave for Cuba? 10. We shall have time next week.

11. Will he be able to see him? 12. They will know that. 13. Will she want to go there? 14. Will you put the book there? 15. John will not sell his house.

Give the future of the following verbs:

ir	visitar	levantarse
ser	comer	desayunarse
estar	tomar	vestirse
comprar	estudiar	sentarse

D. El verbo reflexivo

FORMA SIMPLE			VERBO + INFINITIVO	
yo	me	lavo	quiero	lavarme
tú	te	lavas	quieres	lavarte
él, ella, Vd.	se	lava	quiere	lavarse
nosotros, –as	nos	lavamos	queremos	lavarnos
vosotros, –as	os	laváis	queréis	lavaros
ellos, –as, Vds.	se	lavan	quieren	lavarse

IMPERATIVO	
Lávese usted	No se lave usted
Lávense ustedes	No se laven ustedes

E. Gerundios

1A CONJUGACIÓN	2A CONJUGACIÓN
habl + ando	aprend + iendo
tom + ando	comprend + iendo
estudi + ando	respond + iendo

3A CONJUGACIÓN

escrib + iendo
viv + iendo
abr + iendo

GERUNDIOS IRREGULARES

caer:	cayendo	pedir (i):	pidiendo
decir:	diciendo	poder (ue):	pudiendo
dormir (ue):	durmiendo	sentir (ie):	sintiendo
ir:	yendo	ser:	siendo
leer:	leyendo	traer:	trayendo
morir (ue):	muriendo	venir:	viniendo
oír:	oyendo	ver:	viendo

FORMA PROGRESIVA DEL VERBO

Está leyendo la carta.
Estamos hablando al director.
¿ Quién está escribiendo ?

Él está lavándose.   or   Se está lavando.
Ellos están vistiéndose.   or   Ellos se están vistiendo.

F. Construcción pasiva

Aquí se habla español (is spoken).
Aquí se venden libros (are sold).

Se pueden ver muchos hombres.   } *(with infinitive)*
Deben escribirse las cartas.

Se ve la casa grande (one sees).

G. Comparación de los adjetivos

IGUALDAD	(*a*) **tan . . . como** (adjetivo o adverbio)	
	(*b*) **tanto, –a, –os, –as . . . como** (nombre)	
COMPARATIVO	(*a*) **más (menos) . . . que** (adjetivo o adverbio)	
	(*b*) **mayor (menor, mejor, peor) . . . que**	
SUPERLATIVO	(*a*) **el más (menos) . . . de** (de comparación)	
	(*b*) **alto = altísimo; rico = riquísimo** (absoluto)	

FORMAS IRREGULARES

POSITIVO	bueno	pequeño	malo	grande	
COMPARATIVO	mejor	menor	peor	mayor	(más grande)
SUPERLATIVO	el mejor	el menor	el peor	el mayor	(el más grande)

Práctica: 1. Spanish is spoken here.   2. Old and new books are sold.
3. How do you say?   4. He is as rich as she.   5. She is the poorest pupil
in the class.   6. Are you older or younger than Peter?

H. Los números

1	uno (una)	29	veintinueve
2	dos		(veinte y nueve)
3	tres	30	treinta
4	cuatro	31	treinta y uno
5	cinco	32	treinta y dos
6	seis	40	cuarenta
7	siete	50	cincuenta
8	ocho	60	sesenta
9	nueve	70	setenta
10	diez	80	ochenta
11	once	90	noventa
12	doce	100	ciento (cien)
13	trece	200	doscientos, –as
14	catorce	300	trescientos, –as
15	quince	400	cuatrocientos, –as
16	dieciséis (diez y seis)	500	quinientos, –as
17	diecisiete (diez y siete)	600	seiscientos, –as
18	dieciocho (diez y ocho)	700	setecientos, –as
19	diecinueve (diez y nueve)	800	ochocientos, –as
20	veinte	900	novecientos, –as
21	veintiuno (veinte y uno)	1,000	mil
22	veintidós (veinte y dos)	2,000	dos mil
23	veintitrés (veinte y tres)	10,000	diez mil
24	veinticuatro (veinte y cuatro)	50,000	cincuenta mil
25	veinticinco (veinte y cinco)	100,000	cien mil
26	veintiséis (veinte y seis)	200,000	doscientos mil
27	veintisiete (veinte y siete)	1,000,000	un millón
28	veintiocho (veinte y ocho)	2,000,000	dos millones

Práctica: *Escriban con letras:*

1. 6; 17; 23; 34; 47; 58; 66; 72; 81; 99
2. 147; 270; 327; 412; 802; 505; 709; 999
3. 1808; 1824; 1902; 1914; 1959
4. 30; 192; 2; 351; 869; 170; 553; 719
5. $1,000,000; $100,000; 102; 115
6. $1,100,000; $150,000; $1

CARDINALES		
Ciento:	cien hombres, cien mujeres	(**Ciento** is shortened to **cien** before nouns, **mil**, and **millones.**)
Ciento:	doscientos libros, quinientas revistas	(Multiples of **ciento** agree with the following noun.)
Mil:	mil libros, cien mil libros	(Invariable)
Serie:	mil trescientos setenta y dos	(In numbers above a thousand, counting is done by thousands and hundreds.)
Millón:	un millón de habitantes	(**Millón**, *pl.* **millones**, is followed by **de.**)
Fechas:	el primero de abril el once de junio el veinticinco de mayo	(Cardinals are used, except for *the first.*)

EJERCICIOS DE REPASO III
(*Achievement Test No. III*)

Completen las oraciones en español:

A. 1. —— todo el mes aquí (*I have spent*). 2. ¿ A qué hora —— Vd. (*do you get up*)? 3. No hay —— en nuestra calle (*any theater*). 4. ¿ Quién —— esta noche (*is celebrating*)? 5. El hijo es —— el padre (*stronger than*). 6. Sus amigos —— eso (*will not say*). 7. Esta casa es —— la otra (*as dear as*). 8. En este edificio hay —— más o menos (*five hundred men*). 9. La pluma —— para escribir (*is used*). 10. Él es —— su hermano (*as poor as*).

B. 1. —— muchas cosas útiles en esta tienda (*Can be bought*). 2. Los niños —— (*wash their hands and face*). 3. El Sr. Ortega —— un programa de radio (*has listened*). 4. Le gusta el inglés —— el español (*as well as*). 5. Usted —— todas las puertas (*will not open*). 6. Ayer hizo —— (*very good weather*). 7. La madre —— algo (*is preparing*). 8. —— son buenos (*Friends*). 9. Esta casa es —— la casa de Felipe (*larger than*). 10. Esta escuela tiene de —— a —— alumnos (*seven hundred . . . nine hundred*).

C. 1. Inés —— una carta a Carmen (*is writing*). 2. Él no ha encontrado —— (*any newspaper*). 3. ¿ A qué hora —— aquí (*does one eat*)? 4. Tenemos —— como Vds. (*as many books*). 5. Ella —— mucho tiempo (*has not had*). 6. Juan le mostró —— la ciudad (*the highest building in*).

7. —— todos los días (*I bathe*). 8. Ellos —— a mis amigos (*will help*). 9. No vamos a la escuela —— (*the first of June*). 10. Esta semana he comprado —— el mes pasado (*less paper than*).

D. 1. Nosotros —— a nuestros amigos (*have invited*). 2. ¿ A qué hora —— esta mañana (*have you gotten up*)? 3. —— han sido buenos artistas (*The Spaniards*). 4. La familia —— ahora (*is eating*). 5. ¿ —— estas revistas aquí (*Will you put*)? 6. Los días de invierno son —— (*very sad*). 7. Pasé por la calle —— (*one hundred seventy-fifth*). 8. Alicia es —— su hermana (*as pretty as*). 9. Estamos —— Vds. (*busier than*). 10. ¿ Qué —— de este joven (*is known*)?

E. 1. ¿ Qué idioma —— en su casa (*is spoken*)? 2. Él —— en casa hoy (*has been*). 3. ¿ En qué —— el pobre muchacho (*is thinking*)? 4. Carmen no tiene —— (*any sister*). 5. Estos muchachos son —— sus amigos (*as good as*). 6. —— a mis padres esta semana (*I shall write*). 7. De estos libros, ¿ cuál es —— la biblioteca (*the most interesting in*)? 8. —— es una fecha importante (*May 2, 1808*). 9. ¿ Cómo —— este joven (*is called*)? 10. Estos periódicos son —— los otros (*more interesting than*).

F. 1. En este hotel —— muchos idiomas (*are spoken*). 2. —— muy temprano mañana (*I am going to get up*). 3. La familia Ríos —— aquí todo el año (*has lived*). 4. Nosotros —— todo el día (*have danced*). 5. Este sombrero es —— el otro (*prettier than*). 6. Todos dicen que —— es muy buena (*Spanish music*). 7. No les —— en español (*we shall speak*). 8. ¿ Sabe Vd. lo que pasó —— (*July 4, 1776*)? 9. Las mujeres son —— los hombres (*as important as*). 10. Él visitó —— la ciudad (*the most important buildings in*).

G. 1. Nuestros padres —— en casa (*will remain*). 2. ¿ De qué —— Vds. hoy (*have spoken*)? 3. Compraron —— revistas (*as many books as*). 4. ¿ Cuándo —— Vds. estos libros (*will read*)? 5. —— a esa hora por un mes (*We have gotten up*). 6. —— son importantes en la vida moderna (*The theaters*). 7. Todo esto —— allí (*can be bought*). 8. El número de mi casa es —— (*three hundred sixty-four*). 9. ¿ Compró Vd. —— antes (*more or less than*)? 10. Estas rosas son —— su jardín (*the most beautiful flowers in*).

H. 1. Usted —— muchos deportes (*has practiced*). 2. Yo estoy —— usted (*as busy as*). 3. Todas las otras tiendas —— a esa hora (*are opened*).

La ciudad

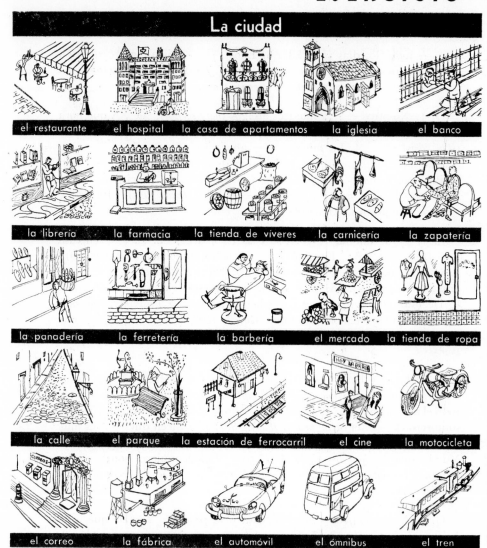

PALABRAS. *Row 1:* restaurant, hospital, apartment house, church, bank. *Row 2:* bookstore, pharmacy, grocery store, butcher shop, shoe store. *Row 3:* bakery, hardware shop, barbershop, market, clothing store. *Row 4:* street, park, railroad station, cinema, motorcycle. *Row 5:* post office, factory, automobile, bus, train.

PREGUNTAS. 1. ¿ Vive usted en una ciudad o en el campo? 2. ¿ Es pequeña o grande la ciudad donde vive? 3. ¿ Viaja (*travel*) usted en tren, en ómnibus o en automóvil? 4. ¿ Dónde toma usted el tren para viajar? 5. ¿ Va usted al cine algunas veces? 6. ¿ Qué tiendas vemos en una ciudad grande? 7. ¿ Come usted en casa o en un restaurante? 8. Si usted está enfermo, ¿ va al banco o al hospital? 9. Si necesitamos sacar dinero, ¿ adónde vamos? 10. ¿ Dónde compramos carne?

ORAL

El campo

el árbol	la granja	la finca	el tractor	el camión
el caballo	la vaca	el perro	el gato	el cerdo
la oveja	el gallo	la gallina	el burro	el pato
el trigo	el maíz	la flor	el café	el algodón
el tomate	el lago	el plátano (banano)	la montaña	los pájaros

PALABRAS. *Row 1:* tree, farm (house), farm, tractor, truck. *Row 2:* horse, cow, dog, cat, pig. *Row 3:* sheep, rooster, hen, burro, duck. *Row 4:* wheat, corn, flower, coffee, cotton. *Row 5:* tomato, lake, banana tree, mountain, birds.

PREGUNTAS. 1. ¿ Qué le gusta más en el verano, la ciudad o el campo? 2. ¿ Le gusta a usted vivir en el campo? 3. ¿ Dónde esquiamos, en la ciudad o en las montañas? 4. ¿ Dónde usamos el tractor? 5. ¿ Se ven árboles, plantas y flores en el campo? 6. ¿ Dónde cultivan el trigo y el maíz? 7. ¿ Dónde le gusta más nadar, en un río o en un lago? 8. ¿ Dónde le gusta más pasar las vacaciones, en las montañas o en la playa? 9. ¿ Qué animales domésticos vemos en el campo? 10. ¿ Qué animales son útiles al hombre?

4. No vemos —— en el cine (*any men*).   5. En verano cuando salgo ——
(*I don't put my hat on*).   6. ¿ Sabe Vd. que la primavera —— pronto (*will
arrive*)?   7. ¿ Por qué —— las ventanas (*are you opening*)?   8. En el cine
de la calle Sucre, hay —— asientos (*three thousand*).   9. ¿ Trabajará Vd.
—— la semana pasada (*more than*)?   10. Hemos visto —— mundo (*the
most modern cities in the*).

I. 1. Yo trabajo —— Vd. (*as many hours as*).   2. Vd. —— mañana
a las diez (*will get up*).   3. Todos ellos —— a las clases esta semana
(*have attended*).   4. En una ciudad moderna —— es interesante (*life*).
5. Aquí hay —— en el otro cuarto (*more people than*).   6. —— muchas
cosas este mes (*I shall do*).   7. Este país tiene tres —— habitantes (*millions*).
8. Elsa es —— país (*the most beautiful lady in the*).   9. —— en la página
diez (*We are not reading*).   10. ¿ Dónde —— una caja de dulces (*can
one buy*)?

J. 1. El director —— así (*is called*).   2. ¿ Qué cartas —— de
España (*have you received*)?   3. Carlos —— y Felipe —— son famosos
(*Fifth . . . Second*).   4. Usted no ha recibido —— (*any letters*).   5. Mi
amigo —— algo difícil (*is explaining*).   6. ¿ Qué —— la mesa cuando
comemos (*covers*)?   7. Las noches de verano son —— año (*the shortest
in the*).   8. Les gusta bailar —— a Vd. (*as much as*).   9. Todos dicen
que —— hombres van al cine (*more women than*).   10. En esta casa ——
poco (*is needed*).

K. 1. —— más de cinco tiendas en esta calle (*There are*).   2. —— lo
veo en la ciudad (*At times*).   3. En invierno casi siempre —— (*it is cold*).
4. ¿ Viaja usted —— (*abroad*)?   5. Sé la lección —— (*by heart*).   6. Carmen —— país el otro día (*left*).   7. Él no sabe cómo —— (*to earn his
living*).   8. Ellos —— allá (*decided to go*).   9. Siempre —— nuestros
amigos (*we think of*).   10. Vemos flores —— (*everywhere*).

L. 1. —— varias cosas en la ciudad (*I have bought*).   2. ¿ Qué fiesta
—— esta semana (*is celebrated*)?   3. Estos libros son —— los otros (*as
important as*).   4. Este muchacho siempre se lava —— (*his hands and face*).
5. Este caballero es —— mundo (*the best friend in the*).   6. Yo no tengo
—— (*any parents*).   7. Yo no soy —— usted (*older than*).   8. Él ha ganado
—— yo (*as much money as*).   9. ¿ Cuántos idiomas —— en esta escuela
(*are learned*)?   10. Salgo para Chile —— (*the first of April*).

SELECCIÓN: *Repaso III*

El Brasil, rey del café

El Brasil es el país más grande de la América del Sur. Es el único país de América donde se habla portugués y no español. Su superficie [1] puede cubrir completamente los Estados Unidos, y queda todavía suficiente [2] territorio para cubrir el estado de California o el de [3] Nueva York. Limita con [4] todos los países de Sud 5 América menos el Ecuador y Chile. Es tierra de impenetrables selvas,[5] ríos misteriosos, puertos pintorescos y ciudades espléndidas. El Amazonas,[6] el río más grande del mundo, corre [7] a través de este vasto país. Es navegable [8] y lleva al mar una inmensa [9] cantidad de agua. Su corriente penetra en el océano hasta 250 10 millas.

El Brasil es también una de las naciones más ricas del mundo. Representa la reserva de América. Nadie puede calcular [10] las riquezas [11] que hay en sus inmensos territorios vírgenes [12] todavía. Entre los productos importantes del país, el café y el hierro son los 15 primeros. Las dos terceras partes del café que se consume [13] en el mundo provienen [14] del Brasil.

Río de Janeiro, la capital del país, es la tercera ciudad de Sud América en población.[15] Es un puerto importante y su hermosísima bahía [16] no tiene rival en el mundo entero. Puede 20 decirse que Río de Janeiro es la ciudad más bella de la tierra. Tiene un cielo claro, un mar azulísimo al frente, y montañas verdes al fondo. A la entrada de Río de Janeiro se levanta un cerro muy alto. Es el « Corcovado ».[17] En su cumbre [18] hay

[1] surface, area. [2] sufficient. [3] that of. [4] It borders on. [5] thick forests. [6] The Amazon. [7] flows. [8] navigable. [9] immense. [10] calculate. [11] wealth. [12] virgin. [13] is consumed. [14] come from. [15] population. [16] bay. [17] the Hunchback. [18] top.

una gigantesca estatua de Cristo.[1]   ¡ Qué espléndido panorama ofrece esta magnífica [2] capital !   Hay mucha vegetación y muchas flores.   Las orquídeas [3] son tan corrientes que su precio es muy bajo y las muchachas no las usan.

5   Las calles de Río de Janeiro llaman mucho la atención por lo hermosas y limpias que son.[4]   La famosa avenida Río Branco es la más elegante de toda la ciudad.

a. *What English words do you recognize from the following Spanish words?*

la república, el territorio, la parte, los Estados Unidos, el extremo, el clima, inmenso, –a, el límite, producir, enorme, el habitante, exportar, excelente, la nación, el centro, activo, –a

b. Vocabulario

el **cerro** hill
el **cielo** sky
   completamente completely
   corriente common
la **corriente** current, tide
la **entrada** entrance
el **fondo** background

el **hierro** iron
   limpio, –a clean
   misterioso, –a mysterious
   penetrar to penetrate
   través: a — **de** across
   vasto, –a vast, enormous

c. Preguntas

1. ¿ Qué idioma se habla en el Brasil?   2. ¿ Qué puede cubrir el territorio del Brasil?   3. ¿ Qué es el Amazonas?   4. ¿ Cuáles son los productos más importantes del Brasil?   5. ¿ Qué clase de ciudad es Río de Janeiro?

---

[1] huge statue of Christ. [2] magnificent. [3] orchids. [4] because of their beauty and cleanliness.

Sección quinta **España y América**

TREINTA Y UNA

A. Pronombres demos-
trativos

B. Palabras negativas

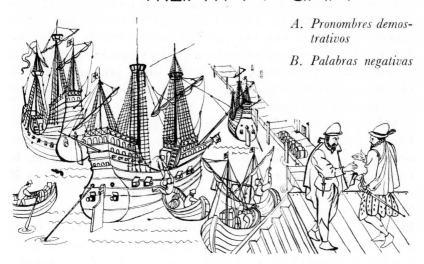

I. Conversación

Aparece un mundo nuevo

El 3 de agosto de 1492, Cristóbal Colón, a la cabeza de un grupo de audaces [1] marineros,[2] salió del puerto de Palos con rumbo a [3] la India.   No cabe duda ninguna de que [a] este viaje ha sido el más famoso de todos los tiempos.   ¿ Por qué?   Porque Colón descubrió un mundo nuevo.   Dió a España un territorio tan vasto que no   5 ha habido [4] nunca otro igual en el mundo.

El célebre navegante, lleno de fe y entusiasmo,[5] hizo un viaje muy audaz.[6]   Ninguna otra nación en ningún otro tiempo hizo nada igual.[7]   No fueron pocas ni pequeñas las dificultades que tuvo que vencer Colón para realizar [8] su propósito.   Salió con tres   10 frágiles buques: [9] la Santa María, la Pinta y la Niña.   En varias ocasiones el genio de Colón tuvo que dominar a los rebeldes [10]

[1] daring.   [2] sailors.   [3] towards.   [4] there has been.   [5] enthusiasm.   [6] daring.
[7] anything to equal it.   [8] carry through.   [9] fragile ships.   [10] rebels.

311

de los ciento veinte hombres bajo sus órdenes.   Nadie se atrevió
a hacer frente a [b] aquel hombre de voluntad de hierro, deter-
minado [1] a realizar su propósito.

La mañana de un hermoso día, el 12 de octubre, se oyó el grito
5 de « ¡ tierra, tierra ! ».   Colón atravesó el océano que nadie
conocía [2] y llegó a una isla que él bautizó [3] con el nombre de
San Salvador.   Fué la primera tierra que los españoles descubrieron
en esta parte del mundo.   El destino quiso premiar [4] la fe y
el entusiasmo de Cristóbal Colón, que no descubrió la India, sino
10 un verdadero nuevo mundo.

Más de cuatro siglos y medio han pasado desde entonces.
Gracias a la obra de Colón, España es hoy día la madre de dieciocho países ricos y prósperos.   Todos ellos conservan la fe, la
cultura y la lengua de la madre patria.[5]   De la mezcla [6] de la
15 raza española con los indios nacieron los mestizos, que forman
la mayor parte de la población en algunos países hispanos.   Aunque
independientes, estas naciones no olvidan jamás su país de origen.[7]
Por eso, ningún país hispano se olvida nunca de celebrar el 12 de
octubre, llamado el Día de la Raza, *Columbus Day* en los Estados
20 Unidos, que marca una de las fechas más grandiosas en la historia
de la humanidad.

II. Vocabulario

A coro:

NOMBRES

Colón Columbus
Cristóbal Christopher
el **destino** destiny
la **dificultad** difficulty
la **fe** faith
el **genio** genius
el **grito** shout, cry
la **humanidad** humanity
el **mestizo** half-breed
el **navegante** navigator

la **nación** nation
la **ocasión** occasion
la **orden** order, command
el **propósito** objective, purpose
el **siglo** century
la **voluntad** will

ADJETIVOS

célebre celebrated
grandioso, –a grand
independiente independent

[1] determined.   [2] knew.   [3] baptized.   [4] reward.   [5] fatherland.   [6] union.
[7] country of origin.

VERBOS

aparecer (zc) to appear
atravesar (ie) to cross
atreverse (a) to dare
dominar to dominate

nacer (zc) to be born
vencer [1] to win, overcome

OTRAS PALABRAS

aunque although
jamás never

Aprendan de memoria:

(a) **No cabe duda ninguna de que . . .** There isn't any doubt that . . .

(b) **hacer frente a** to face

¿ Qué significa en inglés?

1. un mundo nuevo, la India, el célebre navegante, ninguna otra nación, esta parte del mundo, desde entonces.   2. Él salió del puerto de Palos el 3 de agosto de 1492.   3. No fueron pocas sus dificultades.   4. Colón tuvo que dominar a los marineros.   5. La mañana de un hermoso día oyó el grito de « tierra ».   6. Se descubrió un nuevo mundo gracias a Colón.   7. Más de cuatro siglos y medio han pasado desde entonces.

III. Preguntas

1. ¿ Cuándo salió Colón del puerto de Palos?   2. ¿ Qué se dice del viaje de Colón?   3. ¿ Por qué es muy importante este viaje?   4. ¿ Cuáles son los nombres de los tres buques de Colón?   5. ¿ Cuántos hombres tenía Colón bajo sus órdenes?   6. ¿ Qué se oyó el 12 de octubre por la mañana?   7. ¿ Cuál fué la primera tierra descubierta por Colón?   8. ¿ Qué es España hoy día?   9. ¿ Qué idioma se habla en los países hispanos?   10. ¿ Qué marca el Día de la Raza?

No olvide nunca

El valor [2] del tiempo.
La perseverancia, causa del éxito.[3]
El cariño al [4] trabajo.
La economía, base [5] de la riqueza.
El cultivo [6] del talento.
La alegría [7] que conserva [8] la salud.

---

[1] Notice present indicative: **venzo,** vences, **vence,** etc.   [2] value.   [3] success.
[4] love, fondness for.   [5] foundation.   [6] development.   [7] cheerfulness.   [8] maintains.

IV. Gramática

A. DEMONSTRATIVE PRONOUNS

	SINGULAR			PLURAL	
	Masc.	*Fem.*		*Masc.*	*Fem.*
this:	**éste**	**ésta**	(*near the speaker*)	these: **éstos**	**éstas**
that:	**ése**	**ésa**	(*near person addressed*)	those: **ésos**	**ésas**
that:	**aquél**	**aquélla**	(*away from both*)	those: **aquéllos**	**aquéllas**

estos hombres y aquéllos	these men and those (over there)
esta tierra y aquélla	this land and that (one)
estas naciones y ésas	these nations and those (you mentioned)

Note that the demonstrative pronouns differ from the demonstrative adjectives in that they have a written accent on the stressed vowel.   The pronoun agrees in gender and number with the noun for which it stands.   **Ése** refers to what is near the person addressed or mentioned by him; **aquél** refers to that which is far from both the speaker and the person addressed.

No comprendo aquello.	I do not understand that (*idea*).
No hablo de eso.	I am not speaking of that (*statement*).
¿ De quién es esto?	Whose is this (*unnamed object*)?

Note that **esto,** *this,* **eso,** *that,* and **aquello,** *that,* even though pronouns, bear no accent.   They refer, in an indefinite way, to an idea, statement, or a thing not mentioned by name.

B. NEGATIVE WORDS

Nadie está en casa. } **No está nadie en casa.** }	Nobody is at home.
Nada tengo. } **No tengo nada.** }	I have nothing *or* I haven't anything.
Ellas no olvidan jamás.	They never forget *or* They don't ever forget.
Ninguno contestó a Colón tampoco.	No one answered Columbus either.

nadie	nobody, no one, not . . . anybody	ni . . . ni	neither . . . nor, not . . . either
nada	nothing, not . . . anything	tampoco	neither, not . . . either
nunca	never, not . . . ever	jamás [2]	never, not . . . ever.
ninguno, –a [1]	no, none, not . . . any		

Note that these negative words may either precede or follow the verb; when they follow, **no** must be used before the verb. They may also mean in English *not anyone, not anything, not ever, not either, not any*, etc.

No compro ni frutas ni dulces.	I buy neither fruit nor candy.
Nadie recibe nunca nada.	Nobody ever receives anything.
Vd. no dice nada a nadie.	You say nothing to anybody.

Note that in Spanish a sentence may have two or more negative elements without making the meaning affirmative.

V. Ejercicios

A. Repaso oral — Lección treinta. *Give the Spanish translation of the words in English:* 1. Esta rosa es —— (*most beautiful*). 2. Este cuarto es —— la casa (*the smallest in*). 3. El otro hombre es —— hospital (*the least sick in the*). 4. Quiero saber cuál es —— la ciudad (*the most popular school in*). 5. Todos nosotros estamos —— (*very busy*). 6. El pueblo que han visto es —— la región (*the most attractive in*). 7. La iglesia será —— la calle (*the largest building in*). 8. A Pilar le gustó —— la excursión (*very much*). 9. Para la familia López ese día fué —— la vida (*the shortest in*). 10. Inés es la muchacha —— toda la familia (*most intelligent in*).

B. *Escriban con los pronombres* **yo, nosotros, Vd.,** *y* **ellos:** 1. María no tiene ni padres ni abuelos. 2. Luis nunca está triste. 3. Él no recibió aquellos regalos. 4. Vds. no cantarán tampoco. 5. Ella no escribe cartas nunca. 6. Él no ha visto a nadie. 7. Felipe nunca quiere oír nada. 8. Ellas no visitan a nadie. 9. Él no hace nunca nada. 10. Él no lee ni escribe en este cuarto.

---

[1] **ninguno** drops its final –o before a masculine singular noun and becomes **ningún**.
[2] **Jamás** in an affirmative question means *ever:* ¿ **Lo ha visto Vd. jamás** ? *Have you ever seen him?*

C. *Escriban enteramente en español:* 1. He leído ——— sobre Colón (*these books and those*). 2. Colón vivió en ———, no en ——— (*this house . . . that one*). 3. Nadie me habló de ——— (*that*). 4. Vivieron en ———, no en ——— (*that city . . . this one*). 5. ——— son todos españoles (*These men and those*). 6. ¿ Ha leído Vd. ——— (*these letters or those*)? 7. ¿ Qué es ——— que está sobre la mesa (*that*)? 8. Queremos todo ——— (*this*). 9. ——— están abiertas (*These doors and those*). 10. ——— no es verdad (*That*).

D. *Escriban enteramente en español:* 1. Hay más de *seven hundred* casas en este pueblo. 2. Estos libros y *those* de ahí son interesantes. 3. Leonardo es *the most intelligent boy in* la ciudad. 4. *What* necesitamos es un buen apartamento. 5. ¿ Quiere Vd. ir *to the country?* 6. ¿ *Whose* son estas revistas y aquéllas? 7. No tengo libro *either*. 8. ¿ Dónde *are sold* las cosas que Vd. compró ayer? 9. Todas *these things and those* se compran en la tienda de García. 10. No queremos estar aquí *more than* debemos.

E. Test XXXI. *Write the Spanish translation of the words in English:* 1. ——— que Colón fué un gran hombre (*There is no doubt*). 2. No compraremos ——— estos libros ——— aquellas revistas (*neither . . . nor*). 3. ¿ Ha visto Vd. ——— un edificio más grande (*ever*)? 4. Ustedes no hicieron ——— aquí (*never anything*). 5. Ellos ——— ven a ——— (*never . . . anybody*). 6. Sé que él ——— está allí ——— (*not . . . either*). 7. ——— no debe hablar mal de sus amigos (*This man*). 8. ——— vieron a ——— en la tienda (*Never . . . anybody*). 9. Colón descubrió ——— de ahí (*these lands and those*). 10. ——— puede olvidar aquella fecha (*No Spaniard*).

F. *Oral:* 1. He will never say this; she never sang; we never saw. 2. Nobody knows that; nobody heard us; nobody will say that. 3. I didn't receive anything; they knew nothing; we will not want anything; they will have nothing. 4. He has not gone out either; let us not buy this either; they will not come either. 5. Have you ever seen this? have they ever done it? have you ever spoken? 6. I neither read nor write nor speak Spanish. 7. They don't like either fish (**el pescado**) or meat or bread.

G. *Written:* 1. For the Spaniards there is no greater year than 1492. 2. Nobody can forget that important date. 3. The children never go to school on October 12. 4. Columbus' men did not see that land till October 12, 1492. 5. Nothing is more important than the discovery (**descubrimiento**) of America. 6. Nobody can say that it is not an important date. 7. The Americans will never forget this date. 8. Nobody wants to know anything of the New World.   9. Those Spaniards never saw any land more beautiful than America.   10. Nothing equal was done in any other part of the world.

H. Ejercicio de invención. *Hagan varias oraciones con estas combinaciones:*

No ver	a nadie	aquí
No hacer	ninguna cosa	esta noche
No estar	nadie	en casa
No comprar	ni pan ni carne	en aquella tienda
Nadie querer	comprar la casa	en aquel barrio
Nunca recibir	revistas	de aquel pueblo
No olvidar	nunca	las reglas
Nunca	hablar inglés	en la clase de español

I. Ejercicio de pronunciación:

ca	que	qui	co	cu
ca-ma	que-rer	quin-ce	co-sa	cul-pa
lo-ca	sa-que	a-quí	lo-co	dis-cur-so
ca-ca-o	por-que	quin-qué	co-lo-co	cu-co
Ca-ra-cas	Que-ré-ta-ro	Qui-to	Co-lón	Cu-ba

¡Carmen Casas compra un quinqué!

J. *Dialoguito:*

— ¿ **Dónde está la estación del ferrocarril?** [1]

Where is the railroad station?

— **Está lejos de aquí. Tome un taxi y llegará pronto.**

It's far from here. Take a taxi and you'll get there soon.

— ¿ **A qué distancia está de aquí?**

How far is it from here?

— **A ocho cuadras, si no me equivoco.**

Eight blocks away, if I am not mistaken.

— **Entonces voy a llamar un taxi.**

Well then I'll hail a taxi.

---

[1] **el correo,** *post office;* **la biblioteca,** *the library;* **la barbería,** *the barbershop;* **la tienda de víveres,** *the grocery store;* ...

SELECCIÓN

Variedad de colores indios

Unas jóvenes indias venden sus productos en el mercado [1] y están muy contentas.   Los vivos colores de los objetos atraen [2] a los turistas como la miel [3] a las moscas.[4]   Todos quieren comprar cestos, alfombras, sarapes [5] y otras cosas hechas a mano [6] por los
5 indios.   ¡ Qué variedad de colores !   Parece que está en venta el arco iris.

Los indios mexicanos y centroamericanos son amantes [7] de los colores vivos.   Además de ser expertos en el arte de teñir,[8] combinan los colores [9] con una perfección admirable.   Los materiales
10 que tiñen [10] conservan para siempre su color primitivo.   Por muchos siglos los indios han poseído el secreto de obtener sus tintes [11] y la manera de prepararlos.

Entre otros, usan los indios un tinte muy bonito de un vivo color morado [12] que obtienen de unos moluscos [13] que viven en conchas [14]
15 en las orillas de ciertas lagunas.[15]   Los indios ponen a secar estos moluscos y luego los hacen polvo.[16]   Este polvo lo mezclan con agua salada [17] caliente y es así como producen ese tinte morado de belleza extraordinaria.

También obtienen excelentes tintes de diferentes insectos como

---

[1] market. [2] attract. [3] honey. [4] flies. [5] baskets, rugs, serapes. [6] made by hand, handmade. [7] fond. [8] dyeing. [9] blend the colors. [10] dye. [11] dyes. [12] purple. [13] shellfish. [14] shells. [15] lagoons. [16] grind them into a powder. [17] salt water.

la cochinilla.[1]   Las cochinillas se encuentran por millares [2] en las hojas de cierta clase de cacto [3] muy común en México y en la América Central.   Cuando llega la estación de recoger las cochinillas, los indios cortan las hojas del cacto y las cuelgan sobre un horno.[4]   Los insectos caen en el horno y cuando están bien 5 secos, sus cuerpos de color chocolate producen un tinte rojo muy brillante.   Si se ponen los insectos en agua hirviendo,[5] cambian de color y producen entonces un precioso color azul.

La extracción [6] de tintes de cochinilla fué en otro tiempo [a] una gran industria.   Con el descubrimiento de tintes químicos [7] más 10 baratos este arte indio casi ha desaparecido.[8]

a. *What English words do you recognize from the following Spanish words?*

el producto, contento, –a, el objeto, el turista, la variedad, experto, –a, el arte, combinar, la perfección, obtener, preparar, la laguna, producir, excelente, diferente, el insecto, brillante, la industria

b. Vocabulario

la **belleza** beauty	**poseer** to possess
brillante brilliant	**recoger** (*conjugated like* **escoger**)
colgar (**ue**) to hang	to pick up
la **manera** way, manner	**secar** to dry
la **perfección** perfection	**vivo, –a** lively, brilliant

c. Frase útil

(a) **en otro tiempo** formerly, at one time

d. Preguntas

1. ¿ Qué cosas quieren comprar los turistas?   2. ¿ De qué son amantes los indios?   3. ¿ Qué color sacan de los moluscos?   ¿ cuál de las cochinillas?   4. ¿ Cómo combinan los indios los colores?   5. ¿ Cuánto tiempo conservan su color los materiales teñidos?

[1] female wood lice.   [2] are found by the thousands.   [3] cactus.   [4] oven.   [5] boiling water.   [6] extraction.   [7] chemical.   [8] has disappeared.

L E C C I Ó N
TREINTA Y DOS

A. Imperfecto de los verbos regulares

B. Uso del imperfecto

I. Conversación

¿ Quiénes eran los indios?

Cuando los españoles llegaron a América, la encontraron poblada [1] por una raza de aspecto muy extraño. Como los españoles creían haber llegado [2] a la India, los llamaron indios. Muy pocos de ellos sabían leer o escribir. De eso había varias
5 excepciones marcadas: los aztecas de México, los mayas de la América Central, los chibchas de Colombia y los incas del Perú.

Los indios formaban grupos, llamados tribus, [3] dirigidos por jefes o caciques. [4] Por lo general, [a] no vivían en un sitio fijo, en pueblos o ciudades. Hacían una vida [b] errante; [5] iban de un lugar a
10 otro, y no se quedaban en ninguna parte por largo tiempo. Vivían en tiendas que construían de troncos y ramas [6] de árboles, los que [7] cubrían con cueros [8] de animales. Dormían en hamacas [9] y se sentaban en el suelo, pues no tenían ni camas, ni mesas, ni sillas.

---

[1] populated. [2] to have arrived. [3] tribes. [4] Indian chiefs. [5] wandering. [6] trunks and branches. [7] which. [8] skins. [9] hammocks.

320

Los habitantes primitivos de América no conocían ni el caballo, ni la vaca, ni el cerdo,[1] ni la gallina,[2] ni otros animales domésticos. Tampoco conocían el arroz,[3] ni el pan de trigo.[4] En cambio, se veían entre ellos muchos campos de maíz,[5] que era la base de su alimentación. También cultivaban otros granos y algunas legum- 5 bres. Vivían principalmente de la caza y de la pesca.[6] Eran todos expertos en el uso de la flecha y de la cerbatana.[7] La cerbatana era un tubo [8] largo; en él metían una flecha y luego la soplaban [9] con tal fuerza que mataban un ave en el vuelo [10] o un pez [11] en el agua. Por lo general, comían carne cruda,[12] y entre 10 algunas tribus había caníbales.[13]

En cuanto a religión, los indios no creían en un solo dios. Al contrario, algunos de ellos creían en la existencia [14] de muchos dioses o espíritus.[15] Entre estos espíritus, algunos eran buenos y otros malos. Para todos los indios, el Sol era el dios más importante a 15 quien rezaban al salir por la mañana. Como principio básico de su religión, los indios adoraban más a los espíritus malos que a los buenos, porque de los buenos no tenían nada que temer. A los malos les tenían mucho miedo y para aplacarlos [16] les bailaban al son de tambores,[17] y les hacían toda clase de sacrificios.[18] Además, 20 había otros indios que creían que ciertos animales salvajes [19] como el puma y la serpiente [20] eran sagrados [21] y por eso no se atrevían a matarlos.

II. Vocabulario

A coro:

NOMBRES	
la **alimentación** food	la **excepción** exception
el **animal** animal	el **jefe** chief
el **aspecto** appearance	el **miedo** fear
el **ave** (*f.*) bird	el **puma** puma, mountain lion
la **base** basis	la **religión** religion
el **dios** god	la **tienda** tent

[1] hog. [2] hen. [3] rice. [4] wheat. [5] cornfields. [6] hunting and fishing. [7] arrow and blow gun. [8] tube. [9] blew. [10] a bird on the wing, in flight. [11] fish. [12] raw. [13] there were cannibals. [14] existence. [15] spirits. [16] appease them. [17] to the sound of drums. [18] sacrifices. [19] wild. [20] serpent. [21] sacred.

ADJETIVOS

básico, –a basic
doméstico, –a domestic
experto, –a expert
extraño, –a strange
fijo, –a fixed
marcado, –a marked
primitivo, –a primitive

VERBOS

adorar to worship
conocer (zc) to know
construir[1] to construct
dirigir[1] to direct
matar to kill
rezar to pray
salir to rise (*the sun*)
temer to fear

OTRA PALABRA

principalmente principally

Aprendan de memoria:

(a) **por lo general** in general, generally

(b) **hacer una vida** to lead a life

¿ Qué significa en inglés?

1. muy pocos, por lo general, en cambio, muchos campos de maíz, en cuanto a la religión.   2. Los españoles llegaron a América en 1492.   3. Las tribus no se quedaban largo tiempo en ninguna parte.   4. Vivían en tiendas.   5. Muchos de ellos no tenían camas.   6. Eran expertos en el uso de la flecha.   7. Los indios no creían en un solo dios.   8. Muy pocos indios sabían leer o escribir.   9. Ellos formaban grupos o tribus.   10. Los habitantes primitivos de América no conocían los animales domésticos.   11. Para los indios el dios principal era el Sol.   12. Ellos también adoraban a los espíritus malos.   14. La base de su alimentación era el maíz.   15. Vivían principalmente de la pesca y de la caza.

III. Preguntas

1. ¿ Qué raza encontraron los españoles en América?   2. ¿ Por qué los llamaron indios?   3. ¿ Sabían leer y escribir muchos de ellos?   4. ¿ Quiénes dirigían las tribus?   5. ¿ Qué animales no conocían los indios?   6. ¿ Qué cultivaban los indios?   7. ¿ De qué vivían?   8. ¿ En qué eran expertos?   9. ¿ Creían los indios en un solo dios?   10. ¿ Por qué adoraban más a los espíritus malos que a los buenos?

---

[1] Notice present indicative: **construyo,** construyes, **construye, construímos,** construís, **construyen.**   Also notice **dirijo,** diriges **dirige,** dirigimos, dirigís, **dirigen.**

IV. Gramática

A. THE IMPERFECT TENSE

SUJETOS	I. hablar	II. comer	III. vivir
	I used to speak, was speaking, ~~spoke~~	I used to eat, was eating, ~~ate~~	I used to live, was living, ~~lived~~
	todos los días, siempre, generalmente, a menudo[1]		
yo	habl aba	com ía	viv ía
tú	habl abas	com ías	viv ías
él, ella, Vd.	habl aba	com ía	viv ía
nosotros, –as	habl ábamos	com íamos	viv íamos
vosotros, –as	habl abais	com íais	viv íais
ellos, –as, Vds.	habl aban	com ían	viv ían

Learn the following three verbs which are the only irregular verbs in the imperfect:

ser to be   **era,** eras, **era, éramos,** erais, **eran**
ir to go   **iba,** ibas, **iba, íbamos,** ibais, **iban**
ver to see   **veía,** veías, **veía, veíamos,** veíais, **veían**

Note that the imperfect tense of regular verbs is formed from the stem to which are added personal endings. Note that for verbs in –**er** and –**ir** the personal endings are the same.

Observe also that this tense is stressed on the same syllable throughout. For verbs in –**ar,** the first person plural is the only form which has a written accent. Verbs in –**er** and –**ir** have a written accent on all personal endings.

Había (present, **hay**) is the impersonal imperfect form of **haber** and means: *there was, there were.*

B. USE OF THE IMPERFECT

(a) **Ayer hablábamos de ella.**   Yesterday we were talking about her.
Él lo decía siempre.   He always said (would say) it.
A menudo lo visitaban.   They used to visit him often.

[1] every day, always, generally, often.

(b) **Mientras ellos hablaban, nosotros escuchábamos.**   While they spoke, we listened (used to listen).

Cuando estudiaba sus lecciones, recibía buenas notas.   When he studied his lessons, he received good marks.

Cuando era joven vivía en España.   When he was young, he lived in Spain.

(a) Note that in Spanish there is a special past tense called the imperfect, which describes an action or state *which used to go on repeatedly* or *was continued habitually*. This tense corresponds to the English "used to" or "would" followed by an infinitive, or the past of *to be* with the *–ing* form, or the simple past tense, if it implies habitual or repeated action.

(b) Note that another use of the imperfect is to express two uncompleted past actions which happened side by side and lasted the same length of time.

V. Ejercicios

A. Repaso oral — **Lección treinta y una.** *Give the Spanish translation of the words in English:* 1. —— de los hombres le habló (*None*). 2. —— estarán contentos allí (*This man and that one*). 3. Ellos no harán nunca —— (*anything*). 4. Los indios —— escriben —— leen (*neither . . . nor*). 5. —— ellos no hicieron nada (*That week and this*). 6. Nunca trabajamos en —— (*this house or that*). 7. Juan no hizo —— de lo que dijo (*anything*). 8. Carmen no vió a —— (*these girls and those*). 9. —— hay nadie para ir allá (*Never*). 10. —— de « tierra » se oyó antes del 12 de octubre (*No shout*).

√ **B.** *Pongan las terminaciones del imperfecto:* 1. ¿ De qué habl— Vd. esta mañana? 2. Mientras yo pregunt—, todo el mundo escuch—. 3. Cuando su abuelo dec— algo, nosotros prest— atención. 4. ¿ Qué idiomas estudi— Vds. en la escuela? 5. ¿ Ten— su padre muchos amigos? 6. Rosa est— allí con su abuelo. 7. Cuando él asist— a la escuela, recib— buenas notas. 8. Todo el mundo quer— a su madre. 9. Carlos ve— a sus amigos por la calle. 10. Yo quer— saber si mis amigos comprend— el español. 11. ¿ Por qué calle and— ellos todos los días? 12. Vd. recib— muchos regalos de España.

√ **C.** *Pongan los verbos en el imperfecto:* 1. Venden los periódicos en esa calle. 2. Roberto recibió cartas de sus amigos. 3. Ayudaremos a

"Sea horse" Straw boat used in Peru

Throwing the first ball, Madrid, Spain

Basketball, Argentina

Golf course in Argentina

Girl in native dress, Honduras

Basque dancers, San Sebastián, Spain

Gaucho, Argentina

Sacsahuaman, Cuzco, Peru

nuestros amigos.   4. ¿ Cuándo escribirán esas cartas?   5. Isabel lleva la mantilla de su madre.   6. Ellos compraron las novelas.   7. Cuando él está enfermo, lo ayudamos.   8. Cuando está malo, tose mucho.   9. Él examinará los libros y los leerá.   10. Ella compró vasos grandes.

✓ **D.** *Pongan los verbos en el imperfecto:*   *Lessons* 29 ‡ 32 *Test*
                                                                Mon.

(a) él comprende, tengo, Vd. dice, vivimos, hago, ella está, no caigo

(b) supe, Vds. compraron, ellos pusieron, Vd. hizo, él vivió, dijimos

(c) tome Vd., comamos, abran Vds., prepare Vd., escuchen Vds.

(d) ayudaré, él necesitará, comeremos, ella toserá, ellos hablarán, Vds. venderán

E. Test XXXII.   *Write the Spanish translation of the words in English:*
1. Ayer —— del descubrimiento de América (*we were speaking*).   2. Los indios —— una raza extraña para los españoles (*were*).   3. Los indios —— en muchos dioses (*used to believe*).   4. En su religión —— dioses buenos y espíritus malos (*there used to be*).   5. Muchos —— en tiendas o casas primitivas (*used to live*).   6. Ustedes nunca —— a sus amigos (*used to receive*).   7. Nadie —— a verlo (*used to go*).   8. Ninguno de los marineros —— a Colón todos los días (*used to see*).   9. Leí que muchas tribus —— de un lugar a otro (*went*).   10. Aquellos indios de América —— carne cruda (*used to eat*).

F. *Oral:* 1. I used to visit; they used to ask; we used to see.   2. You always read; we always did; they always went out; I always opened. 3. He was buying; we were selling; he was living; they were preparing. 4. She would always speak; he would always cough; I would always read; they would always go; we would always see.   5. While I spoke, he listened.   6. When these students studied, they learned.   7. When he taught, we learned.

G. *Written:* 1. The other day we were speaking of the Indians. 2. When the Spaniards lived in America, the continent had many different tribes.   3. Those tribes did not know (**saber** + *inf.*) how to read and write.   4. The Indians always went from one place to another. 5. A few cultivated grains and vegetables.   6. Others lived principally from hunting and fishing.   7. The most popular product was corn. 8. The sun was their most popular god.   9. They prayed to the sun in (**por**) the morning.   10. They also prayed to the evil spirits.

H. Ejercicio de invención. *Pongan las siguientes oraciones en el imperfecto, luego combinen las expresiones para hacer otras oraciones:*

1. Yo	trabajar	en aquella tienda	la semana pasada
2. Usted	leer	en la sala	los domingos
3. Todos nosotros	escribir	en la biblioteca	a menudo
4. Nadie	levantarse tarde	en casa	todos los días
5. Todos ellos	recibir regalos	de España	algunas veces
6. Los indios	vivir	en tiendas	casi siempre
7. Los españoles y los indios	no vivir	juntos	en América
8. Los habitantes primitivos	descansar y dormir	en hamacas	pocas horas
9. Muy pocos	saber escribir	en América	en esa época

I. Ejercicio de pronunciación:

za	ce	ci	zo	zu
ta-za	ce-ro	ci-ga-rro	ce-re-zo	a-zul
lan-za	ha-ce	lec-ción	zon-zo	zur-cir
ra-za	ce-ce-o	e-jer-ci-cio	zo-zo-bra	zu-mo
Za-mo-ra	Cer-van-tes	Ci-ce-rón	Zo-rri-lla	Zur-ba-rán

J. *Dialoguito:*

— **Muéstreme una camisa**[1] **de nilón.** Show me a nylon shirt.

— **¿ De qué medida?** What size?

— **Número . . .** Size . . .

— **¿ Le gusta ésta? Es de muy buena calidad. Vale diez pesos.** Do you like this? It is excellent quality. It costs ten pesos.

— **Tomo dos. Mándeme el paquete a mi domicilio.** I'll take two. Send the package to my home.

[1] **una corbata,** *necktie:* **un pañuelo,** *handkerchief;* **un par de guantes,** *a pair of gloves;* **calcetines,** *socks;* .

SELECCIÓN

Los incas, Hijos del Sol

A mediados del ª siglo décimo, Manco Capac, Hijo del Sol, fundó el gran imperio de los incas.   Su capital era la rica ciudad llamada el Cuzco.   Los incas eran indios de una civilización bastante avanzada.¹   Se dedicaban a la minería.²   Trabajaban el oro y la plata como ningún otro pueblo de América.   Eran también 5 muy buenos agricultores ³ y cultivaban la tierra en huertas pequeñas ⁴ en las montañas.

La tradición nos cuenta ⁵ que construían magníficas ciudades con calles cubiertas de plata.   Construían palacios y templos adornados ⁶ de oro y piedras preciosas.   Los incas escribían de un 10 modo muy particular.⁷   Usaban para ello hilos ⁸ de varios colores con nudos ⁹ y que llamaban « quipos ».   Hacían los nudos para escribir las cosas más importantes o para hacer cuentas.¹⁰

Los incas extendieron su imperio del Perú desde Colombia en el norte hasta Chile y la Argentina en el sur.   Cuatrocientos años 15

---

¹ quite advanced.   ² They engaged in mining.   ³ farmers.   ⁴ worked the land of small orchards.   ⁵ Tradition has it.   ⁶ adorned.   ⁷ odd.   ⁸ threads.   ⁹ knots.   ¹⁰ to figure, calculate.

después de su fundación,[1] llegaron allá los españoles. Los conquistadores quedaron admirados del[2] progreso y de la riqueza de esos indios. Francisco Pizarro conquistó el Perú en 1533. Dos años después este famoso conquistador español fundó la ciudad de 5 Lima, capital del país. Los españoles fueron desde entonces los dueños del país. Sin embargo, todavía hay en el Perú gran número de indios descendientes[3] de los antiguos incas. Naturalmente se sienten muy orgullosos[4] de ser descendientes de tan noble raza.

a. *What English words do you recognize from the following Spanish words?*

fundar, el imperio, la civilización, la montaña, la tradición, construir, precioso, –a, usar, varios, –as, importante, extender, el número, el descendiente, norte, sur, el progreso

b. Vocabulario

antiguo, –a ancient	**extender (ie)** to spread, extend
el **conquistador** conqueror	el **modo** way, manner
conquistar to conquer	la **piedra** stone
el **dueño** owner	**precioso, –a** precious
ello it; **para ello** for that purpose	la **riqueza** wealth
	sentirse (ie) to feel

c. Frases útiles

(a) **a mediados de** towards the middle of
 a principios de towards the beginning of
 a fines de towards the end of
 (*These idioms are used only to refer to vague periods of time.*)

d. Preguntas

1. ¿Quién fundó el imperio de los incas? 2. ¿Cuál era su capital? 3. ¿Cómo era la civilización de los incas? 4. ¿Qué clase de trabajos hacían? 5. ¿Quién era Pizarro y qué fundó?

---

[1] founding. [2] were amazed at the. [3] descendants. [4] proud.

TREINTA Y TRES

A. Pronombres complementos: directo e indirecto

B. Colocación de los pronombres complementos

I. Conversación

Los piratas y sus robos

Dos amigos, Pedro y Pablo, cambiaban impresiones después de asistir a una conferencia [1] sobre los piratas. Como el tema [2] era muy interesante, los dos muchachos lo discutían [3] mientras volvían a su casa. Escuchemos su conversación.

— ¿Quiere repetirme lo que nos ha dicho el doctor Sánchez? 5

— Nos ha dicho tanto que me es imposible repetirlo todo, pero le diré algo de lo mucho que nos contó. Como usted sabe, los

---

[1] lecture. [2] subject. [3] discussed.

piratas presentan un tema muy interesante en la historia de América. En el siglo diecisiete se formaron bandas[1] de piratas en Haití y otras islas de las Antillas. La víctima principal de los robos y abusos[2] de los piratas fué España, como nos dijo el doctor
5 Sánchez. España tenía que defenderse contra los piratas ingleses, holandeses[3] y franceses, juntos o separados, que atacaban[4] los barcos españoles en alta mar[5] o saqueaban[6] las ciudades situadas en las costas del Caribe. Era una guerra sin cuartel.[7] Los españoles tenían que vencer o morir. En cambio, cuando los piratas
10 se veían perdidos, se retiraban[8] a una de las islas de las Antillas, donde tenían su centro de operaciones.

— ¡ Hombre ! ¡ Qué memoria ! Aquellos piratas eran hombres de hierro que despreciaban[9] la vida y no tenían miedo a nada. Tan bien tengo grabada[10] la imagen en la memoria que
15 casi, casi, me siento pirata. Puede verme aquí donde estoy con una barba negra y larga, con un pañuelo rojo en la cabeza, y un sombrero negro de dos picos;[11] un gran cuchillo en el cinturón,[12] botas altas hasta la rodilla,[13] y una pistola[14] en cada mano.

— Un momento, un momento. Usted podrá creerse pirata,
20 pero el corazón lo tiene de gallina;[15] al menos, así me parece. ¿ Puede usted contarme cómo preparaban sus ataques[16] los piratas?

— Vamos a ver. Le diré primero que los barcos de los piratas eran muy veloces.[17] Iban siempre listos para el combate,[18] y así que veían, a lo lejos,[a] un barco español cargado de tesoros[19] como:
25 oro, plata, perlas y piedras preciosas, se lanzaban tras él[20] con furia loca.[21] Casi todos los combates se libraron[22] en el mar Caribe, que fué la tumba de centenares de barcos[23] de ambos lados.

— Otra cosa que nos interesa no olvidar es que los barcos piratas[24] se reunían y formaban flotas. Estas flotas no sólo atacaban
30 barcos en alta mar, sino también los puertos principales del Caribe. Así se explica la existencia[25] de enormes fortalezas[26] en las ciudades importantes del Caribe.

---

[1] bands, groups. [2] robberies and abuses. [3] Dutch. [4] attacked. [5] on the high seas. [6] plundered. [7] war without quarter. [8] took refuge. [9] scorned. [10] fixed. [11] two-cornered. [12] belt. [13] knee-high boots. [14] pistol. [15] chicken-hearted. [16] attacks. [17] swift, fast. [18] battle. [19] treasures. [20] dashed after it. [21] mad rage. [22] took place. [23] graveyard of hundreds of ships. [24] pirate ships. [25] existence. [26] fortresses.

II. Vocabulario

A coro:

NOMBRES

la **barba** beard
la **flota** fleet
la **guerra** war
la **imagen** image
la **impresión** impression
la **memoria** memory
la **operación** operation
el **pañuelo** handkerchief
la **perla** pearl
el **pirata** pirate
el **robo** robbery
la **víctima** victim

ADJETIVOS

enorme enormous
perdido, –a lost

VERBOS

atacar to attack
cargar to load
contar (**ue**) to tell; count
defenderse (**ie**) (**de**) to defend
  oneself (from)
imaginarse to imagine
morir (**ue**) to die
repetir (**i**) to repeat
reunirse to gather, get together
separar to separate
volver (**ue**) to return

OTRAS PALABRAS

así que as soon as
imposible impossible
contra against

Aprendan de memoria:

(a) **a lo lejos** in the distance

¿ Qué significa en inglés?

1. asistir a una conferencia, el tema interesante, volver a casa, lo que he dicho, Vd. quiere repetirme, él nos ha dicho.   2. Juntos o separados, tenían que defenderse contra los piratas.   3. En una de las islas de las Antillas, los piratas tenían su centro de operaciones.   4. Usted no parece pirata.   5. Estos dos amigos y aquéllos asistieron a una conferencia.   6. Libraron casi todos los combates en el mar Caribe.

III. Preguntas

1. ¿ A qué asistieron los dos amigos?   2. ¿ Qué tema presentan los piratas en la historia?   3. ¿ Qué país fué la víctima principal de los piratas?   4. ¿ Quiénes fueron los enemigos de España?   5. ¿ Qué hacían los piratas cuando se veían perdidos?   6. ¿ Qué clase de hombres eran los piratas?   7. Al ver un barco cargado de tesoros, ¿ qué hacían los piratas?   8. ¿ Dónde se libraron casi todos los combates?   9. ¿ Qué formaban a veces los barcos piratas?

IV. Gramática

A. DIRECT AND INDIRECT OBJECT PRONOUNS

DIRECT OBJECT

Tomás *me* visita (a mí).[1]	Tomás *nos* invita (a nosotros).
Tomás *te* visita (a ti).[1]	Tomás *os* invita (a vosotros).
Tomás *lo* visita (a él).	Tomás *los* invita (a ellos).
Tomás *la* visita (a ella).	Tomás *las* invita (a ellas).
Tomás *lo* visita (a Vd.).	Tomás *los* invita (a Vds.).
Tomás *lo* lee (el libro).	Tomás *los* lee (los libros).

1ST PERS.	2ND PERS.	3RD PERS. (Persons)	3RD PERS. (Things)
me me	lo (le), la you	lo (le) [2] him, la her	lo, la it
nos us	te you	los, las them	los, las them
	os you		
	los, las you		

INDIRECT OBJECT

Me habla (a mí).	*Nos* habla (a nosotros).
Te habla (a ti).	*Os* habla (a vosotros).
Le habla (a él, a ella).	*Les* habla (a ellos, a ellas).
Le habla (a Vd.).	*Les* habla (a Vds.).

1ST PERS.	2ND PERS.	3RD PERS. (Persons)	3RD PERS. (Things)
me (to) me	le (to) you	le (to) him, her	le (to) it
nos (to) us	les (to) you	les (to) them	les (to) them
	te (to) you		
	os (to) you		

Note that the direct and indirect object forms are similar except for the indirect forms of the third person singular and plural. **Le** must be used to render *to him, to her, to you, to it,* and **les** to render *to you, to them.*

The pronouns in parentheses are usually omitted unless they are needed for emphasis or clearness.

[1] **mí** means *me, to me;* **ti,** *you, to you.*   [2] In Spain **le** and **les** are generally used instead of **lo** and **los** as the direct object pronouns when speaking of persons. To avoid confusion **le** and **les** should be used only as indirect object pronouns.

lavémos̸nos̸
Let us work ourselves

B. POSITION OF OBJECT PRONOUNS

Direct Object

Tomás *nos* visita. (*Before the conjugated verb.*)
Ellos desean practicar*los*. (*After the infinitive and attached to it*)   or
***Los* desean practicar.** (*Before the conjugated verb*)
Imitémos*los*. (*After and attached to the affirmative command*)
BUT: **No *los* imitemos.**

Indirect Object

***Me* explica los ejercicios.** (*Before the conjugated verb*)
Quiere explicar*me* los ejercicios. (*After the infinitive and attached to it*) or
***Me* quiere explicar los ejercicios.** (*Before the conjugated verb*)
Léa*me* Vd. el libro. (*After the affirmative command and attached to it*)

Notice that the personal pronoun object, direct or indirect, is placed immediately before the conjugated verb. It follows the infinitive and the affirmative command and is attached to them. However, when the conjugated verb is followed by an infinitive, the object pronoun may be placed either before the conjugated verb or after and attached to the infinitive. The stress remains on the syllable originally stressed, and in the case of a command, a written accent is used. The reflexive pronouns take the same position with regard to the verb as the object pronouns.

V. Ejercicios

A. Repaso oral — **Lección treinta y dos.** *Give the Spanish translation of the words in English:* 1. Los indios no —— ni camas, ni mesas, ni sillas (*had*). 2. Siempre —— en el suelo (*they used to sit down*). 3. Cuando ellos estudiaban —— el periódico (*I was reading*). 4. El periódico decía que los indios no —— animales domésticos (*had*). 5. La base de su alimentación —— el maíz (*was*). 6. —— a pescar todos los días (*We used to go*). 7. Esos españoles no —— expertos en el uso de la flecha (*were*). 8. —— algunos caníbales entre los indios (*There were*). 9. Algunos —— sus casas con cueros de animales (*used to cover*). 10. En el campo —— ocho horas (*I used to sleep*).

B. *Cambien el pronombre complemento del singular al plural, y viceversa:* 1. Me hablará en inglés. 2. Lola puede verlo. 3. La llamó ayer.

4. Siempre los saludaba.   5. Les quería preguntar esto.   6. Nos recibirá aquí.   7. Le gusta leer buenos libros.   8. No me gusta la leche.   9. Promete vernos.   10. Les ha escrito.

C. *Traduzcan las palabras inglesas:*

him visito	*me* quieren	*to me* han escrito
us ha llamado	abra Vd. *it* (*f.*)	lea Vd. *to him*
to her dirá	vendamos *to them*	queríamos hablar *to you*
them poníamos	*it* (*m.*) puede leer	*you* (*m.*) veía
to us hablan Vds.	no quise hablar *to you*	querrá escribir *to us*

D. *Escriban enteramente en español:*   1. Colón quería hablar a los rebeldes pero *he did not see them*.   2. Escriba Vd. a Luis y *he will answer you*.   3. Francisco es *the most intelligent in* la clase.   4. Este día es *the shortest in* la vida.   5. Todo el mundo compra *more than he* necesita.   6. Siempre *we are busier than* nuestros amigos.   7. *I was writing* una carta a mi amigo Ernesto.   8. Jorge no ayuda *anybody*.   9. Hay *from 500 to 700* personas en el cine.   10. ¿ *Whom* vió Vd. ayer?

E. *Sustituyan el complemento en cursiva con un pronombre:*

1. Yo necesitaba *las corbatas*	*la camisa*	*los cuellos*
2. Ha escrito *la carta*	*el ejercicio*	*las reglas*
3. Quieren vender *la casa*	*los libros*	*las novelas*
4. Vds. hablarán *a Amalia*	*a sus amigos*	*a sus primas*
5. Abramos *el paquete*	*las ventanas*	*los libros*
6. Vd. invitó *al muchacho*	*a Carmen*	*a sus hermanos*
7. Leeremos *el periódico*	*las novelas*	*los libros*
8. Debo invitar *a Lola*	*a su madre*	*a sus amigos*
9. Ha cubierto *las camas*	*los muebles*	*la mesa*
10. Prepararon *la comida*	*los postres*	*el café*

F. Test XXXIII.   *Translate the object pronouns into Spanish and put them in the proper place with reference to the verb:*   1. Diremos la verdad (*them*). 2. Todos prometieron visitar (*us*).   3. Ella ha escrito esta semana (*me*). 4. Vendamos la casa (*to them*).   5. El Sr. López trató de ver (*them, f.*). 6. Ellos no querrán ver (*me*).   7. ¿ Cuándo quiere Vd. recibir (*them, m.*)? 8. Vendí mi mejor libro (*to you*).   9. Él promete ver todos los días (*me*). 10. Escribiremos esta semana (*to them*).

G. *Oral:* 1. He writes to me, to her, to us, to them. 2. They saw us, you, him, her, them. 3. Let us speak to him, to them, to her, to you. 4. He has written to me, to us, to you, to them, to her. 5. He used to see her, us, you, me, them, it. 6. She will call us, them, you, her, him.

H. *Written:* 1. Philip told us that he wants to see us. 2. He promised to read us an interesting book. 3. He likes to read books on pirates. 4. He promised to tell us something on the pirates of the Caribbean. 5. Here is the book; we shall read it. 6. We shall speak to him and tell him that we have read it. 7. Read it, it is very interesting. 8. We do not want to read it now. 9. Our friends will read the book to us. 10. We used to buy many books and read them.

I. Ejercicio de invención. *Combinen las siguientes expresiones para hacer el mayor número de oraciones posible:*

1. Ella	nos traer	un regalo	de Madrid
2. Nosotros	les leer	un cuento	el domingo
3. Francisco	le preguntar	algo importante	mañana
4. Ustedes	me explicar	algo en español	
5. Yo	lo visitar	a menudo	

J. Ejercicio de pronunciación:

ga	gue [1]	gui	go	gu
pa-gan	gue-rra	gui-sa	go-rra	gus-to
a-bo-ga-do	pa-gue	á-gui-la	a-mi-go	or-gu-llo
ga-bi-ne-te	ma-la-gue-ña	se-gui-da	lue-go	pre-gun-to
Má-la-ga	Gue-va-ra	A-gui-rre	Gon-zá-lez	an-gus-tia

K. *Dialoguito:*

— ¿ **Por dónde se va al cine?** [2]   How do you go to the movies?
— **Vaya todo derecho (derecho**   Go straight ahead through here and
   derecho) por aquí y al llegar   when you get to the corner, turn
   a la esquina, doble a la   right.
   derecha.
— **Muchas gracias.**   Thank you very much.
— **No hay de qué.**   Don't mention it.

[1] The u is silent in the combination of **gue** and **gui** and the **g** is pronounced "hard."
[2] **la estación; el monumento; la plaza; el parque;** . . .

SELECCIÓN

Episodio de piratas

El Panamá viejo es un lugar lleno de ruinas.[1]   Está situado a cierta distancia de la capital actual.[2]   Allí existía la vieja ciudad de Panamá, que era muy rica y muy importante.

Hace más de trescientos años, los piratas robaban los barcos 5 españoles.   También atacaban las ciudades de la región del Caribe. Ellos sabían que en Panamá había muchas riquezas y las envidiaban.[3]

Uno de los piratas ingleses más crueles y poderosos, llamado Enrique Morgan, decidió atacarla.   Reunió varios barcos, muchos 10 hombres y armas, y se dirigió a Panamá.   Llegaron a un lugar de la costa del Atlántico y tuvieron que atravesar montañas y selvas.[4] Al fin llegaron a un cerro [5] que llamaron el Cerro de los Bucaneros.[6]   Desde allí vieron la hermosa y tranquila ciudad de Panamá, que dormía al pie del Pacífico.   Al día siguiente fueron 15 a atacarla, pero los habitantes estaban listos.   Para defenderse, tenían soldados y armas.   Además, los españoles tenían varios cientos de toros salvajes [7] que echaron [8] contra los piratas.   Por mala suerte [a] los animales no los atacaron.   Al contrario, cuando oyeron el ruido de los cañones [9] salieron huyendo [10] en dirección 20 opuesta.   ¡Qué desastre [11] para los valientes defensores [12] de la

---

[1] ruins.   [2] present.   [3] envied.   [4] forests.   [5] hill.   [6] buccaneers.   [7] wild bulls.
[8] pushed.   [9] cannons.   [10] turned tail.   [11] calamity.   [12] defenders.

ciudad de Panamá! Morgan se aprovechó de [b] ese momento
oportuno [1] para atacar a sus rivales. Los venció y se apoderó de [c]
la capital que estaba repleta de [2] riquezas. El pirata ordenó [3]
entonces robar sin piedad.[4] Pasaron a cuchillo [5] a muchos habitantes para obligar al pueblo a revelar [6] dónde habían escondido   5
sus tesoros. No contento con eso, Morgan mandó incendiar [7]
la ciudad. Tres semanas pasaron los piratas en Panamá. Fueron
días de tormento [8] para los panameños.[9] Al fin, el cruel pirata
abandonó la ciudad. Robó tanto, que cargó doscientas mulas [10]
con oro, plata y demás objetos valiosos.[11] Así se marcharon con- 10
tentos aquellos ladrones y asesinos [12] sin corazón. Iban a reunirse
con los demás que esperaban en la costa del Atlántico. Allí debían
repartirse [13] el botín mal obtenido.[14] Atrás dejaron sólo las ruinas
de la que pocos días antes era la bella y floreciente [15] ciudad de
Panamá.   15

a. *What English words do you recognize from the following Spanish
words?*

la ruina, situado, –a, la distancia, existir, importante, el pirata, atacar,
la región, inglés, –esa, decidir, varios, –as, las armas, la costa, tranquilo,
–a, el Pacífico, el habitante, preparado, –a, la dirección, valiente, contento, –a, el tormento, abandonar, la mula, el asesino, el resto, el momento, contento, –a, el bucanero, defenderse, el objeto, el desastre, el
episodio

b. Vocabulario

abandonar desert, abandon
aprovechar to profit by, take
    advantage of
el **arma** (*f.*) arm, weapon
atrás behind
la **dirección** direction
la **distancia** distance
el **episodio** episode

esconder to hide
obligar to force
opuesto, –a opposite
poderoso, –a powerful
robar to steal, rob
el **soldado** soldier
el **toro** bull

[1] timely. [2] bulging with. [3] ordered. [4] without pity. [5] They murdered. [6] to
reveal, tell. [7] to set fire to. [8] suffering. [9] Panamanians. [10] mules. [11] objects of
value. [12] thieves and murderers. [13] divide. [14] ill gained booty. [15] flourishing.

c. Frases útiles

(a) **por mala suerte** unfortunately

(b) **aprovecharse de** to take advantage of

(c) **apoderarse de** to take possession of, seize

d. Preguntas

1. ¿ Quién fué uno de los piratas ingleses más crueles y poderosos?
2. ¿ Qué ciudad decidió atacar? 3. ¿ Desde dónde vieron los piratas la ciudad de Panamá? 4. ¿ Qué echaron los españoles contra los piratas? 5. ¿ Qué sacó Morgan de todo aquello?

LECCIÓN

TREINTA Y CUATRO

*A. Verbos en –ar y –er que cambian
la raíz: Presente de indicativo*

B. Mandatos con estos verbos

I. Conversación

La época colonial en América

Estamos en casa del señor Luis Miranda, en un pueblo de España,
en la provincia de Asturias. Su hermano, don Leonardo, acaba
de [a] llegar del Perú donde ha pasado los mejores años de su vida.
Los hijos de don Luis están encantados [1] con su tío porque les
cuenta miles de historias sobre el Perú. Don Luis y su esposa 5
se muestran muy satisfechos porque sus hijos lo encuentran todo
muy interesante. Hoy es domingo por la noche. Los esposos
Miranda quieren visitar a unos amigos, pero don Leonardo piensa
quedarse [b] en casa con sus sobrinos Pedro y José. Los muchachos
y su tío se sientan en la sala y al poco rato [c] él empieza diciendo: 10
— ¿ Recuerdan ustedes lo que les conté el otro día sobre la vida
colonial en el Perú?
— Sí, tío Leonardo, y nos gustó muchísimo. Vuelva usted a
contarnos algo más de su país, particularmente de la época
colonial.   15

[1] delighted.

339

Su tío enciende un puro habano [1] y comienza de este modo:

— Durante los tiempos de las colonias españolas había diferencias sociales. Los españoles se consideraban superiores a [2] los demás. A los nobles españoles no les gustaba mucho la idea del trabajo.
5 Luego venían los indios, y finalmente los negros, que no tenían libertad personal. Más tarde, la unión de la raza blanca con la india produjo los mestizos, que con el tiempo,[d] formaron un grupo social bastante importante.

— ¿ Y pasaba eso en todas las colonias de América?

10 — En casi todas ellas, sólo que no había muchos negros en los países situados en el oeste del continente. Los negros se encontraban y se encuentran hoy todavía en las islas del Caribe y en la costa oriental [3] de la América Central.

— ¿ Se acuerda usted de cómo vivía esa gente?

15 — Oh, sí; recuerdo de lo que he leído que los nobles construían casas grandes y lujosas [4] con tejados [5] de tejas [6] rojas. Al lado de la casa había corrales [7] y huertas donde crecían árboles frutales [8] y flores. Allí se reunía la familia con sus amigos. Los hombres jugaban a los naipes y las señoras charlaban [9] y tomaban café
20 con leche o chocolate. En cambio, los campesinos vivían en el campo donde cultivaban frutas y verduras y llevaban sus productos a la ciudad para venderlos. El mercado estaba siempre en la plaza principal de la ciudad. A propósito, ¿ a qué hora se acuestan ustedes? ¿ Se acuestan muy temprano?

25 — No muy temprano, tío. Cuéntenos algo más. Díganos qué edificios había alrededor de la plaza principal.

— ¿ Qué entienden ustedes por edificios?

— Queremos decir edificios públicos y particulares.

— Si es eso lo que quieren saber, no es problema.[10] Los edificios
30 más importantes han sido siempre la catedral, los edificios del gobierno, algunas casas de dos pisos y alguna tienda. Todos esos edificios han sido siempre modelos de arquitectura [11] española. En la plaza se celebraban generalmente las fiestas, que tenían siempre carácter religioso.[12]

---

[1] a (pure) Havana cigar.   [2] better than.   [3] eastern.   [4] luxurious.   [5] roofs.
[6] tiles.   [7] yards, inclosures.   [8] truck gardens ... fruit trees.   [9] chatted.   [10] problem.
[11] architecture.   [12] religious.

II. Vocabulario

A coro:

NOMBRES

el **campesino** farmer
el **carácter** character
el **chocolate** chocolate
el **esposo** husband; **los esposos** husband and wife
el **gobierno** government
el **mercado** market
el **naipe** card (*playing*)
el **noble** nobleman
la **provincia** province
la **unión** union
la **verdura** green vegetables

ADJETIVO

satisfecho, –a satisfied

VERBOS

comenzar (ie) to begin
considerarse to consider oneself
crecer (zc) to grow
encender (ie) to light
entender (ie) to understand
producir (zc) (*conjugated like* **conducir**) to produce
recordar (ue) to remember

OTRAS PALABRAS

alrededor de around
bastante quite
finalmente finally
generalmente generally
particularmente particularly

Aprendan de memoria:

(a) **acabar de** + *inf.* to have just + *p.p.*
(b) **pensar** + *inf.* to intend + *inf.*
(c) **al poco rato** shortly after
(d) **con el tiempo** in time

¿ Qué significa en inglés?

1. un pueblo de España, los mejores años de su vida, en casa, el otro día, de este modo, más tarde. 2. Es domingo por la noche. 3. ¿ Qué les conté de la vida colonial? 4. Don Leonardo enciende un puro y comienza así. 5. En aquella época los negros no tenían libertad personal. 6. La idea del trabajo no les gustaba.

III. Preguntas

1. ¿ En qué casa estamos? 2. ¿ De dónde acaba de llegar don Leonardo? 3. ¿ Por qué están encantados los hijos de don Luis? 4. ¿ Qué piensa hacer don Leonardo? 5. ¿ Qué quieren saber los sobrinos de don Leonardo? 6. ¿ Qué diferencias sociales había en tiempo de la colonia? 7. ¿ Qué raza formaron los blancos y los indios? 8. ¿ En qué parte de América había negros? 9. ¿ Qué clase de casas construían los nobles? 10. ¿ Dónde estaba siempre el mercado?

IV. Gramática

Radical Changes in –**ar** and –**er** Verbs

A. PRESENT INDICATIVE

	1ST CONJUGATION		2ND CONJUGATION	
INFINITIVE	contar	pensar	volver	perder
	to count	to think	to return	to lose
PRES. IND. yo	cuento	pienso	vuelvo	pierdo
tú	cuentas	piensas	vuelves	pierdes
él, ella, Vd.	cuenta	piensa	vuelve	pierde
Vds. (ellos, –as)	cuentan	piensan	vuelven	pierden
BUT: **nosotros**	contamos	pensamos	volvemos	perdemos
vosotros	contáis	pensáis	volvéis	perdéis

Observe that in the present indicative of certain verbs of the first and second conjugations, the vowel of the syllable preceding the infinitive ending changes from **o** to **ue,** and from **e** to **ie** if the stress falls on that syllable.

In radical-changing verbs, the verbal forms of the present indicative used with **nosotros** and **vosotros** never undergo this change of spelling.

Radical-changing verbs in –**ar** and –**er** are conjugated like regular verbs, except for the above changes. The other indicative tenses of such verbs are regular.

B. COMMANDS

	1ST CONJUGATION		2ND CONJUGATION	
INFINITIVE	contar	pensar	volver	perder
IMPERATIVE	cuente Vd.	piense Vd.	vuelva Vd.	pierda Vd.
	cuenten Vds.	piensen Vds.	vuelvan Vds.	pierdan Vds.
BUT:	contemos	pensemos	volvamos	perdamos

The vowel changes occurring in the present indicative of the above verbs also occur in commands with the subjects **Vd.** and **Vds.**

The following verbs, among others, are subject to these changes:

(o — ue) [1]		(e — ie)	
acordarse (de)	to remember	atender	to pay attention to
acostarse	to go to bed	cerrar	to close
almorzar	to take lunch	comenzar	to begin
contar	to count, tell	defender(se)	to defend (oneself)
costar	to cost	despertarse	to wake up
devolver	to return (an object)	empezar	to begin
encontrar	to meet, find	encender	to light
mostrar	to show	entender	to understand
mover(se)	to move	pensar	to think
recordar	to remember	perder	to lose
volver	to return, go back	sentarse	to sit down

Verbos impersonales

llover to rain: **llueve** it rains; **está lloviendo** it is raining; **llovía** it was raining; **llovió** it rained; **lloverá** it will rain; **ha llovido** it has rained

nevar to snow: **nieva** it snows; **está nevando** it is snowing; **nevaba, nevó, nevará, ha nevado**

tronar to thunder: **truena** it thunders

helar to freeze: **hiela** it freezes

V. Ejercicios

A. Repaso oral — Lección treinta y tres. *Translate the object pronouns into Spanish and put them in the proper place with reference to the verb:* 1. Vendamos nuestro auto (*to him*). 2. No venda estos libros (*to us*). 3. Quise dar el periódico (*to you*). 4. Ellos han escrito dos cartas esta semana (*to me*). 5. Queremos invitar a nuestra casa (*them*). 6. Invite Vd. al cine (*her*). 7. Él está hablando de muchas cosas (*to you*). 8. Ellos no pueden decir (*it*). 9. Los españoles trataban de vencer (*them*). 10. No sabe qué contestar (*them*).

[1] By exception, **jugar,** *to play (a game)* is the only verb which changes **u** to **ue** when the syllable in which **u** is found is stressed; thus **yo juego; Vd., él, ella juega; Vds., ellos, -as juegan.**

B. *Sustituyan la raya con el presente de indicativo:*

1. **mostrar:** ¿——— Vd.? yo ———, Vds. ———, ellos ———.
2. **perder:** yo ———, ¡ ——— Vd.! ¿ no ——— nosotros?
3. **poder:** ella ———, Vds. ———, nosotras ———, yo ———.
4. **volver:** ¿——— ellos? yo ———, Vds. ———, él ———.
5. **cerrar:** él ———, nosotros ———, ellos ———, yo ———.
6. **pensar:** ella ———, yo ———, ¿ ——— ellas? ¿ ——— nosotros?
7. **acostarse:** Vds. ———, nosotros no ———, yo ———, ella ———.
8. **sentarse:** nosotros ———, ¿ ——— Vd.? Vds. ———, yo ———.
9. **jugar:** ellos ———, yo ———, nosotros ———, él ———.
10. **comenzar:** nosotros ———, Vds. ———, yo ———, ella ———.

√ **C.** *Escriban las oraciones siguientes con los pronombres* **yo, Vd., Vds., él:** Tú
1. Nos acordamos de eso. 2. No nos sentamos en la sala. 3. ¿ Qué perdemos siempre? 4. No encontramos la caja de dulces. 5. Empezamos la novela. 6. ¿ A qué hora nos despertamos? 7. Le mostramos aquella tienda. 8. ¿ Qué pensamos hacer? 9. Entendemos las palabras en español. 10. Nos defendemos del ladrón (*thief*).

D. *Escriban enteramente en español:* 1. En casa no todos *are sick*. 2. ¿ Por qué *are* Vds. tristes hoy? 3. Manuel *is* en casa de su amigo Carlos. 4. Todos *are* a la mesa para comer. 5. En su casa tienen libros pero *they do not open them*. 6. ¿ *Whose* es esta pluma fuente? 7. ¿ Por qué *don't you ask* a los muchachos? 8. Es el asiento *Mr. Garcia's*. 9. Inés no quiere decirme *anything*. 10. ¿ Tiene Vd. *as many sisters as* mi amigo Pedro?

E. Test XXXIV. *Write the Spanish translation of the verbs in English:*
1. Yo ——— todas la ventanas (*am closing*). 2. ¿ No me ——— Vd. cuando hablo español (*understand*)? 3. Ellos siempre ——— a España (*return*). 4. ¿ A qué hora ——— Francisco (*does . . . wake up*)? 5. ——— la caja de dulces que compró para mamá (*Show me*). 6. ¿ ——— Vd. mi nombre (*Do . . . remember*)? 7. ——— Vd. al lado de mi hermana (*Sit down*). 8. No ——— Vd. mucho tiempo (*lose*). 9. Él ——— una palabra de español (*does not understand*). 10. Todo el mundo ——— a la pelota aquí (*plays*).

F. *Oral:* 1. Close the door; when do you begin? I am beginning now; don't lose this; sit down. 2. Remember this; don't go to bed; count the books; do you return books? show me your hat; return tomorrow. 3. Don't sit down here; don't lose any time; understand this; pay attention to me; defend yourself.

G. *Written:* 1. The two brothers are playing in the living room. 2. One brother says to the other: "Close the windows." 3. Uncle Leonard shows them some letters which he has received from Peru. 4. The boys remember what (**lo que**) their uncle has said about Peru. 5. Why don't you sit down here? 6. Their uncle does not lose any time and begins immediately. 7. I don't find the magazines that I bought. 8. At what time do you wake up in the morning? 9. I wake up early to go to the office. 10. There I find many friends who wish to see and talk to me.

H. Ejercicio de invención. *Hagan varias oraciones con las siguientes expresiones:*

1. Usted lo	entender	en español
2. Nosotros les	contar	cuentos interesantes
3. Yo las	encontrar	en la calle Bolívar
4. Los Arias me	mostrar	los cuadros artísticos
5. Ellos	perder	tantas cosas

I. Ejercicio de pronunciación:

ja	ge (je)	gi (ji)	jo	ju
ja-más	gen-te	gi-ra	o-jo	jun-ta
hi-ja	co-ger	e-le-gir	hi-jo	ju-gar
ca-ja	je-fe	hi-ji-ta	jo-ven	ju-gue-te
Ja-pón	Gé-no-va	Mé-xi-co	Jor-ge	Ju-lia

J. *Dialoguito:*

— **Tengo mucho apetito. ¿ Dónde hay un buen restaurante ?** I'm very hungry. Where is there a good restaurant?

— **Hay uno muy bueno en la esquina.**[1] There is a very good one on the corner.

— **¿ Son altos los precios ?** Are the prices high?

— **No muy altos, pero la comida es siempre muy buena.** Not very high, but the food is always very good.

[1] **aquí,** *here;* **cerca de aquí,** *near here;* **muy lejos de aquí,** *very far from here;* **a dos cuadras de aquí,** *two blocks from here;* . . .

Dictado

Yo tengo dos amigos, Juan y Pedro. Encontré a Pedro este verano
en la playa. Estaba de pie,[1] con el agua hasta el pecho, mirando hacia
abajo [2] y moviendo [3] los labios.

— ¿ Qué hace usted ahí? — le pregunté.

— ¡ Shhh, silencio ! — me contestó. — Estoy contando [4] . . .

— ¿ Contando . . ., contando qué?

— Juan está debajo del agua — me respondió. — Me dijo que yo
debía contar para ver cuánto tiempo puede quedarse sin salir.[5] Tres
mil ochocientos veinticuatro, tres mil ochocientos veinticinco, tres
mil . . .

SELECCIÓN

El gaucho, hijo de la pampa

Los que estudian el español ven algunas veces [a] en su libro la
palabra gaucho. ¿ Qué quiere decir la palabra [b] gaucho? El

---

[1] He was standing.   [2] looking down.   [3] moving.   [4] I am counting.   [5] without
coming up.

gaucho es el *cowboy* de la pampa de la Argentina y del Uruguay. La vida del gaucho es dura pero interesante. Es en verdad el hijo de la pampa. Allí nace, allí vive y allí muere. El gaucho ha sido de gran importancia en la historia y en la literatura de la Argentina.   5

El traje del gaucho es algo pintoresco. Lleva poncho, cuchillo, botas,[1] pañuelo al cuello, el lazo [2] y las boleadoras.[3] Junto al gaucho se ve siempre el caballo, su fiel compañero.

Las diversiones favoritas del gaucho son montar a caballo,[c] oír cuentos y cantar acompañado de su guitarra. Después del trabajo 10 del día, se reúnen [4] a la puerta de una choza [5] o en el campo, sentados alrededor del fuego. Allí toman mate,[6] el té regional, que es su bebida favorita. Hay siempre entre ellos un narrador de cuentos.[7] Mientras toman mate el narrador cuenta historias y episodios de la vida nacional. Algunas veces relata leyendas 15 gauchas [8] que tratan de las costumbres de la pampa. Las historias duran a veces muchas horas pero los gauchos nunca se cansan de oírlas. Estos narradores saben interesar a sus oyentes [9] y son el ídolo [10] del grupo.

a. *What English words do you recognize from the following Spanish words?*

estudiar, la importancia, pintoresco, –a, la diversión, acompañado, –a, la guitarra, el té, el narrador, el episodio, nacional, relatar, la leyenda, el ídolo, el grupo, el poncho, la bota, el lazo, el compañero, favorito, –a, montar, regional, la costumbre, la hora, interesar, la historia, reunirse, el mate

b. Vocabulario

la **bebida** drink
el **compañero** companion
la **diversión** pastime

fiel faithful
el **fuego** fire
junto (a) near

---

[1] boots. [2] lasso. [3] bolas (*two or three leather-covered balls of stone attached to one end of ropes fastened together at the other end; used by the gauchos to entangle and down horses at which they are thrown*). [4] get together. [5] hut. [6] Paraguayan tea. [7] storyteller. [8] narrates gaucho legends. [9] listeners. [10] idol.

c. Frases útiles

(a) **algunas veces = a veces** sometimes

(b) **¿ Qué quiere decir la palabra . . . ?**   What does the word
. . . mean ?

(c) **montar a caballo** to ride a
horse

d. Preguntas

1. ¿ Qué es el gaucho? 2. ¿ Dónde pasa toda la vida? 3. ¿ Cómo
es el traje del gaucho? 4. ¿ Cuáles son las diversiones favoritas del
gaucho? 5. ¿ Qué cuenta el narrador?

L E C C I Ó N
TREINTA Y CINCO

A. Pronombres relativos

B. Los relativos en español y en inglés

I. Conversación

El gran defensor de los indios

Es verdad que algunos conquistadores del siglo dieciséis trataron con crueldad [1] a los indios. Esto sucedió principalmente en la Española,[2] en Cuba y también en regiones que forman hoy la América Central. Los pobres indios, a quienes la naturaleza siempre daba los frutos de la tierra sin esfuerzo, se vieron obligados 5 a trabajar en los campos y en las minas. Acostumbrados como estaban a vivir al aire libre, no podían soportar [3] ese duro trabajo que los mataba por centenares.[4] Estas condiciones con el tiempo llamaron la atención de [a] los misioneros,[5] que eran muchos. Todos sentían compasión [6] por aquellos miserables [7] indios. 10

La persona que más se interesó por [b] ellos fué Bartolomé de Las Casas, que tomó su defensa [8] con grandísimo entusiasmo. El

---

[1] cruelty.   [2] *one of the Antilles, today Santo Domingo.*   [3] stand.   [4] by the hundreds.
[5] missionaries.   [6] pity, compassion.   [7] wretched.   [8] took up their defense.

349

Padre Las Casas, a quien se conoce con el nombre de « el apóstol [1]
de los indios », era natural de Sevilla. Acompañó a Colón en uno
de los viajes que hizo a América. Al viajar por tierras del Nuevo
Mundo, el Padre Las Casas veía a los pobres indígenas [2] oprimidos
5 y maltratados.[3] Tuvo que hacer frente a la guerra abierta entre
indios y dueños de tierras, que mataba [4] por millares [5] a los
habitantes nativos. No sólo pronunciaba férvidos sermones [6] a
favor de [c] los indios, a quienes llamaba sus hijos, sino que fué a
España doce veces en busca [7] de justicia para ellos. En varias
10 ocasiones fué a ver al emperador Carlos Quinto a quien presentó
sus quejas. Supo despertar en él tanto interés por los indios que
el Emperador dictó [8] varias leyes a favor de ellos. Las leyes con
que se trató de mejorar esa situación tan lamentable reconocían [9]
a los indios como ciudadanos españoles y les daban todos los
15 derechos de que gozaban los españoles. Además, esas mismas
leyes ordenaban [10] darles buena casa y buena comida. También
mandaban dejarlos vivir como buenos cristianos [11] y enseñarles
cosas útiles, como cultivar los campos y cuidar de los animales
domésticos. Pero a menudo, los funcionarios [12] españoles con
20 quienes trataban [d] los indios no cumplían [13] esas órdenes de la
corona.[14]

En vista de esas circunstancias, el Padre Las Casas pensó que ese
asunto no tenía más que una solución. En aquella época, existía
ya la venta de negros africanos como esclavos.[15] Fray Bartolomé
25 escribió al Emperador explicándole su proyecto [16] de importar
negros a América. El Emperador lo encontró aceptable y dió su
permiso.[17] Así fué como llegaron al Nuevo Mundo los primeros
esclavos negros.

La fama del Padre Las Casas corrió [18] por toda América. Las
30 indias besaban los pies del apóstol cuando pasaba por los pueblos.
Durante toda su vida, de más de noventa años, no vivió más que
para sus indios, porque estaba seguro de que procedía [19] en nombre
del amor, de la justicia y de la fraternidad [20] humana.

---

[1] apostle. [2] natives. [3] oppressed and maltreated. [4] killed. [5] by the thousands.
[6] fervid sermons. [7] search. [8] dictated. [9] considered. [10] ordered. [11] Christians.
[12] public officials. [13] did not carry out. [14] crown. [15] slaves. [16] plan. [17] permission. [18] spread. [19] acted. [20] brotherhood.

II. Vocabulario

A coro:

NOMBRES

la **circunstancia** circumstance
la **condición** condition
el **defensor** defender
el **esfuerzo** effort
el **fruto** product
el **interés** interest
la **ley** law
el **natural** native
la **queja** complaint
el **resultado** result
la **situación** situation
la **solución** solution

ADJETIVOS

aceptable acceptable
africano, –a African

lamentable pitiful
seguro, –a sure

VERBOS

acostumbrar to accustom, be accustomed
besar to kiss
gozar (de) to enjoy
importar to import
mejorar to improve
presentar to present
suceder to happen

Aprendan de memoria:

(a) **llamar la atención de** to attract the attention of
(b) **interesarse por** to become (be) interested in
(c) **a favor de** on behalf of
(d) **tratar con** to deal with

¿ Qué significa en inglés?

1. es natural de Sevilla, a favor de los indios, a menudo, por toda América, con el tiempo, es verdad.   2. Algunos conquistadores trataron a los indios con crueldad.   3. Muchos de ellos se vieron obligados a trabajar en las minas.   4. Ellos estaban acostumbrados a vivir al aire libre.   5. Los misioneros sentían compasión por los pobres indios.   6. El apóstol de los indios fué el Padre Bartolomé de Las Casas.

III. Preguntas

1. ¿ Cómo trataron a los indios algunos conquistadores?   2. ¿ A qué se vieron obligados los indios?   3. ¿ Cuál era el resultado de aquel duro trabajo?   4. ¿ Quiénes sentían compasión por los pobres indios?

5. ¿ Quién fué la persona que más se interesó por los indios? 6. ¿ Cuántas veces fué a España en busca de justicia? 7. ¿A quién fué a ver en España? 8. ¿A favor de quién dictó leyes el Emperador? 9. ¿Qué derecho daban a los indios esas leyes? 10. ¿A quiénes importaron para hacer el trabajo de los indios?

IV. Gramática

A. RELATIVE PRONOUNS

(a) **El autor que escribió la obra.**   The author who wrote the work.
 El libro que compro.   The book which I buy.
 Las obras de que hablamos.   The works of which we are speaking.

Que, *who, whom, which, that,* the most commonly used relative, refers to both persons and things. It does not change in form, and is used as the subject or object of a verb. After a preposition, however, **que** refers only to things.

(b) **Veo al autor de la novela,**   I see the author of the novel, who is
 quien está ahí.   there.
 Ése es el hombre a quien vi-   That is the man whom we saw
 mos ayer.   yesterday.
 Pablo es el muchacho de   Paul is the boy of whom I spoke to
 quien le hablé.   you.

Quien, –es, *who, whom, that,* used to point out the antecedent more clearly, refers *only* to persons, singular and plural. **Quien** may be the subject or object of a verb, or may come after a preposition.

(c) **No veo la obra de Cervantes,**   I don't see the work of Cervantes,
 de la que me habló Vd.   about which you spoke to me.
 Ayer vi al hijo de Carmen, el   Yesterday I saw Carmen's son, who
 cual es estudiante.   is a student.

El cual (**la cual,** etc.) and **el que** (**la que,** etc.), also used to avoid ambiguity, refer to both persons and things, and indicate more specifically the gender and number of the antecedent. They may be introduced by prepositions.

(d) **El que lee El Quijote, aprende mucho.**   He who reads "Don Quixote" learns much.

Quien mucho duerme poco aprende.   He (the one) who sleeps much learns little.

El que (**la que,** etc.) and **quien, –es** are often used to express the meaning of *he who, she who, the one who, those who.*

(e) **No creo lo que dice.**   I do not believe what he says.

Prometieron darle libertad, lo cual no hicieron.   They promised to free him, which they did not do.

The relatives **lo que** and **lo cual** are neuter forms which never change.

Lo que is *what* when it means *that which,* and refers to an idea, phrase, or clause.

B. COMPARISON WITH ENGLISH USAGE

(a) **La novela que compro.**   The novel I buy.

Los escritores que conozco.   The authors I know.

The relative must always be expressed in Spanish, even when it is understood in English.

(b) **Es un misionero cuyas actividades son muchas.**   He is a missionary whose activities are many.

Es el señor cuya hija vive aquí.   He is the gentleman whose daughter lives here.

Cuyo, –a, –os, –as, *whose, of whom, of which* is a possessive relative adjective which agrees in gender and number with the noun it modifies, which it always precedes.

V. Ejercicios

A. Repaso oral — Lección treinta y cuatro. *Give the Spanish translation of the verbs in English:* 1. Los hijos del Sr. Miranda —— interesantes las historias de su tío (*find*). 2. —— lo que ellos dicen (*I don't understand*). 3. —— Vds. a la tienda (*Return*). 4. ¿ Por qué —— Vd. aquí (*don't you sit down*)? 5. ¿ A qué hora —— la clase (*does . . . begin*)? 6. Yo siempre

—— los ojos (*close*). 7. ¿ En qué —— Vc. ahora (*are . . . thinking*)?
8. Los españoles —— tarde (*go to bed*). 9. —— Vd. tiempo aquí (*Don't
lose*). 10. ¿ No —— Vd. dónde vivo (*remember*)?

B. *Sustituyan la raya con el pronombre relativo:* 1. La novela de este
autor, —— compré, es muy larga. 2. Aquí está —— él mandó. 3. Es la
novela de —— le hablé. 4. La novela —— compré era muy larga.
5. Yo sé —— Vd. va a decir. 6. Mañana compraré la revista de ——
Vd. me habló. 7. La hermana de Luis, —— admiramos mucho, nos
visitará. 8. No me gustan los libros —— leímos. 9. No todos los libros
—— son útiles, son interesantes. 10. —— deseo leer es un cuento corto.

C. *Escriban enteramente en español:* 1. ¿ Por qué *don't you study* todos
los días? 2. Nuestros amigos *returned* de España el año pasado. 3. *Upon
seeing me* él me invitó a su casa. 4. ¿ *Whom* vieron Vds. ayer? 5. Es
verdad que los indios *used to live* al aire libre. 6. Ellos *could not work*
en las minas. 7. Estos edificios y aquéllos son *very high*. 8. Estas rosas y
aquéllas son *the most beautiful in* la ciudad. 9. ¿ Le gustan las rosas *as well
as* las otras flores? 10. Se dice que Pilar es *as pretty as* su hermana Alicia.

D. Test XXXV. *Write the Spanish translation of the relative pronouns
in English:* 1. Los indios —— vivían allí eran pobres (*who*). 2. Es un
lugar —— nombre no recuerdo muy bien (*whose*). 3. Los libros de ——
hablamos el otro día son buenos (*which*). 4. Las personas con —— yo
hablaba eran españolas (*whom*). 5. Fué a ver a Carlos Quinto a ——
presentó sus quejas (*whom*). 6. No me gustan los libros —— ellos leían
(*which*). 7. El libro —— está sobre la mesa trata de la vida del Padre
Las Casas (*which*). 8. Muchos de los misioneros —— llegaron de
España, eran de Sevilla (*who*). 9. El Padre Las Casas, —— llamaban el
defensor de los indios, era misionero de Sevilla (*whom*). 10. Voy a
comprar el libro de —— Vd. me habló el mes pasado (*which*).

E. *Oral:* 1. The man from whom . . . 2. Father Las Casas who is
famous . . . 3. The books he wrote . . . 4. The novel you read . . .
5. The men of whom . . . 6. The books of which . . . 7. What the
authors write . . . 8. He who knows . . . 9. This lady whose son . . .
10. Those who write . . .

F. *Written:* 1. Father Las Casas, of whom we read, is famous in the
history of America. 2. The Spanish conquerors, who lived in the New

World, were not always good. 3. The towns in which they lived were not large. 4. This gentleman, whose daughter lived in Spain, will write us a letter. 5. What they wanted to do was to work in the open. 6. The mines in which they worked were not good for them. 7. The Indians spoke well of Father Las Casas whom they admired. 8. The Indians who worked in the mines fell sick. 9. Charles V, to whom Father Las Casas wrote, promised to help him. 10. Charles V did what he promised to do.

G. Ejercicio de invención. *Hagan varias oraciones con los siguientes relativos:*

1. Que, de que, a que, con que, lo que, sin que, . . .
2. De quien, a quien, a quienes, con quien, sin quien, . . .

H. Ejercicio de pronunciación:

cua	cue	cui	cuo
cua-tro	cuen-to	cui-ta	cuo-ta
cuan-do	cuer-po	cui-dar	cuo-que
cua-dro	cues-tión	cui-da-do	cuo-cien-te
E-cua-dor	Cuer-vo	Cui-cat-lán	cuo-ti-dia-no

I. *Dialoguito:*

— ¿ A cuántos kilómetros de aquí está la ciudad de Madrid [1] . . .?

How many kilometers is the city of Madrid . . . away from here ?

— Está a una distancia de . . . kilómetros.

It's . . . kilometers away from here.

— ¿ Conoce Vd. la ciudad?

Do you know the city ?

— Bastante bien. He vivido allí diez años. Hay toda clase de hoteles.

Quite well. I have lived there ten years. There are all kinds of hotels.

— ¿ Qué tal la vida en la capital ?

How is life in the capital ?

— Bastante cara pero muy interesante para un extranjero.

Quite expensive but very interesting for a foreigner.

[1] Valencia; Zaragoza; Sevilla, *Seville;* . . .

SELECCIÓN

La leyenda de Guadalupe

Según la leyenda, un pobre indio de México, se hizo cristiano [1] y le dieron el nombre de Juan Diego. Era tan bueno que todas las mañanas iba a misa.[2] Para ir a la iglesia, tenía que pasar por un cerro alto. Sin embargo, Juan Diego nunca faltaba. Un día,
5 al llegar al cerro, vió un gran círculo de luz, y en el centro de esa luz, apareció [3] una hermosa señora que le sonreía dulcemente.

Juan Diego quedó maravillado [4] de lo que veía, mucho más cuando la bella señora, con dulce voz lo llamó « hijo mío [5] » y le mandó acercarse. Entonces le dijo que era la Virgen María y le
10 mandó ver al obispo [6] y decirle que deseaba **se** construyera una iglesia [7] en aquel lugar. Poco después desapareció.[8]

El indio fué a contar al obispo lo que había pasado. El obispo pidió pruebas [9] y Juan Diego no las tenía. Al día siguiente, Juan Diego fué a misa como siempre y tuvo la misma aparición.[10] El
15 indio le contó a la Virgen que el obispo quería una prueba. La Virgen lo mandó subir al cerro y recoger rosas. Aunque era invierno, Juan Diego recogió muchas rosas y las llevó a la Virgen. Ella le mandó llevarlas en su manto [11] al obispo.

---

[1] became a Christian.   [2] used to go to Mass.   [3] appeared.   [4] amazed.   [5] my son.
[6] bishop.   [7] she wished that a church be built.   [8] disappeared.   [9] proofs.   [10] apparition.   [11] cape.

Al llegar a la catedral, Juan Diego abrió su manto en presencia [1] del obispo y otras personas y las rosas cayeron al suelo. En el fondo del manto [2] apareció pintada una bellísima imagen de la Virgen. A la vista de tal milagro,[3] todos los presentes [4] cayeron de rodillas.[a] El cuadro fué colocado en el altar mayor [5] de la catedral.   5

Más tarde se construyó [6] una iglesia en el cerro, según los deseos de la Virgen. Alrededor de la iglesia se formó la población de Guadalupe. Desde entonces la devoción [7] a Nuestra Señora de Guadalupe se ha extendido [8] no sólo por todo México sino también por el resto de Hispano-América. Hoy día es la patrona [9] de 10 todos los países de Hispano-América.

a. *What English words do you recognize from the following Spanish words?*

la leyenda, el indio, México, el cristiano, la misa, pasar, el círculo, el centro, la rosa, presente

b. Vocabulario

acercarse (a) to approach	**pintar** to paint
el **círculo** circle	la **población** town
colocar to put, place	la **rodilla** knee
dulce sweet	**sonreír (i)** [10] to smile

c. Frase útil

(a) **caer de rodillas** to fall on one's knees

d. Preguntas

1. ¿Quién era Juan Diego? 2. ¿Adónde iba todas las mañanas? 3. ¿A quién vió en el círculo de luz? 4. ¿Qué deseaba la Virgen? 5. ¿Qué pidió el obispo de México? 6. ¿Qué prueba llevó Juan Diego al obispo?

[1] presence. [2] On the inside of the cape. [3] miracle. [4] all those present. [5] high altar. [6] was built. [7] devotion. [8] has spread. [9] patron saint. [10] **sonrío,** sonríes, **sonríe, sonreímos,** sonreís, **sonríen.**

TREINTA Y SEIS

*A. Verbos en –**ir** que cambian la raíz: Presente de indicativo e imperativo*

B. Pretérito

I. Conversación

Bolívar, Libertador de América

Simón Bolívar es para Hispano-América lo que Wáshington es para los Estados Unidos.   Desde niño [1] sintió el impulso [2] irresistible de libertar las colonias [3] españolas de América.   Nació en Caracas el 24 de julio de 1783.   Su familia, que era muy rica, lo envió a
5 España.   Se despidió de sus parientes y amigos con el corazón lleno de tristeza.[4]   Ya en España, entró en una academia [5] donde recibió una educación muy esmerada.[6]

Al terminar sus estudios, prefirió visitar primero los principales países de Europa antes de volver [7] a su patria.   En París presenció [8]

---

[1] From childhood.   [2] urge.   [3] colonies.   [4] sadness.   [5] school.   [6] careful.   [7] Remember **antes de** + *inf.* = before + *pres. p.*   [8] witnessed.

358

la coronación de Napoleón y en Roma juró [1] libertar a América del poder español. Sus viajes por Europa y los Estados Unidos le inspiraron la idea de no limitar la liberación [2] sólo a su propio país, sino de extenderla a todas las colonias de España en América. Con sus dotes naturales [3] se sintió capaz de llevar a cabo [a] su sueño [5] quijotesco.[4] Efectivamente [5] era Bolívar un hombre de gran inteligencia [6] y voluntad de hierro, que unidas a sus dotes militares [7] hacían de él la persona ideal para esa tarea,[8] poco menos que imposible. Además, era Bolívar un hombre elocuente [9] y persuasivo,[10] y gran conocedor [11] del corazón humano, tanto que [10] sabía a primera vista para qué servía cada hombre.

Cuando llegó a su patria, empezó a organizar el ejército libertador [12] y a prepararlo para el combate.[13] Una vez terminada la preparación del ejército, comenzó su campaña [14] que lo llevó a varias partes del norte del continente. Libró centenares de com- [15] bates,[15] de día y de noche,[b] por valles [16] y montañas, en el interior y en la costa. Siempre a la cabeza de su ejército, Bolívar sufrió algunas derrotas,[17] pero también consiguió [18] grandes triunfos.[19] Para vencer las fuerzas españolas, tuvo que realizar [20] hazañas heroicas.[21] Algunas veces tuvo que cruzar las llanuras tropicales [20] y otras veces subir a los picos [22] de los Andes, sin miedo a los calores de los trópicos ni a los fríos de las alturas.

Vamos a ver cómo preparaba Bolívar a sus soldados antes de principiar una batalla. He aquí [c] cómo habló a sus oficiales [23] antes de empezar la batalla de Carabobo, que selló [24] la inde- [25] pendencia de Venezuela:

« Llega el momento solemne y decisivo.[25] Esta batalla sirve para probar nuestro valor y nuestro carácter. No consientan a sus soldados la retirada [26] bajo ninguna circunstancia. Pídanles y exíjanles sus mejores esfuerzos. Y si es necesario, mueran ustedes [30] y ellos por la libertad de la patria y de América, como he de morir yo, si hace falta [27] . . . »

---

[1] swore. [2] liberation. [3] natural gifts. [4] his Quixotic dream. [5] In truth. [6] intelligence. [7] military. [8] task. [9] eloquent. [10] persuasive. [11] judge. [12] to organize the army of liberation. [13] battle. [14] campaign. [15] He fought hundreds of battles. [16] valleys. [17] defeats. [18] won. [19] victories. [20] carry out. [21] heroic deeds. [22] peaks. [23] officers. [24] sealed. [25] solemn and decisive moment. [26] retreat. [27] if need be.

Así inspiraba Bolívar a sus oficiales y a menudo a su ejército entero. En aquella ocasión los oficiales repitieron a sus soldados las palabras de Bolívar. Al oírlas, soldados y oficiales sintieron gran valor y entusiasmo, consiguiendo así una de las victorias
5 decisivas de la guerra.

Hombre idealista y de acción a la vez, sublime soñador [1] y valeroso guerrero,[2] Simón Bolívar es una de las figuras más gloriosas y admiradas de la historia de Hispano-América. Otra figura también grandiosa en la liberación del continente fué el general
10 San Martín, que llevó a cabo en el sur lo que Bolívar realizó [3] en el norte. Los dos hombres sacrificaron [4] su vida y su fortuna para conseguirnos el don [5] de la libertad de que tanto gozamos en nuestros días.

Simón Bolívar soñaba con [d] una Gran Colombia, es decir, una
15 confederación [6] de todos los países de América, pero murió a los cuarenta y siete años sin ver cumplido su gran sueño. Mas a pesar de ello, los países hispanos, bajo la influencia del sueño de Bolívar, están desempeñando un papel [e] importante en los destinos del mundo.

II. Vocabulario

A coro:

NOMBRES

la **acción** action
la **coronación** coronation
la **dote** gift
la **educación** education
el **ejército** army
el **estudio** study
la **fortuna** fortune
las **fuerzas** army
la **independencia** independence
la **influencia** influence
el **interior** interior
la **patria** fatherland

el **poder** power
el **valor** courage
la **victoria** victory
la **vista** sight

ADJETIVOS

capaz able, capable
glorioso, –a glorious
idealista idealist

VERBOS

conseguir (i) to obtain, get
consentir (ie) (en) to consent (to)
cumplir (con) to fulfill

---

[1] dreamer. [2] brave warrior. [3] did. [4] sacrificed. [5] gift. [6] group, union.

despedirse (i) (de) to take leave
(of)

exigir (*conjugated like* dirigir) to
demand, require

inspirar to inspire

libertar to free

limitar to limit

probar (ue) to test

sufrir to suffer

OTRAS PALABRAS

mas but

pesar: a pesar de in spite of

Aprendan de memoria:

(a) llevar a cabo to execute, carry
out

(b) de día y de noche by day
and night

(c) he aquí here is

(d) soñar (ue) con to dream of

(e) desempeñar el papel to play
the part

¿ Qué significa en inglés?

1. al terminar, ya en España, volver a su patria, a primera vista, a menudo. 2. Simón Bolívar nació en Caracas. 3. Libertó a América del poder de España. 4. Bolívar era un hombre de gran inteligencia. 5. Este gran hombre preparaba a sus oficiales antes de una batalla. 6. Bolívar y San Martín consiguieron la libertad de América.

III. Preguntas

1. ¿ Cuándo nació Simón Bolívar? 2. ¿ Para qué lo mandaron a España? 3. ¿ Qué países visitó antes de volver a su patria? 4. ¿ Qué juró en Roma? 5. ¿ Qué clase de hombre era Bolívar? 6. ¿ Qué hizo al llegar a su patria? 7. ¿ Qué hizo durante su campaña contra los españoles? 8. ¿ Qué hacía Bolívar para inspirar a sus oficiales? 9. ¿ Qué es Bolívar en la historia de Hispano-América? 10. ¿ Con qué soñaba Bolívar?

Rima [1]

Creo que las flores ven
y a veces las nubes juegan.
Creo que el viento les dice
cosas gratas [2] a las hierbas
que se agitan y se ríen [3]
cuando él va charlando entre ellas.[4]

M. Fernández Juncos

[1] short poem.   [2] pleasant things.   [3] move and laugh.   [4] it goes chatting among them.

IV. Gramática

Radical Changes in –ir Verbs

A. PRESENT INDICATIVE AND IMPERATIVE

INFINITIVE	(e = ie) **sentir** to regret	(e = i) **pedir** to ask for	(o = ue) **dormir** to sleep
PRES. IND. yo	siento	pido	duermo
tú	sientes	pides	duermes
Vd. (él, ella)	siente	pide	duerme
Vds. (ellos, –as)	sienten	piden	duermen
BUT: nosotros	sentimos	pedimos	dormimos
vosotros	sentís	pedís	dormís
IMPERATIVE	sienta Vd. sintamos sientan Vds.	pida Vd. pidamos pidan Vds.	duerma Vd. durmamos duerman Vds.

Note that some of the verbs of the third conjugation change the vowel before the infinitive ending, when stressed, from **e** to **ie** or **i,** and **o** to **ue** in the present indicative and in commands with the subjects **Vd.** and **Vds.**

B. PRETERIT

INFINITIVE		(e = i) sentir pedir	(o = u) dormir
PRET. IND. Vd. (él, ella)		sintió pidió	durmió
Vds. (ellos, –as)		sintieron pidieron	durmieron
PRES. PARTICIPLE	**sintiendo, pidiendo, durmiendo**		

Note that verbs undergoing the above changes in the present indicative and in commands, change **e** to **i** and **o** to **u** in the third person singular and plural of the preterit, and the present participle.

The following are the most common verbs subject to the changes as given in the model verbs:

consentir (ie)	to consent	despedirse (i)	to take leave of
divertirse (ie)	to enjoy oneself, to have a good time	pedir (i)	to ask (for)
		reír(se) (i) [1]	to laugh
mentir (ie)	to lie, tell a lie	reñir (i)	to scold
preferir (ie)	to prefer	repetir (i)	to repeat
referir (ie)	to relate	servir (i)	to serve
sentir (ie)	to feel, feel sorry	sonreír(se) (i)	to smile
sentirse (ie)	to feel	vestirse (i)	to get dressed
dormir (ue)	to sleep	morir (ue)	to die
dormirse (ue)	to fall asleep	morirse (ue)	to die

Expresiones útiles:

Modismos con *querer* y *volver*

querer to love, like, be fond of, want:
quiero a Pedro (a mi madre, etc.) I love Peter (my mother, etc.)
querer decir to mean: **¿qué quiere decir esta palabra?** what does this word mean?

volver to return, go back:
vuelve a Madrid, he returns to Madrid.
volver a + *infinitive* to do (something) again: **vuelve a hacerlo** he is doing it again.

V. Ejercicios

A. Repaso oral — Lección treinta y cinco. *Give the Spanish translation of the relative pronouns in English:* 1. Estos hermanos, —— eran españoles, vivían en los Estados Unidos (*who*). 2. Todo esto pasó en el siglo en —— él vivió (*which*). 3. Los hombres, —— hermanos vimos en Madrid, son norteamericanos (*whose*). 4. Cayó en manos de los piratas, —— eran

[1] Notice past part.: **reído;** present indicative: **río, ríes, ríe, reímos, reís, ríen;** preterit: **reí,** reíste, **rió, reímos,** reísteis, **rieron.**

muy crueles (*who*).   5. ¿No puede Vd. decirme —— necesita (*what*)?
6. ¿Quién sabe —— él tiene aquí para su hija (*what*)?   7. Es un amigo
a —— he escrito varias veces (*whom*).   8. Pasamos por muchos pueblos
en —— vivían los indios (*which*).   9. Bartolomé de Las Casas es un
misionero —— admiramos mucho (*whom*).   10. —— llegaron de África
eran esclavos (*Those who*).

B. *Escriban* (a) *el presente de indicativo de:*

1. **mentir:**   Luis ——, nosotros ——, yo no ——, Vds. ——.
2. **pedir:**   nosotras ——, ella ——, yo ——, ellos ——.
3. **dormir:**   ellas ——, ¿—— Vd.? yo ——, nosotros ——.
4. **despedirse:** yo ——, él ——, nosotros ——, Vds. ——.

(b) *el pretérito de:*

1. **divertirse:** yo ——, nosotras ——, ¿quién ——? ella no ——.
2. **repetir:**   nosotros ——, ellos ——, Vd. ——, yo no ——.
3. **despedirse:** Vds. ——, nosotros ——, yo ——, ella ——.
4. **morir:**   él ——, Felipe no ——, ellas ——.

(c) *el imperativo de:*

1. **vestirse:**   —— Vd., Felipe, no —— Vd., —— Vds.
2. **reírse:**   —— Vds., no —— Vds., —— Vd., no —— Vd.
3. **sonreírse:** no —— Vds., —— Vds., —— Vd., no —— Vd.
4. **dormir:**   —— Vds., —— Vd., no —— Vds., no —— Vd.

C. *Escriban enteramente en español:* 1. Manolo y Luisa *were* aquí el otro
día.   2. Este caballero *wanted to do it*.   3. Nadie *wrote the letter* a Francisco.
4. ¿*Whom did we call* el otro día?   5. *Let us try* de verlos hoy.   6. *I did not
understand* lo que él explicó aquel día.   7. *I want to explain to them* lo que
dije ayer.   8. *Let us not forget* esta parte del libro.   9. *He likes to play*
al tenis todos los días de la semana.   10. En esta tienda *are sold* muchas
cosas.

D. Test XXXVI. *Write the Spanish translation of the verb forms in
English:* 1. Él no —— en el ejército de Bolívar (*served*).   2. Todos ——
la necesidad de luchar por la libertad (*felt*).   3. Nadie —— lo que dijo
Bolívar aquel día (*repeated*).   4. No le —— Vd. lo que no tiene (*ask for*).
5. ¿Cuántos —— en aquella batalla (*died*)?   6. —— de todos sus amigos
(*He took leave of*).   7. —— Vds. por la patria como hombres (*Die*).
8. Yo —— muy bien (*don't feel*).   9. —— Vds. sus mejores esfuerzos (*Ask
them for*).   10. Estoy sirviendo a todos los que —— ayuda (*asked me for*).

E. *Oral:* 1. I sleep; when do you fall asleep? she feels well; they felt ill. 2. Do you have a good time? when did you take leave of him? take leave of her; my friend asked me for money; repeat the question; serve us a meal. 3. Who died the other day? don't fall asleep; sleep at home; smile now; don't lie.

F. *Written:* 1. Simon Bolivar felt an irresistible urge (**impulso**) to free the countries of Spanish speech in America. 2. When he took leave of his family and friends he felt very sad. 3. All his young friends took leave of him. 4. His parents consented to send him to Spain to attend school there. 5. During that time, the young Bolivar slept very little. 6. He asked favors from his friends. 7. All his friends enjoyed themselves with him. 8. They preferred to lead (**llevar**) that kind of life. 9. Some days some students fell asleep in the class and they felt sorry (**sentirlo**). 10. Like all young people they had a good time.

G. Ejercicio de invención. *Write three short sentences in Spanish on the following, dealing with Bolivar's life:*

(*a*) What he did in Europe.
(*b*) What qualities he had to make him a leader of men.
(*c*) His military career.
(*d*) What he wanted to do with the nations of America.

H. Ejercicio de pronunciación:

a-ño	ca-pa	a-gua	hi-jo	ten-go
pa-ño	e-fec-to	doc-tor	dig-no	co-sas
chi-co	ca-ba-llo	ki-lo-gra-mo	ges-to	len-gua
mu-cha-cho	lla-ve	sa-gra-do	gi-ta-no	ga-nas

I. *Dialoguito:*

—¿ **Conoce Vd. al Sr. Alfonso Moreno?** [1] ¿ **Vive cerca de aquí?**   Do you know Mr. Alfonso Moreno? Does he live (around here) nearby?

— **Sí, señor; lo conozco bien. Vive en aquella casa verde.**   Yes, sir; I know him well. He lives in that green house.

[1] **la Srta. Castro,** *Miss Castro;* **el Dr. Rodríguez,** *Dr. Rodriguez* ..

Yo lo llevo allá señor, si Vd.
quiere.
— Muy bien. Lléveme Vd.
allá.
— Con mucho gusto.

I'll take you there sir, if you want
me to.
Very well.   Take me there.

With pleasure.

Expresiones útiles:

Modismos con **pedir**

Pidió un favor a Juan.
Pidió dinero a su padre.
Le pidió un libro.

He asked John a favor.
He asked his father for money.
He asked him for a book.

Note that **pedir,** *to ask* (*for*), requires the direct object of the thing
asked for, and the indirect object of the person asked.   The same construction is used for **comprar,** *to buy from,* **quitar a,** *to take away from.*

SELECCIÓN

Venezuela, patria del Libertador

Venezuela tiene la gloria de ser la patria de Simón Bolívar,
el Libertador del norte de la América del Sur.   Fué teatro de
muchos episodios dramáticos [1] en la historia de la independencia
sudamericana.   Fué el primer país en declararse libre de España.

---

[1] dramatic episodes.

El nombre Venezuela quiere decir « Venecia pequeña ». Al llegar los españoles la llamaron así porque vieron casas construídas sobre estacas [1] en el mar.

Venezuela es el país del petróleo [2] — el « oro negro ». También tiene mucho ganado [3] que se cría [4] en los llanos [5] a ambos lados del río Orinoco, cubiertos de grandes pastos.[6] Los habitantes de los llanos se llaman « llaneros » y son los *cowboys* de Venezuela. Son muy valientes y durante la Guerra de la Independencia formaron parte del ejército de Bolívar.

El puerto de entrada a Venezuela es la Guaira. Este puerto está situado al pie de las montañas. Arranca [7] del mar y parece apoyarse [8] en una muralla de montes [9] que allí se encuentra. De la Guaira una carretera moderna lleva a Caracas, la capital.

Caracas está situada a tres mil pies sobre el nivel del mar.[10] El viaje de la Guaira a Caracas parece una película de paisajes en tecnicolor.[11] Caracas es una ciudad muy atractiva. En sus calles estrechas y llenas de tránsito se ven automóviles lujosos. También se ven edificios modernísimos y casas antiguas del tiempo colonial. Hay un bello contraste entre las cosas antiguas y las modernas.

a. *What English words do you recognize from the following Spanish words?*

el libertador, el teatro, el episodio, la historia, la independencia, el petróleo, el habitante, valiente, formar, la parte, el puerto, situado, –a, la montaña, atractivo, –a, el contraste, moderno, –a

b. Vocabulario

la **carretera** highway, road
el **contraste** contrast

declararse to declare oneself
la **gloria** glory

c. Preguntas

1. ¿ De quién fué patria Venezuela? 2. ¿ Cuál es el producto principal de Venezuela? 3. ¿ Qué son los llaneros? 4. ¿ Cuál es el puerto principal de Venezuela? 5. ¿ Cómo es la capital de Venezuela?

[1] built on piles. [2] oil. [3] cattle. [4] is raised. [5] plains. [6] pastures. [7] It rises.
[8] to lean. [9] a wall of mountains. [10] above sea level. [11] a film of colored landscapes.

L E C C I Ó N
TREINTA Y SIETE

A. El infinitivo después de la preposición

B. El pronombre después de la preposición

I. Conversación

La independencia de América

Al principiar el siglo XIX las colonias españolas de América se libertaron de la madre patria. Después de descubrir a América, España conquistó y colonizó [1] una vasta región en el centro y sur de la misma. Inglaterra hizo lo mismo en Norte América. Las
5 colonias inglesas se rebelaron [2] contra Inglaterra en 1776. La guerra duró varios años y por fin las colonias se declararon libres en 1783. Después de la guerra fundaron una república llamada los Estados Unidos de América.

Pocos años más tarde los franceses, cansados de la tiranía [3] se
10 levantaron contra sus reyes, Luis XVI y María Antonieta, y los condenaron a muerte. Entonces fué cuando se estableció [4] en Francia la república.

Al empezar el siglo XIX, las colonias españolas, inspiradas por el éxito de los norteamericanos y de los franceses, se declararon
15 libres de España. Venezuela fué el primer país que se libertó del

---

[1] colonized. [2] rebelled. [3] tyranny. [4] was established.

poder español. Bajo la inspiración de Bolívar en el norte y de San Martín en el sur, se rebelaron también las demás colonias en una guerra que duró catorce años. Después de varias victorias y no pocas derrotas,[1] el continente se vió libre para siempre del poder de España.

Al ganar su independencia las colonias, Bolívar quería establecer una forma de gobierno republicano para el continente de habla española. Para él la forma de gobierno monárquico [2] no era aceptable. En cambio, San Martín que colaboró [3] con Bolívar para ganar la guerra, prefería el gobierno monárquico. Con el tiempo todas las naciones del continente prefirieron la forma de gobierno republicano. Sin variar lo fundamental,[4] con ligeros cambios de forma, todas las repúblicas basan su gobierno en principios de libertad y de democracia.[5] Como es natural, tal forma de gobierno lleva consigo [6] marcada responsabilidad [7] para [8] los ciudadanos.

Después de conseguir su independencia, las colonias españolas formaron varias naciones, cada una con su propio gobierno. México, al sur de los Estados Unidos, es una gran república. La América Central está dividida en seis repúblicas pequeñas: Guatemala, El Salvador, Honduras, Nicaragua, Costa Rica y Panamá. Al este, en el mar Caribe, hay una serie de islas [9] llamadas las Antillas.[10] La mayor de ellas es la república de Cuba, y en otra al este de Cuba, están situadas la República Dominicana y Haití.[11] En la América del Sur hay diez naciones. La Argentina, el Brasil y Chile forman el grupo de naciones del A.B.C. Estos países se destacan [12] por su gran extensión, sus numerosos habitantes, sus riquezas naturales y su progreso material e intelectual. Bolivia y el Paraguay son los dos únicos países del continente que no tienen costa. Entre la Argentina y el Brasil se halla el Uruguay que es al mismo tiempo el país más pequeño y más progresista de la América del Sur. Completan el cuadro político sudamericano las naciones de los Andes: Venezuela, Colombia, el Ecuador y el Perú.

---

[1] defeats.   [2] monarchical.   [3] collaborated.   [4] the basic elements.   [5] democracy. [6] with itself.   [7] responsibility.   [8] towards.   [9] a series of islands.   [10] Antilles.   [11] Dominican Republic and Haiti.   [12] stand out.

II. Vocabulario

A coro:

NOMBRES

el **cambio** change
el **éxito** success
la **inspiración** inspiration
la **muerte** death
el **principio** principle
el **progreso** progress
el **rey** king; **los reyes** king and queen
la **serie** series

ADJETIVOS

dividido, –a divided

ligero, –a slight
político, –a political
progresista progressive
republicano, –a republican

VERBOS

basar to base
completar to complete
condenar to condemn
establecer (zc) to establish
variar (*conjugated like* **enviar**) to vary

¿ Qué significa en inglés?

1. la madre patria, estos años y aquéllos, al principiar, las demás colonias, en cambio. 2. Las colonias se rebelaron contra los ingleses. 3. Las colonias se declararon libres de Inglaterra. 4. En Hispano-América las colonias se vieron libres de España. 5. Bolívar prefería una forma de gobierno republicano. 6. El general San Martín deseaba una forma de gobierno monárquico.

III. Preguntas

1. ¿ Cuándo se libertaron las colonias españolas en América? 2. ¿ Qué región conquistó y colonizó España en América? 3. ¿ En qué año se rebelaron las colonias inglesas contra Inglaterra? 4. ¿ Cuántos años duró la Guerra de Independencia de las colonias españolas contra España? 5. ¿ Qué forma de gobierno prefería Bolívar? ¿ y cuál San Martín? 6. ¿ En qué basan su gobierno las repúblicas hispano-americanas? 7. ¿ Qué es México? 8. ¿ Cuántas repúblicas hay en la América Central? 9. ¿ Cuál es la mayor de las Antillas? 10. ¿ Cuántas repúblicas hispanoamericanas hay en la América del Sur?

Refrán

En la unión está la fuerza.   In union there is strength.

IV. Gramática

A. INFINITIVE AFTER PREPOSITIONS

Piense Vd. antes de hablar.	Think before you speak.
Entró sin hablarme.	He entered without speaking to me.
Después de andar un poco, lo vi.	After walking a little, I saw him.
Al leer el libro.	On (Upon) reading the book.

Note that in Spanish, after prepositions, the infinitive is used and not the present participle, as in English. Remember that **al** + infinitive = *on (upon)* + present participle.

B. PRONOUNS AFTER PREPOSITIONS

Este libro es para mí, para Vd., para ti, para él, para ella, para nosotros (–as), para Vds., para vosotros (–as), para ellos (–as).	This book is for me, for you, for you (*fam.*), for him, for her, for us, for you, for you (*fam.*), for them.
Él habla de mí, de Vd., de ti, de él, de ella, de nosotros (–as), de Vds., de vosotros (–as), de ellos (–as).	He speaks of me, of you, of you (*fam.*), of him, of her, of us, of you, of you (*fam.*), of them.

Observe that the forms of the personal pronoun used after prepositions are **mí, Vd., ti, él, ella, nosotros, –as, Vds., vosotros, –as, ellos, –as.**

Conmigo, contigo, consigo

Él vive conmigo, con Vd., contigo, con él, con ella, con nosotros (–as), con Vds., con vosotros (–as), con ellos (–as).	He lives with me, with you, with you (*fam.*), with him, with her, with us, with you, with you (*fam..*), with them.

Note that **con** and **mí** become **conmigo**. **Tú** changes to **ti** after a preposition; **con** + **ti** becomes **contigo**. **Sí** is the reflexive pronoun used after a preposition and means *himself, herself, itself, themselves*. **Con** + **sí** becomes **consigo**.

V. Ejercicios

A. Repaso oral — **Lección treinta y seis.** *Give the Spanish translation of the words in English:* 1. Bolívar —— a la patria muchos años (*served*). 2. —— algo para su amigo (*Ask me for*). 3. Los soldados —— por la patria (*die*). 4. ¿ Qué —— hacer ahora (*do you prefer*)? 5. —— Vd. lo que dije (*Repeat*). 6. Usted —— la misma cosa (*are repeating*). 7. —— en esta ciudad (*Enjoy yourself*). 8. —— cuando yo le hablo (*Don't fall asleep*). 9. Hay muchas personas que —— (*lie*). 10. ¿ Cuántas horas —— todos los días (*do you sleep*)?

B. *Completen en español:*

1. Salimos después de *speaking, seeing, eating, reading.*
2. Me habló antes de *leaving, listening, deciding, entering.*
3. Les escribíamos sin *waiting, wanting, thinking.*
4. Pienso en *writing, reading, visiting, going, doing.*
5. Principió por *listening, buying, explaining, teaching.*
6. Insistieron en *dancing, studying, helping, coming.*

C. *Sustituyan el nombre en cursiva con el pronombre apropiado:* 1. No le hable de *mi hermana.* 2. ¿ Trabajaron ellos con *sus amigos?* 3. No entre Vd. en esta casa sin *su padre.* 4. ¿ Qué tienen Vds. para *Rosa y Ana?* 5. Leamos esta revista con *Oscar.* 6. Él siempre habla mal de *sus tíos.* 7. Visitémoslos con *Rosa.* 8. ¿ Ha comprado Vd. algo para *mi hermano?* 9. Siempre habla de *sus compañeros.* 10. He trabajado con *la criada.*

D. *Escriban enteramente en español:* 1. Le hablé por teléfono antes de *seeing him.* 2. ¿ Quiere Vd. ir allá *with me?* 3. Veo que Vd. *do not remember* mi nombre. 4. *Don't lose* más tiempo en esta ciudad. 5. Nada igual *was done* en aquel tiempo. 6. *Nobody* quiere saber lo que pasó ayer. 7. Usted tiene *more free time than* los otros hombres. 8. Isabel es *older than you.* 9. Este pobre muchacho no sabe *what* dice. 10. *After going there,* no recordó el número de la casa.

E. *Cambien el pronombre al plural o al singular:* 1. Estas novelas son para *nosotros.* 2. ¿ Quién trabaja con *ellos?* 3. ¿ Asistieron a las clases con *Vds.?* 4. No hablemos de *ellos.* 5. Vd. vive cerca de *nosotros.* 6. Este paquete es para *Vd.* 7. ¿ Ha estudiado Vd. con *él?* 8. ¿ Quién habló con *ella?* 9. Estuvo allí *conmigo.* 10. ¿ Quién está sentado delante de *nosotros?*

Typical Spanish scene

View of "Colegio de San Gregorio," Valladolid, Spain

Walls of Ávila, Spain

Street of the flowers, Seville, Spain

Old grist mill, Mallorca, Balearic Islands, Spain

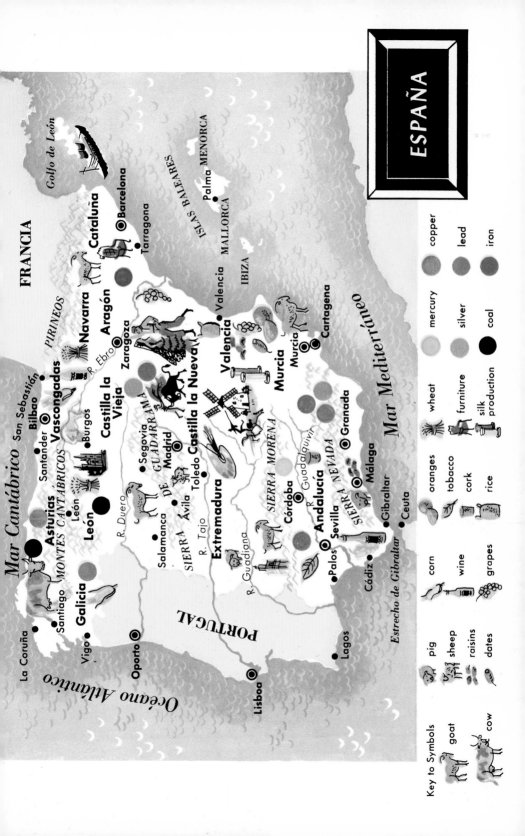

Cathedral, Toledo, Spain

F. Test XXXVII. *Write the Spanish translation of the words in English:*
1. Él no hizo nada ——— (*against me*). 2. Nadie vino ——— la puerta
(*after closing*). 3. José se marchó a casa ——— el libro (*before reading*).
4. Quiero trabajar ——— tiempo (*without losing*). 5. Ella no quiso ir
allá ——— (*with me*). 6. ¿ No lee Vd. el periódico ——— de su casa (*before
leaving*)? 7. ¿ Están Vds. seguros ——— (*of seeing them*)? 8. Este libro es
para Vd. y no ——— (*for me*). 9. Las naciones de América querían un
gobierno republicano ——— lo fundamental (*without changing*). 10. Tal
forma de gobierno lleva mucha responsabilidad ——— (*with it*).

G. *Oral:* 1. I don't wish to speak; he promises to go; she wants to
see; they need to wait. 2. I am glad to do; we tried to help; he decided
to work; they have just done it. 3. Let us run home. 4. This is for me;
study with me. 5. She attends school: with me, with her, with you, with
us, with them. 6. This novel is: for me, for you, for her, for us, for him,
for them. 7. Speak Spanish: with me, with her, with us, with them.

H. *Written:* 1. He wanted to read something on the Spanish colonies
in America. 2. My friend Peter went to the library with me. 3. Before
leaving home we decided to remain in the library two hours. 4. We shall
try to write a composition (**la composición**) without losing time. 5. No
Spanish colony could free itself without the help (**la ayuda**) of the others.
6. When they began to rebel against Spain, they did not think of
these difficulties. 7. At the beginning of the nineteenth century, the
colonies saw themselves independent of Spain. 8. Some preferred a republican form of government. 9. Others thought of another form of
government. 10. At last a republic was the kind of government they
wanted.

I. Ejercicio de invención. *Write three sentences in Spanish on each of the
following points:*
(*a*) What encouraged the freedom of the Spanish colonies in America?
(*b*) Who were the two heroes who played the major part in the War of
Independence?
(*c*) What type of government did each leader prefer?
(*d*) What countries and sections form Spanish America?

J. Ejercicio de pronunciación:

lec-ción	obs-tru-ir	lec-cio-nes	ex-pli-car
ac-ce-der	abs-tra-er	al-re-de-dor	ex-tra-ño
ac-ci-den-te	ins-crip-ción	trans-cri-bir	ex-ce-der
a-gri-cul-tu-ra	cons-truc-ción	pers-pec-ti-va	cons-tan-te

K. *Dialoguito:*

—¿ Hay algún recado para mí en mi apartado?	Is there any message for me in my letter box?
—Sí, señor. Telefonee usted al Sr. Sánchez. Llámelo esta noche a las siete.	Yes, sir. Telephone Mr. Sanchez. Call him at seven this evening.
—¿ No vino el Sr. Francisco Ramos a preguntar por mí?	Didn't Mr. Francis Ramos come to ask for me?
—Lo siento. No vino nadie.	I'm sorry. Nobody came.

SELECCIÓN

El vendedor ambulante [1]

El vendedor ambulante es un tipo característico de los países hispanos. Es casi una necesidad de la vida española. Estos hombres, campesinos todos, vienen a las ciudades con carretillas,[2] unas cargadas con frutas y otras con legumbres. Otros traen
5 grandes cestas [3] llenas de huevos o de aves. Todos venden de casa en casa.[4] De esta manera la dueña de casa no tiene que ir al mercado o a la tienda de víveres [5] todos los días.

---

[1] peddler.   [2] pushcarts.   [3] baskets.   [4] from house to house.   [5] grocery store.

Se vende de todo [1] en la calle en los pueblos pequeños.   Estos vendedores son muy pintorescos.   Tan pronto sale el sol [a] se oye: « ¡ Brillo, . . . Briii . . . llooo ! [2] »   ¿ Quién será? [3]   Un chiquillo limpiabotas [4] que anuncia sus servicios.   Luego otro: « Vendedor, señora, aquí viene el vendedor.   Llevo la fruta fresca . . . »   El   5 vendedor se para frente a una casa y grita, casi cantando: « ¡ Vendedor !   La piña, la pipa,[5] la rica banana . . . »   La señora baja a la calle y compra un racimo [6] de bananas, una piña y dos pipas.

¿ Saben ustedes lo que es la pipa?   Es el coco [7] cuando está 10 verde.   Entonces la pulpa [8] está muy blanda.   Dentro de la fruta hay una gran cantidad de agua, dulce y refrescante.[9]   El agua de pipa helada [10] es una bebida deliciosa,[11] especialmente en esos países calientes.   Cuando la fruta está madura [12] el coco tiene mucha pulpa y muy poca agua.   Éste [13] es el coco que todos 15 conocemos aquí en los Estados Unidos.

A las doce del día aparece otro vendedor.   Éste [13] lleva sobre la cabeza un enorme plato de madera y anuncia: [14]   « ¡ Dulcero ! [15] Calientes llevo los dulces . . . (canta) Torta, merengues, besitos de coco, y besitos de mantequilla [16] . . . »   20

Hay un vendedor muy amado de los niños.   Es el piragüero.[17] Éste [13] empuja,[18] no una carretilla sino un carrito [19] lleno de botellas de jarabe [20] de todos colores.   Unas son blancas como la leche (jarabe de coco), otras, rojas (jarabe de fresa [21]), otras, amarillas (jarabe de vainilla,[22]) otras, verdes (jarabe de menta [23]), otras, 25 anaranjadas [24] (jarabe de naranja [25]).   El piragüero pasa por la tarde, cuando el sol brilla con más intensidad.[26]   Generalmente el piragüero no canta, solamente anuncia: « Piragüero, aquí va el piragüero. »   Al instante [b] salen los niños de las casas y compran, por cinco centavos, una piragua — un vaso de hielo picado [27] 30 con jarabe de diferentes colores.

---

[1] a little of everything is sold.   [2] Shine !   [3] Who can it be?   [4] A shoeshine boy ! [5] coconut.   [6] bunch.   [7] coconut.   [8] meat.   [9] refreshing.   [10] iced.   [11] delightful drink. [12] ripe.   [13] This (one).   [14] calls out.   [15] Candy man.   [16] Cakes, meringues, coconut and butter kisses.   [17] The man who sells a refreshment called **piragua.**   [18] pushes. [19] cart.   [20] bottles of syrup.   [21] strawberry.   [22] vanilla.   [23] mint.   [24] orange-colored. [25] orange.   [26] shines with greater intensity.   [27] a glass full of crushed ice.

a. *What English words do you recognize from the following Spanish words?*

el vendedor, el tipo, característico, –a, la necesidad, la fruta, el mercado, pintoresco, –a, la cantidad, pasar, el instante

b. Vocabulario

blando, –a soft
característico, –a characteristic
la **dueña** owner;   la **dueña de** (**la**)
   casa housewife

gritar to shout
el **huevo** egg
la **madera** wood
la **piña** pineapple
el **servicio** service

c. Frases útiles

(a) **el sol sale** (**se pone**) the sun rises (sets)

(b) **al instante** immediately

d. Preguntas

1. ¿ Qué es el vendedor ambulante?   2. ¿ Qué hace el vendedor ambulante?   3. ¿ A qué llaman pipa en los trópicos?   4. ¿ Qué hace el piragüero?   5. ¿ Qué es la piragua?

TREINTA Y OCHO

A. Formación del condicional

B. Probabilidad

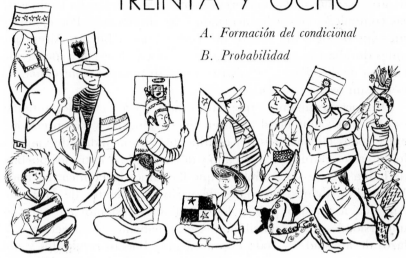

I. Conversación

En la unión está la fuerza

¡ Qué bueno sería ver unidos todos los países del continente americano ! Tal unión formaría una verdadera familia de naciones. ¿ Sería posible ese sueño ? Muchos ensayos [1] se han hecho con ese fin. Tanto los gobiernos como algunos grupos intelectuales, comerciales y sociales han trabajado y siguen trabajando [a] con ese 5 objeto.[2] No sería cosa fácil enumerar [3] todas las circunstancias que hacen difícil tal unión, pero podrían mencionarse [4] algunas. He aquí las principales: las enormes distancias que separan todos esos países; la dificultad de comunicarse [5] unos con otros; el deseo de cada uno de ser completamente independiente; y finalmente la 10 voluntad de cada nación de conservar sus características [6] nacionales.

Sin embargo, todas estas dificultades desaparecerían con un poco de buena voluntad y esfuerzo por parte de [7] todos los países. Y

---

[1] attempts. [2] objective. [3] enumerate. [4] be mentioned. [5] communicating.
[6] characteristics. [7] on the part of.

en efecto,[b] eso es lo que pasa en los últimos años, debido al cambio en las condiciones. El uso general del aeroplano[1] ha hecho desaparecer dos de las mayores dificultades, es decir, ha facilitado[2] las comunicaciones y ha acortado[3] las distancias. Por ejemplo,
5 un viaje de siete mil millas, de Nueva York a Buenos Aires, que antes duraba casi un mes en vapor, se puede hacer hoy por avión en cosa de dos días.[4] ¿Quién creería eso posible? Sin embargo, es hoy un hecho cumplido.[5]

Otro acontecimiento[6] que ha borrado[7] las dificultades antiguas
10 es que en la actualidad[c] existen buena amistad y comprensión[8] entre todas las naciones del continente. La facilidad de viajar y los intereses mutuos[9] han creado y desarrollado[10] entre los pueblos de habla inglesa y española lo que llamamos la Política del Buen Vecino.[11] Además, los viajes de varios presidentes de Hispano-
15 América a nuestro país y los estudiantes hispanos en nuestras universidades han contribuído[12] grandemente a estrechar esos lazos de amistad.[13] Todo esto dará muy buenos resultados y nos ayudará mucho a conocernos, unirnos y apreciarnos.[14] El pan-americanismo consistiría en[d] la unión de todas las naciones de
20 América. Tendría su base en el hecho de que cualquier pueblo aislado[15] sería fácil presa[16] de otro más poderoso, pero todos ellos unidos serían invencibles. En eso pensaba Bolívar al reunir su Congreso Internacional de Panamá en 1826. Fué el precursor[17] de la Liga[18] de las Naciones y de las Naciones Unidas de nuestros
25 días. En sentido más restricto[19] ha sido una influencia muy benéfica[20] en las relaciones entre los países de América para mantenerlos[21] siempre unidos contra cualquier posible enemigo. Como agente[22] activo para interpretar las ventajas[23] de la unión de toda América, existe una organización llamada la Unión
30 Panamericana, con residencia[24] en Wáshington, que distribuye[25] toda clase de información[26] sobre esa materia.[27]

---

[1] airplane.   [2] has simplified.   [3] has shortened.   [4] in about two days.   [5] a certainty.   [6] event.   [7] erased.   [8] understanding.   [9] mutual interests.   [10] developed. [11] the Good Neighbor Policy.   [12] have contributed.   [13] to increase the bonds of friendship.   [14] to appreciate one another.   [15] separate, isolated.   [16] prey, victim.   [17] forerunner.   [18] League.   [19] in a more restricted sense.   [20] beneficial.   [21] to keep them. [22] agent.   [23] to interpret the advantages.   [24] residence.   [25] distributes.   [26] information.   [27] subject.

II. Vocabulario

A coro:

NOMBRES

la **amistad** friendship
el **avión** airplane
la **comunicación** communication
el **enemigo** enemy
la **facilidad** ease
el **hecho** fact
la **materia** material, matter
la **organización** organization
la **relación** relation
el **sueño** dream

ADJETIVOS

cualquier(**a**) any, whatever
debido, –a due
invencible invincible, unconquerable
nacional national

VERBOS

crear to create
desaparecer (**zc**) to disappear

Aprendan de memoria:

(a) **seguir** + *present part.* to continue to + *inf.*

(b) **en efecto** as a matter of fact

(c) **en la actualidad** at present

(d) **consistir en** to consist of, in

¿ Qué significa en inglés?

1. por ejemplo, he aquí, la dificultad de comunicarse, esos países y éstos, es decir.   2. Todas estas dificultades desaparecerán con el tiempo.   3. El uso del aeroplano ha hecho desaparecer dos de las dificultades.   4. Un viaje por avión de Buenos Aires a Nueva York dura cosa de dos días.   5. Los pueblos de habla inglesa y española son igualmente importantes.   6. Los viajes de algunos presidentes de Hispano-América a los Estados Unidos han estrechado los lazos de amistad.

III. Preguntas

1. ¿ Qué formaría la unión de todos los países de América ?   2. ¿ Cuáles son las circunstancias que hacen difícil esa unión?   3. ¿ Qué ha hecho desaparecer el uso del aeroplano?   4. ¿ Cuánto duraba antes un viaje por vapor de Nueva York a Buenos Aires?   5. ¿ En cuánto tiempo se hace hoy el viaje por avión?   6. ¿ Qué otra cosa ha borrado las dificultades antiguas?   7. ¿ Qué política practican los pueblos de habla inglesa y española?   8. ¿ Qué viajes han mejorado las relaciones entre las

naciones de América?   9. ¿Quién fué el precursor de las Naciones Unidas de hoy?   10. ¿Qué hace la organización llamada « La Unión Panamericana »?

IV. Gramática

A. THE CONDITIONAL: FORMATION

SUJETOS	I. visitar	II. beber	III. recibir
	I should *or* would[1] visit, etc.	I should *or* would drink, etc.	I should *or* would receive, etc.
yo	visitar **ía**	beber **ía**	recibir **ía**
tú	visitar **ías**	beber **ías**	recibir **ías**
él, ella, Vd.	visitar **ía**	beber **ía**	recibir **ía**
nosotros, –as	visitar **íamos**	beber **íamos**	recibir **íamos**
vosotros, –as	visitar **íais**	beber **íais**	recibir **íais**
ellos, –as, Vds.	visitar **ían**	beber **ían**	recibir **ían**

Learn these irregular forms of the conditional:

haber: habría, etc.   **poner: pondría,** etc.   **venir: vendría,** etc.
caber: cabría, etc.   **salir: saldría,** etc.   **decir: diría,** etc.
poder: podría, etc.   **tener: tendría,** etc.   **hacer: haría,** etc.
saber: sabría, etc.   **valer: valdría,** etc.   **querer: querría,** etc.

Note that the conditional, like the future, is formed with the infinitive used as a stem.   The endings are: **–ía, –ías, –ía, –íamos, –íais, –ían.**[2]   Notice that the future and the conditional have the same stem irregularities; however, the endings are always regular.

Note also that in the conditional, the stress always falls on the vowel **i** of the ending.

In general, there is no difference in the use of the conditional in English and Spanish.

[1] The word *should* does not always indicate a conditional.   When *should = must* or *ought to*, the present, past, or conditional of **deber** must be used.   [2] Note that these are the endings of the imperfect indicative of the second and third conjugations.

B. EXPRESSIONS OF PROBABILITY

Lola estará en casa.	Lola is probably at home.
Lola estará contenta.	Lola is probably happy.
Las dos serán hermanas.	The two are probably sisters.
¿ Qué hora sería?	I wonder what time it was.
Sería la una.	It was probably one o'clock.
Serían las dos y media.	It was probably half past two.

Observe that in Spanish the future is often used to express probability or wonder in the present, in which case it is expressed in English by such words as *probably, I wonder, I imagine.* To express probability in the past, the conditional is used.

V. Ejercicios

A. Repaso oral — Lección treinta y siete. *Give the Spanish translation of the words in English:* 1. Las colonias formaron nuevas naciones —— la independencia (*after getting*). 2. Nosotros estamos leyendo —— (*near them*). 3. Esta carta es para Vd. y no —— (*for me*). 4. Este buen hombre pasa mucho tiempo —— (*between eating and drinking*). 5. No hable Vd. inglés ——, hable español (*with me*). 6. Usted pagó la cuenta —— (*without knowing it*). 7. Compre Vd. varios libros —— (*for him*). 8. No nos escribieron —— (*after speaking to them*). 9. Siempre leo algo —— (*before sleeping*). 10. Fué a casa de Jorge —— a su propia casa (*instead of going*).

B. *Pongan los verbos siguientes en el futuro y en el condicional:*

1. **hablar:**   ella ——, Vds. ——, yo no ——, nosotros ——.
2. **comer:**   ¿ quién ——? yo ——, nosotros ——, ellos ——,
3. **subir:**   ellas ——, nosotros ——, yo ——, Vd. no ——.
4. **volver:**   Vds. no ——, nosotras ——, yo ——, ¿ —— él?
5. **dormirse:**   Vd. y yo ——, Vds. ——, yo ——, ella ——.
6. **vestirse:**   nosotros ——, ellos ——, ella ——, yo ——.
7. **jugar:**   Vd. ——, yo ——, nosotros ——, ellos ——.
8. **saber:**   yo ——, ellos ——, nosotras ——, Vd. ——.
9. **salir:**   ella ——, nosotros no ——, Vds. ——, yo ——.
10. **tener:**   él ——, yo ——, ellos ——, nosotros ——.

C. *En las siguientes frases den el condicional y el futuro de probabilidad y traduzcan cada frase al inglés:* 1. Él está contento. 2. Es la una y media. 3. ¿ Quién era ese hombre? 4. Ellos estaban en su casa. 5. Lola tiene diez años. 6. ¿ Qué piensa de nosotros? 7. Hablaba los dos idiomas. 8. ¿ Qué tren tomó? 9. ¿ Qué periódicos leyó? 10. Están cansados.

D. *Escriban enteramente en español:* 1. Los habitantes *were probably* indios. 2. Nos dijeron que *they would go* conmigo. 3. Rafael Ortega *has lived* en este cuarto. 4. ¿ *Have they not been* aquí esta semana? 5. *There were* muchos libros en la biblioteca. 6. *I had to arrive* a las nueve. 7. Todos nosotros *were* en su casa el mes pasado. 8. *Our apartment* es moderno y tiene cuartos grandes. 9. *Your garden* tiene muchas flores hermosas. 10. ¿ *Whose* es este cuarto?

E. Test XXXVIII. *Write the Spanish translation of the words in English:* 1. Yo sé que —— necesario ir allá (*it would be*). 2. Hoy aquellas naciones no —— tal unión (*would . . . form*). 3. El viaje —— una semana (*would probably last*). 4. ¿ Quién —— la persona que irá allá (*is probably*)? 5. Nadie —— todo eso (*would believe*). 6. Ellos dijeron que —— en casa (*they would be*). 7. Me prometió que —— allá sin perder tiempo (*they would go*). 8. Les escribimos que —— el primer tren (*we would take*). 9. Mis padres —— eso en el periódico (*are probably reading*). 10. Las circunstancias —— eso (*would not permit*).

F. *Oral:* 1. He said that: he would come; I should receive; she would prefer; they would go; we would want. 2. We promised that: you would do; we should visit; she would speak; you would see; they would answer. 3. It was probably one o'clock. 4. Lola is probably his sister. 5. Mary is probably at home now. 6. The windows were probably closed. 7. They were probably tired.

G. *Written:* 1. The nations of Spanish America always believed that in union there would be strength. 2. Many thought that it would be possible to unite all the nations of Spanish America. 3. Bolivar thought that that idea would be excellent. 4. Once united, all the countries of Spanish America would be strong and present a united front (**el frente**) to the world. 5. Would this not be a good idea even today? 6. Would it not be better to see not only the nations of Spanish America, but (**sino**) also the other nations of the New World united? 7. The nations of the whole continent have tried to do that. 8. We know as we knew in the past that in union there is strength.   9. Would you not like to see this union?   10. It would be excellent to see all the nations of the American continent working together.

H. Ejercicio de invención. *Write three sentences in Spanish on each of the following topics:*

(*a*) The American continent as a family of nations.
(*b*) What prevented this union in the past.
(*c*) What the Good Neighbor Policy is.

I. Ejercicio de pronunciación:

(*a*) Ha alabado.[1]   Habla antes que Enrique.
     Va a hacer algo.   Quiere entrar.   Va a A-ra-gón.

(*b*) Empezó a cantar.   Digo esto.   Desea oír.
     Todo estaba hecho.   Está en América.   Todo estaba allí.

J. *Dialoguito:*

— **Muéstreme la calle . . . por**   Please show me . . . Street. Is it
   favor. ¿ Está cerca o lejos   near or far from here?
   de aquí?
— **Está muy lejos de aquí.**   It is very far from here.
— **¿ Cómo puedo ir allá?**   How can I go there?
— **Puede ir allá por tren o en**   You can go there by train or bus
   el autobús de la esquina.   at the corner. Take bus number
   Tome el autobús número   three or the train at the station.
   tres o el tren en la estación.

Poesía [2]

Procura [3] cuando caminas,
Coger la flor de las cosas,
Que es sabio arrancar [4] las rosas
Sin clavarse las espinas.[5]

Ricardo León

[1] (*a*) When two like vowels of different words come together there is only one pronounced.   (*b*) When unlike vowels come together and both are strong vowels they are pronounced together in one syllable.   [2] poem.   [3] Try to.   [4] to pick.   [5] without letting the thorns stick you.

SELECCIÓN

Hay una diferencia

La banana es uno de los principales productos de la América
tropical. Es una fruta de toda la América Central, la parte norte
y central de la América del Sur (Venezuela, Colombia, el Ecuador,
el Brasil) y la región de las Antillas. Todos esos países cultivan
5 mucho la banana y luego la exportan, principalmente a los
Estados Unidos.

Casi todos conocemos la banana como fruta, pero no conocemos
una variedad que en estos países se llama plátano. El plátano se
parece mucho a.ª la banana, pero no se considera como fruta, sino
10 como verdura. Este primo hermano [1] de la banana es más grande
y no se come crudo.[2] Se come cocido [3] y además se usa en la
preparación de muchas comidas latinoamericanas.

---

[1] first cousin.   [2] raw.   [3] cooked.

El plátano, como la banana, tiene una doble importancia. Primero,[b] como alimento tiene gran valor, pues es rico en vitaminas [1] y otras substancias nutritivas.[2] Segundo,[b] tiene muchas aplicaciones industriales: se usa en la fabricación de harina,[3] de vino dulce [4] y de alcohol. Además, la fibra del tallo [5] sirve para hacer sogas [6] y otros tejidos.[7]

Vemos así que tanto el plátano como la banana son útiles como comestibles y como productos industriales.

a. *What English words do you recognize from the following Spanish words?*

el producto, la región, las Antillas, cultivar, la banana, exportar, principalmente, la fruta, la variedad, considerarse, la preparación, latinoamericano, –a, doble, la importancia, la substancia, nutritivo, –a

b. Vocabulario

la **aplicación** application
los **comestibles** food

la **fabricación** manufacture
el **valor** value

c. Frases útiles

(a) **parecerse a** to resemble

(b) **primero . . . segundo** first . . . secondly

d. Preguntas

1. ¿ Qué es la banana?   2. ¿ Dónde se cultiva?   3. ¿ Qué diferencia hay entre la banana y el plátano?   4. ¿ Para qué se usa el plátano? 5. ¿ Qué valor tiene como alimento?

---

[1] vitamins.   [2] nourishing substances.   [3] manufacture of flour.   [4] sweet wine.
[5] fibre of the stem.   [6] ropes.   [7] woven goods.

TREINTA Y NUEVE

A. *Formación del adverbio de modo*

B. *Adverbios irregulares*

I. Conversación

América, continente maravilloso

El inmenso continente americano se extiende desde las heladas [1]
tierras del polo [2] norte hasta las zonas polares [3] del sur.   Limita [4]
al este con el océano Atlántico y al oeste con el Pacífico.   Este
enorme continente consta de tres divisiones: la América del
5 Norte, la América Central y la América del Sur.   Extensas [5]
llanuras cubren ese inmenso territorio que también está cruzado
por grandísimos ríos.   En la parte oeste de todo el continente se
extiende la gran cordillera de los Andes, que localmente se llama
en México Sierra Madre, y en los Estados Unidos, Montañas
10 Rocosas.[6]   En el este hay otras montañas menos importantes.
Entre estos dos sistemas [7] de montañas se extienden inmensas
llanuras, tanto en la América del Norte como en la América del Sur.
Sin duda el suelo y el subsuelo [8] del continente son de los más
ricos del mundo.   La riqueza del suelo se debe [9] principalmente al
15 clima, que es sumamente variado y hace producir a la tierra toda
clase de frutos.   En el norte y en el sur se producen abundante-
mente [10] granos variados.   La pampa argentina es además un

---

[1] frozen. [2] pole. [3] polar regions. [4] It is bounded (by). [5] Wide. [6] Rocky Mountains. [7] systems. [8] subsoil. [9] is due. [10] abundantly.

enorme mar de hierba que alimenta millones de cabezas de ganado.[1] Los llanos[2] de Venezuela tienen un terreno extremadamente húmedo[3] y fértil, y las selvas[4] del Brasil son una de las regiones más importantes para el futuro[5] de la América del Sur. En cuanto a su subsuelo, difícilmente se podría exagerar[6] la abundancia y variedad de sus minerales y metales preciosos.

Antiguamente[7] este continente estaba poblado por unas trescientas tribus indias. Los indios del norte eran totalmente distintos de los indios del sur. Los indios del norte tenían el cutis marcadamente rojizo[8] mientras que los indios del sur no tenían el color tan pronunciadamente[9] rojizo. Después de la heroica hazaña[10] de Colón, el continente se pobló rápidamente de gente que emigró[11] tanto del norte como del sur de Europa. Entretanto el comercio de esclavos[12] trajo aquí a los negros de África. Actualmente en el Canadá y en los Estados Unidos, la población está formada por una inmensa mayoría de blancos, inmigrantes[13] y descendientes de los conquistadores del continente. En esos países predominan[14] los habitantes de origen anglosajón.[15] En cambio, en México, en Centro y Sud América, predominan los hispanoamericanos que son blancos, mestizos o indios de pura raza. Los negros se encuentran principalmente en los países del Caribe,[16] en el Brasil y en los Estados Unidos.

Los pueblos primitivos de América eran en su mayoría salvajes,[17] a excepción de[a] los mayas, los aztecas, los chibchas y los incas, que habían alcanzado un alto grado de civilización. No conocían el arado como instrumento de labranza;[18] pero, a pesar de eso, su agricultura era floreciente.[19]

En las naciones cultas[20] del Nuevo Mundo, había hierro, pero no lo extraían[21] de las minas. Trabajaban las piedras más duras tan bien o mejor que en Europa. Hacían verdaderas maravillas de oro y plata. Tenían conocimientos de geometría y mecánica[22] y construían grandes obras de arquitectura.[23] En astronomía[24]

---

[1] head of cattle. [2] prairies. [3] extremely damp. [4] forests, jungles. [5] future. [6] overestimate. [7] In ancient times. [8] a pronouncedly reddish complexion. [9] distinctly. [10] heroic deed. [11] emigrated. [12] slaves. [13] immigrants. [14] predominate. [15] Anglo-Saxon origin. [16] Caribbean. [17] savages. [18] plow as an agricultural tool. [19] their farming was flourishing. [20] cultured. [21] did not extract. [22] geometry and mechanics. [23] architecture. [24] astronomy.

medían con precisión el curso de la luna y dividían el tiempo en años, meses y semanas. Los incas y los mayas usaban una forma distinta de escritura. Los incas usaban quipos, cuerdas o hilos de varios colores con nudos, mientras que los mayas y los aztecas
5 usaban cierta forma de pintura jeroglífica.[1] Las ruinas de las civilizaciones antiguas nos recuerdan la grandeza de los pueblos primitivos de América.

II. Vocabulario

A coro:

NOMBRES

la **abundancia** abundance
el **conocimiento** knowledge
la **cordillera** mountain range
la **cuerda** cord, rope
el **cutis** skin
el **descendiente** descendant
la **división** division
la **escritura** writing
la **geometría** geometry
el **grado** grade
la **grandeza** grandeur, greatness
la **luna** moon
la **maravilla** wonder, marvel
el **metal** metal
el **mineral** mineral
el **nudo** knot
la **pintura** painting

la **precisión** precision, exactness
el **terreno** land, ground

ADJETIVOS

distinto, –a different
inmenso, –a immense
maravilloso, –a marvelous

VERBOS

alcanzar to attain, reach
dividir to divide
medir (i) to measure
poblar (ue) to populate

OTRAS PALABRAS

actualmente at present
entretanto meanwhile
localmente locally
rápidamente rapidly
sumamente extremely

Aprendan de memoria:

(a) **a excepción de** except, with the exception of

¿ Qué significa en inglés?

1. el polo norte, unas trescientas tribus, tanto del norte como del sur, actualmente, indios de pura raza.   2. La América es un continente

---

[1] hieroglyphical.

maravilloso.   3. Grandes montañas y llanuras cubren este inmenso territorio.   4. Tiene dos sistemas de montañas que se extienden de norte a sur.   5. Su suelo produce toda clase de frutos.   6. Las selvas del Brasil forman una de las regiones más importantes de Sud América.   7. La pampa argentina es un enorme mar de hierba.   8. Los negros se encuentran principalmente en los países del Caribe

III. Preguntas

1. ¿ De dónde a dónde se extiende el continente americano?   2. ¿ Dónde está el Atlántico y dónde el Pacífico?   3. ¿ De cuántas partes consta el continente?   4. ¿ Qué cordillera está al oeste del continente?   5. ¿ Por dónde se extienden las grandes llanuras del continente?   6. ¿ Qué es la pampa argentina?   7. ¿ Cuántas tribus indias poblaban antiguamente el continente?   8. ¿ Quiénes emigraron a América después del descubrimiento?   9. ¿ Qué tribus civilizadas había entre los indios?   10. ¿ Qué sabían las naciones cultas del Nuevo Mundo?

IV. Gramática

A. FORMATION AND COMPARISON OF ADVERBS OF MANNER

ADJECTIVE		ADVERB	COMPARATIVE
atento, –a	attentive	atentamente	más atentamente
alegre	happy	alegremente	más alegremente
útil	useful	útilmente	más útilmente
natural	natural	naturalmente	más naturalmente

The adverbs of manner are formed by adding –**mente** (English –*ly*) to the feminine of the adjective.

To form the comparative of adverbs, place **más** or **menos** before them.

B. IRREGULAR COMPARATIVE OF ADVERBS

bien	well	mejor	better
mal	badly, ill	peor	worse
mucho	much	más	more
poco	little	menos	less

Learn the irregular comparative of these adverbs.

V. Ejercicios

A. Repaso oral — **Lección treinta y ocho.** *Give the Spanish translation of the words in English:* 1. ¿ Qué —— para ir allá (*would you do*)? 2. Me prometió que ellos —— todas las semanas (*would write*). 3. Él —— en uno de los países de Hispano-América (*is probably*). 4. Contestamos que —— a verlos (*we would go*). 5. Él dijo que sus hermanos —— aquel libro (*would read*). 6. Les pregunté a qué hora —— la fiesta (*they would attend*). 7. Ningún amigo —— tal cosa (*would say*). 8. Aquella casa —— en aquel barrio (*was probably*). 9. Todo el mundo dijo que —— dificultad en comprenderlo (*we would have*). 10. —— eso (*He is probably selling*).

B. *Translate the words given in English:* 1. Escuchemos —— lo que dice (*attentively*). 2. Hicimos eso porque es lo que hacemos —— (*naturally*). 3. Francisco habla —— el español (*well*). 4. Su hermana Luisa lo escribe —— lo habla (*better than*). 5. Él canta —— pero yo canto —— (*badly . . . worse*). 6. Ellos comen —— y no —— nosotros (*more . . . less than*). 7. Estas jóvenes bailan —— deben (*more than*). 8. El otro día bailaron —— cinco horas (*more than*). 9. ¿ Compró Vd. —— o —— yo (*more . . . less than*)? 10. Él escribe —— María (*worse than*).

C. *Escriban enteramente en español:* 1. Este mineral es *totally different* del otro. 2. Las naciones de América son *completely independent*. 3. Ellos prometieron que *they would write us*. 4. Todos dijeron que *he would travel* por aquel país. 5. Pedro siempre *used to remember* mi cumpleaños. 6. Usted *must do* eso conmigo. 7. *We used to see him* todos los meses. 8. Antes de comer, *I wash my hands*. 9. Tengo tres hermanos *younger than I*. 10. ¿ Compró Vd. esto *for me or for him?*

D. Test XXXIX. *Write the Spanish translation of the words in English:* 1. El suelo del país es —— fértil (*principally*). 2. Mi hermano habla español —— que yo (*better*). 3. ¿ Quién trabaja —— en su casa, Vd. o su padre (*more*)? 4. Este pueblo se conoce —— por otro nombre (*locally*). 5. La población de los Estados Unidos es —— blanca (*enormously*). 6. El idioma español es —— importante en nuestro país (*certainly*). 7. Nuestra casa es —— muy cómoda (*naturally*). 8. Nosotros hablamos —— de aquellos países (*well*). 9. Los misioneros trataban —— a los indios (*better*). 10. Hoy aquellas naciones son —— independientes (*completely*).

E. *Oral:* 1. They read more than you.   2. He understands more than he speaks.   3. Eat less than he.   4. Let us listen attentively.   5. She drinks less than her brother.   6. My friend Paul eats more than he thinks.

F. *Written:* 1. America is principally a wonderful continent.   2. In some parts, its wealth is very great.   3. I should like to know if that is equally true of all parts of the continent.   4. Let us read a book entirely written in Spanish on (**sobre**) the American continent.   5. We think that we can naturally do that.   6. Do you read more in English than in Spanish?   7. I read the two languages equally [well].[1]   8. Do you know that politically all countries in Spanish America are republics?   9. The whites live practically everywhere on the continent.   10. The Negroes live especially in the United States, Brazil and in the regions of the Caribbean.

G. Ejercicio de invención. *Write three sentences in Spanish on each of the following topics:*

(*a*) The three sections into which America is divided.
(*b*) America, its soil and climate.
(*c*) The natives of primitive America.
(*d*) The population of America in our days.

H. Ejercicio de pronunciación: [2]

con nosotros = co-no-so-tros
una semana = u-na-se-ma-na
los americanos = lo-sa-me-ri-ca-nos
con el enemigo = co-ne-le-ne-mi-go
en América, todos hablan así = e-na-mé-ri-ca-to-do-sa-bla-na-sí.

Refranes

Lo que bien se aprende no se olvida.	What is well learned is not forgotten.
A quien madruga Dios le ayuda.	The early bird catches the worm.

---

[1] omit.   [2] In pronouncing Spanish any consonant coming between two vowels is always carried over to the second vowel, even if the vowel belongs to the following word. The student must distinguish between orthographic or spelling syllabication (*see* pages 8 and 9) and phonetic syllabication, which is the way Spanish-speaking people divide words into syllables when pronouncing.

I. *Dialoguito:*

— ¿ **Cuál es su oficio (profesión)?**   What is your trade (profession)?
— **Soy carpintero.**[1]   I am a carpenter.
— ¿ **En dónde trabaja Vd.?**   Where do you work?
— **Trabajo en la compañía** ...   I work with the ... firm.

SELECCIÓN

Una maravilla de América

El Ferrocarril Central del Perú es una maravilla. ¿ Por qué hablar de ese ferrocarril? Porque es una grandiosa obra de ingeniería.[2] Sale del Callao, puerto principal del Perú y pasa luego por las principales ciudades peruanas. En el camino tiene
5 que subir montañas muy altas y pasar precipicios [3] muy profundos. Cruza muchos puentes elevados [4] y túneles. Es como dar un paseo en tren por las alturas o por el aire. Ningún otro ferrocarril del mundo sube más alto que el Ferrocarril Central del Perú.

¡ Oh, qué bellos panoramas se observan desde el tren ! Por todas
10 partes se ven paisajes bellísimos y regiones pintorescas y atractivas. En muchas estaciones se ven indios. Llegan a vender flores y frutas. Son indios descendientes de los incas, que vivieron en otro tiempo en el Perú. Las mujeres visten grandes faldas de vistosos

---

[1] **el mecánico,** *mechanic;* **el electricista,** *electrician;* **el sastre,** *tailor;* **el abogado,** *lawyer;* **el profesor,** *teacher;* **el dentista,** *dentist;* ...   [2] engineering.   [3] precipices.
[4] high.

colores, chal y sombrero. Los hombres usan mantas [1] o ponchos rojos y azules.

El tren comienza a ascender.[2] Poco a poco va entrando [3] en la región montañosa.[4] A un lado se ve el río Rimac, como una cinta [5] de plata. A la orilla del río Rimac está situada Lima, la   5 capital peruana. La locomotora da una gran cantidad de vueltas pero siempre ascendiendo. ¡ Atrás ha quedado un gran abismo ! [6] ¿ Cómo pudo pasar el tren? Parece algo milagroso.[7] Sigue el ferrocarril siempre adelante.[a] Pasa por docenas de puentes y túneles y vence [8] todos los obstáculos que encuentra en su camino. 10

Por fin, el Ferrocarril Central llega a « La Cima ».[9] Así se llama el punto más alto. Los viajeros están satisfechos de su viaje. Todos admiran el espléndido [10] panorama de las montañas. Algunos, debido a la gran altura, sufren del soroche [11] — les sale sangre por la nariz y los oídos. Pero hay un personal de enfermeros [12] 15 que los atiende.[13] En menos de seis horas el viajero ha subido desde el nivel del mar a una altura de más de 15,000 pies. ¡ Es realmente [14] admirable !

En tan corto tiempo, el tren ha partido del nivel del mar, ha subido a las montañas y ha llegado casi a las nubes. Sólo el ade- 20 lanto de la ingeniería ha hecho posible un viaje tan maravilloso.

a. *What English words do you recognize from the following Spanish words?*

grandioso, –a, pasar, la montaña, el túnel, el panorama, el tren, la región, pintoresco, –a, atractivo, –a, la fruta, el descendiente, el chal, comenzar, ascender, montañoso, –a, el punto, posible

b. Vocabulario

el **adelanto** progress, improvement	**partir** to leave, take off
el **chal** shawl	**profundo**, –a deep
la **falda** skirt	el **túnel** tunnel
la **locomotora** locomotive	la **vuelta** turn
el **obstáculo** obstacle	**vistoso**, –a showy

[1] blankets. [2] climb. [3] gradually enters. [4] mountainous. [5] ribbon. [6] abyss. [7] miraculous. [8] clears. [9] "The Top." [10] breath-taking. [11] *sickness caused by high altitude.* [12] a group of male attendants. [13] helps them. [14] truly.

c. Frase útil

(a) **seguir adelante** to go ahead

d. Preguntas

1. ¿ De dónde sale el Ferrocarril Central del Perú? 2. ¿ Por qué regiones pasa el tren? 3. ¿ Qué ven los viajeros en las estaciones? 4. ¿ Cómo se llama el punto más alto del viaje? 5. ¿ Cuánto se ha subido en unas seis horas?

L E C C I Ó N

CUARENTA

A. Los tiempos simples

B. Formas del verbo

I. Conversación

Lo que el mundo debe a España

Ninguna nación puede gloriarse [1] tanto como España de su contribución [2] al progreso del mundo. Sin contar lo que contribuyó [3] a la grandeza de Roma con sus literatos, filósofos [4] y emperadores, tiene otros muchos derechos a la fama universal.

La nación que salvó a toda Europa del poder musulmán [5] fué 5
España. Primero, luchó contra los moros por espacio de casi ochocientos años y así evitó la conquista [6] de toda la Europa cristiana.[7] Más tarde acabó con [a] el poder naval de los turcos en la famosa batalla de Lepanto.

¿Y qué diremos del descubrimiento de América? Desde el 10
principio de la Era [8] Cristiana, no hay hasta nuestros días acontecimiento alguno [9] digno de ser comparado con esa grandiosa hazaña.[10]

---

[1] glory in. [2] contribution. [3] contributed. [4] men of letters, philosophers.
[5] Moorish. [6] conquest. [7] Christian. [8] Era. [9] any event. [10] deed.

El descubrimiento de América cambió completamente la faz [1] de la tierra, añadiendo al mundo conocido territorios inmensos. Además, españoles fueron quienes trajeron a América su idioma, la religión cristiana y su cultura.   Antes que las otras naciones de
5 Europa, los españoles recorrieron los áridos desiertos [2] de Arizona y Nuevo México, y todo el territorio que se extiende desde la Florida hasta California, desde Kansas hasta Buenos Aires, y desde el Atlántico hasta el Pacífico.   Realizaron [3] también las más heroicas aventuras,[4] descubriendo el Pacífico y varios ríos como:
10 el Misisipí, el Orinoco, el Amazonas [5] y el Plata.   Subieron a los Andes, cruzaron los llanos [6] de Venezuela y las pampas de la Argentina, los bosques impenetrables de los trópicos y las mesetas de México, Colombia y Bolivia.   En todos sus viajes tuvieron que luchar siempre contra una naturaleza salvaje, sufriendo hambre,
15 sed, sueño y enfermedades sin número.   No olvidemos que estos hombres de hierro estaban siempre expuestos a los ataques [7] de indios bravos,[8] que luchaban con furia [9] para no perder su libertad y sus tierras.   En fin, los españoles tenían que luchar cara a cara con la muerte de día y de noche, y su único descanso era pelear y
20 más pelear.[10]   Después de la obra de exploración [11] y conquista siguió la época colonial, en que España estableció un alto grado de cultura hasta que, a principios del siglo diecinueve, las colonias se declararon libres de la madre patria para formar naciones independientes.
25 Con los soldados españoles vinieron también al nuevo mundo los soldados de Cristo, es decir, los misioneros.   Su tarea [12] era extender la fe cristiana y la cultura europea en las tierras descubiertas. Unos enseñaban las primeras letras, otros predicaban,[13] otros cuidaban a los enfermos, mientras que los demás enseñaban a los indios
30 el modo de cultivar la tierra y el cuidado de los animales domésticos. El papel desempeñado por los misioneros fué sin duda, el más brillante de toda la conquista.   Su misión [14] fué muy heroica, pues siempre estaban expuestos a morir a manos de [15] indios bravos que se rebelaban [16] contra los abusos [17] de algunos conquistadores o

[1] face.   [2] arid deserts.   [3] They accomplished.   [4] heroic adventures.   [5] the Amazon.   [6] prairies.   [7] exposed to attacks.   [8] fierce.   [9] fury, rage   [10] to keep on fighting. [11] exploration.   [12] task.   [13] preached.   [14] mission.   [15] exposed to die at the hands of. [16] who rebelled.   [17] abuses.

funcionarios.   Los frailes[1] de las distintas órdenes religiosas realizaron[2] una vasta obra de cultura y misericordia.[3]   Además de establecer las misiones,[4] atender los hospitales, asilos[5] y aun cárceles,[6] fundaron escuelas, colegios y universidades donde se enseñaba la hermosa lengua de Cervantes o idioma castellano, hoy 5 día lengua oficial de dieciocho repúblicas hispanoamericanas.

Otra gloria de España es que fué la primera nación de Europa en demostrar al mundo que Napoleón no era invencible.   Durante su Guerra de Independencia, de 1808 a 1814, los españoles llevaron a cabo actos de heroísmo[7] sin número capaces de asombrar[8] al 10 mundo.

II. Vocabulario

A coro:

NOMBRES

el **acto** act
el **bosque** forest
el **castellano** Castilian, Spanish
el **colegio** (private) school
el **descanso** rest
la **enfermedad** sickness
el **espacio** space
la **fama** fame
la **meseta** tableland, plateau
el **moro** Moor
el **papel** role
la **sed** thirst
el **turco** Turk

ADJETIVOS

descubierto, –a discovered
digno, –a worthy

oficial official
salvaje savage

VERBOS

atender (ie) to take care of
comparar to compare
deber to owe
demostrar (ue) to demonstrate
desempeñar to play, perform
evitar to prevent
salvar to save

OTRA PALABRA

sin número numberless

Aprendan de memoria:

(a) **acabar con** to destroy, put an end to

---

[1] The friars.   [2] carried out.   [3] mercy.   [4] *Spanish religious missions in the Southwest.*
[5] orphan asylums.   [6] prisons.   [7] heroism.   [8] astonish.

¿ Qué significa en inglés ?

1. el poder musulmán, todo el mundo sabe, la lengua oficial.   2. La contribución de España al progreso del mundo ha sido grande.   3. España luchó contra los moros casi ochocientos años.   4. En la batalla de Lepanto España acabó con el poder naval de los turcos.   5. Las colonias españolas se declararon libres de la madre patria.   6. Los misioneros han desempeñado un papel importantísimo en el Nuevo Mundo.   7. El descubrimiento de América cambió la faz de la tierra.   8. Los españoles tenían que luchar cara a cara con la muerte.   9. El español es la lengua oficial de España y de dieciocho repúblicas hispanoamericanas.   10. España contribuyó a la grandeza de Roma con sus literatos y emperadores.

III. Preguntas

1. ¿ De qué puede gloriarse España más que otras naciones del mundo ? 2. ¿ Cuánto tiempo luchó España contra los moros ?   3. ¿ En qué batalla acabó España con el poder naval de los turcos ?   4. ¿ Cuál es la obra más grandiosa de España ?   5. ¿ Qué trajeron los españoles a América ?   6. ¿ Qué océano y qué ríos descubrieron los españoles en América ?   7. ¿ Qué tuvieron que sufrir en la exploración y conquista de América ?   8. ¿ Cuál fué la tarea de los misioneros ?   9. ¿ A qué estaban expuestos siempre ?   10. ¿ Qué fundaron en América ?   11. ¿ Cuándo empezó la Guerra de la Independencia española ?   ¿ cuándo terminó? 12. ¿ Qué demostró España al mundo ?

IV. Gramática

A. VERBS: INDICATIVE — IMPERATIVE

	hablar to speak					
PRESENT	habl	o	as	a	amos	áis	an
IMPERFECT	habl	aba	abas	aba	ábamos	abais	aban
PRETERIT	habl	é	aste	ó	amos	asteis	aron
FUTURE	hablar	é	ás	á	emos	éis	án
CONDITIONAL	hablar	ía	ías	ía	íamos	íais	ían
IMPERATIVE	habl			e	emos		en
PRES. PROG.	estoy habl ando			PRES. PERF.	he habl ado		

comer to eat						
PRESENT	com	o	es	e	emos	éis	en
IMPERFECT	com	ía	ías	ía	íamos	íais	ían
PRETERIT	com	í	iste	ió	imos	isteis	ieron
FUTURE	comer	é	ás	á	emos	éis	án
CONDITIONAL	comer	ía	ías	ía	íamos	íais	ían
IMPERATIVE	com			a	amos		an
PRES. PROG.	estoy com iendo			PRES. PERF.	he com ido		

vivir to live						
PRESENT	viv	o	es	e	imos	ís	en
IMPERFECT	viv	ía	ías	ía	íamos	íais	ían
PRETERIT	viv	í	iste	ió	imos	isteis	ieron
FUTURE	vivir	é	ás	á	emos	éis	án
CONDITIONAL	vivir	ía	ías	ía	íamos	íais	ían
IMPERATIVE	viv			a	amos		an
PRES. PROG.	estoy viv iendo			PRES. PERF.	he viv ido		

Note that the above tenses are all those you have learned in this book. Be sure that you master all these forms. A good knowledge of these tenses will make your future study easier and increase your progress in your study of Spanish. This is a good opportunity to get these forms under control.

B. DIFFERENT VERB FORMS

(a) Affirmative or statement form

Hablo español. I speak Spanish.

(b) Negative form

No como mucho. I don't eat much.

(c) Interrogative or question form

¿ **Dónde vive Vd.?** Where do you live?

(d) Negative question form

¿ **No vive Vd. aquí ?** Don't you live here?

Note the four different ways a verb can express meaning in any tense.

V. Ejercicios

A. Repaso oral — **Lección treinta y nueve.** *Give the Spanish transla-tion of the words in English:* 1. Nuestra familia es —— pequeña (*equally*). 2. Este país ha ganado —— su independencia (*finally*). 3. ¿ Puede Vd. escribir eso —— en español (*easily*)? 4. Ellos pueden construir —— aquel edificio (*better*). 5. Este mineral es —— diferente del otro (*totally*). 6. Es —— posible viajar por los países de América (*entirely*). 7. Todas las naciones son —— importantes (*socially*). 8. ¿ Quién va a explicar eso —— a todos (*clearly*)? 9. Los Sres. Pérez comían —— en casa (*principally*). 10. —— que me gustaría hacer eso como los otros (*Naturally*).

B. *Imiten el modelo:*

MODELO: Vd. da.   Vd. no da.   ¿ Da Vd. ?   ¿ No da Vd. ?

PRESENT   1. Yo hago, Vd. abre, él contesta, Vds. caen

PRETERIT 2. Yo hice, Vd. abrió, Vds. enseñaron, ellos escribieron

FUTURE   3. Yo escucharé, Vd. explicará, ella comerá, ellos abrirán

C. *Escriban enteramente en español:* 1. Ninguna otra nación *could do* eso. 2. ¿ Qué *shall we say* del descubrimiento de América? 3. *Let us not forget* que esto es sumamente importante. 4. Los españoles son *good soldiers*. 5. A menudo los indios *fought* contra los españoles. 6. *I should like to do* eso igualmente. 7. ¿ Está Vd. seguro de que *he has read* aquel periódico? 8. Este cuento me parece *less interesting than* el otro. 9. *What* Vd. dice es verdad. 10. *Get up* Vd. sin perder tiempo.

D. *Pongan los verbos en la persona y el tiempo deseados:*

	Yo	**Vd.**	**él**	**nosotros**	**Vds.**	**ellos**
PRESENT	comprar	comer	escribir	ser	estar	tener
PRES. PROG.	hablar	comer	buscar	abrir	leer	ver
IMPERATIVE		estudiar		escribir	comer	

PRETERIT	andar	caer	conducir	dar	decir	hacer
IMPERFECT	saber	querer	ir	ser	venir	ver
PRES. PERF.	abrir	decir	escribir	hacer	poner	morir
CONDITIONAL	hacer	venir	tener	saber	poder	venir
FUTURE	poner	querer	decir	saber	escribir	preguntar

E. Test XL. *Write the Spanish translation of the verb forms in English:*
1. —— siempre a nuestros amigos (*Let us help*). 2. ¿Qué —— la gente del progreso del continente (*will say*)? 3. Yo —— ningún derecho en este país (*do not have*). 4. Los españoles —— con los indios (*used to fight*). 5. ¿Qué —— Vds. en tal situación (*would . . . do*)? 6. ¿Qué —— los misioneros en América (*have done*)? 7. Todos —— aquella ciudad (*want to visit*). 8. Usted y yo —— de algo completamente diferente (*are speaking*). 9. Algunos españoles —— a América en 1492 (*arrived*). 10. Fueron a la oficina —— tiempo (*without losing*).

F. Oral: 1. I open; you opened; they have opened; Albert will open; do they open? let us open. 2. He didn't eat; I did eat; did I eat? they ate. 3. I'd believe; they'd sing; she'd open; wouldn't I do? you would say. 4. We have done; they have seen; has he returned? what have you read? 5. What are you doing? I am buying; you are saying; is he hearing? 6. We always did; they used to walk; they would explain; I would wish. 7. You will enter; he will give; we shall not do. 8. I could enter; they can do; you will be able to see. 9. Let us not speak English; let us read this now. 10. You do open; I have done; we shall give. 11. They used to say that; we shall not write; open the door.

G. Written: 1. Spain has contributed a great deal to the progress of the world. 2. She gave Rome authors, emperors and philosophers. 3. And what shall we say about the other things she did for (**por**) human progress? 4. Towards the end (**a fines**) of the fifteenth century, Spain said that she would help Columbus and she did (it). 5. In America the missionaries always helped the poor Indians. 6. The Spanish colonies lasted for a period (**el período**) of three hundred years. 7. Towards the beginning (**a principios**) of the nineteenth century, they declared themselves free from Spain. 8. After the War of Independence the colonies formed the different nations of Spanish America. 9. Today they are all independent republics. 10. The Spanish-American nations and the United States are and will always be good friends.

H. Ejercicio de pronunciación:

Trabalengua [1]

Guerra tiene una parra y Parra tiene una perra.
La perra de Parra sube a la parra de Guerra.
Guerra coge una porra y pega a la perra de Parra,
y la perra de Parra baja de la parra de Guerra.

I. *Dialoguito:*

— ¿ **Qué hay? ¿ Qué le pasa?**	What is the matter? What ails you?
— **Me duelen las manos,**[2] **pero mucho.**	My hands hurt me, but a great deal.
— ¡ **Cuánto lo siento !**	I am very sorry !
— **Y me duele también la cabeza.**	And my head hurts too.
— ¿ **Quiere llamar al médico?**	Do you want to call the doctor ?
— **Sí, señor; hágame el favor.**	Yes, please do.
— ¿ **Cuál es el número de su teléfono?**	What is his telephone number ?
— **El número de su teléfono es 8-4-7-9.**	His telephone number is 8-4-7-9.

Poesía

Hojas del árbol caídas
Juguetes [3] del viento son;
Las ilusiones perdidas [4]
¡ Ay ! [5] son hojas desprendidas [6]
Del árbol del corazón.

José de Espronceda

Refranes

No hay rosa sin espinas.	There is no rose without thorns.
No hay mal que por bien no venga.	Every cloud has a silver lining.
No hay mal que dure cien años.	Nothing lasts forever.

---

[1] tongue twister.   [2] **el brazo,** *arm;* **los dedos,** *fingers;* **el estómago,** *stomach;* **la pierna,** *leg;* **el pie,** *foot;* ...   [3] toys.   [4] unfulfilled dreams.   [5] Alas!   [6] torn.

SELECCIÓN:

El baile típico de México

Estamos en el patio de una casa en México. Asistimos a una
fiesta. Vemos llegar atractivas parejas [1] de jóvenes mexicanos.
La orquesta típica de mariachis [2] comienza a tocar alegremente
sus instrumentos de cuerda.[3] Hay una gran animación [4] entre
muchachos y muchachas. Todos hablan, ríen y se divierten. 5
Hay también una gran variedad de trajes regionales bellos y
atractivos, que hacen la escena verdaderamente pintoresca.

La orquesta toca un jarabe tapatío,[5] el baile nacional de México.
Una pareja [1] de jóvenes sale al centro del patio. Están vestidos con
los trajes típicos más conocidos y populares de México. El hombre 10
lleva el traje de charro [6] y la muchacha viste de china poblana.[7]
Todos quedan admirados [8] al ver la atractiva pareja. Los vestidos
son realmente [9] artísticos y bellos. El charro lleva pantalones
ajustados,[10] chaqueta corta,[11] bordada, y adornada con botones de
plata.[12] Completan el traje, un sombrero de ala muy ancha 15
ricamente adornado,[13] grandes espuelas [14] y corbata roja. En el

---

[1] couples. [2] *popular native Mexican musicians.* [3] string instruments. [4] stir. [5] hat
dance. [6] *Mexican horseman elegantly attired.* [7] *Typical Mexican dancer in strikingly attractive costume.* [8] spellbound. [9] truly. [10] tight-fitting trousers. [11] bolero jacket. [12] embroidered and adorned with silver buttons. [13] a hat with a very wide brim, profusely
decorated. [14] spurs.

hombro como prenda de adorno,[1] el charro lleva su sarape, especie de chal de vivos colores.   La china poblana lleva con mucha gracia y elegancia su bellísimo vestido que consiste en una blusa blanca adornada con cuentas de vidrio,[2] y una ancha falda roja
5 llena de adornos brillantes.[3]   En vez de zapatos usa guaraches o sandalias de cuero;[4] en la cabeza, un sombrero ancho también muy bordado,[5] y en los hombros, el rebozo[6] o chal decorativo.

El jarabe tapatío comienza.   Los bailadores[7] dan muchos pasos variados[8] y hacen muchas figuras[9] interesantes que todos ob-
10 servan con admiración.   Hacia el final de la danza,[10] el charro galantemente[11] tira el sombrero al suelo.   En esta parte del baile, la china poblana demuestra su gran habilidad[12] y arte.   Baila dentro del ala del sombrero de su charro, sin perder el equilibrio.[13] Es realmente maravilloso.   Todos aplauden[14] con entusiasmo a la
15 típica pareja mexicana.

   a. *What English words do you recognize from the following Spanish words?*

   típico, –a, atractivo, –a, la orquesta, el instrumento, la variedad, la escena, pintoresco, –a, nacional, el centro, artístico, –a, adornado, –a, completar, la gracia, la elegancia, la blusa, brillante, interesante, la admiración, el final, la parte, la habilidad, el arte, el equilibrio

b. Vocabulario

el **arte** (*f.*) art	el **hombro** shoulder
la **corbata** tie, necktie	**tirar** to throw
la **especie** kind, sort	
la **gracia** grace, charm	

c. Preguntas

   1. ¿Qué se ve en un patio mexicano en esta fiesta?   2. ¿Qué toca la orquesta de mariachis?   3. ¿Quiénes forman la pareja que baila el jarabe tapatío?   4. ¿Qué hace el charro con su sombrero hacia el final del baile?   5. ¿Cómo muestra la china poblana su habilidad?

[1] decorative garment.   [2] glass beads.   [3] spangles of different colors.   [4] leather sandals.   [5] richly embroidered.   [6] decorative narrow shawl.   [7] the dancers. [8] dance a variety of steps.   [9] execute different figures.   [10] dance.   [11] courteously. [12] dexterity.   [13] balance.   [14] applaud.

"Cardinal Don Fernando Niño
de Guevara" by El Greco —
Metropolitan Museum of Art

"Virgin and Child" by Murillo —
Metropolitan Museum of Art

"El Picador on Horseback" by Goya —
Museo del Prado, Madrid

"Infanta Margarita" by Velázquez —
Museo del Prado, Madrid

Indian mayor and his helper, Peru — *Courtesy of Pan American–Grace Airways*

Inca pottery

Gold ornaments, Peru

Decoration, Toltec ruins, Mexico — *Richard B. Hoit from Cushing*

Plaza Morazán, Tegucigalpa, Honduras —
Courtesy of Pan American World Airways

Aymara Indians from Bolivia

Andrés Segovia

"The Chessboard" by Juan Gris —
Philadelphia Museum of Art, Gallatin Collection

"Three Musicians" by Picasso —
The Museum of Modern Art, New York, Mrs. Simon Guggenheim Fund

REPASO DE GRAMÁTICA IV

A. Pronombres demostrativos

SINGULAR		PLURAL	
éste	ésta	éstos	éstas
ése	ésa	ésos	ésas
aquél	aquélla	aquéllos	aquéllas

Neutros: esto, eso, aquello.

B. Negativos

1A FORMA	2A FORMA
Nada veo.	No veo nada.
Nunca canto.	No canto nunca.
Tampoco voy.	No voy tampoco.
Nadie viene.	No viene nadie.
Ninguno escribirá.	No escribirá ninguno.
Nada me gusta.	No me gusta nada.

C. Imperfecto de indicativo

SUJETOS	I. hablar	II. comer	III. vivir
yo	habl aba	com ía	viv ía
tú	habl abas	com ías	viv ías
él, ella, Vd.	habl aba	com ía	viv ía
nosotros, −as	habl ábamos	com íamos	viv íamos
vosotros, −as	habl abais	com íais	viv íais
ellos, −as, Vds.	habl aban	com ían	viv ían

IMPERFECTO IRREGULAR

ser: era, eras, era, éramos, erais, eran
ir: iba, ibas, iba, íbamos, ibais, iban
ver: veía, veías, veía, veíamos, veíais, veían

C. Pronombres

SUJETOS	INDIRECTOS	DIRECTOS	REFLEXIVOS	PREPOSICIONALES
yo	me	me	me	mí
tú	te	te	te	ti
él	le	lo (le)	se	él
ella	le	la	se	ella
Vd.	le	lo, la (le)	se	Vd.
nosotros, −as	nos	nos	nos	nosotros, −as
vosotros, −as	os	os	os	vosotros, −as
ellos	les	los	se	ellos
ellas	les	las	se	ellas
Vds.	les	los, las	se	Vds.

D. Verbos que cambian la raíz

1A & 2A CONJ.	PRESENTE	PRETÉRITO	IMPERATIVO

(e = ie   o = ue)

I. pensar   p*ie*nso, p*ie*nsas; **pensamos**, etc.   p*ie*nse Vd.
   contar   c*ue*nto, c*ue*ntas; **contamos**, etc.   c*ue*nte Vd.

II. perder   p*ie*rdo, p*ie*rdes; **perdemos**, etc.   p*ie*rda Vd.
    volver   v*ue*lvo, v*ue*lves; **volvemos**, etc.   v*ue*lva Vd.

3A CONJUGACIÓN

(e = ie, i   o = ue, u)

sentir	s*ie*nto, s*ie*ntes, **sentimos**, etc.	s*i*ntió	s*ie*nta Vd.
pedir	p*i*do, p*i*des, **pedimos**, etc.	p*i*dió	p*i*da Vd.
dormir	d*ue*rmo, d*ue*rmes, **dormimos**, etc.	d*u*rmió	d*ue*rma Vd.

Práctica. — *Den el singular de:* 1. Así lo pensamos. 2. No los pierdan Vds. 3. Lo sentimos mucho. 4. Les pidieron unos libros. 5. Volvemos a casa. 6. Perdemos tiempo. 7. No pedimos mucho. 8. Ellos cuentan de uno a diez. 9. ¿Dónde duermen Vds.? 10. No vuelvan Vds. aquí. 11. Siempre los perdemos. 12. Queremos comprar el automóvil. 13. Podemos visitarlos mañana por la tarde. 14. Pensamos terminar nuestro trabajo pronto. 15. Contamos historias interesantes a nuestros sobrinos.

E. Condicional

SUJETOS	I. hablar	II. aprender	III. vivir
yo	hablar ía	aprender ía	vivir ía
tú	hablar ías	aprender ías	vivir ías
él, ella, Vd.	hablar ía	aprender ía	vivir ía
nosotros, –as	hablar íamos	aprender íamos	vivir íamos
vosotros, –as	hablar íais	aprender íais	vivir íais
ellos, ellas, Vds.	hablar ían	aprender ían	vivir ían

caber:	**cabría,** cabrías, **cabría, cabríamos,** cabríais, **cabrían**
decir:	**diría,** dirías, **diría, diríamos,** diríais, **dirían**
haber:	**habría,** habrías, **habría, habríamos,** habríais, **habrían**
hacer:	**haría,** harías, **haría, haríamos,** haríais, **harían**
poder:	**podría,** podrías, **podría, podríamos,** podríais, **podrían**
poner:	**pondría,** pondrías, **pondría, pondríamos,** pondríais, **pondrían**
querer:	**querría,** querrías, **querría, querríamos,** querríais, **querrían**
saber:	**sabría,** sabrías, **sabría, sabríamos,** sabríais, **sabrían**
salir:	**saldría,** saldrías, **saldría, saldríamos,** saldríais, **saldrían**
tener:	**tendría,** tendrías, **tendría, tendríamos,** tendríais, **tendrían**
valer:	**valdría,** valdrías, **valdría, valdríamos,** valdríais, **valdrían**
venir:	**vendría,** vendrías, **vendría, vendríamos,** vendríais, **vendrían**

F. Pronombres relativos: *que, quien, –es, lo que*

	que (person or thing)	**quien, –es** (person only)
1. SUJETO	**El libro que está aquí.**	**Él es quien vive allá.**
2. DESPUÉS DE PREPOSICIÓN	**La pluma con que escribo.**	**Son los hombres a quienes hablo.**
3. COMPLEMENTO	**Es la casa que compré.**	**Es el hombre a quien vi.**

Note: **El que, la que,** (*he who, the one who*) **lo que,** (*what, that which*), can be used as a subject, object, or after a preposition.

G. Verbos: Indicativo — Imperativo

	yo	tú	él	nosotros	vosotros	ellos
PRESENTE	habl o	−as	−a	−amos	−áis	−an
	com o	−es	−e	−emos	−éis	−en
	viv o	−es	−e	−imos	−ís	−en
PRETÉRITO	habl é	−aste	−ó	−amos	−asteis	−aron
	com í	−iste	−ió	−imos	−isteis	−ieron
	viv í	−iste	−ió	−imos	−isteis	−ieron
IMPERFECTO	habl aba	−abas	−aba	−ábamos	−abais	−aban
	com ía	−ías	−ía	−íamos	−íais	−ían
	viv ía	−ías	−ía	−íamos	−íais	−ían
FUTURO	hablar é	−ás	−á	−emos	−éis	−án
	comer é	−ás	−á	−emos	−éis	−án
	vivir é	−ás	−á	−emos	−éis	−án
CONDICIONAL	hablar ía	−ías	−ía	−íamos	−íais	−ían
	comer ía	−ías	−ía	−íamos	−íais	−ían
	vivir ía	−ías	−ía	−íamos	−íais	−ían

IMPERATIVO	hable Vd.	hablemos	hablen Vds.
	coma Vd.	comamos	coman Vds.
	viva Vd.	vivamos	vivan Vds.

(a) PRESENTE PERFECTO (b) TIEMPO PROGRESIVO: PRESENTE	(a) he hablado, . . . he comido, . . . he vivido, . . .	(b) estoy hablando, . . . estoy comiendo, . . . estoy viviendo, . . .

H. Las diferentes formas del verbo

Forma afirmativa	Forma negativa
yo hablo yo como yo vivo	yo no hablo yo no como yo no vivo
Forma interrogativa	Forma interrogativa negativa
¿ hablo yo? ¿ como yo? ¿ vivo yo?	¿ no hablo yo? ¿ no como yo? ¿ no vivo yo?

EJERCICIOS DE REPASO IV

(Achievement Test No. IV)

Completen las oraciones en español:

A. 1. No oyeron —— aquella noche *(any shout)*. 2. No leerán ——
revistas —— periódicos *(either . . . either)*. 3. No tengo ningún libro
sobre Colón —— *(either)*. 4. Ella ha visto —— *(these buildings and those)*.
5. Sus padres quieren oír a —— *(this lady and that one)*. 6. Sus padres no
quieren comprar nada en —— *(this store and that)*. 7. Colón no dijo ——
a los marineros *(anything)*. 8. —— son novelas *(These books and those)*.
9. No compré —— allí *(no book)*. 10. Ellos —— dirán lo que pasó
(never).

B. 1. Los indios —— una raza extraña *(were)*. 2. Muchas tribus ——
siempre en un sitio fijo *(did not live)*. 3. Muchos —— de un lugar a otro
(went). 4. Algunos indios —— sus tiendas con cueros de animales *(used
to cover)*. 5. Algunas tribus —— carne cruda *(used to eat)*. 6. Ellos ——
libros de sus amigos *(used to receive)*. 7. Nosotros —— leyendo un libro
muy interesante *(were)*. 8. ¿ Quién —— cerca de la mesa *(was)*? 9. Yo
—— los cuadros de la pared *(was looking at)*. 10. Yo —— con mi pluma
fuente *(was writing)*.

C. 1. Tengo buenos libros y —— *(I read them)*. 2. ¿ —— algo sobre
los piratas *(Can you tell us)*? 3. No tenían camas porque —— *(they did*

not use them). 4. Los españoles no vieron animales domésticos porque los indios no —— (*had them*). 5. —— un libro sobre los indios (*I am going to give you*). 6. Escriba Vd. a Luis y él le —— (*will answer*). 7. Los españoles enseñaban a los indios porque —— (*they wanted to help them*). 8. Juana toma el libro y —— (*opens it*). 9. Nadie —— de eso (*spoke to him*). 10. No perdamos tiempo, —— (*we don't have it*).

D. 1. Yo les —— todo lo que he leído sobre eso (*relate,* **contar**). 2. ¿ Qué —— Vds. hacer hoy (*intend,* **pensar**)? 3. —— lo que dijo (*I remember,* **recordar**). 4. ¿ Me —— Vd. cuando hablo español (*understand,* **entender**)? 5. ¿ A qué hora —— Vds. (*do you go to bed,* **acostarse**)? 6. ¿ Por qué no —— Vd. aquí (*sit down,* **sentarse**)? 7. —— Vds. a la mesa ahora (*Sit down,* **sentarse**). 8. Ellos —— siempre temprano (*wake up,* **despertarse**). 9. Ahora —— Vd. la casa (*show me,* **mostrar**). 10. ¿ —— Vd. a casa temprano (*Return,* **volver**)?

E. 1. Los misioneros, —— leímos, eran amigos de los indios (*of whom*). 2. Los indios —— vivían allí, eran pobres (*who*). 3. Los pueblos —— vivían, eran miserables (*in which*). 4. Las personas —— quería ver, eran españolas (*whom*). 5. El libro en —— pienso no es fácil (*which*). 6. Es la casa —— viví el año pasado (*in which*). 7. Es un amigo —— escribí ayer (*to whom*). 8. Sé que no es verdad —— dice (*what*). 9. Los mestizos —— viven en América son muchos (*who*). 10. Es el autor —— recibí una carta (*from whom*).

F. 1. Alberto no —— nada a sus amigos (*asked for,* **pedir**). 2. ¿ Para qué —— todo esto (*is used,* **servir**)? 3. —— Vd. el dinero que nos debe (*Ask him for,* **pedir**). 4. Todos ellos —— por la patria (*died,* **morir**). 5. Los oficiales —— las palabras de Bolívar (*repeated,* **repetir**). 6. No —— Vds. a sus amigos (*lie,* **mentir**). 7. Él —— salir aquella noche (*preferred,* **preferir**). 8. No —— Vd. si le hablo (*fall asleep,* **dormirse**). 9. Todo el mundo —— (*had a good time,* **divertirse**). 10. ¿ —— Vd. hablar inglés o español (*Prefer,* **preferir**)?

G. 1. Volvieron allá —— (*after seeing them*). 2. Nosotros no hemos hablado —— (*against them*). 3. ¿ Quiere Vd. trabajar —— (*with me*)? 4. Fueron al cine —— (*without me*). 5. El Sr. García contestó la carta, —— (*upon receiving it*). 6. ¿ Puede Vd. hacerlo —— (*without studying*)? 7. Ellos escribieron —— (*before leaving*). 8. Se fueron —— (*without me*). 9. Fuimos al teatro —— nada (*without saying*). 10. Él no hace nada —— (*for me*).

H. 1. No —— posible verlo hoy (*would be*). 2. Aquellos hombres —— españoles (*were probably*). 3. Ellos escribieron que —— aquí (*would be*). 4. Prometieron que —— conmigo (*they would go*). 5. No dije que lo —— (*would buy*). 6. Les —— aquel libro (*would like to buy*). 7. Las puertas —— cerradas (*are probably*). 8. Nadie —— eso (*would say*). 9. Luis dijo que nos —— (*would visit*). 10. Ellos —— muchos idiomas (*probably spoke*).

I. 1. Esto es —— diferente (*wholly*). 2. Cantan mejor —— (*than before*). 3. La carta fué escrita —— (*clearly*). 4. Roberto habla —— que Luisa (*better*). 5. La puerta estaba —— abierta (*completely*). 6. Tengo mucho pero él tiene —— (*more*). 7. Me entiende —— cuando le hablo en español (*perfectly*). 8. Aquello se puede hacer —— (*easily*). 9. Aquel día todos trabajaban —— (*with difficulty*). 10. Francisco es —— más pobre de lo que creemos (*possibly*).

J. 1. Siempre —— a nuestros amigos (*we used to write*). 2. ¿ Qué —— cuando entré (*were you doing*)? 3. Todos —— contra los moros (*fought*). 4. No —— nada de eso (*we shall say*). 5. —— que esto es importante (*Let us not forget*). 6. Para algunos Napoleón —— invencible (*was*). 7. Los misioneros —— eso para ayudar a los indios (*did*). 8. ¿ A qué hora —— (*do you get up*)? 9. Todos los soldados —— luchar (*had to*). 10. —— viajar por todos los países de América (*I should like*).

K. 1. —— los indios no se quedaban en un sitio fijo (*In general*). 2. Pizarro conquistó el Perú —— siglo dieciséis (*at the beginning of the*). 3. Los españoles vieron a los piratas —— (*in the distance*). 4. No pudimos verlo —— (*the following day*). 5. Ellos —— a sus amigos (*have just seen*). 6. Nosotros íbamos allá —— (*sometimes*). 7. Todos trabajan —— (*by day and night*). 8. Yo siempre —— un viaje a Cuba (*dream of*). 9. El señor López me —— cuando lo vi (*asked . . . for a favor*). 10. Joaquín —— el inglés (*continues to study*).

L. 1. Él no compró ningún libro —— (*either*). 2. —— mucha fruta en verano (*We used to eat*). 3. Inés tomó el libro y —— (*opened it*). 4. ¿ Por qué —— Vd. temprano (*don't you go to bed*)? 5. Nadie —— el otro día (*enjoyed himself*). 6. Me prometió que él —— allá (*would go*). 7. Podemos hacer eso —— (*easily*). 8. —— Vd. a sus amigos en Chile (*Write*). 9. —— esta tarde (*I should like to see her*). 10. —— Vds. sin perder tiempo (*Get up*).

Miscelánea

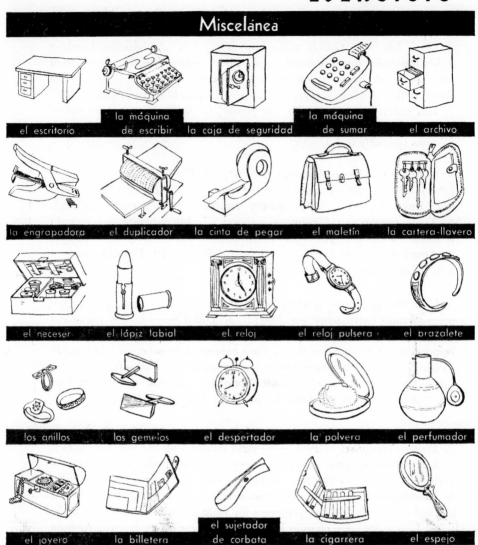

el escritorio   la máquina de escribir   la caja de seguridad   la máquina de sumar   el archivo

la engrapadora   el duplicador   la cinta de pegar   el maletín   la cartera-llavero

el neceser   el lápiz labial   el reloj   el reloj pulsera   el brazalete

los anillos   los gemelos   el despertador   la polvera   el perfumador

el joyero   la billetera   el sujetador de corbata   la cigarrera   el espejo

PALABRAS. *Row 1:* desk, typewriter, safe, adding machine, file. *Row 2:* stapler, duplicating machine, Scotch tape, brief case, key case. *Row 3:* sewing kit, lipstick, clock, wrist watch, bracelet. *Row 4:* rings, cuff links, alarm clock, compact, perfume atomizer. *Row 5:* jewel box, wallet, tie clip, cigarette case, mirror.

PREGUNTAS. 1. ¿Quién trabaja en una oficina? 2. ¿Se necesita un archivo en la oficina? 3. ¿Dónde se compra la cinta de pegar? 4. ¿Sabe usted escribir a máquina (*type*)? 5. ¿Funciona fácilmente el duplicador? 6. ¿Qué muebles vemos en una oficina? 7. ¿Qué lleva una señora en la cartera? 8. ¿Para qué sirve el reloj pulsera? 9. ¿Qué le regaló usted a mamá el Día de las Madres? 10. ¿Cuándo usamos el despertador?

ORAL

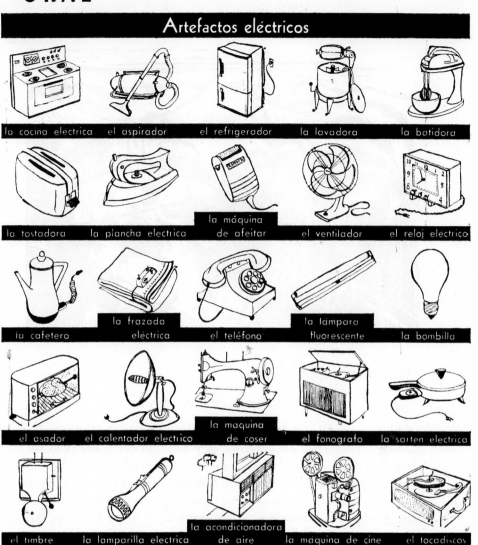

Artefactos eléctricos

| la cocina electrica | el aspirador | el refrigerador | la lavadora | la batidora |

| la tostadora | la plancha electrica | la máquina de afeitar | el ventilador | el reloj eléctrico |

| la cafetera | la frazada eléctrica | el teléfono | la lámpara fluorescente | la bombilla |

| el asador | el calentador electrico | la máquina de coser | el fonografo | la sarten electrica |

| el timbre | la lamparilla electrica | la acondicionadora de aire | la máquina de cine | el tocadiscos |

PALABRAS. *Row 1:* electric range, vacuum cleaner, refrigerator, washing machine, mixer. *Row 2:* toaster, iron, electric shaver, fan, clock. *Row 3:* percolator, electric blanket, telephone, fluorescent lamp, bulb. *Row 4:* roaster, heater, sewing machine, phonograph, frying pan. *Row 5:* bell, flashlight, air conditioner, movie machine, record player.

PREGUNTAS. 1. ¿ Qué artefactos (*objects*) eléctricos usamos en una cocina moderna? 2. ¿ Tienen ustedes en casa, fonógrafo, radio o televisión? 3. ¿ Tiene usted una máquina de cine? ¿ de qué marca (*make*)? 4. ¿ Quién tiene una acondicionadora de aire en su casa? 5. ¿ Qué le gustan más, las bombillas eléctricas o las lámparas fluorescentes? 6. ¿ Quién necesita una máquina de coser?

413

SELECCIÓN: *Repaso IV*

Chile, país de contrastes

Chile es una larga y estrecha faja [1] de tierra bañada por el Pacífico.   Comienza en los trópicos y termina cerca del polo sur.   Tiene una costa de dos mil ochocientas millas de largo. [2]   La majestuosa cordillera [3] de los Andes se extiende por todo el oeste del país 5 de norte a sur.   El Aconcagua, el punto más alto de América, está entre Chile y la Argentina.   Muy cerca de la costa hay otra cordillera.   Entre ésta [4] y los Andes se encuentra el gran valle [5] central de Chile.   Allí es donde vive la mayor parte de los habitantes.

Como Chile es tan largo, tiene tres regiones muy diferentes.   En 10 el norte está el desierto, [6] sin lluvias [7] y sin vegetación. [8]   Esta región contiene la mayor riqueza [9] de Chile.   Es un árido [10] desierto pero posee la única fuente natural de nitrato [11] del mundo.   Este producto sirve de [a] abono [12] y se usa también para hacer explosivos. [13]

---

[1] strip.   [2] long.   [3] majestic mountain range.   [4] this one.   [5] valley.   [6] desert. [7] rains.   [8] vegetation.   [9] wealth.   [10] dry.   [11] saltpeter.   [12] fertilizer.   [13] explosives.

El yodo [1] se deriva [2] del nitrato.   Las minas de cobre [3] que se
encuentran en esta región producen una gran cantidad de metal.
Al sur de este centro minero [4] hay otra región muy diferente
llamada el « Jardín de Chile ».   Bien regada [5] por ríos, es rica y
fértil.   Allí es donde se producen todos los cereales y las frutas.   5
Ésa [6] es la región de las uvas con que se hacen los famosos vinos
chilenos.   Aquí se cría [7] también el ganado que hace notable a
Chile.   Al sur de este rico jardín hay una región de bosques,[8]
lagos y montañas nevadas; [9] es un verdadero paraíso [10] para los
viajeros.   10
Los chilenos son, en su mayoría, blancos.   Son descendientes [11]
de españoles y otros europeos.   Sin embargo, quedan todavía indios
de la raza araucana.[12]   Estos indios, antiguos habitantes del país,
fueron muy guerreros.[13]   Tan valientes fueron que los españoles
nunca pudieron conquistarlos.   Hoy día sus descendientes viven en 15
el sur de Chile.   Son gente pacífica [14] que trabaja en la agricultura.[15]
La capital de Chile es Santiago, situada al pie de los Andes.
Está en el hermoso y extenso valle central a mil setecientos pies de
altura.   El espléndido panorama de la ciudad puede admirarse 20
desde la altura de San Cristóbal, uno de los cerros situados en el
corazón de la ciudad.   Santiago está a tres horas de Valparaíso,
puerto principal de Chile y el mejor de la América del Sur en la
costa del Pacífico.

a. *What English words do you recognize from the following Spanish
words?*

el contraste, los trópicos, el polo sur, la costa, el norte, el punto, el
valle, la parte, el desierto, el producto, el habitante, la región, diferente,
el explosivo, la mina, el centro minero, fértil, los cereales y las frutas,
los antiguos habitantes, el descendiente de españoles, el extenso valle
central, el espléndido panorama, de norte a sur, la mayor parte de, tres
regiones muy diferentes, un árido desierto, una gran cantidad de metal, los
famosos vinos chilenos, puerto principal de Chile

---

[1] iodine.   [2] is derived.   [3] copper.   [4] mining.   [5] irrigated.   [6] That one.   [7] are
raised.   [8] forests.   [9] snowy.   [10] heaven.   [11] descendants.   [12] Araucanian.   [13] war-
like.   [14] peaceful.   [15] farming.

b. Vocabulario

encontrarse (ue) to be found	la **fuente** source
extenso, –a wide	el **vino** wine

c. Frase útil

(a) **servir de** to be used as

d. Preguntas

1. ¿ Qué largo tiene la costa de Chile? 2. ¿ Dónde vive la mayor parte de los habitantes? 3. ¿ Qué posee la parte norte de Chile? 4. ¿ Qué produce el centro o « Jardín de Chile »? 5. ¿ Qué ve el viajero al sur de Chile? 6. ¿ Dónde viven hoy día los descendientes de los araucanos? 7. ¿ Desde dónde puede admirarse un espléndido panorama de la capital?

Appendices

APPENDIX A

YA SE VAN LOS PASTORES

1. Ya se van los pas - to - res a la Ex-tre-ma-du - ra, Ya se van los pas-
2. Ya se van los pas - to - res, ya se van mar-chan-do; Ya se van los pas-

to - res a la Ex-tre-ma - du - ra; Ya se que-da la sie - rra tris-te y os-
to - res, ya se van mar-chan-do; Más de cua-tro za - ga - las que-dan llo-

¡Ay!

cu - ra, Ya se que-da la sie - rra tris-te y os - cu - ra.
ran - do, Más de cua-tro za - ga - las que-dan llo - ran-do.

QUIÉREME MUCHO

Quié-re - me mu - cho, dul-ce a-mor mí - o, que a-man-te

siem-pre te a-do - ra - ré; Yo con tus be - sos___ y tus ca-

ri - cias   mis su - fri - mien - tos   a - ca - lla - ré._____ Quié - re - me

Moderato

ré._____   Cuan - do   se quie - re   de ve - ras,

co - mo te quie - ro yo a ti,_____   es im - po - si - ble, mi

cie - lo,   tan se - pa - ra - dos_____ vi - vir. Cuan - do se

quie - re   de ve - ras,_____   co - mo te quie - ro yo a ti,

es im - po - si - ble, mi cie - lo, tan se - pa - ra - dos vi - vir,

tan se - pa - ra - dos_____ vi - vir.   vir.

CANTO DE ROMERÍA

Tú e - res al - ta y del - ga - da co - mo tu ma -

dre, mo - re - na, sa - la - da, co - mo tu ma - dre.

Ben - di - ta sea la ra - ma que al tron - co sa -
Yo de a - mo - res me mue - ro des - de que te

le, mo - re - na, sa - la - da, que al tron - co sa - le.
vi, mo - re - na, sa - la - da, des - de que te vi.

To - da la no - che es - toy   ni - ña pen - san - do en ti.

CIELITO LINDO

De la Sie - rra Mo - re - na, cie - li - to

lin - do, vie - nen ba - jan - do_____

un par de_o - ji - tos ne - gros, cie - li - to

lin - do, de_____ con - tra - ban - do._____

Estribillo

¡Ay,   ay,   ay,   ay!_____   Can -

ta_y   no   llo - res,_____   por - que can -

tan - do se_a - le - gran, cie - li - to lin - do, los__

1.   2.

__ co - ra - zo - nes._____

ME GUSTAN TODAS

Me gus - tan to-das, me gus - tan to-das, me gus - tan

to - das en ge - ne - ral. Pe-ro e - sa ru - bia, pe - ro e - sa

ru - bia, pe - ro e - sa ru - bia me gus - ta   más.

A DIÓS MUCHACHOS

Poco allegro

A - diós, mu - cha - chos, com - pa - ñe - ros de mi

vi - da,   ba - rra que - ri - da   de a - que - llos

tiem - pos,   me to - ca a mí hoy em - pren - der la re - ti -

ra - da;   de - bo a - le - jar - me de mi bue - na mu - cha -

cha - da.   A - diós, mu - cha - chos, ya me voy y me re -

sig - no;   con - tra el des - ti - no   na - die la

ta - lla,   se ter - mi - na - ron pa - ra mí to - das las

fa - rras,   mi cuer - po en - fer - mo no re - sis - te

Fine

más.   A - cu - den a mi men - te re - cuer - dos de o - tros

tiem - pos, de los be - llos mo - men - tos que an - ta - ño dis - fru -

té cer - qui - ta de mi ma - dre, san - ta vie -

ji - ta, y de mi no - vie - ci - ta que tan - to j - do - la -

tré.   Se a - cuer - dan que e - ra her - mo - sa, más be - lla que u - na

dio - sa, y que e - brio de a - mor le dí mi co - ra -

zón, mas el Se - ñor, ce - lo - so de sus en -

can - tos, hun - dién - do - me en el llan - to me la lle - vó A - diós mu -

LA GOLONDRINA

ALLÁ EN EL RANCHO GRANDE

A - llá en el ran-cho gran-de A - llá don-de vi - ví - a,

Ha - bía u-na ran-che - ri - ta Que a-le - gre me de-

cí - a, Que a - le - gre me de - cí - a,

Te voy a ha - cer tus cal - zo-nes, Co-mo los u -

sa el ran - che - ro; Te los co - mien - zo de

la - na, Te los a - ca - bo de cue - ro.

LAS CHIAPANECAS

Cuan-do bai - lan,___ to-dos can - tan, co - mo

can - tan las Chia-pa - ne-cas;___ y si bai - lan,__

__ se a - le - gran.___ Den la vuel - ta, pues,___ y

ha - gan a - sí: dos pal - ma - das a la vuel - ta.__

__ Se ol - vi - da el___ do - lor.___ Es un

bai - le de a - le - grí - a;___ las pal - ma-das den__

__ a - sí. (palméen) Ay Chia - pa - ne-cas, ay

ay. (palméen) Ay Chia-pa - ne - cas, ay ay. (pal-

méen)   Ay Chia-pa - ne - cas, ay   ay.   *(palméen)*

Ay   Chia-pa - ne - cas,   ay   ay.   *(palméen)*

Fine

Ya   no   te - ne - mos   pe - nas.   Ya   es -

ta - mos a - le - gres. Ven - gan   a   bai - lar   o - tra

vez_____ Chia-pa - ne - cas, can - tan - do Ay   Ay   Ay.

Ay Chia-pa - ne - cas.   Den   la   vuel - ta   re - don - da.

Ven - gan   a   bai - lar_____   o - tra   vez Chia - pa -

D.S. al Fine

ne - cas   a - sí.   *(palméen)*   Cuan - do

TRANSLATION OF SONGS

YA SE VAN LOS PASTORES (*The Shepherds Are Leaving*)

The shepherds are leaving for Estremadura,
The shepherds are leaving for Estremadura;
The mountains remain sad and gloomy,
The mountains remain sad and gloomy.

The shepherds are leaving, they are already on the way;
The shepherds are leaving, they are already on the way;
More than four shepherd girls remain in tears,
More than four shepherd girls remain in tears.

QUIÉREME MUCHO (*Love Me a Great Deal*)

Love me a great deal, sweetheart of mine, for in adoration I
shall always love you,
With your kisses and caresses my suffering will become less.
When one really loves, as I love you,
It is impossible, my darling, to live so far apart,
When one really loves, as I love you,
It is impossible, my darling, to live so far apart,
To live so far apart.

CANTO DE ROMERÍA (*Picnic Song*)

You are tall and slender like your mother,
Charming brunette, just like your mother.
Blessed be the branch which resembles the trunk,
Charming brunette, which resembles the trunk.
I have been dying of love ever since I saw you,
Charming brunette, ever since I saw you.
All night long, dear, I think of you.

CIELITO LINDO (*Pretty Little Heaven*)

From the Sierra Morena, Pretty Little Heaven, there are coming down (towards me) a pair of bright black eyes, Pretty Little Heaven, stealthily (into my heart).

Ay, ay, ay, ay! Sing and don't cry, for by singing hearts become gay, Pretty Little Heaven.

ME GUSTAN TODAS (*I Like All the Girls*)

I like all the girls, I like all the girls, in general I like them all. But
that blonde, that blonde, but that blonde (is the one) I like best.

ADIÓS MUCHACHOS (*Good-by, Boys*)

Good-by, boys, companions of all my life, beloved gang of those early days, it is
my turn to bid good-by to all of you from this world; I must leave my old gang.
Good-by, boys, I'm leaving and I'm resigned; no one can win against fate, all
good times are ended for me, my ailing body will last no longer. There come to
my mind memories of other days, of the beautiful moments which I once enjoyed
close to my mother, saintly dear old lady, and my darling sweetheart whom I
idolized so much. You remember that she was beautiful, more beautiful than a
goddess, and that intoxicated with love I gave her my heart, but the Lord, jealous
of her charms, snatched her away from me, plunging me into a vale of tears.
Good-by, boys . . .

LA GOLONDRINA (*The Swallow*)

Whither can the swallow be bound which is leaving here,
Swiftly though weary? Oh, if it wails, when lost in the air,
Looking for shelter unable to find it !
Near my bed I shall put its nest, where it can spend the whole season.
I too am lost in this region, oh merciful heaven! Unable to fly.

ALLÁ EN EL RANCHO GRANDE (*There on the Big Ranch*)

There on the big ranch where once I used to live,
There was a little farm girl who happily told me (*repeat*):
I am going to make your breeches like those the rancher wears;
I'll start them with wool, I'll trim them with hide.

LAS CHIAPANECAS (*The Girls from 'The State of' Chiapas*)

When they dance, they all sing, like the Chiapas girls sing,
And if they dance, they become gay. Turn around, then, and go like this:
(With) two handclaps as you turn, and sorrow is gone.
It is a dance of joy; clap your hands as I do. (*Clap hands.*)
"Ay Chiapanecas, ay, ay." (*Clap hands.*) (*Repeat four times.*)

We no longer have sorrows. We are happy indeed.
Come and dance again Chiapas girls, singing "ay, ay, ay. Ay Chiapanecas."
Turn all the way around. Come and dance again this way, Chiapas girls. (*Clap
    hands.*)

APPENDIX B

Los números

Cardinales

1	uno (una)	30	treinta
2	dos	31	treinta y uno
3	tres	40	cuarenta
4	cuatro	50	cincuenta
5	cinco	60	sesenta
6	seis	70	setenta
7	siete	80	ochenta
8	ocho	90	noventa
9	nueve	100	ciento (cien)
10	diez	200	doscientos, –as
11	once	300	trescientos, –as
12	doce	400	cuatrocientos, –as
13	trece	500	quinientos, –as
14	catorce	600	seiscientos, –as
15	quince	700	setecientos, –as
16	dieciséis (diez y seis)	800	ochocientos, –as
17	diecisiete (diez y siete)	900	novecientos, –as
18	dieciocho (diez y ocho)	1000	mil
19	diecinueve (diez y nueve)	2000	dos mil
20	veinte	50,000	cincuenta mil
21	veintiuno (veinte y uno)	100,000	cien mil
22	veintidós (veinte y dos)	1,000,000	un millón
23	veintitrés (veinte y tres)	2,000,000	dos millones
24	veinticuatro (veinte y cuatro)		

Ordinales

1st	primero (primer)	5th	quinto
2nd	segundo	6th	sexto
3rd	tercero (tercer)	7th	séptimo
4th	cuarto	8th	octavo

9th	noveno (nono)	16th	décimo sexto
10th	décimo	17th	décimo séptimo
11th	undécimo	18th	décimo octavo
12th	duodécimo	19th	décimo noveno, dé-
13th	décimo tercero		cimo nono
14th	décimo cuarto	20th	vigésimo
15th	décimo quinto		

Nombres de pila de niños

Adolfo	Adolph	Ernesto	Ernest
Agustín	Augustin	Estéban	Stephen
Alano	Allan, Allen	Estanislao	Stanley
Alberto	Albert	Eugenio	Eugene
Alejandro	Alexander	Federico	Frederick
Alfonso	Alfonso,	Felipe	Philip
	Alphonso	Félix	Felix
Alfredo	Alfred	Fernando	Ferdinand
Andrés	Andrew, Andy	Francisco, Paco,	
Ángel		Curro	Francis, Frank
Anselmo	Anselm	Gabriel	Gabriel
Armando	Armand	Gerardo	Gerald
Arnaldo	Arnold	Gilberto	Gilbert
Antonio	Anthony, Tony	Gregorio	Gregory
Arturo	Arthur	Gualterio	Walter
Augusto	Augustus	Guido	Guy
Basilio	Basil	Guillermo	William, Bill
Benito	Benedict	Heriberto	Herbert
Benjamín	Benjamin	Herminio	Herman
Bernardo	Bernard	Homero	Homer
Carlos	Charles	Horacio	Horace
César	Caesar	Huberto	Hubert
Claudio	Claude	Hugo	Hugh
Cristóbal	Christopher	Isidoro	Isidore
Daniel	Daniel	Jacobo	Jacob
David	David	Jaime	James, Jim
Diego	James	Jerónimo	Jerome
Donato	Donald	Joaquín	Joachim
Edmundo	Edmund	Jorge	George
Eduardo	Edward	José	Joseph
Emilio	Emil	Juan	John

Julián	Julian, Jules	**Patricio**	Patrick
Julio	Julius	**Pedro**	Peter
León	Leo, Leon	**Perico**	Pete
Leonardo	Leonard	**Rafael**	Ralph
Lorenzo	Lawrence, Larry	**Ramón**	Raymond
Luciano	Lucius	**Randolfo**	Randolph
Luis	Louis	**Reinaldo**	Reginald
Lutero	Luther	**Ricardo**	Richard
Manolo	Manny	**Roberto**	Robert
Manuel	Manuel,	**Rodolfo**	Rudolph
	Emmanuel	**Rodrigo**	Roderick
Marcos	Mark	**Rogelio**	Roger
Mariano	Marion	**Rolando**	Roland
Mario	Mario	**Roque**	
Martín	Martin	**Rubén**	Reuben
Mateo	Matthew	**Santiago**	James
Mauricio	Maurice	**Terencio**	Terence
Miguel	Michael	**Teodoro**	Theodore
Modesto		**Timoteo**	Timothy
Nataniel	Nathaniel	**Tomás**	Thomas
Nicolás	Nicholas	**Vicente**	Vincent
Oscar	Oscar	**Víctor**	Victor
Pablo	Paul	**Virgilio**	Virgil
Pancho	Frank		

Nombres de pila de niñas

Adela	Adele	**Carlota**	Charlotte
Adelaida	Adelaide	**Carmen**	Carmen
Alicia	Alice	**Carolina**	Caroline
Amalia	Amalia	**Catalina**	Catherine
Amparo		**Cecilia**	Cecilia
Ana, Anita	Anne, Annie	**Celia**	Celia
Andrea	Andrea	**Clara**	Clara, Claire
Antonia,		**Concepción**	
Antonieta	Antoinette	**Constanza**	Constance
Aurora	Aurora	**Consuelo**	
Bárbara	Barbara	**Diana**	Diane
Berta	Bertha	**Dina**	Dina
Blanca	Blanche	**Dolores**	Dolores

Dorotea	Dorothy	**Lola**	Lola
Edita	Edith	**Lucía**	Lucy
Elena	Helen	**Luisa**	Louise, Louisa
Elisa	Eliza	**Lupe**	
Elsa	Elsa	**Luz**	
Elvira	Elvira (Vera)	**Margarita**	Margaret
Emilia	Emily	**Margot**	Marge
Engracia	Grace	**María**	Mary
Enriqueta	Henrietta	**Mariana**	Marian, Marion
Estela	Estelle	**Marta**	Martha
Ester	Esther	**Maruja**	Marie
Eugenia	Eugenia	**Matilde**	Matilda
Eulalia		**Mercedes**	Mercedes
Eva	Eva, Eve	**Norma**	Norma
Florencia	Florence	**Patricia**	Patricia, Pat
Francisca	Frances	**Paula, Paulina**	Paula, Pauline
Genoveva	Genevieve	**Pepita**	Josie
Geralda	Geraldine	**Pilar**	
Gloria	Gloria	**Raquel**	Rachel
Gracia	Grace	**Ramona**	Ramona
Graciela	Gracie	**Rebeca**	Rebecca
Guadalupe	Guadalupe	**Rita**	Rita
Hortensia	Hortense	**Rosalía**	Rosalie
Inés	Inez, Agnes	**Rosa**	Rose
Isabel	Elizabeth, Betty	**Sara**	Sara, Sarah
Josefina, Josefa	Josephine	**Silvia**	Silvia
Juana, Juanita	Jane, Joan, Jean, Juanita	**Sofía**	Sophia
		Susana	Susan, Sue
Judit	Judith	**Teresa**	Teresa, Theresa
Julia	Julia	**Violeta**	Violet
Laura	Laura	**Virginia**	Virginia
Leonor	Leonora, Eleanor		

Letreros que se ven en todas partes

Siga Go
Alto, Pare Stop
Llame Knock
Salida Exit
Abierto Open

Despacio Slow
Cerrado Closed
Peligro Danger
Privado Private
Silencio Silence
Pisos Apartments
Cuidado Look out
Entrada Entrance
Precaución Caution
Se alquila For rent
Consigna Check room
Señores, Caballeros Men
Prohibido el paso No trespassing
Dirección única One way
No funciona Out of order
Prohibido fumar No smoking
Recién pintado Fresh paint
Señoras, Damas, Mujeres Ladies
Se prohibe escupir No spitting
Sala de espera Waiting room
Habitaciones amuebladas Furnished Rooms
Agua fría y caliente Cold and hot water
Es peligroso asomarse Dangerous to lean out
Cuidado con el perro Beware of the dog
Llevar su derecha (izquierda) Keep to the right (left)

Plano de la clase

María García	Josefa Morales	Emilia Pérez	Juana Iglesias	Rosalía Acosta
Inés Suárez	Rita Martínez	Alicia Moreno	Elsa Otero	Rosario Ruiz
Amparo Flores	Blanca Valdés	Isabel Alonso	Luz Peña	Margarita Ortega
Alfredo Rodríguez	Diego Álvarez	Oscar Valle	Joaquín Rubio	Francisco Padilla
José Velázquez	Pedro Blanco	Jesús Fernández	Rafael Díaz	Carlos López

To test your knowledge of Spain and Spanish America, write the numbers which you think are correct and compare your answers with the Keys on page 438.

Part I

What do you know about Spain and Latin America?

1. *La Navidad* is: 1. Easter   2. Thanksgiving   3. Christmas   4. Lent
2. *La Mantilla* is a: 1. mantle   2. Spanish drink   3. shoe   4. ladies' headdress
3. Buenos Aires is at the mouth of: 1. La Plata River   2. the Amazon River   3. the Magdalena River   4. the Orinoco River
4. Iron is an important product of: 1. Chile   2. Brazil   3. Cuba   4. Peru
5. Meat is an important product of: 1. Argentina   2. Mexico   3. Cuba   4. Santo Domingo
6. Santiago de Compostela is in: 1. Aragón   2. Galicia   3. Andalusia   4. Catalonia
7. *El día de los Reyes* is the: 1. day when gifts are given to children in Spain   2. beginning of Lent   3. celebration of one's birthday   4. day for visiting cemeteries
8. *La Universidad de San Marcos* is in: 1. Madrid   2. Seville   3. Granada   4. Lima
9. Granada is in the: 1. southeastern part of Spain   2. southwest   3. northeast   4. northwest
10. *El patio* is: 1. a Spanish dish   2. a Spanish dance   3. a library   4. an inner court
11. Barcelona is in the: 1. northwestern part of Spain   2. northeast   3. southwest   4. southeast
12. Seville is on the: 1. Guadiana River   2. Ebro River   3. Guadalquivir   4. Tagus River
13. One of the following has no outlet to the sea: 1. Ecuador   2. Bolivia   3. Uruguay   4. Colombia
14. Rio de Janeiro is in the: 1. northern part of Brazil   2. center of Brazil   3. western part   4. southern part
15. The chief product of Venezuela is: 1. oil   2. coffee   3. pears   4. rubber
16. The richest and most industrial region of Spain is: 1. Valencia   2. Asturias   3. Catalonia   4. Castilla la Nueva

17. *El jarabe tapatío* is a: 1. bullfight 2. prize fight 3. chariot race 4. popular dance of Mexico
18. Argentina is: 1. one third the size of the United States 2. one sixth the size of the United States 3. one tenth the size of the United States 4. one half the size of the United States
19. *La toquilla* is a: 1. plant 2. musical instrument 3. pet 4. dance
20. Montevideo is a city in: 1. Bolivia 2. Uruguay 3. Argentina 4. Venezuela
21. The population of Buenos Aires is about: 1. 3 million 2. 5 million 3. 4 million 4. 7 million
22. The monetary unit of Spain is the: 1. franc 2. peseta 3. peso 4. colón
23. Mission style is a: 1. style of architecture 2. garment worn by missionaries 3. kind of automobile 4. style of singing
24. Puerto Rico is: 1. north of Cuba 2. west of Cuba 3. east of Cuba 4. south of Cuba
25. *El Aconcagua* is a: 1. trip 2. mountain peak 3. flag 4. park

Part II

What do you know about Spain and Latin America?

26. Rocinante was: 1. a Spanish architect 2. a Spanish critic 3. a minister of Charles I 4. Don Quijote's horse
27. The name *Los Reyes Católicos* refers to: 1. Charles I and Philip II 2. Isabel II and Alfonso XIII 3. Ferdinand and Isabella 4. Alfonso X and his wife
28. San Martín was: 1. a great educator 2. the patron saint of Chile 3. the Liberator of Argentina 4. the first president of Argentina
29. Goya was: 1. a painter 2. an Argentinean educator 3. a minister of Alfonso X 4. a Spanish explorer
30. *La romería* is a: 1. scene in the bullfight 2. religious picnic 3. musical comedy 4. Spanish painting of Velázquez
31. Velázquez painted one of these: 1. The Second of May 2. La Infanta Margarita 3. Burial of Count Orgaz 4. Fisherman's Return
32. *El Magdalena* is a river in: 1. Brazil 2. Chile 3. Argentina 4. Colombia
33. El Quijote was written by: 1. Cervantes 2. Blasco Ibáñez 3. Pérez Galdós 4. Baroja

34. Cortés: 1. founded the University of Caracas   2. explored Brazil   3. conquered Mexico   4. discovered Florida
35. Balboa discovered: 1. Paraguay   2. the Mississippi River   3. the Amazon   4. the Pacific Ocean
36. *El Titicaca* is a: 1. museum   2. lake   3. statue   4. monastery
37. *El Día de la Raza* is: 1. October 12   2. May 2   3. January 6   4. September 16
38. Pizarro: 1. explored the southwest   2. discovered Brazil   3. discovered the Strait of Magellan   4. conquered Peru
39. The Moors entered Spain in: 1. the 4th century   2. the 14th century   3. the 8th century   4. the 15th century
40. Mate is: 1. a Spanish omelet   2. the name of a tree on the pampas   3. a province of Spain   4. a kind of tea
41. Enrique Morgan was: 1. the writer of a famous epic poem   2. an English pirate   3. the first king of Castile   4. a general
42. In the battle of Carabobo, the victorious country was: 1. Colombia   2. Peru   3. Ecuador   4. Venezuela
43. The "Washington of South America" is one of the following: 1. Sucre   2. O'Higgins   3. Bolivar   4. Belgrano
44. Bartolomé de las Casas is best remembered as a: 1. missionary   2. dentist   3. minister of Philip II   4. conqueror
45. Sancho Panza is a character made famous by: 1. Pérez Galdós   2. Calderón   3. Cervantes   4. Martínez Sierra
46. One of the following was a painter: 1. Echegaray   2. Murillo   3. Martínez Sierra   4. Benavente
47. *El jai alai* is: 1. a garment   2. a game of cards   3. a political gathering   4. a game of handball
48. *El llanero* is: 1. the cowboy of Venezuela   2. a Spaniard who returns from America   3. a night festival   4. a lawyer
49. El Greco was a: 1. writer   2. general   3. painter   4. musician
50. The scene of one of the following operas is in Spain: 1. Aïda   2. Faust   3. Carmen   4. the Mikado

Key: **Part I.**

1.3; 2.4; 3.1; 4.2; 5.1; 6.2; 7.1; 8.4; 9.1; 10.4; 11.2; 12.3; 13.2; 14.4; 15.1; 16.3; 17.4; 18.1; 19.1; 20.2; 21.1; 22.2; 23.1; 24.3; 25.2

Key: **Part II.**

26.4; 27.3; 28.3; 29.1; 30.2; 31.2; 32.4; 33.1; 34.3; 35.4; 36.2; 37.1; 38.4; 39.3; 40.4; 41.2; 42.4; 43.3; 44.1; 45.3; 46.2; 47.4; 48.1; 49.3; 50.3

APPENDIX C

I. Regular Verbs

First Conjugation

hablar *to speak*

PRESENT	habl	o	as	a	amos	áis	an
IMPERFECT	habl	aba	abas	aba	ábamos	abais	aban
PRETERIT	habl	é	aste	ó	amos	asteis	aron
FUTURE	hablar	é	ás	á	emos	éis	án
CONDITIONAL	hablar	ía	ías	ía	íamos	íais	ían
IMPERATIVE	habl			e	emos		en
PRES. PART.	habl ando						

PAST PART. habl ado

Second Conjugation

comer *to eat*

PRESENT	com	o	es	e	emos	éis	en
IMPERFECT	com	ía	ías	ía	íamos	íais	ían
PRETERIT	com	í	iste	ió	imos	isteis	ieron
FUTURE	comer	é	ás	á	emos	éis	án
CONDITIONAL	comer	ía	ías	ía	íamos	íais	ían
IMPERATIVE	com			a	amos		an
PRES. PART.	com iendo						

PAST PART. com ido

Third Conjugation

vivir *to live*

PRESENT	viv	o	es	e	imos	ís	en
IMPERFECT	viv	ía	ías	ía	íamos	íais	ían
PRETERIT	viv	í	iste	ió	imos	isteis	ieron
FUTURE	vivir	é	ás	á	emos	éis	án
CONDITIONAL	vivir	ía	ías	ía	íamos	íais	ían
IMPERATIVE	viv			a	amos		an
PRES. PART.	viv iendo						

PAST PART. viv ido

II. Compound Tense

INDICATIVE

PRES. PERFECT		
he habiado	he comido	he vivido
has hablado	has comido	has vivido
ha hablado	ha comido	ha vivido
hemos hablado	hemos comido	hemos vivido
habéis hablado	habéis comido	habéis vivido
han hablado	han comido	han vivido

IRREGULAR PAST PARTICIPLES

abrir : abierto
caer : caído
cubrir : cubierto
decir : dicho   *ple*
escribir : escrito

freír : frito
hacer : hecho
leer : leído
morir : muerto
poner : puesto

prender : prendido (preso)
resolver : resuelto
romper : roto *break*
ver : visto
volver : vuelto *return*

III. Orthographic Changes

	a	e	i	o	u
Sound of *k*	ca	que	qui	co	cu
" " *g*	ga	gue	gui	go	gu
" " *th*	za	ce	ci	zo	zu
" " *gw*	gua	güe	güi	guo	ju
" " *h*	ja	ge, je	gi, ji	jo	ju

1. buscar *to look for, seek*

PRETERIT
busqué, buscaste, **buscó, buscamos,** buscasteis, **buscaron**

IMPERATIVE
busque, busquemos, busquen

Like **buscar:**
acercarse, *to approach;* sacar, *to take out;* suplicar, *to beg;* tocar, *to touch, play (an instrument)*

2. pagar *to pay*

PRETERIT
pagué, pagaste, **pagó, pagamos,** pagasteis, **pagaron**

IMPERATIVE
pague, paguemos, paguen

Like **pagar:**
entregar, *to deliver;* llegar, *to arrive;* cargar, *to load*

3. cruzar *to cross*

PRETERIT
crucé, cruzaste, **cruzó, cruzamos,** cruzasteis, **cruzaron**

IMPERATIVE
cruce, crucemos, crucen

Like **cruzar:**
avanzar, *to advance;* gozar, *to enjoy;* lanzar, *to throw*

4. averiguar *to find out*

PRETERIT   *averigüé,* averiguaste, **averiguó, averiguamos,** averiguasteis, **averiguaron**
IMPERATIVE   *averigüe, averigüemos, averigüen*

5. coger *to take, seize*

PRES. IND.   *cojo,* coges, **coge, cogemos,** cogéis, **cogen**
IMPERATIVE   *coja, cojamos, cojan*
Like **coger:**   escoger, *to choose;* proteger, *to protect;* recoger, *to pick up*

6. dirigir *to direct*

PRES. IND.   *dirijo,* diriges, **dirige, dirigimos,** dirigís, **dirigen**
IMPERATIVE   *dirija, dirijamos, dirijan*
Like **dirigir:** exigir, *to demand*

7. distinguir *to distinguish*

PRES. IND.   *distingo,* distingues, **distingue, distinguimos,** distinguís, **distinguen**
IMPERATIVE   *distinga, distingamos, distingan*
Like **distinguir:** seguir, *to follow* (*also* radical-changing)

8. delinquir *to transgress*

PRES. IND.   *delinco,* delinques, **delinque, delinquimos,** delinquís, **delinquen**
IMPERATIVE   *delinca, delincamos, delincan*

9. crecer *to grow*

PRES. IND.   *crezco,* creces, **crece, crecemos,** crecéis, **crecen**
IMPERATIVE   *crezca, crezcamos, crezcan*
Like **crecer:**   agradecer, *to thank;* merecer, *to deserve;* parecer, *to seem*

10. vencer *to conquer*

PRES. IND.   *venzo,* vences, **vence, vencemos,** vencéis, **vencen**
IMPERATIVE   *venza, venzamos, venzan*

11. enviar *to send*

PRES. IND.   *envío,* envías, **envía, enviamos,** enviáis, **envían**
IMPERATIVE   *envíe,* **enviemos,** *envíen*
Like **enviar:**   guiar, *to lead;* variar, *to vary*
The following verbs do not accent the vowel: **cambiar,** *to change;* **estudiar,** *to study;* **limpiar,** *to clean;* **principiar,** *to begin*

12. continuar *to continue*

PRES. IND.　*continúo, continúas, continúa,* **continuamos,** continuáis, *continúan*

IMPERATIVE　*continúe,* **continuemos,** *continúen*

13. leer *to read*

PARTICIPLES　*leyendo*　　　　　leído

PRETERIT　**leí,** leíste, *leyó,* **leímos,** leísteis, *leyeron*

14. huir *to flee*

PARTICIPLES　*huyendo*　　　　　huído

PRES. IND.　*huyo, huyes, huye,* **huimos,** huís, *huyen*

PRETERIT　**huí,** huiste, *huyó,* **huimos,** huisteis, *huyeron*

IMPERATIVE　*huya, huyamos, huyan*

IV. Radical Changes

1. pensar *to think*

PRES. IND.　*pienso, piensas, piensa,* **pensamos,** pensáis, *piensan*

IMPERATIVE　*piense,* **pensemos,** *piensen*

Like **pensar:**　sentar(se), *to sit down*

2. perder *to lose*

PRES. IND.　*pierdo, pierdes, pierde,* **perdemos,** perdéis, *pierden*

IMPERATIVE　*pierda,* **perdamos,** *pierdan*

Like **perder:**　defender, *to defend;* entender, *to understand*

3. contar *to count*

PRES. IND.　*cuento, cuentas, cuenta,* **contamos,** contáis, *cuentan*

IMPERATIVE　*cuente,* **contemos,** *cuenten*

Like **contar:**　acordarse, *to remember;* acostarse, *to lie down;* almorzar, *to lunch;* costar, *to cost;* encontrar, *to meet;* recordar, *to remember*

4. volver *to return*

PARTICIPLES　volviendo　　　　　**vuelto**

PRES. IND.　*vuelvo, vuelves, vuelve,* **volvemos,** volvéis, *vuelven*

IMPERATIVE　*vuelva,* **volvamos,** *vuelvan*

Like **volver:**　llover, *to rain;* morder, *to bite;* mover, *to move*

5. jugar *to play*

PRES. IND.　*juego, juegas, juega,* **jugamos,** jugáis, *juegan*

IMPERATIVE　*juegue,* **juguemos,** *jueguen*

✗   6. sentir *to feel*

PARTICIPLES	*sintiendo* **sentido**
PRES. IND.	**siento,** *sientes,* **siente, sentimos,** sentís, *sienten*
PRETERIT	**sentí,** sentiste, *sintió,* **sentimos,** sentisteis, *sintieron*
IMPERATIVE	**sienta, <u>sintamos</u>, sientan**
Like **sentir:**	consentir, *to consent;* mentir, *to lie;* preferir, *to prefer*

✗   7. pedir *to ask*

PARTICIPLES	*pidiendo* **pedido**
PRES. IND.	**pido,** *pides,* **pide, pedimos,** pedís, *piden*
PRETERIT	**pedí,** pediste, *pidió,* **pedimos,** pedisteis, *pidieron*
IMPERATIVE	**pida, pidamos, pidan**
Like **pedir:**	corregir, *to correct;* despedir, *to dismiss;* elegir, *to elect;* medir, *to measure;* repetir, *to repeat;* seguir, *to follow;* servir, *to serve;* vestir, *to dress*

✗   8. dormir *to sleep*

PARTICIPLES	*durmiendo* **dormido**
PRES. IND.	**duermo,** *duermes,* **duerme, dormimos,** dormís, *duermen*
PRETERIT	**dormí,** dormiste, *durmió,* **dormimos,** dormisteis, *durmieron*
IMPERATIVE	**duerma, <u>durmamos</u>, duerman**

✗   9. reír *to laugh* ✳

PARTICIPLES	*riendo* **reído**
PRES. IND.	**río,** *ríes,* **ríe, reímos,** reís, *ríen*
PRETERIT	**reí,** reíste, *rió,* **reímos,** reísteis, *rieron*
IMPERATIVE	**ría, riamos, rían**

V. Irregular Verbs

1. andar *to go*

✓ PRETERIT	**anduve,** *anduviste,* **anduvo, anduvimos,** anduvisteis, **anduvieron**

2. caber *to fit into*

✓ PRESENT	**quepo,** cabes, **cabe, cabemos,** cabéis, **caben**
✓ PRETERIT	**cupe,** *cupiste,* **cupo, cupimos,** cupisteis, **cupieron**
FUTURE	**cabré,** *cabrás,* etc.; COND. **cabría,** *cabrías,* etc.
IMPERATIVE	<u>**quepa, quepamos, quepan**</u>

3. caer *to fall*

PARTICIPLES	<u>*cayendo*</u> **caído**
✓ PRESENT	**caigo,** caes, **cae, caemos,** caéis, **caen**
✓ PRETERIT	**caí,** caíste, **cayó, caímos,** caísteis, *cayeron*
IMPERATIVE	**caiga, caigamos, caigan**

4. dar *to give*

PRESENT	*doy*, das, **da**, **damos**, dais, **dan**
PRETERIT	*di*, *diste*, *dió*, *dimos*, *disteis*, *dieron*
IMPERATIVE	*dé*, **demos**, **den**

5. decir *to say, tell*

PARTICIPLES	*diciendo* *dicho*
PRESENT	*digo*, *dices*, *dice*, **decimos**, decís, *dicen*
PRETERIT	*dije*, *dijiste*, *dijo*, *dijimos*, *dijisteis*, *dijeron*
FUTURE	*diré*, *dirás*, etc.; COND. *diría*, *dirías*, etc.
IMPERATIVE	*diga*, *digamos*, *digan*

6. estar *to be*

PRESENT	*estoy*, *estás*, *está*, **estamos**, estáis, *están*
PRETERIT	*estuve*, *estuviste*, *estuvo*, *estuvimos*, *estuvisteis*, *estuvieron*
IMPERATIVE	*esté*, **estemos**, *estén*

7. haber *to have*

PRESENT	*he*, *has*, *ha*, *hemos*, habéis, *han*
PRETERIT	*hube*, *hubiste*, *hubo*, *hubimos*, *hubisteis*, *hubieron*
FUTURE	*habré*, *habrás*, etc.; COND. *habría*, *habrías*, etc.

8. hacer *to make, do*

PARTICIPLES	haciendo hecho
PRESENT	*hago*, haces, **hace**, **hacemos**, hacéis, **hacen**
PRETERIT	*hice*, *hiciste*, *hizo*, *hicimos*, *hicisteis*, *hicieron*
FUTURE	*haré*, *harás*, etc.; COND. *haría*, *harías*, etc.
IMPERATIVE	*haga*, *hagamos*, *hagan*

9. ir *to go*

PARTICIPLES	*yendo* *ido*
PRESENT	*voy*, *vas*, *va*, *vamos*, vais, *van*
IMPERFECT	*iba*, *ibas*, *iba*, *íbamos*, *ibais*, *iban*
PRETERIT	*fui*, *fuiste*, *fué*, *fuimos*, *fuisteis*, *fueron*
IMPERATIVE	*vaya*, *vayamos*, *vayan*

10. oír *to hear*

PARTICIPLES	*oyendo* *oído*
PRESENT	*oigo*, *oyes*, *oye*, *oímos*, oís, *oyen*
PRETERIT	*oí*, *oíste*, *oyó*, *oímos*, *oísteis*, *oyeron*
IMPERATIVE	*oiga*, *oigamos*, *oigan*

11. poder *to be able, can*

PARTICIPLES	*pudiendo* **podido**
PRESENT	*puedo, puedes, puede,* **podemos,** podéis, *pueden*
PRETERIT	*pude, pudiste, pudo, pudimos, pudisteis, pudieron*
FUTURE	*podré, podrás,* etc.; COND. *podría, podrías,* etc.

12. poner *to put*

PARTICIPLES	**poniendo** *puesto*
PRESENT	*pongo,* pones, **pone, ponemos,** ponéis, **ponen**
PRETERIT	*puse, pusiste, puso, pusimos, pusisteis, pusieron*
FUTURE	*pondré, pondrás,* etc.; COND. *pondría, pondrías,* etc.
IMPERATIVE	*ponga, pongamos, pongan*

13. querer *to want*

PRESENT	*quiero, quieres, quiere,* **queremos,** queréis, *quieren*
PRETERIT	*quise, quisiste, quiso, quisimos, quisisteis, quisieron*
FUTURE	*querré, querrás,* etc.; COND. *querría, querrías,* etc.
IMPERATIVE	*quiera, queramos, quieran*

14. saber *to know*

PRESENT	*sé,* sabes, **sabe, sabemos,** sabéis, **saben**
PRETERIT	*supe, supiste, supo, supimos, supisteis, supieron*
FUTURE	*sabré, sabrás,* etc.; COND. *sabría, sabrías,* etc.
IMPERATIVE	*sepa, sepamos, sepan*

15. salir *to go out*

PRESENT	*salgo,* sales, **sale, salimos,** salís, **salen**
FUTURE	*saldré, saldrás,* etc.; COND. *saldría, saldrías,* etc.
IMPERATIVE	*salga, salgamos, salgan*

16. ser *to be*

PRESENT	*soy, eres, es, somos, sois, son*
IMPERFECT	*era, eras, era, éramos, erais, eran*
PRETERIT	*fuí, fuiste, fué, fuimos, fuisteis, fueron*
IMPERATIVE	*sea, seamos, sean*

17. tener *to have*

PRESENT	*tengo, tienes, tiene,* **tenemos,** tenéis, *tienen*
PRETERIT	*tuve, tuviste, tuvo, tuvimos, tuvisteis, tuvieron*
FUTURE	*tendré, tendrás,* etc.; COND. *tendría, tendrías,* etc.
IMPERATIVE	*tenga, tengamos, tengan*

not in test

18. traducir *to translate*

PRESENT	*traduzco,* traduces, **traduce, traducimos,** traducís, **traducen**
PRETERIT	*traduje, tradujiste, tradujo, tradujimos, tradujisteis, tradujeron*
IMPERATIVE	*traduzca, traduzcamos, traduzcan*

19. traer *to bring*

Not in test

PARTICIPLES	*trayendo*	*traído*
PRESENT	*traigo,* traes, **trae, traemos,** traéis, **traen**	
PRETERIT	*traje, trajiste, trajo, trajimos, trajisteis, trajeron*	
IMPERATIVE	*traiga, traigamos, traigan*	

20. valer *to be worth*

PRESENT	*valgo,* vales, **vale, valemos,** valéis, **valen**
FUTURE	*valdré, valdrás,* etc.; COND. *valdría, valdrías,* etc.
IMPERATIVE	*valga, valgamos, valgan*

21. venir *to come*

PARTICIPLES	*viniendo*	*venido*
PRESENT	*vengo, vienes, viene, venimos,* venís, *vienen*	
PRETERIT	*vine, viniste, vino, vinimos, vinisteis, vinieron*	
FUTURE	*vendré, vendrás,* etc.; COND. *vendría, vendrías,* etc.	
IMPERATIVE	*venga, vengamos, vengan*	

22. ver *to see*

PARTICIPLES	*viendo*	*visto*
PRESENT	*veo,* ves, **ve, vemos,** veis, **ven**	
IMPERFECT	*veía, veías, veía, veíamos, veíais, veían*	
PRETERIT	*vi, viste, vió, vimos, visteis, vieron*	
IMPERATIVE	*vea, veamos, vean*	

Vocabulary

VOCABULARY

Spanish-English

The following abbreviations are used in this Vocabulary:

adj. adjective
adv. adverb
fam. familiar
f. feminine
m. masculine
p.p. past participle

pers. person
pl. plural
pres. p. present participle
prep. preposition
rel. relative
sing. singular

A

a at, to, on, in; — **la derecha (izquierda)** to (on) the right (left); — **la media hora** after half an hour, half an hour later; — **veces** sometimes, at times
abajo downstairs; **hacia** — down, downward
abandonar to abandon, desert, leave
el **abanico** fan
abierto, -a open
abierto *p.p. of* **abrir**
el **abogado** lawyer
el **abrigo** overcoat
abril *m.* April
abrir to open
el **abuelo** grandfather; **la abuela** grandmother; **los —s** grandparents
la **abundancia** abundance
abundante abundant
acabar to end, finish; — **de** + *inf.* have just + *p.p.:* **Acabo de leer.** I have just read. — **con** destroy, put an end to
la **acción** action
aceptable acceptable
acercar to approach, bring near; **—se (a)** approach
acompañar to go with, accompany

acordarse (ue) (de) to remember
acostarse (ue) to go to bed, retire
acostumbrar to accustom; **—se** get accustomed, be accustomed
la **actividad** activity
activo, -a active; ambitious
el **acto** act
el **actor** actor
la **actriz** actress
actual present
la **actualidad** present time; **en la** — at present
actualmente at present
¡ **adelante !** come in! go ahead!
el **adelanto** improvement
además (de) besides, moreover
el **adjetivo** adjective
admirable admirable
la **admiración** admiration
admirar to admire
¿ **adónde ?** where to? where?
adorar to worship
adornar to adorn
el **aeropuerto** airport
aficionado, -a fond of; **ser — a** to be a "fan" of
africano, -a African
agosto *m.* August
agradable pleasant, agreeable
agradar to please
la **agricultura** farming, agriculture
el **agua** (*f.*) water; — **mineral** mineral water

449

ahí   there

ahora   now

el **aire**   air;   **al — libre**   in the open, outdoors

al = (a + el)   to the;   **al + inf.** on (upon) + pres. p.;   **— abrir** upon opening;   **— contrario**   on the contrary;   **— entrar**   on (upon) entering;   **— llegar los españoles**   when the Spaniards arrived;   **— parecer**   apparently

el **ala** (f.)   wing

alabar   to praise

el **alcalde**   mayor

alcanzar   to attain, reach

el **alcohol**   alcohol

alegrarse (de)   to be glad;   **Me alegro de saberlo**   I am glad to know it;   **me alegro mucho** I am very happy

alegre   happy, joyful; lively

la **alegría**   joy

alemán, –ana   German

el **alemán**   German (language or inhabitant)

Alemania f.   Germany

algo   something; somewhat adv.

alguien   somebody

alguno, –a (algún)   some;   pl. several;   **—as veces**   sometimes, at times

la **alimentación**   food; feeding

alimentar   to feed

el **alimento**   food

el **alma** (f.)   soul; heart

el **almacén**   store

almorzar (ue)   to take lunch, lunch

el **almuerzo**   lunch

alrededor (de)   around, around there

el **altar**   altar

alto, –a   high, tall;   **en voz alta** aloud, out loud, in a loud voice;   **lo alto**   the top;   **más alto** louder

la **altura**   height

el **alumno**   pupil;   **la alumna**   girl pupil

allá   there, over there

allí   there;   **— es donde**   that is where

amar   to love

amarillo, –a   yellow

el **ambiente**   atmosphere

ambos, –as   both

la **América**   America;   **la — Central** Central America;   **la — del Norte**   North America;   **la — del Sur**   South America;   **la — española**   Spanish America

americano, –a   American

el **americano**   American (m.);   **la americana**   American (f.)

el **amigo**   friend (m.);   **la amiga** friend (f.)

la **amistad**   friendship

el **amor**   love

ancho, –a   wide, broad

andar   to walk

los **Andes**   Andes (high mountain system of western South America)

el **animal**   animal

anoche   last night

anteayer   day before yesterday

antes   before;   **— de**   before (time);   **— que**   before

antiguo, –a   old; ancient

anunciar   to advertise; call out

añadir   to add

el **año**   year;   **Feliz Año Nuevo** Happy New Year;   **el — pasado** last year;   **tener . . . —s**   be . . . years old

aparecer (zc)   to appear

el **apartado**   letter box, post office box

el **apartamento**   apartment

el **apellido**   family name, surname

el **apetito**   appetite;   **tener —**   to be hungry

la **aplicación**   application

aplicado, –a   studious, diligent

el **apócope**   shortening (dropping the last vowel or syllable of a word)

apoderarse (de)   to take possession of, seize

el **apóstol** apostle

aprende *from* **aprender** he, she learns, you learn

aprender to learn; — **de memoria** learn by heart

aprovechar to profit by, take advantage of; —**se (de)** profit by, take advantage of

aquello that, that thing

aquí here; — **tiene** here is (for you); **he** — here is, here are; **por** — around here

el **árbol** tree

el **arco iris** rainbow

la **Argentina** Argentina (*country in South America*)

argentino, –a Argentine, Argentinean

el **argentino** Argentine

el **arma** (*f.*) arm, weapon

el **arte** art

el **artículo** article

el **artista** artist

artístico, –a artistic

ascender (ie) to ascend

asearse to tidy up

así so, thus, in that way; — — fairly well, so so; — **que** as soon as

el **asiento** seat, place; **tomar** — to take a seat

el **asilo** (orphan) asylum

asistir (a) to attend; — **a la escuela** attend school

el **aspecto** aspect, appearance

el **asunto** topic, subject, matter

atacar to attack

la **atención** attention; ¡ — ! Attention! Listen! **llamar la** — attract attention; **prestar (poner)** — pay attention

atender (ie) to take care of, pay attention to

atlántico, –a of the Atlantic

el **Atlántico** Atlantic Ocean

atractivo, –a attractive

atrás behind

atravesar (ie) to cross

atreverse (a) to dare

aun, aún even, still, yet

aunque although, even if

ausente absent

el **auto** auto, car

el **autobús** bus, autobus

el **autor** author

el **ave** (*f.*) bird, fowl

la **avenida** avenue

la **aventura** adventure

el **avión** plane, airplane

la **aviación** aviation; **el campo de** — airfield

ayer yesterday

ayudar to help

azteca Aztec

el **azteca** Aztec

el **azúcar** sugar

azul blue

B

bailar to dance

el **baile** dance

bajar to go down, come down

bajo, –a low

bajo under

la **balsa** woven wicker raft

la **banana** banana

el **banano** banana tree

el **banco** bench; bank

bañar to bathe, wash; —**se** bathe, take a bath

la **bañera** bathtub

el **baño** bath; **el cuarto de** — bathroom

barato, –a cheap

la **barba** beard

la **barca** boat; —**s movidas a remo** rowboats

el **barco** boat

el **barrio** district, section

basar to base

la **base** basis, base, foundation

básico, –a basic

el **básquetbol** basketball

bastante quite, very, enough

bastar to be enough; ¡ **Basta** ! That's enough.

la **batalla** battle
el **bazar** store, department store
la **bebida** drink
el **béisbol** baseball
la **belleza** beauty
bello, -a beautiful
besar to kiss
el **beso** kiss
la **biblioteca** library; study; bookcase
bien well; **¡ está —!** very good!
all right! **muy —** very well;
o — or rather, or else
blanco, -a white
blando, -a soft
la **blusa** blouse
la **boca** mouth
Bolivia *f.* Bolivia (*country in South America*)
boliviano, -a Bolivian
la **bolsa** pocketbook; bag
el **bolsillo** pocket
bonito, -a pretty, nice
borrar to erase, do away with
el **bosque** forest
la **botella** bottle
el **boxeo** boxing
el **Brasil** Brazil (*largest country in South America*)
el **brazo** arm
brillante brilliant
bueno, -a good; **¡ bueno!** well!
now! **buenos días** good morning, good day; **estar —** to be well
el **buque** boat, steamer
el **burro** donkey, burro
buscar to look for, seek, search;
— empleo look for a job

C

el **caballero** gentleman, sir; **— andante** knight errant
el **caballo** horse; **montar a —** to ride horseback
caber to fit (in); **No cabe duda de que ...** There is no doubt that ...

la **cabeza** head; **dolor de —** headache
el **cabo** end; **llevar a —** to execute, carry out, carry through
cada each
caer(se) to fall; **— de rodillas** fall on one's knees
el **café** coffee
la **caja** box; **— de dulces** box of candy
el **calendario** calendar
la **calidad** quality
caliente warm, hot
el **calor** heat; **el día de —** warm day; **Hace —.** It is warm.
¡ Qué — hace! How warm it is!
callar(se) to be quiet
la **calle** street; **Calle Mayor** Main Street
la **cama** bed
cambiar to change; **— de clase** change classes
el **cambio** change; **en —** on the other hand
caminar to walk
el **camino** way, road; trip
la **camisa** shirt
el **campesino** farmer, countryman
el **campo** country; field; **— de aviación** aviation field
el **Canadá** Canada
el **canal** canal
la **canción** song
cansado, -a tired
cansarse to get tired
cantar to sing
la **cantidad** quantity
capaz able, capable
la **capital** capital (*city*)
el **capítulo** chapter
la **cara** face
el **carácter** character
característico, -a characteristic
cargar to load; carry
el **Caribe** Caribbean Sea
el **cariño** love, fondness
cariñoso, -a loving, affectionate

la **carne** meat
el **carnicero** butcher
caro, -a dear, expensive
la **carrera** running; track
la **carretera** highway, road
el **carro** car
la **carta** letter
la **casa** house; **a —** home, homeward; **— de apartamentos** apartment house; **— de comercio** business house; **en —** at home; **en — de Rosa** at Rose's house
casar to marry; **—se con** get married, be married to
casi almost, nearly
la **casilla de correos** letter box, post office box
el **caso** case
castaño, -a brown
el **castellano** Castilian, Spanish
la **catedral** cathedral
catorce fourteen
la **causa** cause, reason
celebrar to celebrate
célebre celebrated, famous
la **ceniza** ash
el **centavo** cent
central central
el **centro** center; midtown, downtown
Centro América *f.* Central America
el **centroamericano** Central American
cerca (de) near, nearly
cercano, -a immediate, near
el **cereal** cereal, grain
la **cereza** cherry
el **cerezo** cherry tree
el **cerebro** brain
el **cero** zero
cerrado, -a closed, shut
cerrar (ie) to close, shut
el **cerro** hill
la **cerveza** beer
el **cielo** sky; heaven
ciento (cien) one hundred

cierto, -a (a) certain; sure
cinco five
cincuenta fifty
el **cine** movies, movie theater, cinema
el **circo** circus
el **círculo** club; circle
la **circunstancia** circumstance
la **ciudad** city
el **ciudadano** citizen
la **civilización** civilization
civilizado, -a civilized
claro, -a clear, light; **¡ claro !** of course! surely! **claramente** clearly
la **clase** class, classroom; kind; **cambiar de —** to change classes; **— de español** Spanish class; **la sala de —** classroom; **¿ qué — de ?** what kind of? **toda — de información** all kinds of information
el **clavel** carnation
el **clima** climate
la **cocina** kitchen; **— eléctrica** electric stove
el **coche** car, coach, carriage
coger to take, get
el **colegio** (*private*) school
colgar (ue) to hang
colocar to put, place
Colombia *f.* Colombia (*country in South America*)
colombiano, -a Colombian
la **colonia** colony
colonial colonial
Colón Columbus
el **color** color; **¿ De qué — es . . . ?** What color is . . . ? **¿ De qué — son . . . ?** What color are . . . ?
la **comedia** comedy, play
el **comedor** dining room
comentar to discuss, comment on
comenzar (ie) to begin, commence
comer to eat; **—se** eat up
comercial commercial
el **comercio** business, commerce; **la casa de —** business house

los **comestibles** food; foodstuff
cometer to make; — **faltas** make mistakes
cómico, -a comical, funny
la **comida** meal, dinner; food; **hacer una —** eat a meal
como as, like, about; **tanto . . . — both . . . and; tanto —** as much as
¿ **cómo?** how? what? ¿ **— está usted?** How are you? ¡ **— no!** Of course! ¿ **— se llama Vd.?** What is your name? ¿ **— sigue Vd.?** How are you?
la **cómoda** bureau, chest of drawers
cómodo, -a comfortable, cozy
el **compañero** companion; **— de escuela** schoolmate
la **compañía** company
comparar to compare
la **comparsa** masquerade (*group of persons wearing masks and disguises during Carnival*)
completar to complete
completo, -a complete; **completamente** completely
componer to repair, mend
el **compositor** composer
la **compra** purchase; **hacer —s** to shop; **ir de —s** go shopping
comprar to buy; **— a** buy from
comprender to understand; comprise
común common
la **comunicación** communication
con with
condenar to condemn
la **condición** condition
conducir (zc) to lead, conduct
la **confederación** confederation
el **confeti** confetti
el **confitero** confectioner, candy man
el **congreso** congress
la **conjugación** conjugation
conmigo with me
conocer (zc) to know, be familiar with; **—se** know one another
el **conocimiento** knowledge

el **conquistador** conqueror
conquistar to conquer
conseguir (i) to obtain, get
consentir (ie) (en) to permit, consent (to)
conservar to preserve, keep, maintain
considerar to consider; **—se** consider oneself
consigo with himself, herself, itself
consiguiente: por — consequently, therefore
consistir (en) to consist of (in)
constar (de) to consist of
constituir to constitute
construir to build, construct; **—se** be built
se **construyen** *see* **construirse** are built
contar (ue) to count; tell
contener (ie) to contain
contento, -a happy, glad; satisfied
contestar to answer
contigo with you (*fam.*)
el **continente** continent
continuar to continue; **— + pres. p.** continue + *pres. p.:* **Continúe cantando.** Continue singing.
continuo, -a continuous, continued
contra against
contrario, -a contrary; **al —** on the contrary
el **contraste** contrast
conversar to talk, converse
la **conversación** conversation
copiar to copy
el **corazón** heart
la **corbata** tie, necktie
la **cordillera** mountain range
el **coro** chorus; **a —** all together
la **coronación** coronation
el **corredor** hall, corridor
corregir (i) to correct
correr to run
correspondiente corresponding

corriente   common
la corriente   current
el cortaplumas   penknife
cortar   to cut
la corte   court
cortés   courteous
el cortesano   courtier
corto, –a   short
la cosa   thing; la mar de —s   many things
la costa   coast
costar (ue)   to cost
Costa Rica f.   Costa Rica (country in Central America)
la costumbre   custom
crear   to create
crecer (zc)   to grow
creer   to believe, think; Creo que sí (no).   I think so (not).
la criada   maid, servant
criar   to raise
Cristóbal   Christopher
cruel   cruel
cruzar   to cross
el cuaderno   notebook
la cuadra   block (of houses)
el cuadro   wall picture
cual   which; el (la) — who, whom, which
¿ cuál?   which? what?
cualquier(a)   any, whatever
cuando   when; de vez en — from time to time
¿ cuándo?   when?
cuanto   as much as; en — a with regard to, as for
¿ cuánto, –a?   how much? ¿ A —os estamos hoy?   What is to-day's date? ¿ —s?   how many? ¡ cuánto, –a !   how much! so much!
cuarenta   forty
cuarto, –a   fourth
el cuarto   room; quarter (of an hour); — de baño   bathroom
cuatro   four
Cuba f.   Cuba (country in the West Indies)

cubierto, –a   covered
cubierto p.p. of cubrir
cubrir   to cover
la cuchara   spoon
el cuchillo   knife
el cuello   neck; collar
la cuenta   bill, check; darse — de to realize
cuento from contar   I count
el cuento   story
la cuerda   rope, cord
el cuerpo   body; — humano   human body
la cuestión   question, case
el cuidado   care; con — carefully
cuidar (de)   to take care of
cultivar   to raise, grow
el cultivo   development, growth
la cultura   culture
cultural   cultural
el cumpleaños   birthday
cumplir   to fulfill, complete; — con   fulfill
la curiosidad   curiosity
curioso, –a   curious, strange
el curso   course
el cutis   skin
cuyo, –a   whose, of whom, of which

CH

el cha-cha-chá   Cuban dance
el chal   shawl
charlar   to chat
el chibcha   Chibcha (Indian of Colombia)
el chico   child, boy
Chile m.   Chile (country in South America)
chileno, –a   Chilean
el chileno   Chilean
el chocolate   chocolate

D

da from dar; te da   hits you
dar   to give; bear; strike; — al parque   face the park; — la lección   recite; — un paseo

take a walk; — **un paseo en coche** go for a ride

de of, from, with; — **memoria** by heart; **más — lo que** more than

debajo (de) under, underneath

deber to have to, must; should, ought to; owe; — **de (ser)** must (be), (be) probably

debido, -a due

decidir to decide to; —**se a** decide to

decimos *see* **decir** we say

decir to say, recite; **es —** that is to say; ¿ **Qué quiere —?** What does it mean?

declarar to declare; —**se** declare oneself

dedicar to dedicate, devote; —**se** apply oneself

el **dedo** finger

defender (ie) to defend; —**se** defend oneself

el **defensor** defender

definido, -a definite

dejar to leave (behind); let, permit

del = de + el of the, from the

delante (de) in front of, before

demás: lo, la, los, las — the rest, the other(s)

demasiado too, too much

demostrar (ue) to demonstrate, show

el **dentista** dentist

dentro (de) within, inside of

depender (de) to depend (on)

el **deporte** sport

derecho, -a right; **(a) la —a** (to) the right (side)

el **derecho** right

desaparecer (zc) to disappear

desayunarse to breakfast, take breakfast

descansar to rest

el **descanso** rest

el **descendiente** descendant

la **descripción** description

descubierto, -a discovered

el **descubrimiento** discovery

descubrir to discover

desde from; since; — **hace tres días** for three days

desear to wish, want

desempeñar to play, perform; — **el papel** play the part (role)

el **desfile** parade

despacio slowly

despedirse (i) (de) to take leave (of), say good-by to

despertar (ie) to wake up, awaken; —**se** wake up

después *adv.* afterwards, later; — **de** *prep.* after

el **destino** destiny

detrás (de) behind, in back of

devolver (ue) to return (an object), give back

el **día** day; **al — siguiente** the following day; **buenos —s** good morning, good day; **de — y de noche** day and night; **Día de Acción de Gracias** Thanksgiving Day; — **de Año Nuevo** New Year's Day; — **del santo** one's Saint's Day; **hoy —** at present, nowadays; **ocho —s** a week

el **dialoguito** short dialog

diciembre *m.* December

dicen *see* **decir** they, you (*pl.*) say

el **dictado** dictation

dicho *p.p. of* **decir**; — **y hecho** no sooner said than done

el **diente** tooth

diez ten

la **diferencia** difference

diferente different

difícil difficult, hard

la **dificultad** difficulty

digno, -a worthy

diligente diligent, industrious; **diligentemente** diligently

el **dinero** money

el **dios** god

Dios God

la **dirección**   address; direction
el **director**   principal
dirigir   to direct, guide; —**se** go, direct oneself
la **discusión**   discussion
dispensar   to excuse; **Dispénseme Vd.** Excuse me. **Vd. está dispensado.** Surely. Certainly. Not at all.
la **distancia**   distance
distinto, –a   different
la **diversión**   pastime
divertirse (ie)   to enjoy oneself, have a good time
dividido, –a   divided
dividir   to divide
la **división**   division
el **doble**   double
doce   twelve
el **doctor**   doctor
el **dólar**   dollar (*U.S.A.*)
doler (ue)   to ache, hurt; **Me duelen los músculos.** My muscles ache me.
el **dolor**   pain, ache; — **de cabeza** headache
doméstico, –a   domestic
el **domicilio**   home
dominar   to dominate, rule
el **domingo**   Sunday
don Don; **doña** Doña (*used only before given names and not translated into English*)
donde   where
¿ **dónde?** where? ¿ — **vive usted?** where do you live?
dorado, –a   gold, golden, gilded
dormir (ue)   to sleep; —**se** fall asleep
el **dormitorio**   bedroom
dos   two
la **dote**   gift
el **drama**   play, drama
la **droga**   drug, medicine
la **duda**   doubt; **sin** — without doubt, doubtlessly; **No cabe** — **de que . . .** There isn't any doubt that . . .

dudar   to doubt
la **dueña**   owner; — **de (la) casa** housewife
el **dueño**   owner, master
dulce   sweet
el **dulce**   candy; **los** —**s** candy; **una caja de** —**s** a box of candy
durante   during
durar   to last
duro, –a   hard

E

e   and (*before* **i**– *or* **hi**– *but not* **hie**–)
la **economía**   economy
económico, –a   economical
el **Ecuador**   Ecuador (*country in South America*)
echar   to throw, drop; —**se** lie down
la **edad**   age; ¿ **Qué** — **tiene Vd.?** How old are you?
el **edificio**   building
la **educación**   education
el **efecto**   effect; **en** — as a matter of fact
el **ejemplo**   example; **por** — for example
el **ejercicio**   exercise; assignment, homework; — **de conversación** exercise in conversation; — **de invención** exercise in inventiveness
el **ejército**   army
el   the
él   he, him, it
el **electricista**   electrician
la **elegancia**   elegance
elemental   elementary
ella   she, it (*f.*); her (*after prep.*)
ellas   they (*f.*); them (*f.*) (*after prep.*)
ello   it, that; **para** — for that purpose
ellos   they; them (*m.*) (*after prep.*)
el **embajador**   ambassador
embargo: sin — however, nevertheless

la **emisora**   broadcasting station; —
  de radio   radio broadcasting
  station
el **emperador**   emperor
  empezar (ie)   to begin
el **empleado**   employee
  emplear   to use, employ
el **empleo**   job, employment; **buscar**
  —   to look for a job
  en   on, in, at
el **encanto**   delight, charm, enchant-
  ment
  encargar   to order
  encender (ie)   to light
  encontrar (ue)   to find, meet;
  —se   be found
el **enemigo**   enemy
  enero *m.*   January
la **enfermedad**   sickness
  enfermo, –a   sick, ill
el **enfermo**   sick one
  enorme   enormous, huge
  enseñar   to teach
  entender (ie)   understand
  entero, –a   whole, entire
  entonces   then, well then
la **entrada**   entrance
  entrar   to enter; **— en**   enter,
  enter into *or* in
  entre   between, among
  entretanto   in the meantime,
  meanwhile
el **entusiasmo**   enthusiasm
  enviar   to send
el **episodio**   episode
la **época**   period, time
el **equipo**   team
  es   he, she, it is, you are
la **escalera**   stairs, stairway, staircase
la **escena**   scene
  escoger   to choose
  esconder   to hide
  escribir   to write
  escrito *p.p. of* **escribir; lo —** the
  written work
el **escritor**   writer, author
el **escritorio**   desk
la **escritura**   writing

  escuchar   to listen to
la **escuela**   school
  ese, –a that; *pl.* **esos, –as**   those
el **esfuerzo**   effort
  esmerado, –a   careful
la **esmeralda**   emerald
  eso   that, that thing; **— es**   that's
  it, that's right; **por —**   for that
  reason, that is why
el **espacio**   space
  España *f.*   Spain
  español, –a   Spanish; **de habla**
  —a   Spanish-speaking
el **español**   Spanish (*language*); Spaniard
  especial   special
  especialmente   especially
la **especie**   kind, sort
el **espejo**   mirror
  esperar   to wait (for); expect, hope
  espléndido, –a   splendid
la **esposa**   wife, spouse
el **esposo**   husband; **los —s**   husband
  and wife
la **esquina**   corner (street)
  está *see* **estar; —**   he, she, it is, you
  are
  establecer (zc)   to establish
la **estación**   station; season
el **estado**   state; **los Estados Unidos**
  the United States
el **estante**   shelf, bookcase
  estar   to be; **¿A cuántos estamos?**
  What is today's date? **Estamos a**
  (primero, dos, tres, *etc.*)   Today
  is (the first, second, third, *etc.*)
  ¡Está bien!   All right! Good!
  — bien   be (feel) well; **— cerca**
  (lejos)   be near (far); **¿Cómo**
  está usted?   How are you? **—**
  de pie   be standing
  este, –a   this; *pl.* **estos, –as**   these
el **este**   east
el **estilo**   style
  esto   this
el **estómago**   stomach
  estrecho, –a   narrow
la **estrella**   star

estudia *from* estudiar he, she studies, you study

el estudiante student

estudiar to study; — para dentista study to be a dentist

el estudio study

Europa *f.* Europe

europeo, –a European

evitar to prevent, avoid

el examen examination; salir bien (mal) en el — to pass (fail) the examination

examinar to examine

excelente excellent

la excepción exception; a — de with the exception of, except

exclamar to exclaim

la excursión excursion

exigir to demand, require

existir to exist; be

el éxito success

la experiencia experience

experto, –a expert

la explicación explanation

explicar to explain

la exploración exploration

la explosión explosion

el explosivo explosive

exportar to export

expresar to express

extender (ie) to extend, spread; —se extend

la extensión extension; area, surface

extenso, –a extensive, wide, vast

el extranjero foreigner; en el — abroad

extrañado, –a surprised

extraño, –a strange

extraordinario, –a extraordinary, exceptional

el extremo end, extreme

F

la fabricación manufacture

fácil easy

la facilidad ease

la falda skirt

la falta mistake, error; cometer —s make mistakes; sin — without fail

faltar to be missing; fail

la fama fame, reputation

la familia family

famoso, –a famous, celebrated

el farmacéutico druggist, pharmacist

la farmacia drugstore

el favor favor; a — de in behalf of; Haga el — de escribir. Please write. por — please

favorito, –a favorite

la fe faith

febrero *m.* February

la fecha date; ¿ Cuál es la — de hoy? What is today's date? ¿ Qué — tenemos? What is the date?

feliz happy; Feliz Año Nuevo. Happy New Year. Felices Pascuas. Merry Christmas.

feroz wild

el ferrocarril railroad, train

fértil fertile

fiel faithful

la fiesta fiesta, feast, party, celebration; día de — holiday

la figura form, shape, figure

fijo, –a fixed

la fila row, line

la filosofía philosophy

el fin end; purpose; al — finally, at last; a fines de towards the end of; en — in short; por — at last

el final end

final final; finalmente finally, lastly

fino, –a fine

la firma company, firm

el flamenco flamingo

la flor flower

la flota fleet

flotante floating

flotar to float

el **fondo**   background; base
la **forma**   shape, form
  formal   serious, formal
  formar   to form
la **fortuna**   fortune, wealth
la **fotografía**   photography
  fragante   fragrant
  frágil   frail, fragile
  francés, –esa   French
el **francés**   French (*language*);
  Frenchman
  franco, –a   sincere, frank
  Francia *f.*   France
la **frase**   sentence
la **frecuencia**   frequency;   **con —**
  often, frequently
el **fregadero**   sink
la **frente**   forehead;   **— a**   facing,
  opposite;   **hacer — a**   to face
  fresco, –a   cool, fresh;   **Hace —.**
  It is cool.
el **frío**   cold;   **Hace —.**   It is cold.
  tener —   to be cold
la **fruta**   fruit; product;   **el puesto**
  de —s   fruit stand
el **frutero**   fruit dealer
el **fruto**   product
  fué   *third pers. sing. preterit of* **ser**
  and **ir**
el **fuego**   fire
la **fuente**   fountain, source
  fuera (de)   outside (of)
  fuerte   strong
la **fuerza**   strength, force;   **las —s**
  army
la **función**   performance, show
el **funcionario**   official
  fundar   to establish, found
el **fútbol**   football

G

la **gana**   desire;   **tener —s de**   to
  feel like
  ganar   to gain, earn, win;   **—se la**
  vida   earn one's living
el **garaje**   garage
la **gaseosa**   soda

  gastar   to spend (money)
el **gato**   cat
el **gaucho**   gaucho (*Argentinean and Uruguayan cowboy*)
  general   general;   **en —**   generally, in general;   **generalmente**   generally;   **por lo —**   generally, in general
el **general**   general
el **género**   gender
  generoso, –a   generous
el **genio**   genius
la **gente**   people
la **geometría**   geometry
el **gerente**   manager
  gigantesco, –a   gigantic
la **gloria**   glory
  glorioso, –a   glorious
el **gobierno**   government
el **golf**   golf
la **gorra**   cap
  gozar (de)   to enjoy
la **gracia**   grace, charm
las **gracias**   thanks;   **¡ —!**   thank you!   **¡ — a Dios!**   Thank heavens!   **muchas —**   many thanks, thank you very much;   **El Día de Acción de Gracias**   Thanksgiving Day
el **grado**   grade;   **pasar de —**   to be promoted
  graduarse   to be graduated
la **gramática**   grammar;   **el libro de —**   grammar book
  gran   great, famous
  grande   large, great
la **grandeza**   greatness, grandeur
  grandioso, –a   grand, magnificent
el **grano**   grain
la **gratitud**   gratitude, gratefulness
  grave   serious; seriously ill
  gritar   to shout
el **grito**   shout, cry
el **grupo**   group
el **guante**   glove
  guardar   to keep, preserve, have;   **— cama**   stay in bed

Guatemala *f.* Guatemala (*country in Central America*)

la **guerra** war

la **guitarra** guitar

gustar to please, like; taste; —**le a uno algo** like something; (**A mí**) **me gusta el español.** I like Spanish. **Me gusta leer.** I like to read. **Me gustan las peras.** I like pears. ¿ **Qué tal le gusta esto?** How do you like this? **Me gusta más.** I prefer.

el **gusto** pleasure; taste; **con mucho** — willingly, gladly, with pleasure; **de mal (buen)** — of bad (good) taste; **Mucho** — **en conocerlo.** I am very glad to know you.

H

haber to have (*used only as an auxiliary verb*); **había** there was (were); **hay** there is (are); **hay que** one must; **hay que notar** one must observe; **he aquí** here is (are); **No hay de qué.** You are welcome.

el **habitante** inhabitant

el **habla** (*f.*) speech; **de** — **española** Spanish-speaking

hablar to speak; **Aquí se habla español.** Spanish is spoken here.

hacer to do, make; **Hace buen (mal) tiempo.** It is good (bad) weather. **Hace fresco (viento).** It is cool (windy). **Hace frío (calor).** It is cold (warm). **Hace un año que estudio.** I have been studying a year. **hace una semana (que)** a week ago; — **compras** shop; — **frente a** face; — **pasar** cause to pass; — **preguntas** ask questions; — **un viaje** take a trip; — **una comida** make (take) a meal; — **una vida** lead a life; **Haga el favor.**

Please. ¡ **Qué calor hace aquí !** How warm it is here !

hacia towards; — **abajo** down, downward

hallar to find; —**se** be

la **hamaca** hammock

el **hambre** (*f.*). hunger; **tener** — be hungry

hasta until, till, up to, as far as, to, even; — **luego** see you later; — **que** till

hay *see* **haber**

hecho *p.p. of* **hacer; dicho y** — no sooner said than done

el **hecho** fact

la **hermana** sister

el **hermano** brother

hermoso, -a beautiful

la **hierba** grass

el **hierro** iron

la **hija** daughter

el **hijo** son; **los hijos** son(s) and daughter(s), children

hispánico, -a Hispanic, Spanish

hispano, -a Spanish (*of Spanish origin*)

Hispano-América *f.* Spanish America

hispanoamericano, -a Spanish American

el **hispanoamericano** Spanish-American

la **historia** story; history

histórico, -a historical

la **hoja** leaf

el **hombre** man; ¡ **Hombre !** Man alive! Great Scott! Good heavens! Well!

el **hombro** shoulder

Honduras *f.* Honduras (*country in Central America*)

el **honor** honor

honrado, -a honorable, honest

la **hora** hour; time; **a la media** — after half an hour; ¿ **Qué** — **es?** What time is it? What is the time? **Es** — **de** ... It is time to (for) ...

el **hospital** hospital
el **hotel** hotel
hoy today; — **día** at present, nowadays
el **huevo** egg
la **humanidad** humanity
humano, –a human
la **humedad** humidity

I

la **idea** idea; **No tengo** —. I can't imagine. I haven't any idea.
ideal ideal
el **idealista** idealist
el **idioma** language
la **iglesia** church
igual similar, alike; rival; **igualmente** the same to you
la **imagen** impression, image, picture
imaginar to imagine; **—se** imagine
imitar to imitate
impenetrable impenetrable
el **imperio** empire
la **importancia** importance
importante important
importar to import; be important
imposible impossible
la **impresión** impression
el **inca** Inca
indefinido, –a indefinite
la **independencia** independence
independiente independent
la **India** India
las **Indias** the Indies
el **indicativo** indicative
indio, –a Indian
el **indio** Indian
la **industria** industry
industrial industrial
infantil child-like
la **influencia** influence
Inglaterra *f.* England
inglés, –esa English

el **inglés** English (*language*); Englishman
inmenso, –a immense
inmortal immortal
la **inspiración** inspiration
inspirar to inspire
el **instante** instant; **al** — immediately
intelectual intellectual
inteligente intelligent
la **intención** intention
el **interés** interest
interesante interesting
interesar to interest, be of interest; **—se por (en)** be interested in
el **interior** interior
internacional international
inútil needless
invencible unconquerable, invincible
la **invención** inventiveness; **el ejercicio de** — exercise in inventiveness
el **invierno** winter
invitar to invite
ir to go; — **a casa** go home, homeward; — **de compras** go shopping; — **a** + *inf.* be going to + *inf.:* — **a pie** go on foot; **¡ Vamos !** Let's go! **Vamos a ver.** Let's see. **¡ Vaya un caballero !** What (Quite) a gentleman! **Voy a trabajar.** I'm going to work.
irresistible irresistible
la **isla** island
Italia *f.* Italy
el **italiano** Italian (*language*)
izquierdo, –a left; **a la** —**a** to (on) the left

J

jamás never; ever; **no** ... — not ... ever
el **jardín** garden
el **jefe** chief

joven young
el **joven** youth, young man
el **juego** game
el **jueves** Thursday
jugar (**ue**) to play; — **a la pelota**
  play ball; — **a los naipes** play
  cards
julio *m.* July
junio *m.* June
junto (**a**) near, close to
juntos, -as together
la **justicia** justice

K

el **kilo** kilo, kilogram
el **kilómetro** kilometer ($\frac{5}{8}$ *of a mile*)

L

la the; (*pron.*) her, it (*f.*), you
  (*formal f.*)
el **labio** lip
la **labor** work; **día de** — working
  day
el **lado** side
el **lago** lake
lamentable pitiful
la **lana** wool
el **lápiz** pencil; *pl.* **lápices**
largo, -a long; **de largo** long
las the; (*pron.*) them (*f.*), you
  (*formal f.*)
la **lástima** pity; ¡ **Qué** — ! What
  a pity!
latino, -a Latin; Latin-Ameri-
  can
latinoamericano,   -a   Latin-
  American
lavar to wash; — **se** wash oneself; — **se la cara** wash one's
  face
la **lección** lesson; **dar la** — recite;
  — **del día** the day's lesson
la **lectura** reading
la **leche** milk
leer to read
la **legumbre** (dry) vegetable

leído *p.p. of* **leer**
lejos far; **a lo** — in the distance; — **de** far from
la **lengua** language; tongue
les to them, you (*formal pl.*)
la **letra** letter
el **letrero** sign
levantar to raise; — **se** get up;
  — **se contra** rebel against
la **ley** law
la **leyenda** legend
la **liberación** liberation
la **libertad** liberty, freedom
el **libertador** liberator
libertar to free; — **se** free oneself
la **libra** pound
libre free; **libremente** freely
la **librería** bookstore
el **librero** bookseller
el **libro** book; — **de gramática** a
  grammar book
ligero, -a slight
limitar to limit
el **límite** limit
el **limón** lemon
limpiar to clean; — **se los dientes**
  wash (brush) one's teeth
limpio, -a clean
lindo, -a pretty
la **línea** line
la **lista** list; menu; **pasar** — to
  take (call) the roll
listo, -a ready; **estar** — to be
  ready
lo it, you, him
local local; **localmente** locally
loco, -a crazy, mad
la **locomotora** locomotive
los the; them, you (*formal pl.*)
la **lucha** wrestling
luchar to fight, struggle
luego then; **hasta** — see you later
el **lugar** place; town; **tener** —
  take place
la **luna** moon
el **lunes** Monday
la **luz** light

LL

la **llama** llama (*Andean beast of burden*)
se llama *see* **llamar**
llamar to call; **así llamado, –a**
so called; — **a** knock at; —
la atención de attract one's
attention; —**se** be called;
¿ **Cómo se llama usted?** What
is your name? **Me llamo Juan
Pérez.** My name is John Perez.
la **llanura** plain
llegar to arrive; — **a** arrive in,
reach; — **a tiempo** be on time
lleno, –a full, filled
llevar to lead, take (*a person*);
carry; wear; — **a cabo** carry
through, carry out, execute
llorar to cry, weep
llover (ue) to rain; **está lloviendo** it is raining; **llueve**
it rains (it is raining)

M

la **madera** wood
la **madre** mother; ¡ — **mía!** Good
Heavens! — **patria** fatherland
la **maestra** teacher (*elementary*)
el **maestro** teacher (*elementary*)
magnífico, –a magnificent, wonderful
el **maíz** corn
mal badly, poorly
la **maleta** suitcase; handbag
malo, –a bad; sick, ill
la **mamá** mother, mamma
el **mambo** *Cuban dance*
mandar to send; command, order
la **manera** way, manner; **de esta** —
in this way
la **mano** hand; **a** — by hand
mantener to keep, maintain
la **mantequilla** butter
la **manzana** apple
el **manzano** apple tree
la **mañana** morning; **por la** — in
the morning; **de la** — in the

morning (*time specified*)
mañana tomorrow; **pasado** —
day after tomorrow
mar *m. or f.* sea; **la** — **de cosas**
many things
la **maravilla** wonder, marvel
maravilloso, –a wonderful, marvelous
marcado, –a marked
marcar to mark
marchar to march; —**se** leave,
depart, go away
el **martes** Tuesday
marzo *m.* March
mas but
más more, most; — **contento que
nunca** happier than ever; —
(menos) que (de) more (less)
than; **no** — **que** only; ¿ **Qué**
—? What else? ¿ **Nada** —?
Anything (nothing) else? Will
that be all?
matar to kill
la **materia** matter, material; subject
material material
el **maya** Maya Indian
mayo *m.* May
mayor larger; older; **el** —
largest, oldest, eldest; **la Calle
Mayor** Main Street; **la** —
parte de the greater part of
la **mayoría** majority
me me, to me; (to) myself
el **mecánico** mechanic
mediados: a — **de** towards the
middle of
la **medicina** medicine
el **médico** doctor
la **medida** size, measure
medio, –a half; **las cuatro y media** half past four
el **medio** means; — **de transporte**
means of transportation
medir (i) to measure
mejor better; **el** — the best
mejorar to improve
la **memoria** memory; **saber de** —
know by heart

menor smaller; younger; **el —** the smallest; youngest

menos less, minus; **al —** at least; **Son las seis — cuarto.** It is a quarter to six.

mentir (ie) to lie

menudo: a — often

el **mercado** market

el **mes** month

la **mesa** table; desk

la **meseta** plateau, tableland

el **mestizo** half-breed

el **metal** metal

meter to put; **—se** get into

el **mexicano** Mexican

México m. Mexico

mezclar to mix, mingle

mi my

mí me (after prep.)

el **miedo** fear

el **miembro** member

mientras (que) while

el **miércoles** Wednesday

mil thousand

el **milagro** miracle

militar military

la **milla** mile

el **millón** million

la **mina** mine

el **mineral** mineral

el **minuto** minute

mirar to look; **—se al espejo** look at oneself in the mirror

el **misionero** missionary

mismo, –a same; self

misterioso, –a mysterious

la **mitad** half; **a — de precio** at half price

el **modelo** model, pattern

moderno, –a modern

la **modista** dressmaker

el **modo** way, manner; **de este —** in this way

molestar to molest, annoy, disturb, bother; **—se** be bothered

el **momento** moment, time

el **monarca** king, monarch

la **montaña** mountain

montar to mount, ride; **— a caballo** ride horseback

el **monumento** monument

morir (ue) to die; **—se** die, be dying

mostrar (ue) to show; **—se** appear

mover (ue) to move; **—se** move

movible movable

el **mozo** young man; waiter

la **muchacha** girl, young lady

el **muchacho** boy; **¡ Qué —!** What a boy!

muchísimo very much

mucho, –a much, a great deal of; pl. many

mucho much, a great deal of; **Lo siento —.** I am very sorry.

el **mueble** piece of furniture; pl. furniture

la **muerte** death

muerto p.p. of morir

la **mujer** woman; wife

el **mundo** world; **todo el —** everybody

el **museo** museum

la **música** music

el **músico** musician

muy very; **— bien** all right, fine, very well

N

nacer (zc) to be born

el **nacimiento** birth; Nativity, crèche

la **nación** nation

nacional national

la **nacionalidad** nationality

nada nothing, not . . . anything; **de —** you are welcome; **¿ — más?** anything more? anything else? will that be all? **No es —.** Surely. Certainly. Not at all.

nadar to swim

nadie nobody, no one; not . . . anybody, not . . . anyone

el **naipe**   card (*playing*)
Napoleón   Napoleon
la **nariz**   nose
la **natación**   swimming
nativo, -a   native
natural   natural
el **natural**   native
la **naturaleza**   nature
naval   naval
navegable   navigable
el **navegante**   navigator
navegar   to navigate, sail; ride
la **Navidad**   Christmas
necesario, -a   necessary
la **necesidad**   necessity
necesitar   to need
el **negocio**   business; **el hombre de**
   —s   business man
negro, -a   black
el **negro**   Negro
nevar (ie)   to snow; **nieva** it is
   snowing
ni   neither, nor, not even; not . . .
   either
Nicaragua *f.*   Nicaragua (*country
   in Central America*)
la **nieve**   snow
ninguno, -a (ningún)   no, none;
   no . . . —   not . . . any
la **niña**   child, girl
el **niño**   child, boy
el **nivel**   level
no   no, not; **— . . . más que**   only
el **noble**   nobleman
nocturno, -a   nocturnal, evening;
   paseo nocturno   evening stroll
la **noche**   night, evening; **Buenas**
   —s.   Good evening. Good night.
   de —   in the evening; by night;
   esta —   tonight; **por la —**   in
   the evening
nombrar   to name; appoint
el **nombre**   name; noun; **— de pila**
   first name
el **norte**   north
norteamericano, -a   American
el **norteamericano**   American
nos   us, to us; (to) ourselves

nosotros, -as   we; us (*after prep.*)
la **nota**   grade, mark; **sacar buenas**
   —s   to get good marks
notable   notable
notar   to notice, note, observe
la **noticia**   notice; **—s**   news
novecientos, -as   nine hundred
la **novela**   novel
noviembre *m.*   November
la **nube**   cloud
el **nudo**   knot
nuestro, -a   our
Nueva York   New York
nueve   nine
nuevo, -a   new; another; **de**
   nuevo   again
el **número**   number; size
numeroso, -a   numerous
nunca   never, not ever; **más con-**
   tento que —   happier than ever;
   — tengo suerte.   I never have
   any luck.

O

o   or
obediente   obedient
el **objeto**   object, thing
obligar   to force
la **obra**   work (*mental*)
observar   to notice, observe
el **obstáculo**   obstacle
obtener   to get, obtain
la **ocasión**   occasion
el **océano**   ocean
octubre *m.*   October
ocupado, -a   busy
ocupar   to occupy; **—se en**   be
   engaged in
ocurrir   to occur, happen
ochenta   eighty
ocho   eight
el **oeste**   west
oficial   official
la **oficina**   office
el **oficio**   trade
ofrecer (zc)   to offer
el **oído**   ear (*inner*)

oído *p.p.* of oír
oír   to hear
el ojo   eye
oler (ue)   to smell
olvidar   to forget; —se de   forget
omitir   to omit
el ómnibus   bus, omnibus
once   eleven
la operación   operation
la opinión   opinion
opuesto, -a   opposite, contrary
la oración   sentence; prayer
la orden   order, command; A las órdenes de usted.   At your service.
la oreja   ear (*outer*)
la organización   organization
el órgano   organ
el original   original
la orilla   shore, beach, bank (*of river*)
el oro   gold
os   you (*fam. pl.*), to you; (to) yourselves
el otoño   autumn
otro, -a   another, other; otra vez   again, once more; en otro tiempo   formerly, at one time; el otro   the other

P

la paciencia   patience
el Pacífico   Pacific Ocean
el padre   father; *pl.* father and mother, parents
pagar   to pay (for)
la página   page
el país   country, nation
el paisaje   landscape, scenery
el pájaro   bird
la palabra   word
el palacio   palace
pálido, -a   pale
la pampa   pampa (*great grass plains in Argentina and Uruguay*)
el pan   bread
el panadero   baker

Panamá *m.*   Panama (*country in Central America*)
el panamericanismo   Pan-Americanism
el panorama   panorama, view
el pantalón   trousers
el pañuelo   handkerchief, kerchief
el papá   papa, father
el papel   paper; role; desempeñar el —   to play the role
el paquete   package
el par   pair; couple, a few; un — de días   a few days
para   for, in order to, to; — ello   for that purpose; ¿ — qué?   for what purpose? what for? ¿ — qué (es) sirve?   What is it used for?
parado, -a   stopped
el Paraguay   Paraguay (*country in South America*)
parar   to stop; —se   stop
pardo, -a   brown
parecer (zc)   to appear, seem; al — apparently; —se a   resemble
la pared   wall
la pareja   pair; couple
la parienta   relative (*f.*)
el pariente   relative
el parque   park
el párrafo   paragraph
la parte   part; place; la mayor — de   the greater part of; por todas —s   everywhere; tomar — en   take part in
particular   private; special
particularmente   particularly
el partido   game, match
partir   to divide, cut; leave, take off
el pasado   past; last; — mañana   day after tomorrow
pasar   to pass; happen; spend (time); — un buen rato   have a good time; — lista   call the roll; ¿ Qué pasa?   What is the matter? — las vacaciones   spend one's vacation

la **Pascua** Christmas; **Felices —s.**
Merry Christmas.

pasear to take a walk; ride

el **paseo** walk, promenade, outing;
dar un — take a walk; **dar
un — en coche** go for a ride;
salir a — go out for a walk

el **patio** inner court

la **patria** fatherland; **la madre —**
motherland, fatherland

el **pecho** chest

el **pedazo** piece

el **pedestal** pedestal

pedir (i) to ask for

peinarse to comb one's hair

la **película** picture, film

el **peligro** danger

el **pelo** hair

la **pelota** ball; **jugar a la —** play ball

la **pena** trouble; **Vale la — verlo.**
It is worth while seeing it.

penetrar to penetrate

pensar (ie) to think; **— + *inf.*
intend to + *inf.*; — en** think
of (about); **Pienso ir allá.** I
intend to go there.

peor worse

la **pequeña** little girl

pequeño, -a small, little

la **pera** pear

el **peral** pear tree

perder (ie) to lose; **No perdamos tiempo.** Let us not waste
time.

perdido, -a lost

perdonar to pardon, excuse;
Perdone usted. Pardon.

perezoso, -a lazy

la **perfección** perfection

perfectamente just so, right, all
right, very well

perfecto, -a perfect; fine

perfumar to make fragrant, perfume

el **periódico** newspaper

la **perla** pearl

el **permiso** permission; **Con —.**
Excuse me.

permitir to permit, allow; **No
se permite fumar.** No smoking
allowed.

pero but

el **perro** dog

la **perseverancia** perseverance

la **persona** person

personal personal

pertenecer (zc) to belong

el **Perú** Peru (*country in South America*)

peruano, -a Peruvian

pesar: a — de in spite of

el **pescado** fish (*out of water*)

la **peseta** peseta (*Spanish monetary
unit*)

el **peso** peso (*monetary unit of some
Spanish American countries*)

el **piano** piano

el **pico** beak; peak

el **pie** foot; **estar de —** to be
standing; **ir a —** go on foot

la **piedra** stone

la **pierna** leg

la **pieza** room; piece (*of music*);
song; piece; **— de teatro** play

pintar to paint

pintoresco, -a picturesque

la **pintura** painting

la **piña** pineapple

la **pirámide** pyramid

el **pirata** pirate

el **piso** floor; story; flat, apartment

la **pizarra** blackboard

el **placer** pleasure, joy

el **plano** plan

la **planta** plant

la **plantación** plantation

plantar to plant

la **plata** silver; money

el **plato** dish, plate

la **playa** seashore, beach

la **plaza** plaza, square

la **pluma** pen; **— fuente** fountain
pen

la **población** population; town

poblar to populate

pobre poor; **el —** the poor (one)

poco, -a a little; *pl.* few; **al poco rato** shortly after; **en poco tiempo** in a short time

poco *adv.* a little; **— después** shortly after; **un — de inglés (español)** a little English (Spanish)

poder to be able; can; **puede** he, she, it, you can

el **poder** power, domination

poderoso, -a powerful

polar polar

político, -a political

el **polo** pole

el **poncho** poncho (*a blanket-like cloak with a hole in the center to pass one's head through, worn in South America*)

poner to put; **— atención** pay attention; **—se** put on; become; begin; **Se pone a jugar.** He begins to play. **Se pone contento.** He becomes happy. **Se pone el sombrero.** He puts on his hat. **El sol se pone.** The sun sets.

popular popular

por through, by, in, along, times (*in multiplication*); **— consiguiente** consequently; **— ejemplo** for example; **— eso** for that reason, that is why; **— favor** please; **— fin** at last; **— la mañana** in the morning; **— lo general** in general; **¿— qué?** why? **— supuesto** of course; **— todas partes** everywhere

porque because

¿por qué? why?

Portugal *m.* Portugal

portugués, -esa Portuguese

el **portugués** Portuguese (*language*)

poseer to possess, have, own

posible possible

el **postre** dessert

practicar to practice; take part in; **—se** be practiced

el **precio** price; **a mitad de —** at half price

precioso, -a beautiful; precious

la **precisión** precision, exactness

preferir (ie) to prefer

preferido, -a preferred

la **pregunta** question; **hacer una —** ask a question

preguntar to ask

la **preparación** preparation

preparar to prepare

preparatorio, -a introductory

la **presentación** introduction

presentar to introduce, present; offer; **Quiero presentarlo al señor Rojas.** I want to introduce you to Mr. Rojas.

presente present

el **presidente** president

prestar to lend; give; **— atención** pay attention

la **prima** cousin (*f.*)

la **primavera** spring

primero, -a first

primero *adv.* first, at first, in the first place; **— ... segundo** first ... secondly

primitivo, -a primitive, original

el **primo** cousin (*m.*)

principal main, principal

principalmente principally

principiar to begin; **al — la clase** when the class begins

el **principio** beginning; principle; **al —** in the beginning; **a —s de** towards the beginning of

la **prisa** haste; **de —** fast, in a hurry

probar (ue) to test; taste

proclamar to proclaim, declare

la **producción** production

producir (zc) to produce, raise

el **producto** product

la **profesión** profession

el **profesional** professional

el **profesor** teacher (*of secondary school*)

la **profesora** teacher (*of secondary school*)

profundo, -a deep

el **programa** program; — **de tele-visión** television program

progresista progressive

el **progreso** progress, advance

prometer to promise

pronto soon, right away; **de —** suddenly, all of a sudden

pronunciar to pronounce

propio, –a own

el **propósito** objective, purpose, object; **a —** by the way

próspero, –a prosperous

la **provincia** province

próximo, –a next

público, –a public

el **pueblo** people; town, village

puede *see* **poder**

el **puente** bridge

la **puerta** door

el **puerto** port

Puerto Rico Puerto Rico (*island in the West Indies and a territory of the United States*)

pues for, therefore, since, well

puesto *p.p. of* **poner**

el **puesto de frutas** fruit stand

el **puma** puma, mountain lion

el **punto** point; degree; peak; **en — ** exactly

la **puntuación** punctuation

el **pupitre** desk

puro, –a pure

Q

que that, who, whom; **lo —** what (that which); **no más . . . — ** only

¿qué? what? which? **¡No hay de —!** You're welcome! Don't mention it! **¿para —?** for what purpose? what for? **¿Para — (es) sirve?** What is it for? **¡—!** what a! how! **¡— buen hijo!** what a fine son! **¡— lástima!** what a pity! **¿— le pasa?** what is the matter with you? **¡— lindo!** how

pretty! **¿— más?** what else? **¿— tal?** how? how goes it?

quedar to remain, stay; **—se** remain

la **queja** complaint

querer to want; **— a** to love; **¿Qué quiere decir . . .?** What does . . . mean?

querido, –a dear

el **queso** cheese

¿quién? who? whom? **¿de —?** whose?

quiere *see* **querer**; **¿Qué — ser usted?** What do you want to be?

quiero *see* **querer** I want

quince fifteen

quinientos, –as (500) five hundred

quitarse to take off

R

radiante bright, radiant

la **radio** radio; **el radio,** radio (*cabinet*); **emisora de —** radio station

la **rama** branch

rápido, –a fast, rapid

raro, –a strange, rare

el **rato** a while; **al poco —** shortly after; **pasar un buen —** to have a good time

la **raza** race (*of men*)

la **razón** reason; **tener —** to be right

real real

rebelarse to rebel

el **recado** message

recibir to receive

recoger to pick up; collect, gather

reconocer (zc) to recognize; consider as

recordar (ue) to remember

recorrer to walk through, travel over

el **recreo** recreation

el **recuerdo**   remembrance;   —s memories, traces
referir (**ie**)   to refer, tell
reflejar   to reflect;   —**se**   be reflected
el **refresco**   refreshment
regalar   to give (*a present*)
el **regalo**   present, gift
la **región**   region
regional   regional
la **regla**   rule; ruler
regresar   to return
reír(**se**) (**i**)   to laugh
la **relación**   relation
la **religión**   religion
religioso, –a   religious
el **reloj**   watch
reñir (**i**)   to scold
repasar   to review
el **repaso**   review
repetir (**i**)   to repeat
repleto, –a (**de**)   bulging (with)
representar   to represent
la **república**   republic
republicano, –a   republican
la **reserva**   reserve
el **resfriado**   cold
el **respeto**   respect
respirar   to breathe
responder   to answer, respond
la **respuesta**   answer
el **restaurante**   restaurant
el **resto**   rest; **los** —**s**   remains
el **resultado**   result
la **reunión**   meeting
reunir   to unite;   —**se**   gather, get together, meet
revelar   to reveal
la **revista**   magazine
el **rey**   king; *pl.* **los reyes**   king and queen, sovereigns
rezar   to pray
rico, –a   rich; fertil; tasty, delicious;   **¡ Qué rico estaba !** How delicious it was! **los ricos** the rich (wealthy)
ridículo, –a   ridiculous
el **río**   river

la **riqueza**   wealth
el **rival**   rival
robar   to steal, rob
el **robo**   robbery
rodear   to surround
la **rodilla**   knee;   **caer de** —**s**   to fall on one's knees
rojo, –a   red
la **romería**   religious picnic, pilgrimage
romper   to break
la **ropa**   clothing, clothes
el **ropero**   wardrobe, closet
la **rosa**   rose
roto *p.p. of* **romper**
rubio, –a   blond, blonde
el **ruido**   noise
la **ruina**   ruin
la **rumba**   *Cuban dance*
ruso, –a   Russian

S

el **sábado**   Saturday
saber   to know; taste;   — **de memoria**   know by heart;   — + *inf.*   know how + *inf.:*   **Estos niños saben cantar.**   These children know how to sing.
sabio, –a   wise, learned
sacar   to take (out);   — **notas buenas**   get (obtain) good marks
la **sala**   parlor, living room, classroom;   **la** — **de clase**   classroom
la **salida**   departure, exit; outlet
salir   to go out, leave;   — **aprobado**   be promoted, pass;   — **a paseo**   go out for a walk;   — **bien** (**mal**) **en el examen**   pass (fail) the examination;   — **de la ciudad**   leave the city;   **El sol sale** (**se pone**). The sun rises (sets).
la **salud**   health
saludar   to greet
El **Salvador**   El Salvador (*country in Central America*)
salvaje   savage, wild
salvar   to save;   —**se**   save oneself

la **samba**   *characteristic Brazilian dance*
la **sangre**   blood
el **santo**   saint; **día del —**   Saint's day
  Santo Domingo   Santo Domingo (*country in the West Indies*)
el **sarape**   serape (*a gay-colored blanket worn by men in Mexico*)
el **sastre**   tailor
  satisfecho, –a   satisfied, happy
  se   each other, one another; **se** *with the 3rd. pers. sing. or pl. makes the verb passive:* **Aquí se habla español.** Spanish is spoken here. **Se hablan varios idiomas.** Several languages are spoken.
  secar   to dry; **—se**   dry oneself
  seco, –a   dry
  secreto, –a   secret
  secundario, –a   secondary
la **sed**   thirst; **tener —**   to be thirsty
la **seda**   silk
  seguida: en —   immediately
  seguir (**i**)   to follow; continue; **¿ Cómo sigue Vd.?** How are you? **¿ Quién sigue?** Who is next? **— adelante** go ahead **— viviendo** continue living
  según   according to
  segundo, –a   second
  segundo *adv.*   secondly, in the second place; **primero ... —** first ... secondly
el **segundo**   second
  seguro, –a   sure
  seis   six
la **selección**   selection
la **semana**   week; **la próxima —** next week; **la — pasada** last week
  sentado, –a   seated, sitting
  sentarse (**ie**)   to sit down
el **sentido**   sense
  sentir (**ie**)   to feel; regret; **Lo siento mucho.** I am sorry. **—se** feel
el **señor**   gentleman, sir, Mr.; **el Señor** the Lord

la **señora**   lady, madam, Mrs.
la **señorita**   young lady, Miss
  separar   to separate
  septiembre *m.*   September
  ser   to be; **deber de —** must be, be probably; **— aficionado, –a a** be a "fan" of
la **serie**   series
  serio, –a   serious
el **sermón**   sermon
el **servicio**   service
el **servidor**   servant; **—** at your service; I, sir
la **servidora**   servant; **—** at your service; I, sir
  servir (**i**)   to serve; **— de** be used as, serve as; **¿ En qué puedo servirle?** What can I do for you? **Están sirviendo la comida.** They are serving dinner. **¿ Para qué sirve?** What is it used for? **Sírvase explicar eso.** Please explain that.
  setecientos, –as   (700) seven hundred
  setenta   seventy
  si   if
  sí   yes, indeed, surely; **Creo que —.** I think so.
  sí   oneself
  siempre   always
  siete   seven
el **siglo**   century
  significar   to mean
  siguiente   following, next; **al día —** the following day; **lo —** what follows, the following
el **silencio**   silence
la **silla**   chair
el **símbolo**   symbol
  simpático, –a   nice, agreeable, friendly
  sin   without; **— duda** without doubt; **— número** numberless, great number
  sincero, –a   sincere
  sino (**que**)   but, on the contrary,

except; **no sólo . . . —** **(que)** not only . . . but

el **sitio** place

la **situación** situation

situado, –a situated, located

sobrar to be left over

sobre on, upon, over

la **sobrina** niece

el **sobrino** nephew; **los —s** nephew(s) and niece(s)

social social

el **socio** member

el **sofá** sofa

el **sol** sun; **Hace —.** It is sunny. **El — se pone (sale).** The sun sets (rises).

solamente only

el **soldado** soldier

solo, –a alone, single

sólo only; **no — . . . sino también** not only . . . but also

la **solución** solution

la **sombra** shade, shadow

el **sombrero** hat

el **sombrerero** hatter

son *from* **ser** they are

sonar (ue) to ring; sound

sonreír(se) (i) to smile

soñar (ue) to dream; **— con** dream of

la **sopa** soup

soy *see* **ser** I am

su your, his, her, their

suave soft

subir (a) to go up, climb

sublime sublime

suceder to happen

sudamericano, –a South American

el **suelo** floor, ground; soil

el **sueño** sleep; dream

la **suerte** luck; **Nunca tengo —.** I'm never lucky. **por mala —** unfortunately

sufrir to suffer; endure; **— de** to suffer from

Suiza *f.* Switzerland

sumamente extremely

suman *from* **sumar** make, add up

sumar to give the sum of, add

superior superior, upper, greater; **— a** greater than

el **sur** south

T

tal such (a); **¿ Qué —?** How goes it? How? **— vez** perhaps

el **talento** talent

también also, too; **no sólo . . . sino —** not only . . . but also

tampoco neither, nor; **no . . . —** neither, not . . . either

tan as, so

el **tango** *characteristic Argentine dance*

tanto, –a so much, as much; **tanto dinero como** as much money as; **tantos, –as . . . como** as many . . . as; **tantos libros como** as many books as; **–os, –as** so many

tanto *adv.* so much, as much; **— . . . como** both . . . and

la **tarde** afternoon; **buenas —s** good afternoon; **de la —** in the afternoon (*time given*); **por la —** in the afternoon

tarde late; **más —** later

la **tarea** assignment, homework; chores

el **taxi** taxi

la **taza** cup

te you, to you (*fam.*); (to) yourself

el **té** tea

el **teatro** theater

tecnicolor color motion pictures

el **techo** ceiling

tejer to weave

el **tejido** weave

telefonear to telephone

el **teléfono** telephone; **la guía de —** telephone directory

la **televisión** television

temer to fear

el **templo** temple

temprano early

Primer curso para todos

el **tenedor** fork

tenemos *see* **tener** we have

tener to have; **Aquí tiene.** Here is. **¿ Qué tiene Vd.?** What is the matter with you? — **... años** be ... years old; — **apetito (hambre)** be hungry; — **frío (calor)** be cold (warm); — **ganas de** feel like; — **lugar** take place; — **miedo** be afraid; — **que** have to; — **razón** be right; — **sed** be thirsty; — **sueño** be sleepy; — **suerte** be lucky

tengo *see* **tener** I have

el **tenis** tennis

tercero, –a (tercer) third

terminar to end, finish

el **terreno** land, ground

el **territorio** territory

el **tesoro** treasure

ti you (*fam. after prep.*)

la **tía** aunt

el **tic-tac** ticking

el **tiempo** time; weather; **al poco** — after a short time; **con el** — in time; **en otro** — formerly, at one time; **en poco** — in a short time; **en todo** — at all times; **llegar a** — be on time; **¿ Qué** — **hace?** How is the weather? **Hace buen (mal)** —. It is good (bad) weather.

la **tienda** store; tent; — **de víveres** grocery store

tiene *see* **tener** he, she, it has, you have; **¿ —usted?** do you have?

la **tierra** earth, ground, land, soil

el **timbre** bell

la **tinta** ink

el **tío** uncle; **los tíos** uncle(s) and aunt(s)

típico, –a typical

el **tipo** type, kind

tirar to throw

el **título** title

la **tiza** chalk

tocar to touch; play (*an instru-*

ment); — **a la puerta** knock at the door; — **a** be one's turn

todavía yet, still; — **no** not yet

todo, –a all, every, the whole; **en todo tiempo** at all times; **por todas partes** everywhere; **toda clase de información** all kinds of information; **todo el año** the whole year, all year; **todo el mundo** everybody; **—s** everybody; **todos los días** every day

todo everything; **—s** all, everybody

tomar to take; — **asiento** take a seat

tonto, –a stupid, foolish

el **toro** bull

la **torre** tower

toser to cough

total total

trabajar to work, work on

el **trabajo** work

la **tradición** tradition

traducir (zc) (a) to translate (into)

traer to bring

el **traje** suit; costume

la **tranquilidad** calm, peace

tranquilo, –a calm, quiet

el **tránsito** traffic

el **transporte** transportation; **el medio de** — means of transportation

tras after

tratar to treat; — **de** try to; — **con** deal with

través: a — **(de)** across

trece thirteen

treinta thirty

el **tren** train

tres three

el **triángulo** triangle

la **tribu** tribe

triste sad

la **tristeza** sadness

el **tronco** trunk

tropical tropical

los **trópicos**   tropics
el **tulipán**   tulip
el **túnel**   tunnel
el **turco**   Turk
el **turista**   tourist

U

último, -a   last
un, una   a, an; **unos, -as**   some, any
único, -a   only, sole; unique
la **unión**   union
unir   to join, unite; —**se** become united
universal   universal, world
la **universidad**   college, university
uno   one
el **Uruguay**   Uruguay (*country in South America*)
usar   to use, wear; **se usa** it is used
el **uso**   use
usted   you
el **utensilio**   utensil
útil   useful
la **uva**   grape

V

va *from* **ir**   you go, he, she goes
la **vaca**   cow
las **vacaciones**   vacation; **pasar las** — to spend the vacation; **tomar las** — go on vacation
valer   to be worth; ¿ **Cuánto vale?** How much is it? **Vale la pena verlo.** It's worth while seeing it.
valiente   valiant, brave
el **valor**   courage, valor; value
el **vapor**   steamer, ship
variado, -a   different, varied
variar   to change, vary
la **variedad**   variety
varios, -as   several
el **vaso**   glass
vasto, -a   vast, large, enormous
la **vegetación**   vegetation

veinte   twenty
veinticinco   twenty-five
vencer   to win, conquer, overcome
vende *from* **vender**   he, she sells, you sell
el **vendedor**   vender; — **ambulante** peddler
vender   to sell
Venezuela *f.* Venezuela (*country in South America*)
venir   to come
la **venta**   sale
la **ventana**   window
ver   to see; **a** — let us see; **vamos a** — let us see
el **verano**   summer
el **verbo**   verb
la **verdad**   truth; **es** — it is true
verdadero, -a   real, true
verde   green
la **verdura**   green vegetables
ves *from* **ver**   you (*fam.*) see
el **vestido**   dress, suit; costume; — **de señora** lady's dress
vestir (**i**)   to dress; —**se** dress, dress up, get dressed, wear
la **vez**   time, occasion; **a la** — at the same time; **a veces** sometimes, at times; **algunas veces** sometimes, at times; **de** — **en cuando** from time to time; **en** — **de** instead of; **otra** — again; **tal** — perhaps; **una** — once
viajar   to travel
el **viaje**   trip; **hacer un** — to take a trip
el **viajero**   traveler
la **víctima**   victim
la **victoria**   victory
la **vida**   life; **el coste de la** — cost of living; **ganarse la** — earn one's living; **hacer una** — to lead a life
viejo, -a   old
el **viento**   wind; **hace (mucho)** — it is (very) windy

el **viernes** Friday
el **vino** wine
la **violeta** violet
la **visita** visit, call; visitor, company
el **visitante** visitor
visitar to visit
la **vista** sight; view; **a primera —**
at first sight; **el punto de —**
point of view
visto *p.p. of* **ver**
vistoso, –a showy
vivir to live
vivo, –a lively; brilliant, bright;
strong
el **vocabulario** vocabulary
la **voluntad** will
volver (**ue**) to return; **— a ver**
see again; **—se** become, turn
into; **Se volvió loco.** He became crazy.

vosotros, –as you (*fam. pl.*)
voy *see* **ir; — a** I am going to
la **voz** voice
la **vuelta** turn
vuelto *p.p. of* **volver**

Y

y and
ya now, already; ¡**— lo creo !**
Of course! Certainly! **— sé.**
Now I know.
yo I

Z

el **zapatero** shoemaker
el **zapato** shoe
la **zona** zone

VOCABULARY

English-Spanish

A

a (an) un, una
able: to be — poder (ue)
about de, acerca de, sobre
abroad en el extanjero
absent ausente
admire admirar
after después de
afternoon la tarde; **in the —** por la tarde
against contra
Albert Alberto
Alfonso Alfonso, Alphonso
all todo, –a; **— of us** todos, –as
almost casi
alone solo, –a
also también
always siempre
America América *f.*; **Spanish —** Hispano-América *f.*, la América española
American americano, –a, norteamericano, –a; el americano, el norteamericano
among entre
and y, e (*before* i– *or* hi– *but not* hie–)
Anna Ana
another otro, –a
answer contestar, responder
any alguno (algún), –a
anybody alguien; **not ... —** no ... nadie
anything no ... nada; nada
apartment el apartamento
apple la manzana
apple tree el manzano
arrive llegar
Arthur Arturo
artistic artístico, –a

as como, tan; **— ... —,** tan ... como; **— much —** tanto como; **— many —** tantos, –as ... como
ask preguntar; **— for** pedir (i); **I — him for a favor.** Le pido un favor. **— questions** hacer preguntas; **— oneself** preguntarse
attend asistir (a)
attention la atención; **to pay —** prestar atención
attentive atento, –a
attractive atractivo, –a
author el autor
avenue la avenida

B

bad malo, –a
badly mal
bath el baño; **take a —** bañarse
bathe bañarse
be estar, ser; **— called** llamarse; **— going to** + *inf.* ir a + *inf.:* **I'm going to see him.** Voy a verlo.
beach playa; **— umbrella** el parasol
bear dar (fruta)
beautiful bello, –a, hermoso, –a
because porque
bed la cama
bedroom el dormitorio
before delante de (*prep.*); antes de (*time*)
begin principiar, comenzar (ie), empezar (ie)
beginning el principio; **towards the — of** a principios de
believe creer
best el mejor
better mejor

between entre
black negro, –a
blackboard la pizarra
blue azul
book el libro
Boston Boston
boy el muchacho
Brazil el Brasil
bread el pan
bring traer
brother el hermano
building el edificio
busy ocupado, –a
but pero, no . . . . sino
butter la mantequilla
buy comprar

C

call llamar; **be called** llamarse
can poder (ue)
Caribbean el Caribe
Carmen Carmen
carnation el clavel
celebrate celebrar
century el siglo
certain cierto, –a
chair la silla
chalk la tiza
change cambiar
chapter el capítulo
Charles Carlos
chat charlar
cheap barato, –a
cherry tree el cerezo
child el niño, la niña; *pl.* los hijos;
  los niños
church la iglesia
city la ciudad
class la clase; **—room** la clase, la
  sala de clase; **Spanish —** la clase
  de español
classic clásico, –a
classical clásico, –a
clear claro, –a
climb subir
close cerrar (ie)
closed cerrado, –a

coffee el café
cold frío, –a; **it is —** hace frío
colony la colonia
color el color
colored en color
Columbus Colón
comb peinar; **— one's hair** peinarse
come venir
complete completo, –a
composition la composición
conduct conducir (zc)
conqueror el conquistador
consent (to) consentir (ie) (en)
continent el continente
continue seguir (i); **— to + *inf.***
  seguir *or* continuar + *pres. p.:* **—**
  studying (to study). Continúe
  (siga) estudiando.
contribute contribuir
copy copiar
copy la copia
corn el maíz
cough toser
count contar (ue)
country el país; (*as distinguished from*
  the city) el campo
cousin el primo, la prima
cover cubrir
cultivate cultivar
cup la taza
cut cortar; **— oneself** cortarse

D

dance bailar
date la fecha
daughter la hija
day el día; **by —** de día; **by —**
  and night de día y de noche;
  the following — al día siguiente
dear caro, –a; dear
December diciembre *m.*
decide decidir, decidirse a
declare oneself declararse
defend defender (ie); **— oneself**
  defenderse
desk el pupitre, el escritorio
dessert el postre

die morir (ue)
different diferente, distinto, –a
difficult difícil
difficulty la dificultad
diligent diligente
dining room el comedor
discovery el descubrimiento
distance la distancia; **in the —** a lo lejos
do hacer
doctor el médico
dollar el dólar (*U.S.A.*)
door la puerta
doubt la duda; **there is no —** no cabe duda
dream soñar (ue); **— of** soñar con
dress el vestido
drink beber
during durante

E

each cada
ear la oreja
early temprano
earn ganar; **— one's living** ganarse la vida
east el este
easy fácil
eat comer
eight ocho
eighth octavo, –a
eighty ochenta
either o, u (*before* o– *or* ho–); **not . . . — ** no . . . tampoco
emperor el emperador
end terminar, acabar
English inglés, –esa
English el inglés (*language*)
enjoy oneself divertirse (ie)
enormous enorme
enter (into) entrar (en)
entire entero, –a
equal igual
Ernest Ernesto
especial especial, particular
even aun
evening la noche; **in the —** por la noche

ever siempre; jamás; **not . . . —** no . . . nunca
every todo, –a, cada; **— day** todos los días
everybody todo el mundo, todos
everywhere por todas partes
evil malo, –a
examine examinar
excellent excelente
excursion la excursión
exercise el ejercicio
explain explicar
explanation la explicación

F

face la cara
fall caer; caerse
family la familia; **— name** el apellido
famous famoso, –a, célebre
"fan" aficionado, –a; **be a — of** ser aficionado a
fast veloz, ligero
father el padre
favor el favor
feel sentir (ie); **I — sad.** Me siento triste. **— like** tener ganas (de)
fellow el muchacho, el joven, el compañero
few algunos, –as, unos, –as
fewer menos
fifteen quince
fifth quinto, –a
fifty cincuenta
fight luchar, pelear
film la película; **colored —** la película en color
final final
find hallar, encontrar (ue)
first primer(o), –a
fish el pescado (*out of water*)
fishing la pesca
fit caber
five cinco; **— hundred** quinientos, –as
floor el piso
flower la flor

following siguiente; **the — day** al día siguiente
food la comida
for para, por
forget olvidar, olvidarse (de)
form formar
form la forma
forty cuarenta
fountain pen la pluma fuente
fourteen catorce
fourth cuarto, –a
free *adj.* libre
free *v.* libertar; **— oneself** libertarse
French francés, –esa
friend el amigo, la amiga
from de
fruit la fruta
furniture los muebles

G

garden el jardín
general general; **in —** por lo general
gentleman el caballero, el señor
German alemán, –ana
get conseguir (i), obtener; **— up** levantarse
gift el regalo
girl la muchacha
give dar
glad contento, –a; **be —** alegrarse (de)
glass el vaso
go ir; **— away** irse, marcharse; **be going to** ir a + *inf.;* **I am going to read.** Voy a leer. **— out** salir; **— to bed** acostarse (ue); **— to school** asistir a la escuela; **— up** subir
god el dios
good bueno, –a
government el gobierno
grain el grano
grammar la gramática
grammar (*book or text*) el libro de gramática

grandfather el abuelo
grandparents los abuelos
great gran(de)
green verde
grow cultivar
guide conducir (zc)

H

hand la mano
happy (estar) alegre, (ser) feliz
hard difícil
hat el sombrero
have tener; **— to** tener que + *inf.;* deber; **— a good time** pasar un buen rato, divertirse (ie); **— just +** *p.p.* acabar de + *inf.;* **He has to study.** Tiene que estudiar.
he él
hear oír; escuchar
heart: by — de memoria
Helen Elena
help ayudar
her la; **to —** le; ella (*after prep.*)
her su (de ella)
here aquí, acá; **— is** aquí está
high alto, –a
him lo, le; **to —** le; él (*after prep.*)
his su (de él)
history la historia
home la casa; **—** (*homeward*) a casa; **at —** en casa; **go —** ir a casa
homework el ejercicio, la tarea
hotel el hotel
hour la hora
house la casa
how cómo; **— many?** ¿ cuántos, –as ?
human humano, –a
hundred ciento (cien); **five —** quinientos, –as; **seven —** setecientos, –as; **nine —** novecientos, –as
hunting la caza

I

I yo
idea la idea

ideal el ideal
if si
ill enfermo, –a; **be —** estar malo, –a
imitate imitar
immediately en seguida, inmediatamente
important importante
in en
independence la independencia
independent independiente
Indian el indio
inhabitant el habitante
ink la tinta
instead of en vez de
intelligent inteligente
interested (be) interesarse en *or* por
interesting interesante
invite invitar
irresistible irresistible
is es
it (*not translated when it is the subject*); lo, la (*when it is the object*); le (*when it is the indirect object*); él, ella (*after prep.*)

J

January enero *m.*
John Juan
Joseph José
June junio *m.*
July julio *m.*
just: have — + *p.p.* acabar de + *inf.;* **I have — done.** Acabo de hacer.

K

kind la clase
kitchen la cocina
know saber (*facts*); conocer (*be acquainted with*); **— how to** saber + *inf.*

L

lady la señora, la dama; **young —** la señorita

land la tierra
language la lengua, el idioma
large grande
last pasado, –a; **— night** anoche; **— week** la semana pasada; **— year** el año pasado; **at —** por fin
last durar
late tarde
lawyer el abogado
lazy perezoso, –a
lead conducir (zc), llevar
learn aprender; **— by heart** aprender de memoria
least el menor; (el) menos
leave salir (de); partir
lemon el limón
Leonard Leonardo
less menos
lesson la lección
let dejar; **— us go** vamos; **— us write** escribamos
letter la carta
library la biblioteca
lie mentir (ie)
life la vida
light claro, –a
like gustar (a); **I should —** me gustaría
like como
listen to escuchar
little pequeño, –a
little poco *adv.;* **a — of** un poco de; **a — Spanish** un poco de español
live vivir
living room la sala
local local
long largo, –a
look (at) mirar; **— at oneself** mirarse; **— here!** ¡ mire !
lose perder (ie); **— oneself** perderse
Louis Luis

M

magazine la revista
maid la criada

man el hombre
many muchos, –as; **as —** tantos, –as
March marzo *m.*
Martha Marta
Mary María
May mayo *m.*
me me; **to —** me; **mí** (*after prep.*); **with —** conmigo
meal la comida
meat la carne
member el miembro
milk la leche
million el millón (de)
mine la mina
minute el minuto
Miss la señorita, Srta.
missionary el misionero
mistake la falta, el error; **to make —s** cometer faltas
modern moderno, –a
money el dinero
month el mes
more más; **— than** más que, más de (*before numerals*)
morning la mañana; **in the —** por la mañana
most el más; muy
mother la madre
"movie" el cine
Mr. (Mister) el señor, Sr.
Mrs. la señora, Sra.
much mucho, –a
much mucho; **as — as** tanto como; **so (as) —** tanto
music la música
must deber, tener que
my mi

N

name el nombre; **given or Christian —** nombre de bautismo o de pila; **family —** el apellido; **be named** llamarse
nation la nación
natural natural
nature la naturaleza

near cerca de
neck el cuello
need necesitar
Negro el negro
neither tampoco; **— ... nor** ni ... ni
never nunca, jamás
new nuevo, –a; **New York** Nueva York
newspaper el periódico
Nicholas Nicolás
night la noche; **last —** anoche; **by —** de noche
nine nueve; **— hundred** novecientos, –as
ninety noventa
no no; *adj.* ninguno, –a
nobody nadie
none ninguno, –a; ninguno
not no; **— ... ever** nunca, no ... nunca; **— ... any** ninguno, –a, no ... ninguno, –a; **— ... anything** no ... nada, nada
notebook el cuaderno
novel la novela
November noviembre *m.*
now ahora
number el número

O

o'clock: It's one —. Es la una. **It's five —.** Son las cinco.
October octubre *m.*
of de; **— the** del (*m.*), de la
office la oficina
old viejo, –a; anciano, –a; **—er** (*of persons*) mayor
on en, sobre
once una vez
one se + *verb 3rd. pers. sing.*: **Here — speaks Spanish.** Aquí se habla español.
open abrir; **in the —** al aire libre; **—** *adj.* abierto, –a
or o, u (*before o– or ho–*)
order el orden; **in — to** para
other otro, –a

our nuestro, –a
overcoat el abrigo, el sobretodo
overestimate exagerar
owe deber

P

pale pálido, –a
paper el papel
parents los padres
parlor la sala
part la parte
past el pasado
patriot el patriota
Paul Pablo
pay pagar; — **attention** prestar atención
pear la pera; — **tree** el peral
pen pluma; **fountain —** la pluma fuente
pencil el lápiz
people la gente
perfect perfecto, –a
period el período
permit permitir
person la persona
Peru el Perú
Peter Pedro
Philip Felipe
philosopher el filósofo
photography la fotografía
physician el médico
piano el piano
picture el cuadro; la película
pirate el pirata
place el lugar, el sitio
plant la planta
play jugar (ue); (*game*) jugar (ue) + a + *def. art.* + *game;* (*music*) tocar
please por favor; sírva(n)se + *inf.:* — **enter** sírva(n)se entrar
political político, –a
poor el pobre; **the —** los pobres
poorly mal
popular popular
possible posible
practical práctico, –a
practice practicar

pray rezar
prefer preferir (ie)
prepare preparar; — **oneself** prepararse
prepared listo, –a, preparado, –a
present presentar
pretty bonito, –a, lindo, –a
principal el principal; —**ly** principalmente
probably *expressed by the future for the present and by the conditional for the past*
product el producto
professional profesional
program el programa
progress el progreso
promise prometer
pronounce pronunciar
public público, –a
pupil el alumno, la alumna, el *or* la estudiante
put poner; — **on** ponerse

Q

question la pregunta

R

rain llover (ue)
read leer
rebel rebelarse
receive recibir
red rojo, –a
refrigerator el refrigerador
region la región
relative el pariente, la parienta
remain quedar(se)
remember acordarse (ue) de; recordar (ue)
repeat repetir (i)
republic la república
republican republicano, –a
rest lo, la (los, las) demás
restaurant el restaurante
return regresar, volver (ue); — (*an object*) devolver (ue)
rich rico, –a
Robert Roberto

Rome   Roma
room   el cuarto, la pieza
rose   la rosa
Rose   Rosa
row   la fila
rule   la regla
ruler   la regla
run   correr

S

sad   triste
Saint   San(to), Santa
same   mismo, –a
sand   la arena
say   decir
scenery   el paisaje
school   la escuela
seashore   la playa
season   la estación
seat   el asiento
seated   sentado, –a
second   segundo, –a
see   ver
seem   parecer (zc)
sell   vender
send   enviar, mandar
sentence   la frase, la oración
September   septiembre *m.*
serve   servir (i)
seven   siete; — **hundred** setecientos, –as
seventh   séptimo, –a
seventy   setenta
several   varios, –as
shade   la sombra
she   ella
shelf   el estante
shoe   el zapato
short   corto, –a
should   deber
shout   el grito
show   mostrar (ue), enseñar
sick   enfermo, –a, malo, –a
sign   el letrero
silk   la seda
Simon   Simón
sing   cantar

sink   el fregadero
sir   el señor
sister   la hermana
sit (down)   sentarse (ie)
sixth   sexto, –a
sixty   sesenta
sleep   dormir (ue); **fall asleep** dormirse (ue)
small   pequeño, –a
smile   sonreír (i), sonreírse (i)
social   social
soldier   el soldado
some   alguno, –a; algunos, –as, unos, –as
something   algo
sometimes   a veces, algunas veces
son   el hijo
soon   pronto
Spain   España *f.*
Spaniard   el español, la española
Spanish   español, –a; — (*language*) el español; — **America** Hispano-América, la América española
speak   hablar; **is spoken** se habla
special   especial
speech   el habla (*f.*)
spend   gastar; pasar (*time*)
spirit   el espíritu
star (*movie*)   la estrella
state   el estado
station   la estación
stay   quedar(se); — **in bed** guardar cama
store   la tienda
story   el cuento
street   la calle
strength   la fuerza
strong   fuerte
student   el alumno, la alumna, el *or* la estudiante
studious   aplicado, –a
study *v.*   estudiar
study   la biblioteca
sudden: all of a —   de pronto
suddenly   de pronto
suit (*of clothes*)   el traje
summer   el verano
sun   el sol

surname el apellido
swim nadar

T

table la mesa
take tomar; — **leave** despedirse (i); — **off,** — **away** quitar, retirar; — **out** sacar; — **a seat** tomar asiento
talk hablar
tall alto, –a
teach enseñar
teacher el maestro, la maestra, el profesor, la profesora
television la televisión
tell decir
ten diez
than que, de (*before a numeral*), de lo que (*before a verb*)
that ese, –a, aquel, aquella; eso, aquello; — **is why** por eso
that *rel.* que, quien, –es (*persons*)
the el, la, los, las
theater el teatro
their su (de ellos, –as)
them los, las; **to** — les; ellos, ellas (*after prep.*)
there allí, allá, ahí; — **is (are)** hay; — **was** *or* **were** había, hubo
Theresa Teresa
these estos, –as
they ellos, ellas
thing la cosa
think pensar (ie), creer; — **of** pensar en
third tercer(o), –a
thirteen trece
thirty treinta
this este, –a, esto; — **one** éste, –a
Thomas Tomás
those esos, esas; aquellos, –as
thousand mil
through por
ticket el billete
till hasta
time vez; **at** —**s** a veces; **many** —**s** muchas veces

time hora (*hour*); **at what** —? ¿a qué hora? **to have a good** — divertirse (ie), pasar un buen rato
tired cansado, –a
to a, para
today hoy
together juntos, –as
tomorrow mañana
total total
towards hacia
town el pueblo, la población
train el tren
travel viajar
tree el árbol
tribe la tribu
trip el viaje
true cierto, –a; **it is** — es verdad
truth la verdad
try to tratar de
Tuesday el martes
twenty veinte
two dos; — **hundred** doscientos, –as

U

uncle el tío
under bajo, debajo de
understand comprender, entender (ie)
union la unión
unite unir
united unido, –a,
United States los Estados Unidos
upon en, sobre; — **seeing** al ver
urge el impulso
us nos; nosotros (*after prep.*)
use usar, emplear
use el uso
used to *sign of the imperfect tense of the verb*
useful útil

V

vacation(s) las vacaciones
vegetables las verduras, las legumbres, los vegetales

very   muy; — **much** muchísimo
violet   la violeta
visit   visitar

W

wait (for)   esperar
waiter   el mozo
wake up   despertarse (ie)
walk   andar
wall   la pared
want   querer (ie), desear
war   la guerra
wash   lavar; —   **oneself** lavarse;
  — **one's hands** lavarse las manos
we   nosotros, –as
wealth   la riqueza
wear   llevar, usar
weather   el tiempo
week   la semana
well   bien; **to be** —   estar bien,
  estar bueno, –a
west   el oeste
what   lo que; —? ¿qué? ¿cuál?
  — **a !** ¡qué!
when   cuando; —? ¿cuándo?
where   donde;   —?   ¿dónde?
  ¿adónde?
which   que
while   mientras (que)
white   blanco, –a; **the** —   lo blanco
who   quien, que;   —?   ¿quién?

he —   el que, quien; **those** —   los
  or las que
whole   todo el, toda la
whole   entero, –a
whom   que; —? ¿a quién?
whose   cuyo, –a; —? ¿de quién?
why?   ¿por qué?
window   la ventana
wish   desear, querer (ie)
with   con; — **me** conmigo
without   sin
woman   la mujer
wonderful   maravilloso, –a
wool   la lana
word   la palabra
work   trabajar
work   el trabajo
world   el mundo
worse   peor
worth   el valor; **be** —   valer; **be** —
  while valer la pena
write   escribir

Y

year   el año
yellow   amarillo, –a
yes   sí
you   usted, –es *or* Vd(s).; to —   le(s),
  lo, la, los, las; Vd(s). (*after prep.*)
young   joven; —**er**, —**est** (*of persons*)
  el menor
your   su (de Vds.)

Index

Index

1. The references are to page numbers. When the reference is to a footnote, it is indicated thus: 100 footnote (page 100, footnote). 2. Such features as achievement tests, *adivinanzas*, dictation, idioms, poems, series, tables, etc., are listed as separate items.